ZETEMATA

MONOGRAPHIEN

ZUR KLASSISCHEN ALTERTUMSWISSENSCHAFT

IN GEMEINSCHAFT MIT

KARL BÜCHNER, HELLFRIED DAHLMANN, ALFRED HEUSS

HERAUSGEGEBEN VON

ERICH BURCK UND HANS DILLER

HEFT 69

Dichtung und Lehre

Untersuchungen zur Typologie des antiken Lehrgedichts

von

BERND EFFE

C. H. BECK'SCHE VERLAGSBUCHHANDLUNG

MÜNCHEN 1977

CIP-Kurztitelaufnahme der Deutschen Bibliothek

Effe, Bernd
Dichtung und Lehre: Unters. zur Typologie d. antiken
Lehrgedichts. – 1. Aufl. – München: Beck, 1977.

(Zetemata; H. 69)
ISBN 3 406 05159 6

ISBN 3 406 05159 6

© C. H. Beck'sche Verlagsbuchhandlung (Oscar Beck) München 1977
Gedruckt mit Unterstützung der Deutschen Forschungsgemeinschaft, Bad Godesberg
Gesamtherstellung: Kösel, Kempten
Printed in Germany

Vorwort

Die folgenden Untersuchungen wurden im November 1974 der Philosophischen Fakultät der Universität Konstanz als Habilitationsschrift vorgelegt. Sie erscheinen hier in leicht überarbeiteter Fassung.

Der deutschen Forschungsgemeinschaft gilt mein Dank für die Bewilligung einer beträchtlichen Druckbeihilfe, den Herausgebern der ,Zetemata' für die Aufnahme in diese Reihe. E. Burck und W. Rösler (Konstanz) haben mich liebenswürdigerweise beim Lesen der Korrekturen unterstützt. Ich danke schließlich und insbesondere meiner Frau für die vielfältige Anteilnahme und selbstlose Hilfe, die sie der Arbeit in allen Stadien ihrer Entstehung und Fertigstellung hat zuteil werden lassen.

Eine technische Vorbemerkung: Der Anmerkungsapparat beschränkt sich auf notwendige Belege und Ergänzungen und verweist auf Sekundärliteratur nur insoweit, als sie für die vorliegende Fragestellung wesentlich ist bzw. die Argumentation entlasten kann. Aufsätze (oder einschlägige Abschnitte derselben), die in Zeitschriften u. dgl. publiziert sind, werden in der Regel nur nach ihrem (ersten) Erscheinungsort, nicht aber mit voller Titelangabe zitiert. Die vollen bibliographischen Angaben finden sich im Literaturverzeichnis. Die für Periodica gewählten Abkürzungen orientieren sich an den Empfehlungen des ,Gnomon'. Wo Literatur in Kurzform zitiert ist, findet sich der volle Nachweis jeweils innerhalb der vorangehenden Anmerkungen desselben Kapitels.

Konstanz, November 1976   B. Effe

Inhaltsverzeichnis

I Einleitung

II Die drei Grundtypen

III Die übrigen Lehrgedichte

IV   Sonderformen

I Einleitung

1. Die Lehrdichtung als Problem der antiken und modernen Poetik

„Alle Poesie soll belehrend sein, aber unmerklich ... Die didaktische oder schulmeisterliche Poesie ist und bleibt ein Mittelgeschöpf zwischen Poesie und Rhetorik." „Das Wesen des Dichterischen kommt dabei [d. h.: in der Lehrdichtung] meist zu kurz, so daß solche Werke neben der entwickelten Wissenschaft aus ästhetischen Gründen recht fragwürdig erscheinen; denn der belehrende Endzweck hemmt unter Umständen die künstlerische Formgebung."

Mit diesen beiden – aus einer Fülle anderer herausgegriffenen – Äußerungen aus den Jahren 1827 bzw. 1968[1] dürfte exemplarisch der ästhetische Vorbehalt umrissen sein, mit dem die meisten Autoren und Kritiker des 19. und 20. Jahrhunderts der Lehrdichtung gegenüberstehen als einer literarischen Form, welche das Element der Poesie in den Dienst unmittelbarer Wissensvermittlung stellt. Eine solche Verbindung von Lehre und Dichtung mag aus der Sicht der für den jeweiligen Stoffbereich zuständigen Fachwissenschaft als eine inadäquate, weil sich nicht auf nüchtern-rationale Argumentation beschränkende Weise der Erörterung ihres Gegenstandes erscheinen, während andererseits aus der Perspektive der Dichtung in der zumeist trockenen Systematik, in dem inhaltlichen Eigengewicht des Stoffes, in der durch dessen Struktur von vornherein weitgehend determinierten Darstellungsweise sowie in der „schulmeisterlichen" Haltung des Autors eine unerträgliche Beschränkung und Beeinträchtigung der poetischen Entfaltungsmöglichkeiten erblickt werden muß – sofern nicht überhaupt jegliche unmittelbare Zweckgerichtetheit als mit dem ‚eigentlichen Wesen‘ der Poesie unvereinbar erscheint (s. u. S. 12 ff.). Wenn dennoch über weite Strecken der antiken, mittelalterlichen und neuzeitlichen Literatur hin die solcherart problematische Verknüpfung von Dichtung und Lehre in der literarischen Praxis eine gewichtige Rolle gespielt hat, wobei neben der Antike besonders auch die neue, klassizistische Blüte der Lehrdichtung im 17. und 18. Jahrhundert zu nennen ist,[2] so ist das nicht zuletzt darauf zurückzuführen, daß offenbar gerade jene so

---

[1] J. W. v. Goethe, Über das Lehrgedicht, in: Sophien-Ausgabe, Bd. 42, 2, Weimar 1903, 225; H. Prang, Formgeschichte der Dichtkunst, Stuttgart 1968, 153.

[2] Für den deutschsprachigen Bereich liegt jetzt eine umfassende Darstellung vor:

stark empfundene Spannung von Form und Inhalt, gerade die scheinbare Unverträglichkeit der beiden konstitutiven Elemente der Lehrdichtung einen starken Reiz auf die Autoren ausgeübt haben. Abgesehen davon, daß sich die poetische Kompetenz eines Autors gerade in der ästhetisch ansprechenden Verbindung anscheinend so schwer miteinander zu vereinbarender Elemente zu dokumentieren trachten konnte,[3] bietet doch gerade die auf den ersten Blick die dichterische Entfaltung so stark hemmende Konstellation von Poesie und Didaktik bestimmte künstlerische Möglichkeiten (z. B. in der unterschiedlichen Ponderierung der beiden Elemente, im ironischen Spiel mit der lehrhaften Haltung u. a. m.), welche die Lehrdichtung als literarische Form interessant machen und welche – was unten im einzelnen auszuführen sein wird – besonders in der Antike in reichem Maße genutzt worden sind.

Die eingangs zitierte Äußerung Goethes läßt die Vielfalt der Möglichkeiten und Abstufungen in den Blick treten, in denen sich das Didaktische in der Literatur entfalten kann. Es versteht sich, daß in einem gewissen, ganz allgemeinen Sinn jedes literarische Werk ‚lehrhaft‘ ist, sofern es überhaupt eine an einen Leser/Hörer gerichtete thematische Aussage enthält. Es versteht sich auch, daß sinnvollerweise nur dann von Lehrdichtung gesprochen werden kann, wenn die didaktische Intention des Autors einen bestimmten Grad an Deutlichkeit und Ausprägung erreicht hat – wenngleich natürlich eine exakte Fixierung der

---

L. L. Albertsen, Das Lehrgedicht. Eine Geschichte der antikisierenden Sachepik in der neueren deutschen Literatur, Aarhus 1967 (vgl. die weiterführende Kritik von H.-W. Jäger, Deutsche Vierteljahrsschr. f. Lit.-wiss. u. Geistesgesch. 44, 1970, 544 ff., sowie Albertsens Antikritik: DVjs 45, 1971, 181 ff.). Vgl. ferner C. Siegrist, Das Lehrgedicht der Aufklärung, Stuttgart 1974.

[3] Den Reiz, der in der künstlerischen Bewältigung dieser Schwierigkeit liegt, erkennt auch Goethe, der doch dem Lehrgedicht ansonsten reserviert gegenübersteht: „... gar mancher würde begreifen, wie schwer es sei, ein Werk aus Wissen und Einbildungskraft zusammenzuweben: zwei einander entgegengesetzte Elemente in einem lebendigen Körper zu verbinden" (Über das Lehrgedicht 227; Goethes Äußerungen zur Lehrdichtung sind in engster Verbindung zu dessen intensiver Beschäftigung mit Lukrez zu sehen; vgl. dazu jetzt Wolfg. Schmid, De Lucretio in litteris Germanicis obvio, in: Antidosis [Festschr. W. Kraus], WSt Beih. 5, 1972, 327 ff.). Selbstverständlich unterliegt die klassizistische Renaissance der antiken Gattung im 17. und 18. Jahrhundert anderen Bedingungen als die Entstehung des griechisch-römischen Lehrgedichts (einen wesentlichen Aspekt hinsichtlich der englischen Lehrdichtung dieser Zeit arbeitet heraus U. Broich, German.-roman. Monatsschr. 13, 1963, 147 ff.); aber die Überwindung der von Goethe gemeinten Schwierigkeit ist nicht nur für den antiken Lehrdichter ein wichtiger Anreiz für seine poetische Produktion, sondern zweifellos auch für den neuzeitlichen – zumindest soweit er sich fachwissenschaftlichen und damit ihrem Wesen nach ‚prosaischen‘ Stoffen zuwendet.

Grenze nicht möglich ist.[4] Deshalb empfiehlt es sich, den Begriff jeweils möglichst scharf zu fassen und seine Verwendung von vornherein festzulegen. Schließlich leuchtet ohne weiteres ein, daß die oben umrissene Problematik dieser literarischen Form um so augenfälliger und dringlicher wird, je stärker und unmittelbarer das didaktische Interesse in den Vordergrund tritt und je enger und rigoroser sich der Gegenstand der Lehre auf das abgeschlossene, systematisch zu entfaltende Gebiet einer fachwissenschaftlichen Einzeldisziplin eingrenzt. Die Spannung zwischen sachlich-nüchternem Lehrstoff und poetischer Gestaltung erreicht hier ihren Höhepunkt, und es bedarf „einer großen künstlerischen Gestaltungskraft, einer mindestens ornamentalen Phantasie, wenn bloßer Wissensstoff in die ästhetische oder artistische Sphäre erhoben werden soll".[5] Während man im Blick auf die vielen Formen mehr oder weniger didaktischer Poesie heute im allgemeinen von ‚lehrhafter Dichtung' spricht, hat sich der Begriff ‚Lehrgedicht', welcher früher in weiterem Sinne verwendet wurde, eingeengt auf die Bezeichnung der zuletzt charakterisierten Werke, d. h. auf poetische Darstellungen eines bestimmten, systematisierten fachwissenschaftlichen Stoffes, also auf eine Literaturform, deren gattungsbestimmende Hauptvertreter der griechisch-römischen Antike angehören.[6]

Das Lehrgedicht in diesem eigentlichen, spezifischen Sinn ist heute tot. Insofern deckt sich die eingangs umrissene Haltung der Literaturtheorie und -kritik mit derjenigen der Autoren selbst. Es ist allerdings bemerkenswert, daß der moderne Autor den entrückten Bereich des durch keine äußeren Zwecke bestimmten, autonomen Ästhetischen, der ‚reinen Dichtung' längst verlassen und sich in verstärktem Engagement der konkreten Wirklichkeit zugewendet hat und daß im Zuge dieser Entwicklung das Didaktische – verstanden in einem weiteren Sinn als Versuch direkter Einflußnahme des Autors auf das Denken und Han-

---

[4] Es mag angemessen sein, die hier gemeinte Unterscheidung zwischen Lehrhaftigkeit der Literatur im allgemeinen und Lehrdichtung im engeren Sinne durch Begriffe wie „indirekte lehrhafte Dichtung" und „direkte lehrhafte Dichtung" zu verdeutlichen, wie es W. Richter, Reallex. der deutschen Literaturgesch. 2, Berlin 1965[2], s. v. Lehrhafte Dichtung (31 ff.), versucht (36): Die lehrhafte Haltung „kann sich in allen Gattungen manifestieren, entweder so, daß die Lehrfreude sich wie von selbst inmitten der poetischen Gestaltungskraft entfaltet, den dichterischen Schwung verstärkt bzw. hervorzaubert, oder so, daß die Zweckhaftigkeit in der Lehre bewußt in Rechnung gestellt wird. Ist das letztere der Fall, so ist ... in der Regel das eigentlich Künstlerische in den Hintergrund gedrängt" (35) – womit wieder die eingangs skizzierte Reserve zum Ausdruck kommt. Vgl. zu der Unterscheidung auch B. Sowinskis Artikel ‚Didaktische Literatur' in: Handlexikon zur Literaturwiss., hrsg. D. Krywalski, München 1974, 89 ff., bes. 90.

[5] Richter 36.

[6] Zur Entwicklung des Begriffs ‚Lehrgedicht' und zu seiner Verwendung vgl. Albertsen, Das Lehrgedicht 10 ff.

deln des Rezipienten – gerade die moderne Literatur in zunehmendem Maße durchdringt. Man braucht in diesem Zusammenhang nur auf die Lyrik und Dramatik Brechts hinzuweisen und auf die in der gegenwärtigen Theorie verstärkt vorgetragenen und in der Praxis weitgehend befolgten Forderungen nach engagierter, politisch-gesellschaftlicher Aufklärung dienender Literatur. Die Unterschiede dieser neuen literarischen Didaktik gegenüber der Lehrdichtung alten Stils sind gewiß eminent und brauchen hier nicht im einzelnen erörtert zu werden. Der gravierendste Unterschied besteht wohl darin, daß an die Stelle der Vermittlung eines festen, ‚statischen‘ Wissens, das entweder in einer praxisfernen wissenschaftlichen Theorie besteht oder allenfalls das notwendige Fundament einer bestimmten praktischen Tätigkeit (z. B. Landwirtschaft) darstellt, heute in der Regel der bewußt agitatorische Aufruf getreten ist, daß das Didaktische insofern ‚dynamisch‘ geworden ist, als es die unmittelbare Umsetzung der Lehre in praktisches Handeln anstrebt. Das gilt selbst dort, wo ein moderner Autor einmal in ganz exzeptioneller Weise auf die längst obsolet gewordene Tradition des antiken Lehrgedichts zurückgreift und diese für die Gegenwart zu erneuern sucht: Das Lehrgedicht wird zum revolutionären Aufruf.[7]

Schon allein die Tatsache der Dominanz des Didaktisch-Zweckgerichteten in der gegenwärtigen Literatur läßt deutlich werden, daß die Verbindung von Dichtung und Lehre nicht so ohne weiteres aus dem Bereich des ‚eigentlich‘ Poetischen ausgeklammert werden kann, wie dies gelegentlich geschehen ist. Wo etwa – wie in dem seinerzeit einflußreichen literaturtheoretischen Werk von W. Kayser, das die Tendenzen einer bestimmten, das „sprachliche Kunstwerk"

---

[7] Gemeint ist der bemerkenswerte Versuch Brechts, das Lukrezische Lehrgedicht *Von der Natur der Dinge* in einem hexametrischen Lehrgedicht ‚Von der Natur der Menschen‘ (Titel unsicher) fortzuführen, der epikureischen Lehre des Vorgängers eine poetisch-didaktische Darstellung der kommunistischen Weltanschauung an die Seite zu stellen. Der Versuch gelangte nicht zur Vollendung (vgl. dazu W. Rösler, Gymnasium 82, 1975, 1 ff.). Neben dem umfangreichsten Stück, dem ‚Manifest‘, sind nur einige kleinere Fragmente kenntlich (Gesammelte Werke, hrsg. Suhrkamp Verlag in Zusammenarbeit mit E. Hauptmann, 4, Frankfurt 1967, 895 ff.). Das Gedicht ist selbstverständlich mehr als die Entfaltung einer Theorie, als Vermittlung ‚statischen‘ Wissens; es ist ein Aufruf zur revolutionären Praxis. Auf diese neue Funktion der Lehrdichtung weist Brecht selbst in einem Fragment des ersten Gesanges hin (896 f.): „Nicht von Erscheinungen schlechthin noch Anschauung sei hier die Rede / Nicht vom Wesen der Dinge und nicht, wie alles sich zuträgt / So erzählt, daß der Schauende eins sich fühle mit allem / Alles begreife und billige alles und bleibe der gleiche / Allseits begriffene, allseits gebilligte – nein, dieses Schildern / Werde als müßig erkannt ... Unabänderlich scheint dem Augenzeugen das Unglück / Und er betont das Schicksalhafte: jedoch der den gleichen / Weg zu gehen hat, dem ist mit solchem Gered nichts geholfen / Der will wissen: wie kann ich vermeiden, was jene vernichtet?"

von seinen Bezügen zur Realität radikal isolierenden Sicht exemplarisch zum Ausdruck bringt – Literatur im engeren Sinn außer durch den „Gefügecharakter der Sprache" durch die Schaffung einer „Gegenständlichkeit eigener Art" (im Gegensatz zu Sachverhalten und Realitäten, die unabhängig von dem Schreibenden existieren) bestimmt, d. h. an ein distanziertes Verhältnis zur ‚Wirklichkeit', an Fiktionalität gebunden wird, findet das Lehrgedicht als nicht-fiktionale Literatur keinen Platz.[8] Wo ferner der Gesichtspunkt der ästhetischen Autonomie des „sprachlichen Kunstwerkes" bestimmend in den Mittelpunkt gerückt wird, steht die Lehrdichtung notwendigerweise „als zweckbestimmte und also nicht mehr autonome Literatur außerhalb der eigentlichen Dichtung".[9] Ein der-

---

[8] W. Kayser, Das sprachliche Kunstwerk, Bern 1965[11], 12 ff. Fiktionalität ist bekanntlich auch in der die ästhetische Autonomie des literarischen Werkes betonenden anglo-amerikanischen Theorie des ‚New Criticism' das entscheidende Kriterium von Literatur im eigentlichen Sinne. So stellen z. B. R. Wellek / A. Warren in ihrer ebenfalls einflußreichen ‚Theory of literature' (übers.: Berlin 1963, 18 ff.) den „besonderen Bezug zur Wirklichkeit" als „Haupteigenschaft der Literatur" heraus und verwerfen als „bloße Rhetorik" bzw. verweisen als „Tendenzkunst" an den Rand der Literatur, was diesem Kriterium nicht genügt, u. a. auch die didaktische Dichtung (vgl. die grundsätzliche Kritik von R. Weimann, „New Criticism" und die Entwicklung bürgerlicher Literaturwissenschaft, München 1974[2]). Ihren Ursprung hat diese Bestimmung des ‚eigentlich Dichterischen' in dem Aristotelischen Dichtungsbegriff, insofern Aristoteles Dichtung an Mimesis bindet, d. h. an dargestellte (= fiktive) Wirklichkeit (s. u. S. 19 f.). In betontem Anschluß an Aristoteles steht auch der bekannte Versuch von K. Hamburger, anhand des Vergleichs dichterischer ‚Aussage' mit der an ein reales Aussagesubjekt gebundenen, auf ein Objekt gerichteten, mitteilenden Realitätsaussage, d. h. mit Hilfe des Kriteriums des Wirklichkeitscharakters und -bezuges der dichterischen ‚Aussage', zwei die drei konventionellen ‚Gattungen' konstituierende „Grundkategorien" der Dichtung zu etablieren: die fiktional-mimetische und die lyrische (Die Logik der Dichtung, Stuttgart 1968[2]). Auch in diesem poetologischen System findet das Lehrgedicht keinen Platz. Das gleiche gilt für die Fortentwicklung des Ansatzes von K. Hamburger durch R. Tarot (Euphorion 64, 1970, 125 ff.), der im Bereich der „dichtenden Sprache" die „Grundkategorien" der Mimesis (fiktive Wirklichkeit) und Imitatio (fingierte Wirklichkeit) unterscheidet. Eine solche Bestimmung der Dichtung zwingt zur Annahme der Existenz einer „breiten Übergangszone" zwischen Dichtung und Nicht-Dichtung, „in der wir praktisch nicht entscheiden können, ob wir ein echtes Aussagesubjekt und ein Wirklichkeitsdokument, oder ob wir ein / fingiertes Aussagesubjekt und ein Gebilde der dichtenden Sprache (Imitatio) vor uns haben" (139 f.). Im ersteren Fall hätten wir es dann nicht mehr mit einem Gebilde der „dichtenden Sprache" zu tun, sondern mit literarischen Formen, „die sich ihrer Geformtheit wegen aus dem Gesamtbereich der nicht-dichtenden Sprache herausheben" (141).

[9] Kayser 334. Es bedarf keiner weiteren Ausführungen, um zu erkennen, daß der Gesichtspunkt der Zweckbestimmtheit – ganz abgesehen von seiner Legitimität überhaupt – in dem Maße als Kriterium für die Unterscheidung von dichterischen und nicht-dichte-

artig eingeengter Begriff von Dichtung – er wird in der gegenwärtigen Literaturwissenschaft, welche sich weniger als ‚Wissenschaft von der Dichtung' denn
als Textwissenschaft versteht, abgelöst durch den weniger restriktiven Begriff
des literarischen Textes – setzt sich in fatalen Widerspruch zur literarischen
Wirklichkeit, zumal derjenigen vergangener Jahrhunderte.[10] Er vermag aber
auch gerade den Tendenzen der Gegenwartsliteratur nicht gerecht zu werden,
die sich in weitgehendem Verzicht auf Fiktionalität im Sinne der Schaffung
einer „Gegenständlichkeit eigener Art", in verstärkter Hinwendung zu Formen
unmittelbarer (‚dokumentarischer') Wirklichkeitswiedergabe und -kritik äußern
und die der Forderung nach Autonomie der Dichtung als einem zweckfreien
Bereich des Ästhetischen nicht nur nicht genügen, sondern vielfach zum expliziten Postulat der Zweckgerichtetheit und direkten praktischen Wirksamkeit
der Literatur führen, so daß in einem solchen Argumentationszusammenhang

rischen Texten untauglich ist, als er ein Mehr oder Weniger zuläßt und in gewisser Weise
auf alle Literatur anwendbar ist (vgl. gegen die von Kayser vorgebrachten Gesichtspunkte W. V. Ruttkowski, Die literarischen Gattungen, Bern 1968, 44 f.).

[10] Eine heftige Attacke gegen eine solche Einengung des Dichtungsbegriffs und die
Forderung, „den literarischen Radius heute so weit [zu] ziehen, daß auch das ‚Unästhetische' wieder zu seinem Rechte kommt", trägt J. Hermand vor (Jahrb. für internat.
Germ. 2, 1, 1970, 85 ff., bes. 90 ff.). Es stellt sich gerade im Hinblick auf vergangene Literaturen die hier allerdings nicht weiter zu erörternde Frage, ob es sich nicht empfiehlt,
das rein formale Element, welches bei Kayser als „Gefügecharakter der Sprache" erscheint, als differenzierendes Kriterium des Poetischen entscheidend in den Vordergrund
zu rücken, und ob nicht auf weitere Gesichtspunkte, die zur engeren Eingrenzung des
‚eigentlich Dichterischen' geltend gemacht werden (Fiktionalität u. a. m.) – so sehr diese
auch wesentliche Merkmale einer engeren Gruppe poetischer Texte erfassen mögen –,
verzichtet werden sollte; vgl. in diesem Zusammenhang etwa R. Jakobsons linguistisch
orientierten Versuch einer Bestimmung des Poetischen im Rahmen eines Kommunikationsmodells: als einer Funktion der Sprache, welche daraus resultiert, daß sich die Einstellung des Autors auf die Nachricht selbst, d. h. auf deren sprachlich-kompositionelle
Formung, zentriert (Linguistics and poetics [1960], übers. in: Literaturwissenschaft und
Linguistik, hrsg. J. Ihwe, 1, Frankfurt 1972, 99 ff.). So richtig und wesentlich z. B. die
Feststellung ist, daß literarische Texte in der Regel durch Fiktionalität gekennzeichnet
sind und – als nicht unmittelbar handlungsanweisend – ästhetische Distanz auf seiten des
Rezipienten voraussetzen, so problematisch ist es, dies zum Kriterium der Dichtung zu
machen (vgl. z. B. S. J. Schmidt, Ist ‚Fiktionalität' eine linguistische oder eine texttheoretische Kategorie? in: Textsorten, hrsg. E. Gülich/W. Raible, Frankfurt 1972,
59 ff., und die diesbezügliche Diskussion, a. O. 72 ff.). Vgl. auch H. Meyer, Jahrb. für
internat. Germ. 2, 1, 1970, 103 ff., der mit Recht die Frage stellt: „... warum soll die
Darstellung einer Wirklichkeit weniger Literatur sein als die einer Erfindung?" (107).
Vgl. ferner die Beiträge in: Literatur und Dichtung, hrsg. H. Rüdiger, Stuttgart 1973,
bes.: W. Schadewaldt (antiker Literaturbegriff: 12 ff.) und Rüdiger (Kriterium der Fiktionalität: 26 ff.).

literarische Praxis ihre Rechtfertigung gerade erst durch die Art der durch sie verfolgten außerliterarischen Zwecke erhält.

Es gibt also genügend Anlaß, die Verbannung ‚expositorischer' Texte und speziell der didaktischen Literatur aus dem Bezirk der ‚eigentlichen' Dichtung oder ihre Ansiedlung an deren äußerstem Rande, wie es seit der Reaktion der Theoretiker des ausgehenden 18. Jahrhunderts gegen die Nachblüte dieser Literatur im 17. und 18. Jahrhundert und gegen die Versuche, die Lehrdichtung durch die Etablierung einer neben den drei „Naturformen" (Goethe) anzusetzenden vierten, didaktischen ‚Gattung' zu legitimieren, weithin üblich geworden ist, ernsthaft in Frage zu stellen.[11] So artikuliert etwa C. Spitteler das Unbefriedigende an dem Gegensatz der Bedeutung, die das Lehrgedicht in der Weltliteratur besitze, und der Tatsache, daß es heutzutage „in Fluch und Bann" stehe.[12] Es scheint in der Tat, als bemühe man sich in zunehmendem Maße um eine unvoreingenommene, den Phänomenen der literarischen Wirklichkeit Rechnung tragende Einbeziehung der didaktischen Literatur in die wissenschaftliche Betrachtung der Dichtung. Dabei wird das Didaktische in der Regel als eine Autorenhaltung gefaßt, welche sich in allen Bereichen innerhalb der drei „Naturformen" der Dichtung: Epik, Dramatik, Lyrik, mehr oder weniger äußern könne. Man geht dabei zumeist – in der Meinung, auf sicherem Fundament zu stehen – von jener Dreiheit der „Grundbegriffe" bzw. „Grundhaltungen" (E. Staiger) des Dichterischen aus, wie sie sich erst seit der Wende vom 18. zum 19. Jahrhundert im Bewußtsein festgesetzt hat,[13] und versucht dem Didaktischen innerhalb dieses durch die Konvention sanktionierten Rahmens einen Platz zuzuwei-

---

[11] Als ein Theoretiker der neueren Zeit, der die Lehrdichtung ausdrücklich an den Rand des ‚eigentlich Dichterischen' verweist, sei noch genannt J. Petersen, Zur Lehre von den Dichtungsgattungen, in: Festschr. A. Sauer, Stuttgart o. J. (1925), 72 ff., bes. 100 ff. Vgl. dagegen B. Sowinski, Lehrhafte Dichtung des Mittelalters, Stuttgart 1971, 2: „Es bleibt ... zu fragen, ob nicht die rational-didaktischen Phänomene in der Gegenwartsdichtung ... ein gewandeltes Verständnis von Dichtung erfordern, das auch die lehrhafte Dichtung als vollwertige Dichtung anerkennt." – Zur Beurteilung der Lehrdichtung in Antike und Neuzeit, zum einschneidenden Wandel innerhalb der Literaturtheorie gegen die Wende vom 18. zum 19. Jahrhundert vgl. den Überblick bei Albertsen, Das Lehrgedicht 30 ff. 349 ff.
[12] Vom Lehrgedicht, in: Ästhetische Schriften (= Gesammelte Werke, Bd. 7), Zürich 1947, 179: „In einer anderen Atmosphäre aufgewachsen, würde Goethe seine Farbenlehre zum Lehrgedicht erhoben haben ... Nach meiner Ansicht würde Goethes Farbenlehre durch den Vers gewonnen haben."
[13] Vgl. I. Behrens, Die Lehre von der Einteilung der Dichtkunst, vornehmlich vom 16. bis 19. Jahrhundert, Halle 1940 (bes. 189 ff.: zu Versuchen einer gleichberechtigten Einbeziehung des Didaktischen zumal in der zweiten Hälfte des 18. Jahrhunderts und der endgültigen Etablierung der Dreiteilung); Ruttkowski 26.

sen, ohne es etwa als eine weitere „Grundhaltung" anzuerkennen.[14] Die Problematik jenes Dreiersystems, die Frage nach seiner Fundierung und Begründbarkeit und damit nach seiner wissenschaftlichen Verbindlichkeit, soll und kann hier nicht aufgerollt werden; darauf muß ebenso verzichtet werden wie auf die Erörterung allgemeiner gattungstheoretischer Fragen.[15] Es ist allerdings ohne weiteres einsichtig, daß eine überzeitliche Verabsolutierung des Systems der drei „Grundhaltungen" und seine uneingeschränkte und undifferenzierte Anwendung auf alle Epochen der Literatur, selbst wenn die betrachteten Werke innerhalb eines ganz anderen produktions- wie auch rezeptionsästhetischen Horizonts stehen, zu einer verzerrten Sicht der Phänomene führen muß.[16] Wenn nun in jüngerer Zeit einige Versuche unternommen worden sind, das ‚klassische' Schema der drei „Grundhaltungen" zu erweitern und dabei gerade dem Didaktischen, jenem „Stiefkind literaturwissenschaftlicher Betrachtung",[17] den ihm gebührenden Raum zu geben, den Raum, den es bereits vor der Kanonisierung der drei „Naturformen" beanspruchen durfte, so ist dieser Prozeß zweifellos auf die verstärkte Bedeutung des Lehrhaften in der Gegenwartsliteratur zurückzuführen: Die theoretische Reflexion paßt sich der literarischen Praxis an. So kommt etwa W. Flemming [18] zu dem Ergebnis, die drei „Grundsituationen" (d. h. Einstellungsweisen zur Welt), welche Epik, Dramatik und Lyrik konstituieren, seien durch eine vierte zu ergänzen: die der „Gedankendichtung", welche sich in einer

---

[14] Vgl. etwa Goethe, Über das Lehrgedicht 225: „Es ist nicht zulässig, daß man zu den drei Dichtarten: der lyrischen, epischen und dramatischen, noch die didaktische hinzufüge. Dieses begreift jedermann, welcher bemerkt, daß jene drei ersten der Form nach unterschieden sind und also die letztere, die von dem Inhalt ihren Namen hat, nicht in derselben Reihe stehen kann." Diesen Standpunkt macht sich bewußt Richter (33 ff.) zu eigen: „Man kommt dem Zusammenhang von Didaktik und Poesie nicht bei, wenn man die didaktische Dichtung als eine Gattung auffaßt" (33). „Das Didaktische kann ... in Wirklichkeit in jede der drei Gattungen eindringen, ohne an sich ihre Eigenart zu gefährden" (34). „Jede Dichtung nimmt im Grunde an verschiedenen Gattungen teil, so auch die lehrhafte Dichtung" (35). Vgl. auch G. Luck, Didaktische Poesie, in: Literatur 2, 1 (Das Fischer Lexikon), Frankfurt 1965, 152, der sich gegen neuere Versuche wendet, das Didaktische als eigenständige Gattung neben den drei etablierten anzusetzen: „Man wird ... vorsichtiger sagen, daß die Didaktik nicht ein formgesetzliches Eigendasein führt, sondern daß höchstens ein mehr oder minder spürbares Übergewicht des Lehrhaften in einer der drei Formgattungen vorliegen kann."

[15] Vgl. dazu jetzt die umfassende Darstellung von K. W. Hempfer, Gattungstheorie, München 1973.

[16] Vgl. K. Adel, Literatur und Kritik 4, 1969, 411 ff.; H.-R. Jauß, Theorie der Gattungen und Literatur des Mittelalters, in: Grundriß der roman. Literaturen des Mittelalters 1, Heidelberg 1972, 107 ff.

[17] Richter 31.

[18] Studium generale 12, 1959, 38 ff.

Reihe von Arten äußere (Spruch, Sinngedicht, Lehrgedicht u. a. m.). Flemming erblickt in den sich so ergebenden vier Kategorien „keine nachträglichen Klassifikationen, sondern wesenhafte Strukturen" (59). Entsprechend etabliert H. Seidler [19] eine vierte „Grundhaltung" des Didaktischen als einer zeigenden, betrachtenden Haltung. Einen vehementen Angriff gegen die seit der deutschen Klassik kanonisierte „Trinität" der ‚Gattungen' und die damit verbundene Vernachlässigung anderer literarischer Formen, vor allem didaktischer und publizistischer, trägt F. Sengle vor. Er fordert die Abkehr von der „liebgewordenen Lehre von den drei Dichtungsgattungen" (16) und die Rehabilitierung der ganzen Fülle der literarischen „Zweckformen".[20] Schließlich hat W. V. Ruttkowski (s. o. Anm. 9) in einer breit angelegten Untersuchung das traditionelle Dreiersystem ernsthaft in Frage gestellt und „das Fundament noch einmal überprüft, auf das überall gebaut wurde" (9). Ausgehend von dem auch der Poetik von Staiger zugrunde liegenden (für die Gattungstheorie nicht unproblematischen) Prinzip, „daß es allgemeinmenschliche Grundhaltungen gibt, die sich ... auch in der Literatur niederschlagen müssen" (19), gelangt Ruttkowski zu vier derartigen „Grundhaltungen": der epischen, dramatischen, lyrischen und der „publikumsbezogenen", welche neben der Didaktik auch Ironie, Artistik u. dgl. m. umfaßt. Innerhalb der „Grundhaltungen" werden in Ruttkowskis gattungstheoretischem System nunmehr die einzelnen historischen Formen als „Gattungen" angesiedelt (Lied, Roman, Tragödie, Lehrgedicht usw.), wobei die Gattungen wiederum in Arten und Typen differenziert werden können.[21]

---

[19] Die Dichtung, Stuttgart 1965², 344 ff. 438 ff.

[20] Die literarische Formenlehre. Vorschläge zu ihrer Reform, Stuttgart 1967. Sengle ist jedoch bei seinem Versuch der Rehabilitierung der „Zweckformen" nicht ganz konsequent. Indem er an einem engeren Begriff von Dichtung festhält, wie er oben im Blick auf den ‚New Criticism' und die ‚werkimmanente' Betrachtungsweise charakterisiert wurde, unterscheidet er die literarischen Formen, die „in den engeren Kreis der Poetik gehören", und die „Zweckformen" als die Formen der „nichtpoetischen Literatur" (12). Mit dieser Unterscheidung tut er seiner Intention einen schlechten Dienst. Sengle hält die neueren Versuche, die „literarische Trinität" durch eine vierte Gattung (etwa die der „Zweckform") zu ergänzen, für „bestechend", zieht es aber angesichts der fließenden Übergänge vor, „überhaupt nicht zu zählen" und statt dessen „unser literarisches System prinzipiell allen Formen [zu] öffnen" (12 f.). – Sengles Vorstoß zur Rehabilitierung der „Zweckformen" ist nicht ohne Resonanz geblieben. Es genüge hier ein Hinweis auf die einführende Darstellung von H. Belke, Literarische Gebrauchsformen, Düsseldorf 1973, einen Versuch einer Theorie und Bestandsaufnahme der „Gebrauchsformen", der allerdings das Problem der Lehrdichtung nur gelegentlich streift.

[21] Die Einschränkung des Gattungsbegriffs auf die konkreten historischen, durch differenzierende Strukturmerkmale charakterisierten Realisationen der Literatur (im Gegensatz zu den auf einer anderen Ebene anzusetzenden „Grundhaltungen" – sofern derartige anthropologische Grundkategorien im Zusammenhang der Gattungstheorie über-

Dieser grobe Umriß der Tendenzen innerhalb der gegenwärtigen Diskussion um den Platz der Lehrdichtung im Rahmen der Literatur muß genügen. Eine detaillierte Auseinandersetzung mit den einzelnen Standpunkten kann hier nicht erfolgen.[22] Es muß auch offenbleiben, ob die Versuche, das Dreierschema zu erweitern, bestimmend für die zukünftige Diskussion sein werden, ob die gattungstheoretische Reflexion nicht überhaupt auf ein tragfähigeres – etwa kommunikationswissenschaftlich-linguistisches – Fundament gegründet werden muß.[23] Festzuhalten bleibt aber in jedem Fall die bemerkenswerte Tendenz, die

---

haupt angenommen werden sollen) ist sinnvoll und sollte terminologisch Schule machen (in diesem Sinne auch Hempfer 14 ff., bes. 26 ff.; anders z.B. F. Martini, der den Begriff ‚Gattung‘ nur den als „ontische Grundhaltungen“, „fundamentale Seinsweise“ des Kunstwerks betrachteten Kategorien Epik, Lyrik, Dramatik zuerkennen will: Deutsche Philol. im Aufriß, hrsg. W. Stammler, 1, Berlin 1957², s. v. Poetik, 248 ff.). Wenn im folgenden von der ‚Gattung‘ des Lehrgedichts gesprochen wird, so ist der Begriff in diesem nicht-normativen, historischen Sinn zu verstehen als Bezeichnung für eine durch bestimmte, spezifische Merkmale gekennzeichnete, historische und insofern auch evolutionärem Wandel unterliegende Form, die sich als solche durch die Wahrung bestimmter Konventionen – seien diese nun in einem normativen System schriftlich fixiert oder mögen sie auch nur im Bewußtsein der literarisch Kommunizierenden verankert sein – im Horizont des Autors sowie des Rezipienten von anderen Formen abhebt (vgl. zu diesem Gattungsbegriff Jauß 109 ff. und – hinsichtlich seiner Anwendung auf die griechische Literatur – L. E. Rossi, BullIClSt 18, 1971, 69 ff.). Die in der Gattungstheorie so kontroverse Frage nach überzeitlichen Konstanten kann dabei aus dem Blick bleiben.

[22] B. Fabian, Das Lehrgedicht als Problem der Poetik, in: Die nicht mehr schönen Künste, hrsg. H.-R. Jauß, München 1968, 67 ff., verfolgt die theoretische Diskussion von der Antike bis in die Neuzeit hinein und glaubt die Diskriminierung der Lehrdichtung durch den Anschluß an die Bestimmung der Funktion der Dichtung durch F. Bacon überwinden zu können (88 f.): Die Dichtung habe es mit dem Entwurf von Modellen zu tun, die nicht den Charakter einer Theorie über die Wirklichkeit haben. Diese Modelle „geben nicht die ‚Natur‘ wieder, sondern transzendieren sie in ihrem Anspruch, das in der Natur entbehrte Vollkommene zu bieten ... Die Lehraufgabe des Dichters ... gewinnt ... eine neue Dimension. Der Dichter lehrt nicht einen Gegenstand, sondern er lehrt vermittels seiner Lehre.“ Fabian ist sich selbst bewußt, daß damit „die Zahl der als Lehrgedicht zu bezeichnenden Literaturwerke“ zusammenschrumpft, daß vielleicht nur zwei übrig bleiben: Lukrez und Pope, und er eliminiert tatsächlich in der sich an den Vortrag anschließenden Diskussion die Mehrzahl der antiken Lehrgedichte: Mit der alexandrinischen Tradition (Arat, Nikander usw.) „scheint poetisch und ästhetisch eine Grenze überschritten, die dem Lehrgedicht nach allgemeinen Konventionen gezogen ist“ (550). Die Wirksamkeit und der Erfolg gerade dieser Lehrgedichte in der Antike lassen aber eine solche Einschränkung zumindest im Hinblick auf diese Zeit als sehr fragwürdig erscheinen – abgesehen davon, daß einige Werke dieser Tradition, z. B. die Lehrgedichte des Arat und Vergil, der Formel des ‚Lehrens vermittels der Lehre‘ sehr viel näher kommen, als es Fabian bewußt ist.

[23] Es bleibt vor allem abzuwarten, welchen konkreten Beitrag zur literaturwissen-

didaktischen Formen der Literatur stärker in die Betrachtung einzubeziehen und auch theoretisch zu legitimieren, als es lange Zeit hindurch aufgrund eines restriktiven Begriffs von Dichtung als eines zweckfreien, autonomen Bereichs des Ästhetischen und aufgrund der als selbstverständlich hingenommenen und nicht eigentlich hinterfragten Geltung des Systems der drei „Naturformen" möglich war.

Während – wie dargestellt – die Vernachlässigung oder gar Ablehnung der Lehrdichtung durch die moderne Theorie in weitgehender Übereinstimmung mit der literarischen Praxis stand, stellt sich das Verhältnis zwischen Theorie und Praxis in der Antike anders dar. Hier behauptete sich, ja blühte das Lehrgedicht, obwohl es von der Theorie ignoriert bzw. ausdrücklich aus dem Bereich der Dichtung eliminiert wurde. Dank einer Reihe von Untersuchungen, die sich eingehend mit der Stellung der Lehrdichtung im Rahmen der antiken Poetik befassen,[24] ist eine Beschränkung auf die folgende grobe Skizze möglich, welche die wesentlichen Linien herausarbeitet.

Einen bedeutsamen Ausgangspunkt für die theoretische Erörterung der Lehrdichtung in der Antike bildet die poetologische Konzeption des Aristoteles. Dieser setzt als Kriterium der ποίησις an die Stelle des Versmaßes die μίμησις, d. h. für Aristoteles ist das entscheidende Merkmal der Dichtung ihr Verhältnis zur ‚Wirklichkeit' oder – moderner ausgedrückt – Fiktionalität. Im Rahmen einer solchen Dichtung an das Moment der Fiktionalität bindenden Theorie läßt sich das Lehrgedicht, welches sich zur Zeit des Aristoteles unter so anerkannten Namen wie denen des Hesiod, Parmenides und Empedokles präsentierte, genauso wenig legitimieren wie innerhalb späterer Konzeptionen, die bewußt oder unbewußt in der Tradition der Aristotelischen *Poetik* stehen (s. o. S. 12 ff.). Und so kommt es konsequenterweise zu dem für die antike und moderne Theorie so folgenreichen Verdikt des Aristoteles, Homer und Empedokles hätten nichts gemeinsam außer dem Metrum, und deshalb sei es angemessen, den einen einen Dichter (ποιητής), den anderen aber eher einen Naturforscher (φυσιολόγος) zu nennen.[25] Damit ist das Lehrgedicht als amimetische Literatur aus dem Bereich

---

schaftlichen Gattungsproblematik die linguistischen Versuche einer Differenzierung der Textsorten zu leisten imstande sein werden. Vgl. im übrigen die Kritik der gängigen Theorien durch Hempfer (o. Anm. 15).

[24] Fabian (o. Anm. 22); E. Pöhlmann, Charakteristika des römischen Lehrgedichts, in: Aufstieg und Niedergang der römischen Welt, hrsg. H. Temporini, 1,3, Berlin 1973, 813 ff., bes. 815 ff.; B. Gladigow, Das antike Sachgedicht. Genostheorie und Themengeschichte der didaktischen Dichtung des Altertums, im Erscheinen (mir nur durch freundliche Auskunft des Verfassers bekannt).

[25] Poet. 1,1447b 17 ff. Das von Aristoteles bekämpfte Kriterium des Versmaßes findet sich explizit z. B. bei Gorgias (Hel. 9) und Platon (Gorg. 502 C; Phaedr. 258 D).

der Poesie eliminiert und als eine nur äußerlich ‚poetische' Sonderform der
Weise wissenschaftlicher Argumentation zugeordnet.[26] In der Tradition der Aristotelischen Theorie steht dann z. B. Plutarch, wenn er Dichtung durch die
Elemente des μῦθος und ψεῦδος (also durch die spezifische Weise ihres Wirklich-
keitsbezuges) charakterisiert und davon die Lehrdichtung sondert, welche sich
der poetischen Form nur bediene, um dem Prosaischen zu entgehen (De aud.
poetis 16 C).

Muß das Lehrgedicht im Rahmen dieser Auffassung als nur quasi-poetische
Form betrachtet werden, so findet es im Umkreis der primitiveren und älteren
Theorie, welche Poesie allein durch das Versmaß bestimmt und welche durch die
Autorität des Aristoteles in ihrer Wirksamkeit keineswegs entscheidend beeinträchtigt worden ist, ohne weiteres seinen Platz innerhalb der hexametrischen
Dichtung, insofern der Hexameter bis auf ganz wenige Ausnahmen das ver-
bindliche Maß der Lehrdichtung im engeren Sinne ist. Soweit wir sehen, wird
das Lehrgedicht dabei in der Regel nicht als eine besondere Form herausge-
hoben.[27]

Man wird wohl nicht fehlgehen, wenn man die zuletzt skizzierte Auffassung
als die in der Antike verbreitetste betrachtet: Das Lehrgedicht wird – ohne als
spezifische Gattung in den Blick zu kommen – der episch-hexametrischen Dichtung subsumiert. Allerdings gibt es auch Ansätze einer weitergehenden Differenzierung. Der *Tractatus Coislinianus*[28] kennt neben der mimetischen Dichtung
eine nichtmimetische, erweitert also den Aristotelischen Dichtungsbegriff um
eine entscheidende Dimension. Ein Teil der amimetischen Poesie wird als „erzie-
herisch" klassifiziert, und dieser Teil spaltet sich wiederum in „instruierende"
und „betrachtende" Dichtung – ein System, welches für die Lehrdichtung Platz
freihält. Wichtiger, weil die mittelalterliche Diskussion bestimmend, ist das poetologische System des spätantiken Grammatikers Diomedes.[29] Ausgehend von

---

[26] Die von Aristoteles vollzogene Eliminierung des Lehrgedichts ist nicht etwa auch
Folge einer geringen Einschätzung von dessen ästhetischen Qualitäten, sie ist tatsächlich
Konsequenz der poetologischen Grundkonzeption. Das erhellt mit aller nur wünschens-
werten Klarheit aus einer aus der verlorenen Schrift De poetis geretteten Äußerung
(Fr. 1 Ross), wo Empedokles als Ὁμηρικός bezeichnet und dessen Kunst in der Ver-
wendung poetischer Mittel herausgestellt wird.

[27] So erscheinen etwa bei Dionysios von Halikarnassos (De comp. verb. 22,150)
Empedokles und Antimachos als Epiker nebeneinander, und Quintilian (10,1,46 ff.
85 ff.) stellt ohne Differenzierung alles metrisch Gleichartige zusammen; vgl. dazu
P. Steinmetz, Hermes 92, 1964, 454 ff.

[28] Com. Graec. Fragm., ed. Kaibel, 1, Berlin 1899, 50.

[29] Gramm. Lat., ed. Keil, 1, 482. Vgl. zur Fortwirkung des Diomedes E. R. Curtius,
Europäische Literatur und lateinisches Mittelalter, Bern 1965⁵, 437 ff.

der Platonischen Gliederung der Dichtung in dramatische, erzählende und solche, die beides vereint (Resp. 3,392 C ff.), führt Diomedes innerhalb des *genus enarrativum* eine *species* ein, die er als *didascalice* bezeichnet: *qua conprehenditur philosophia Empedoclis et Lucreti, item astrologia ut Phaenomena Arati et Ciceronis et Georgica Vergilii et his similia.* Hier ist also das Lehrgedicht ausdrücklich als besondere Gattung berücksichtigt und anerkannt. Es ist allerdings die Frage, wie weit diese Theorie aus der Spätantike zurückdatiert werden kann und – sollte sie tatsächlich verhältnismäßig früh entstanden sein [30] – in welchem Maße sie das Bewußtsein der antiken Autoren geprägt hat.

Wieviel Fragen auch immer angesichts der spärlichen Daten über die antike Theorie offenbleiben müssen,[31] so zeigen doch die Autoren selbst ein ausgeprägtes Gattungsbewußtsein. Es ist nicht auszumachen, inwieweit sich die Lehrdichter in ihrer Praxis etwa bewußt gegen das Verdikt des Aristoteles gestellt haben;[32] es ist ebenso wenig zu klären, in welchem Maße sich ihre literarische Tätigkeit auf dem Fundament eines poetologischen Systems etwa nach Art der Theorie des Diomedes entfaltete: sicher ist nur, daß die Lehrdichter so etwas wie ein literarisches Gruppenbewußtsein besaßen. Das mag in Einzelfällen wenig reflektiert und durch keinerlei literaturtheoretische Erwägungen gestützt gewesen sein, aber die Fülle der versteckten und der programmatischen Bezugnahmen der Autoren aufeinander, das wiederholt feststellbare Streben, das Werk und die Thematik der Vorgänger fortzuführen, in einem neuen, bedeutenderen Gedicht ‚aufzuheben‘, die gelegentliche Polemik gegeneinander:[33] all das macht

---

[30] Pöhlmann (829 ff.) meint genügend Anhaltspunkte für die Rückdatierung der Theorie des Diomedes in die Zeit des Hellenismus namhaft machen zu können. Das von ihm beigebrachte Material läßt aber doch wohl eine endgültige Entscheidung nicht zu.

[31] Zu nennen ist vor allem noch eine Bemerkung des Vergil-Kommentators Servius (Georg. praef., S. 129, 9 ff. Thilo): *et hi libri didascalici sunt, unde necesse est ut ad aliquem scribantur. nam praeceptum et doctoris et discipuli personam requirit: unde ad Maecenatem scribit, sicut Hesiodus ad Persen, Lucretius ad Memmium.* Hier wird also mit einem *genus didascalicum* gerechnet, welches sich durch ein bestimmtes strukturelles Merkmal, das Lehrer-Schüler-Verhältnis, auszeichnet.

[32] Selbstverständlich betrachteten sich die Lehrdichter als Dichter im eigentlichen Sinne. Die Aristotelische Einschränkung ist ohne Wirkung auf ihr dichterisches Selbstbewußtsein geblieben. Es ist aber nicht zu entscheiden, ob der wiederholt erhobene poetische Anspruch eine bewußte Reaktion auf das Verdikt des Aristoteles darstellt oder ob er sich davon ganz unbeeinflußt äußert.

[33] Diese internen Beziehungen werden unten im Zuge der Einzelinterpretation in angemessener Ausführlichkeit zur Sprache kommen. Hier mögen die folgenden summarischen Bemerkungen genügen: Arat schließt betont an die Lehrdichtung des Hesiod an; Nikander verweist programmatisch auf Hesiod und Arat; Lukrez betrachtet sich als Erneuerer des Empedokleischen Lehrgedichts; Vergil versucht in seinem Werk die di-

zur Genüge deutlich, wie stark unter den Lehrdichtern das Bewußtsein ausgeprägt war, eine ganz spezifische literarische Form zu pflegen. Nicht zuletzt dieses Bewußtsein der antiken Autoren berechtigt den modernen Interpreten, von dem Lehrgedicht, einer durch eine Reihe von Merkmalen gekennzeichneten, klar umrissenen literarischen Form, als einer Gattung der antiken Literatur zu sprechen, wobei der Begriff ‚Gattung‘ in dem oben (Anm. 21) skizzierten, nichtnormativen, historischen Sinn zu verstehen ist. Daß man sich dabei in einem nur sehr geringen Maße auf die antike Literaturtheorie selbst berufen kann, die ja – wie oben in Umrissen dargelegt – diese Form entweder aus der Dichtung eliminierte oder doch zumindest weitgehend nicht als eigenständige ‚Gattung‘ betrachtete, braucht nicht zu irritieren.

2. Das Lehrgedicht als eine Gattung der antiken Literatur

Es wurde oben (S. 10 f.) auf die Notwendigkeit hingewiesen, angesichts des weiten Bedeutungsspielraums und der Unschärfe des Begriffs ‚Lehrdichtung‘ dessen Verwendungsweise jeweils genau zu fixieren. Wenn im folgenden von ‚Lehrdichtung‘ gesprochen wird, so bezieht sich dies auf eine ganz spezifische Form innerhalb des weiten Bereichs der lehrhaften Literatur der Antike: auf die Form literarischer Didaktik, für die heute die Bezeichnung ‚Lehrgedicht‘ üblich geworden ist. Das Moment des Lehrhaften kann in unterschiedlicher Intensität und in divergierenden Richtungen die verschiedensten Formen der antiken Literatur durchdringen, kann sich der verschiedensten ‚Schreibarten‘ und Aussageweisen bedienen, prosaischer wie poetischer. Man denke nur innerhalb des Bereichs der metrisch gebundenen Sprache an die paränetische Elegie in der frühen griechischen Literatur und an Satire und Epistel in der lateinischen Dichtung. Alle diese Formen „indirekter lehrhafter Dichtung" (s. o. Anm. 4) bleiben hier außer Betracht. Die folgenden Untersuchungen beschränken sich auf die Erörterung des Lehrgedichts als einer Form „direkter lehrhafter Dichtung", in welcher das Didaktische am unverhülltesten, intensivsten und systematischsten in den Vordergrund tritt. Das antike Lehrgedicht ist inhaltlich dadurch bestimmt, daß ein einer bestimmten wissenschaftlichen Disziplin (Fachwissenschaft oder Philosophie) zugehöriger und deren Kompetenz unterliegender Stoffbereich, wel-

---

daktische Dichtung des Hesiod, Arat, Nikander und Lukrez zu integrieren; Grattius fordert zum Vergleich seines Lehrgedichts mit denen des Lukrez und Vergil auf; dasselbe gilt für Manilius; der Aetna-Dichter polemisiert gegen Manilius; Oppian evoziert im Bewußtsein des Lesers seinen Vorgänger Arat; der Periheget Dionysios stellt der Himmelsdichtung des Arat die Erdbeschreibung konkurrierend an die Seite u. a. m.

cher als solcher ein systematisierbares, in sich geschlossenes Ganzes bildet, in metrisch gebundener Form vorgetragen wird. Der Lehrdichter läßt sich in seiner Darstellung von den dem Lehrgegenstand innewohnenden, ihn bestimmenden sachlichen Strukturen leiten, d. h., er trägt den Stoff in sachgemäßer und systematischer Ordnung vor und bemüht sich um dessen möglichst adäquate und vollständige Ausbreitung. Dies ist zumindest die gattungskonstituierende Erwartung des Publikums, eine Erwartung, welche in der Regel auch nicht enttäuscht wird. Wo ein Autor die Systematik zurücktreten läßt, die sachliche Gliederung verschleiert, auf Vollständigkeit weitgehend verzichtet oder sachfremden Elementen breiten Raum gewährt, verfolgt er vom ‚Normaltyp‘ des Lehrgedichts abweichende Intentionen, die sich als solche erst vor dem Hintergrund der an sich vom Rezipienten erwarteten und auch vom Autor vorausgesetzten Gattungsstruktur abzeichnen und ihre interpretatorische Relevanz erhalten. Der Zweck der Darstellung – sei es daß er tatsächlich verfolgt wird, sei es daß er nur vorgeblich existiert, daß der Autor die Rolle des Lehrers nur spielt – ist die Belehrung eines oder mehrerer Adressaten, wobei der Adressat häufig mit Namen genannt, in jedem Falle aber – als genannter oder als anonym bleibender Partner des Lehrvorgangs – wiederholt vom Dichter mit imperativischen Wendungen angeredet wird und so in die Sachdarstellung als deren Zielpunkt einbezogen wird.[34] Als metrische Form ist seit den Anfängen der Gattung der Hexameter verbindlich; die geringen und verschwindenden Ausnahmen fallen nicht ins Gewicht.

Mit diesen Bemerkungen sind die grundlegenden Charakteristika des antiken Lehrgedichts umrissen. Sie gelten in gleicher Weise für das griechische wie für das lateinische Lehrgedicht. Dieser Umstand und die Tatsache, daß das lateinische Lehrgedicht an die griechische Tradition anknüpft und daß über weite Strecken hin beide Traditionen nebeneinander parallel laufen, rechtfertigen, ja erfordern eine Betrachtungsweise, die beide Stränge unter denselben Gesichtspunkten gemeinsam erörtert.

Im Rahmen der geschichtlichen Entwicklung der Gattung in der griechisch-

---

[34] Dieses Strukturelement hatte bereits Servius (s. o. Anm. 31) als konstitutives Moment des *genus didascalicum* herausgestellt. Selbstverständlich können – je nach Art des Lehrgegenstandes und der Haltung des Autors – beschreibende Partien und den Adressaten direkt ansprechende Passagen in den einzelnen Werken unterschiedlich stark vertreten sein, aber die grundsätzliche Wendung an einen zu belehrenden Partner bleibt im antiken Lehrgedicht immer obligatorisch. Dies wird mit Recht betont von M. Erren, Untersuchungen zum antiken Lehrgedicht, Diss. Freiburg i. Br. 1956, 5 ff., bes. 24: „Wir unterscheiden Lehrgedichte grundsätzlich daran von anderen Gedichten, daß ein Lehrgedicht ausdrücklich in seiner Gesamtheit als ein Gespräch zwischen Autor und literarisch Angesprochenem sich darstellt ...“

römischen Antike hat man nun scharf zwei Perioden zu unterscheiden. Die erste betrifft nur den griechischen Bereich und erstreckt sich von den Anfängen der griechischen Literatur bis ungefähr in das 5. Jahrhundert v. Chr. hinein, die andere beginnt für uns mit dem Lehrgedicht des Arat, einem die Tendenzen der Literatur des beginnenden 3. vorchristlichen Jahrhunderts in charakteristischer Weise zum Ausdruck bringenden Werk, und reicht bis zum Ausgang der Antike.

Die Lehrgedichte der ersten Periode, die mit dem in der späteren Tradition immer wieder als Archegeten der Gattung in Anspruch genommenen Hesiod [35] einsetzt und der vor allem die philosophischen Lehrgedichte des Xenophanes, Parmenides und Empedokles angehören, sind grundsätzlich dadurch von denen der zweiten geschieden, daß sich für ihre Verfasser die für die Autoren seit Arat ganz selbstverständliche Alternative zwischen metrisch gebundener oder prosaischer Darstellung gar nicht oder doch zumindest nicht in gleicher Weise stellte. In einer Zeit, da die Prosa literarisch noch nicht entwickelt war oder sich erst allmählich in Auseinandersetzung mit den traditionellen Formen der Poesie herausbildete, um diese schließlich weitgehend zu verdrängen, ergab sich für den didaktischen Autor die metrische Form von selbst; die für die spätere antike und moderne Theorie so problematische Verknüpfung von Dichtung und Lehre konnte für diese Zeit gar kein Problem darstellen. Erst mit der Entwicklung der Prosa und mit der damit parallel verlaufenden Tendenz, wissenschaftlich-lehrhafte Intentionen in der Form wissenschaftlicher Prosa zu verbreiten, konnte das Lehrgedicht zu einer fragwürdigen poetischen Gattung werden, ja, konnte sich das Lehrgedicht überhaupt erst insofern als spezifische Gattung konstituieren, als diese von dem spannungsreichen Gegensatz von Inhalt und Form geprägt ist. Es ist ohne weiteres verständlich, daß mit der Ausbildung der Prosa das Lehrgedicht zunächst in dem Maße obsolet wurde, wie die Fachprosa als adäquateres Mittel fachwissenschaftlich-philosophischer Belehrung angesehen wurde.

Der fundamentale Unterschied der Arateischen und nacharateischen Lehr-

---

[35] So verständlich und legitim diese Sicht der Späteren auch ist, so muß doch festgehalten werden, daß die in diesem Zusammenhang in erster Linie zu nennenden *Erga* Hesiods ungeachtet struktureller Ähnlichkeiten mit späteren Lehrgedichten (didaktische Wendung an einen bestimmten Adressaten u. a. m.) doch kein Lehrgedicht in dem oben gekennzeichneten Sinn darstellen, daß die ‚fachwissenschaftliche‘ Lehre hier vielmehr eingebettet ist in eine allgemeine moralische Paränese (vgl. dazu H. Diller, Die dichterische Form von Hesiods Erga, AbhMainz, Geistes- u. sozialwiss. Kl., 1962, 2): Die *Erga* stellen kein Lehrgedicht dar, das einen fachwissenschaftlichen Stoff systematisch abhandelt, sondern sind als umfassende Mahnrede zu verstehen, die im Zuge der Argumentation für eine bestimmte Lebensführung *auch* Ratschläge ‚fachwissenschaftlicher‘ Art erteilt.

dichtung gegenüber der ersten Periode wird durch diese Überlegung sofort deutlich.[36] Zur Zeit der hellenistischen Wiederentdeckung und Neubelebung der alten, aber auch veralteten Gattung war die fachwissenschaftliche Prosa längst etabliert. Es war längst üblich geworden, Gegenstände der Fachdisziplinen in systematischen Prosatraktaten zu behandeln. Wenn man nun in bewußtem Rückgriff auf Hesiod versuchte, die dem Zuständigkeitsbereich poetischer Darstellungsweise inzwischen entrissenen Gegenstände für die Dichtung zurückzuerobern, die inzwischen entstandene Kluft zwischen Dichtung und Lehre zu überbrücken und so das alte Lehrgedicht neu zu konstituieren, so leuchtet das Artifiziell-Künstliche dieses Versuchs unmittelbar ein. In geradezu provokativer Weise greift die Dichtung im Bestreben, neue Wege zu gehen, nach Stoffen, welche ihr die literarische und wissenschaftliche Entwicklung längst entrissen hatte. Erst jetzt bedeutet die Verbindung von Dichtung und Lehre ein bewußt wählendes und zudem überraschendes Vorgehen seitens des Autors; erst jetzt erhält das Lehrgedicht aus der Opposition zur Fachprosa seinen spezifischen Stellenwert im Ganzen der Dichtung.

Es kommt ein weiterer, nicht minder wesentlicher Unterschied hinzu. Die Lehrdichter der ersten Periode hatten ihr eigenes Sachwissen bzw. ihre eigene philosophische Überzeugung in der Form didaktischer Poesie zu vermitteln und zu verbreiten gesucht. Ihre Lehrdichtung war ein Versuch, die selbst gewonnenen Erkenntnisse und Einsichten einem bestimmten Adressaten zugänglich zu machen. Der Lehrstoff stand so in unmittelbarer Beziehung zur Person des Autors. Dieses direkte, persönliche Verhältnis des Dichters zu seinem Gegenstand ist in der zweiten Periode nicht mehr mit der gleichen Selbstverständlichkeit gegeben. Hier handelt es sich zumeist um nichts anderes als um die Versifizierung eines dem Autor bereits vorliegenden fachwissenschaftlichen bzw. philoso-

---

[36] Vgl. etwa W. Kroll, RE 24. Halbbd., 1925 (s. v. Lehrgedicht), 1843 ff.; Pöhlmann 843 f. Der fundamentale Unterschied der beiden Perioden griechischer didaktischer Poesie wurde bereits ähnlich von Friedrich Schlegel herausgestellt in seiner spezifische Phänomene der griechischen Literatur erstaunlich klar erfassenden Frühschrift ‚Über das Studium der griechischen Poesie', jetzt in: F. Schlegel, Schriften zur Literatur, hrsg. W. Rasch, München 1972, 84 ff. Das „ältere didaktische Gedicht der Griechen" finde „seine eigentliche Stelle" in einer Zeit, da „sich die Philosophie vom Mythus ... noch nicht völlig losgewickelt" habe, da die poetische Sprache „vor der Bildung der Prosa das allgemeine Organ jeder höhern geistigen Mitteilung" war. „Mit diesem vorübergehenden Verhältnis fällt auch die Natürlichkeit und Rechtmäßigkeit dieser Formen weg, und für das spätere didaktische Gedicht der Griechen im gelehrten Zeitalter der Kunst blieb nur das ganz ungültige Prinzip übrig: die Künstlichkeit des eitlen Virtuosen in schwierigem Stoff absichtlich sehn zu lassen" (171). Damit ist über die spätere Tradition das Urteil gefällt, welches auch heute noch weithin bestimmend ist.

phischen Prosatraktats, d. h., der Lehrdichter stellt in der Regel längst systematisiertes, fremdes Wissen dar, er bezieht seinen Stoff aus zweiter Hand. Der Dichter hat vielleicht Sachinteresse – auch das ist gelegentlich nur bedingt vorhanden –, verfügt aber zumeist nicht über eigentliche Sachkompetenz.[37] Erst aufgrund der nur mittelbaren Beziehung des Autors zu seinem Gegenstand ergeben sich hinsichtlich der Intensität und der Ausrichtung der lehrhaften Haltung Konsequenzen, welche die Grundlage der hier unternommenen Typologie bilden.

3. Ziel und Methode der vorliegenden Arbeit

Die aus der Antike bis in die Moderne reichende mehr oder weniger abschätzige Beurteilung der Lehrdichtung hat im Hinblick auf die antiken Lehrgedichte zu einer unverantwortlichen Vernachlässigung seitens der Forschung geführt. Mag die Gattung dichtungstheoretisch auch noch so anfechtbar und problematisch erscheinen, so hätte doch allein die Tatsache zu einer unvoreingenommenen Beschäftigung mit ihr veranlassen sollen, daß die erhaltenen Lehrgedichte – von den fragmentarisch und nur den Titeln nach greifbaren ganz zu schweigen – einen wesentlichen Teil dessen ausmachen, was überhaupt von der antiken Literatur auf uns gekommen ist. Man interessierte sich jedoch allenfalls für eine geringe Zahl herausragender Werke, welche aufgrund ihrer hohen Geltung und großen Wirkung innerhalb der antiken Literatur und darüber hinaus schlechterdings nicht übergangen werden konnten, und war sich dabei offenbar nicht bewußt, daß auch diese adäquat nur im Blick auf die Gesamtheit der griechisch-römischen Lehrdichtung beurteilt werden können: Neben den didaktischen Gedichten des Lukrez und Vergil ist in den letzten Jahren Arat verstärkt in das Blickfeld der Forschung getreten. Wo einmal – als seltene Ausnahme – die Gattung insgesamt dargestellt wurde, beeinträchtigte die unverhohlen geäußerte

---

[37] Die mangelnde Sachkompetenz der Lehrdichter seit Arat ist ein Merkmal der Gattung, dessen man sich offenbar bewußt war und das man akzeptierte, indem man das Augenmerk auf die formale Leistung der Autoren richtete. Vgl. Cicero, De oratore 1,16, 69: *etenim si constat inter doctos hominem ignarum astrologiae ornatissimis atque optimis versibus Aratum de caelo stellisque dixisse, si de rebus rusticis hominem ab agro remotissimum Nicandrum Colophonium poetica quadam facultate non rustica scripsisse praeclare, quid est cur non orator de rebus eis eloquentissime dicat, quas ad certam causam tempusque cognorit?* „Das Publikum seiner [d. h.: Ciceros] Zeit pflegte also Lehrgedichte als künstlerische Leistungen aufzufassen; es fand sich damit ab, daß der wissenschaftliche Stoff aus zweiter Hand bezogen war" (M. Fuhrmann, in: Die nicht mehr schönen Künste [o. Anm. 22], 551).

Voreingenommenheit des Betrachters von vornherein die Chance eines angemessenen Verständnisses.[38] Erst in jüngerer Zeit scheint sich eine Änderung abzuzeichnen. Mit der zunehmenden ‚didaktischen‘ Ausrichtung der Gegenwartsliteratur und mit der Bereitschaft der modernen Poetik, diesem Phänomen verstärkte Aufmerksamkeit zuzuwenden, scheint man auch innerhalb der Grenzen der Fachdisziplin dem antiken Lehrgedicht wachsendes Interesse entgegenzubringen. Man ist sich offenbar bewußt, daß es Versäumtes nachzuholen gilt.

Dabei tritt als die vordringlichste Aufgabe zunächst einmal eine Bestandsaufnahme der antiken Lehrdichtung in den Vordergrund, eine Bestandsaufnahme, die sich um eine vorurteilslose und den Intentionen der Autoren gerecht werdende Beschreibung der Werke bemüht. Diese Aufgabe ist um so dringlicher, als persönliche Voreingenommenheit der Interpreten oder auch die Tatsache, daß sich das Urteil auf eine – zumeist noch summarische – Kenntnis nur weniger Werke gründete, zu bestimmten Klischeevorstellungen über ‚das‘ antike Lehrgedicht geführt haben, die noch heute vielfach die Einsicht in die Fülle der Möglichkeiten, welche die Gattung dem Autor eröffnete, zu versperren drohen. Es bedarf zuerst der Kenntnis der Werke und der untereinander stark differierenden Intentionen der Verfasser, ehe man sich weitergehenden Fragen, wie etwa denen nach der geschichtlichen Entwicklung der Gattung und nach deren Bedingungen zuwenden kann.

Es versteht sich, daß es für eine solche Bestandsaufnahme, auf die sich die vorliegende Arbeit angesichts der Forschungslage zu beschränken hat, im Hinblick auf einzelne wenige Lehrgedichte Vorarbeiten gibt. Selbstverständlich haben z. B. die Werke eines Lukrez und Vergil immer schon ein Interesse gefunden, welches zu Ergebnissen geführt hat, die hier übernommen oder auch als allgemein bekannt vorausgesetzt werden können. Diese blieben aber in der Regel auf Einzelgedichte beschränkt; sie wurden nicht aus einer von bestimmten methodischen Grundüberlegungen ausgehenden Gesamtbetrachtung der Gattung heraus gewonnen. In dieser Isolierung hatten die Erkenntnisse vielfach etwas Zufälliges. Sie mochten wohl bestimmte Züge der jeweils untersuchten Werke zutreffend erfassen, aber schon ein fundiertes Urteil über deren Stellung im Rahmen der gesamten Gattungstradition war auf der Grundlage solcher Betrachtungsweise nicht möglich. So erkannte man z. B. bereits vor längerer Zeit die besondere Struktur und die spezifische Weise der Didaktik in den *Georgica* Vergils, eine Erkenntnis, welche durch neuere Forschungen abgesichert werden konnte; aber die Isolierung der Blickrichtung führte dazu, daß man dieses Gedicht als

---

[38] Musterbeispiel dafür ist der einschlägige RE-Artikel von W. Kroll (24. Halbbd., 1925, 1842 ff.), in den Grundzügen identisch mit der Darstellung in: Studien zum Verständnis der römischen Literatur, Stuttgart 1924, 185 ff.

vereinzelt dastehenden künstlerischen Höhepunkt der antiken Lehrdichtung betrachtete und es so aus einer Tradition heraushob, in die es sich unübersehbar selbst hineinstellt (s. u. S. 80 ff. 93 ff.).

Vor allem aber fehlte den bisherigen Betrachtungen ein fester methodischer Ausgangspunkt, der geeignet gewesen wäre, dem Interpreten Kriterien für die angemessene Beurteilung der Werke und die Erfassung ihrer Spezifika im Rahmen der Gattungstradition an die Hand zu geben. Diesem Defizit versucht die folgende Darstellung zu entgehen. Sie setzt sich zum Ziel, die Vielzahl der erhaltenen antiken Lehrgedichte typologisch zu ordnen und damit an die Stelle der verbreiteten, zumeist an einem unzulässig vereinfachten Bild der artistisch-hellenistischen Variante orientierten Vorstellung von ,dem' Lehrgedicht ein differenziertes Verständnis von der Vielfalt der poetischen Möglichkeiten zu setzen, welche die Gattung dem Autor eröffnete. Dabei treten nicht nur die bedeutsamen und tiefgehenden Unterschiede hervor, welche die einzelnen Gedichte in Struktur und Intention gegeneinander aufweisen; dabei wird vor allem klar, warum diese scheinbar so abstruse und poetisch so undankbare Gattung immer wieder Bearbeiter gefunden hat, und zwar, wie etwa die Namen Arat und Vergil zeigen, gerade nicht Autoren, deren poetische Kapazität zu gering gewesen wäre, um sich an den anerkannten, traditionellen Formen der Poesie zu versuchen, sondern Dichter, deren geschärftes künstlerisches Bewußtsein in dieser Gattung reiche, durch die Tradition noch nicht ausgeschöpfte Möglichkeiten poetischer Darstellung und Deutung der Wirklichkeit erblickte.

Eine Typologie des antiken Lehrgedichts ist also das Ziel dieser Arbeit, eine Typologie, welche anhand der Konstruktion und empirischen Verifizierung von drei – selbstverständlich in keiner Weise normativ mißzuverstehenden – Grundtypen die Fülle der Werke überschaubar macht und dem Interpreten die Möglichkeit eröffnet, die signifikanten Unterschiede der Einzelwerke in den Blick zu bekommen.[39] Es leuchtet ohne weiteres ein, daß ein solcher Klassifizierungs-

---

[39] Unbefriedigend sind in dieser Hinsicht die beiden jüngsten umfassenden Darstellungen. Die Untersuchung von Erren (o. Anm. 34) geht zu einseitig von der für die Gattung konstitutiven Gesprächssituation Autor – Adressat aus: eine zu schmale Grundlage für die Herausarbeitung wesentlicher Differenzen der Werke und der Autorintentionen. Außerdem bleibt gerade das nacharateische Lehrgedicht, auf das sich die folgenden Darlegungen aus bestimmten, sogleich näher zu charakterisierenden Gründen beschränken, weitgehend aus dem Blick. Die Arbeit von Pöhlmann (o. Anm. 24) muß sich aus Platzgründen mit summarischen Bemerkungen, die zudem auf das römische Lehrgedicht konzentriert sind, begnügen. Sie leidet vor allem daran, daß die Gesichtspunkte, anhand derer die einzelnen Werke erörtert werden, verhältnismäßig willkürlich und zufällig gewählt und nicht in grundsätzlichen methodischen Überlegungen fundiert werden. Ähnliches gilt für W. Schetters jüngst erschienene kurze Skizze über das römische

versuch nur dann zu erhellenden Ergebnissen gelangt, wenn es gelingt, diejenigen entscheidenden Gesichtspunkte zur Grundlage der Typologie zu machen, welche den Besonderheiten der Gattung am ehesten gerecht werden und so wesentliche, den Kern der Werke betreffende Differenzierungen vorzunehmen erlauben.[40] So führt es nur zu oberflächlichen, hinsichtlich der Struktur der Gedichte ganz irrelevanten Zusammenstellungen, wenn man etwa nach Gesichtspunkten des Stoffes ordnet[41] und dabei z. B. Lehrgedichte über die Natur von solchen über

---

Lehrgedicht, in: Neues Handbuch der Literaturwiss., Bd. 3 (Römische Literatur, hrsg. M. Fuhrmann), Frankfurt 1974, 99 ff. Der zusammenfassende Überblick von A. Cox (Didactic poetry, in: Greek and Latin literature, ed. J. Higginbotham, London 1969, 124 ff.) stellt nichts weiter dar als ein wenig selbständiges Referat der gängigen Auffassungen, wobei einige wichtige Autoren gar nicht erwähnt werden. Eine typologische Fragestellung deutet sich nicht einmal in Ansätzen an. Die Arbeit von Gladigow (o. Anm. 24) scheint nach den mir vorliegenden brieflichen Informationen nicht typologisch orientiert zu sein, sondern neben gattungstheoretischen Fragen in erster Linie das sachliche Verhältnis der Lehrgedichte zu dem Stand der jeweils versifizierten Fachwissenschaft zu erörtern.

[40] Die Unschärfe und Unangemessenheit der Kriterien, die man – wenn überhaupt – zur Kennzeichnung von Typen und zur Erfassung der individuellen Wesenszüge der Werke anlegte, zeigt sich exemplarisch in den grundsätzlichen Ausführungen über das Lehrgedicht, mit denen Wilh. Schmid seinerzeit die communis opinio wiedergab und die weitgehend auch den heute herrschenden Vorstellungen vom antiken Lehrgedicht entsprechen dürften (Geschichte der griech. Literatur 2,1, München 1920[6], 162). Hier wird dem Lehrgedicht zunächst „sein künstlerisches Recht" zugesprochen, „wofern der im Gedicht vorgetragene Lehrgehalt als persönliche Überzeugung des Dichters mit lyrischer Wärme sich darstellt ..." Diesem „lyrisch-philosophischen" Typ wird sodann das „wissenschaftlich-pädagogische" Lehrgedicht gegenübergestellt, „das auch den trockensten Stoff nicht ausschließt". Als charakteristisch für diesen Typ wird anschließend die „glossematische Dunkelheit der Sprache" eines Arat und Nikander herausgestellt (also nunmehr ein formal-stilistischer Gesichtspunkt), „die uns ihre Erzeugnisse noch ungenießbarer macht". Damit sind Arat und Nikander in einen Topf geworfen – in bezeichnender Verkennung wesentlicher Unterschiede (dieselbe undifferenzierte Sicht findet sich – um ein Beispiel aus neuester Zeit zu geben – bei A. S. Hollis, The Ars amatoria and Remedia amoris, in: Ovid, ed. J. W. Binns, London/Boston 1973, 89 f.). Das unreflektierte und damit unzureichende typologische Instrumentarium verstellt von vornherein den Blick für Differenzierungen und läßt das pauschale Werturteil sofort folgen: „Gleichwohl ist den poetischen Kompendien über Astrologie und Iologie von Aratos und Nikandros ... ein unverdient langes Leben und ein unverdient weiter Wirkungskreis beschieden gewesen". Der vage Begriff der „persönlichen Teilnahme" gestattet es, die *Georgica* Vergils aus diesem Verdikt auszunehmen, wobei typologische Zusammenhänge unerkannt bleiben und das entscheidende Spezifikum der *Georgica* nicht einmal andeutungsweise erfaßt wird.

[41] Vgl. die diesbezüglichen Bemerkungen von F. K. Stanzel, Typische Formen des Romans, Göttingen 1965[2], 9 f., bes. 9: „Die Gültigkeit und Relevanz einer Typologie

literaturwissenschaftlich-grammatische Gegenstände sondert oder, enger gefaßt, didaktische Darstellungen der Landwirtschaft von solchen astronomischer
Fragen trennt. Im letzteren Fall würden beispielsweise typologisch so unterschiedliche Werke wie die stoffgleichen Gedichte des Nikander und Vergil zu-
sammenrücken bzw. typologisch einander so nahestehende, aber verschiedene
Stoffe behandelnde wie die *Phainomena* des Arat und die *Georgica* des Vergil
aufgrund ihrer inhaltlichen Diskrepanz auseinandertreten. Es hilft auch nicht
viel, wenn man zu den stofflichen Kriterien solche formaler Art hinzunimmt –
die Brüchigkeit der Grundlage wird dadurch nur noch offenbarer.[42]

Die typologischen Erörterungen dieser Arbeit gehen von der einfachen, aber
fundamentalen Überlegung aus, daß das Lehrgedicht im strengen und ,eigent-
lichen' Sinn – gewissermaßen in seiner ,idealen' Ausprägung – durch die dek-
kungsgleiche Koinzidenz, die vollständige Identität von Stoff und Thema charakterisiert ist. Diese Identität ist für die anderen literarischen Gattungen, wie
ohne weiteres einleuchten dürfte, nicht selbstverständlich. In ihnen kann ein und
derselbe Stoff Vehikel ganz unterschiedlicher thematischer Intentionen sein. Der
Stoff ist Material für die künstlerische Gestaltung, Medium der thematischen
Aussage, nicht aber – wie im Lehrgedicht – Selbstzweck mit erdrückendem
Eigengewicht. Indem der Lehrdichter einen bestimmten Stoff als Gegenstand
der Lehre vor einem Adressatenkreis ausbreitet, strebt er nichts anderes an als
eben die Vermittlung des sachlichen Wissens, welches durch den Stoff unmittelbar gegeben ist. Insofern fällt also sein Thema voll mit dem Lehrgegenstand
selbst zusammen. Diese Koinzidenz von Stoff und Thema als konstitutives Merkmal der ,idealen' Form der Lehrdichtung ist zugleich Kennzeichen des Lehrgedichttyps, den man wegen seiner Nähe zur ,idealen' Form als ,Normalform'
bezeichnen kann. Der Dichter dieses Typs ergreift einen ihn interessierenden,
von ihm für bedeutsam gehaltenen Gegenstand, der in der Regel auch für wei-

---

hängt weiters von der gattungswissenschaftlichen Wesentlichkeit der ihr zugrunde liegenden causa partitionis ab. Je näher diese dem Gattungskern kommt, desto aufschlußreicher werden die nach ihr bestimmten Typen sein."

[42] Eine solche Vermengung von stofflichen und formalen Gesichtspunkten beeinträchtigt z. B. den ansonsten besonnenen Überblick über das lateinische Lehrgedicht von
Wolfg. Schmid, Lexikon der Alten Welt, Zürich/Stuttgart 1965, 1699 ff., s. v. Lehrgedicht. Ganz unzureichend, weil viel zu grob, ist die Unterscheidung zwischen „philoso-
phischem" und „artistischem" Lehrgedicht in der kurzen und unbefriedigenden Skizze
von R. Eckart, Die Lehrdichtung, ihr Wesen und ihre Vertreter, 2. Aufl., Glückstadt,
o. J. (1909), 8 ff. Eine derartige Differenzierung zwischen Lehrgedichten, die moralische oder philosophische Wahrheiten zum Thema haben, und solchen, die sich mit Gegenständen der praktischen Erfahrung befassen, ist unbrauchbar, weil innerhalb einer
Gruppe die verschiedenartigsten Werke zusammengefaßt sind.

tere Kreise von Bedeutung ist oder der, sofern ihm nach der Auffassung des Autors die gebührende Aufmerksamkeit und das erforderliche Interesse noch nicht zuteil geworden sind, durch das Gedicht dem Adressaten als wesentlich ins Bewußtsein gerückt werden soll. Überzeugt von der Gewichtigkeit seines Stoffes, geht der Lehrdichter daran, ihn durch die Umsetzung in eine poetische Form weiteren Kreisen nahezubringen. Der Lehrgegenstand tritt als das zentrale Anliegen, als Thema in den Vordergrund. Mag der Autor auch aufgrund persönlichen Engagements für die Sache oder aufgrund von die Verbindlichkeit und Glaubwürdigkeit der Lehre unterstreichenden Berufungen auf seine – tatsächliche oder nur vorgebliche – eigene Erfahrung als Lehrender selbst gelegentlich zum Gegenstand der Darstellung und als Person erkennbar werden, so bleibt er im ganzen doch hinter dem stofflichen Thema im Hintergrund. Er ist nur der Vermittler, dessen Aufgabe darin besteht, den Lehrstoff der ihm innewohnenden Gesetzmäßigkeit und Struktur entsprechend möglichst klar und systematisch und mit gebotener Rücksichtnahme auf die geistige Disposition und Aufnahmefähigkeit des Adressaten, d. h. also: didaktisch durchdacht, zu entfalten. Die formalen Schwierigkeiten, die sich aus der Aufgabe ergeben, einen fachwissenschaftlichen Traktat poetisch umzusetzen, werden um der Sache willen in Kauf genommen. Die poetischen Elemente der Darstellung werden nicht um ihrer selbst willen gesucht; die Poetisierung des Gegenstandes verfolgt nicht ein zweckfrei in sich ruhendes ästhetisches Ziel, sondern ist Mittel im Dienst der sachlichen Lehre. Der Autor nimmt die formalen Schwierigkeiten auf sich und verwendet poetische Darstellungsweisen, um mittels der dichterischen Form dem Lehrvorgang Wirkung und Erfolg zu sichern. Die Poesie hat psychagogische, ‚ködernde‘ Funktion: Sie soll vermittels des durch sie erzielten ästhetischen Reizes etwaige Widerstände des Adressaten gegenüber der von ihm durch die Schwierigkeit und Nüchternheit des Lehrgegenstandes geforderten Anstrengung ‚wegschmelzen‘ und ihn so in eine für die Aufnahme der Lehre günstige Disposition versetzen. Die Verknüpfung von Dichtung und Lehre vollzieht sich also im Interesse der zu vermittelnden Sache, die Poesie soll der Didaktik zu größerer Durchschlagskraft verhelfen. Dieser Typ des Lehrgedichts, der als ‚Normalfall‘ verständlicherweise in einer Vielzahl von Realisationen entgegentritt, wird im folgenden aufgrund der für ihn charakteristischen Haltung des Autors zum Stoff und aufgrund des thematischen Eigengewichts des Stoffes als ‚sachbezogen‘ bezeichnet werden.

Der extreme Gegentyp konstituiert sich durch die Umkehrung der eben genannten Charakteristika. Es ist denkbar, daß ein Autor einen Gegenstand als Objekt poetischer Gestaltung wählt, dem er selbst ohne persönliches Interesse und Engagement gegenübersteht und mit dessen dichterischer Entfaltung er keinerlei ernsthafte Lehrabsicht verfolgt. Einem solchen Autor kommt es vielmehr in erster Linie auf die in der Poetisierung des Stoffes liegende literarisch-formale Leistung an, die um so eindrucksvoller erscheint, je abstruser und trokkener, je ‚unpoetischer‘ der Stoff ist. Der Lehrdichter dieses Typs wird sich mit besonderer Vorliebe auf einen möglichst abgelegenen, banalen Gegenstand werfen, dessen geringe allgemeine Bedeutsamkeit das Augenmerk des Lesers sich von vornherein auf die rein formale Leistung des Autors konzentrieren läßt. Dieser sieht seine Aufgabe gerade in der künstlerischen Bewältigung des Kontrasts zwischen der trockenen Systematik des Lehrstoffes und den Erfordernissen poetischer Darstellung. Was beim ‚sachbezogenen‘ Lehrgedicht im Dienst der wirklichen didaktischen Intention stand, wird hier zum Selbstzweck; war dort die Poesie ein Mittel der Lehre, so ist hier umgekehrt die Lehre – als nur scheinbare Absicht – nur ein Aufhänger für die Dichtung. Stoff und Thema sind zwar auch hier identisch (zumindest wird neben oder über dem Stoff ein anderes Thema nicht etabliert), aber beides wird von den formalen Interessen des Autors in den Hintergrund gedrängt. Insofern ist es angemessen, diesen Typ, dessen artistischer und artifizieller Charakter nicht eigens betont zu werden braucht, als ‚formal‘ zu bezeichnen. Verständlicherweise ist der hier theoretisch konstruierte Typ nur sehr selten in voller Reinheit realisiert worden.

Schließlich ist zwischen den beiden Extremen ein dritter Typ anzusiedeln. Das Interesse des Autors ist in diesem Fall weder in der Weise des ‚sachbezogenen‘ Lehrgedichts auf den Stoff als Thema fixiert, noch wendet es sich in der Art des ‚formalen‘ Typs vom Stoff ab; dieser Lehrdichter behandelt einen Gegenstand, der ihm zwar schon an sich nicht gleichgültig ist, der auch von allgemeiner Bedeutsamkeit ist, der aber zugleich über sich hinausweist auf etwas Übergreifendes, sich in ihm Repräsentierendes. Indem der Autor einen solchen Stoff lehrt, bezieht sich seine Lehre im Grunde auf dieses andere, durch den Stoff Durchscheinende. Dies ist das eigentliche Thema, um das es dem Dichter geht, um dessen Verbreitung willen er Dichtung und Lehre verbindet. Stoff und Thema sind hier nicht mehr identisch. Der Stoff ist vielmehr transparent für das eigentliche Thema. Dieses ist durch den Gegenstand zwar durchweg präsent, wird aber von dem Dichter durch bestimmte Kunstmittel gelegentlich verdeutlichend in den Vordergrund gerückt. Der Autor lehrt nicht den Stoff, er lehrt vermittels des Stoffes.[43] Das spezifische Verhältnis zwischen Stoff und Thema ist gemeint,

---

[43] Es ist dies der Typ, der derjenigen Form von Lehrdichtung entspricht, die Fabian als einzig legitime anerkennt: „Die Lehraufgabe des Dichters... gewinnt... eine neue Dimension. Der Dichter lehrt nicht einen Gegenstand, sondern er lehrt vermittels seiner Lehre“ (89). Allerdings geht Fabian in die Irre, wenn er als Beispiel dieser Form Lukrez anführt. Das Lukrezische Lehrgedicht ist eine reine Realisation des ‚sachbezogenen‘ Typs.

wenn dieser von der Dominanz des Stofflichen sich am stärksten lösende und deshalb den eingangs erwähnten ästhetischen Vorbehalten wohl am wenigsten ausgesetzte Typ im folgenden der ,transparente' genannt wird.

Grundlage der hier zu entwerfenden Typologie ist also die für die Konstitution des jeweiligen Typs entscheidende, jeweils spezifische Haltung des Dichters zu seinem Lehrgegenstand. Es versteht sich, daß die mit den Typen verbundenen Haltungen in bestimmter Weise die Art der Stoffentfaltung beeinflussen, daß z. B. der Autor eines ,sachbezogenen' Lehrgedichts von der Möglichkeit, sachlich entbehrliche, rein ornamentale poetische Elemente der Darstellung einzufügen oder diese durch sachfremde, exkursartige Digressionen zu unterbrechen, zurückhaltender Gebrauch machen wird als der des ,formalen' Typs, daß ferner in einem ,transparenten' Gedicht Vollständigkeit und Systematik in der Stoffausbreitung nicht in dem Maße angestrebt wird wie in einem ,sachbezogenen' Werk, daß dagegen in jenem scheinbar entbehrliche Exkurse eine wichtige Funktion hinsichtlich der Etablierung und Profilierung des eigentlichen Themas gewinnen können. So ordnen sich einem jeden der drei Typen eine Reihe von Merkmalen zu, welche hier nicht im einzelnen zu entfalten sind. Sie werden anhand der eingangs zu betrachtenden verhältnismäßig reinen konkreten Realisationen der drei Typen empirisch-deskriptiv entwickelt werden.

Gewiß lassen sich auch andere Gesichtspunkte als Basis einer Typologie denken. Es scheint jedoch, als werde der hier vorgeschlagene Ausgangspunkt den besonderen Gegebenheiten der Gattung am ehesten gerecht und als könne man von diesem Fundament aus die individuelle Struktur der einzelnen Lehrgedichte und ihre jeweilige Intention am besten in den Griff bekommen. In jedem Fall wird sich die Tragfähigkeit und Aussagekraft des hier gewählten typologischen Ansatzes bei der Einzelinterpretation zu bewähren haben. Diese setzt sich zum Ziel, jedem Werk eine bestimmte Stellung innerhalb des durch die drei Typen abgesteckten ,Koordinatensystems' zuzuweisen, auf diese Weise einen vollständigen, die jeweiligen Individualitäten gebührend berücksichtigenden Überblick über die Gattung zu gewinnen und so zu der erforderlichen Differenzierung des Urteils über das antike Lehrgedicht beizutragen.[44]

---

[44] Es dürfte deutlich geworden sein, daß die oben charakterisierten drei Haupttypen zunächst unabhängig von etwaigen konkreten Realisationen als „allzeitige Möglichkeiten" (Lämmert) oder „überzeitliche Konstanten" (Stanzel) der Lehrdichtung konzipiert sind, welche sich in den einzelnen Werken mehr oder weniger rein oder in gegenseitiger Durchdringung konkretisieren. Die hier angestrebte Typologie steht insofern entsprechenden Versuchen typologischer Beschreibung erzählender Literatur nahe: E. Lämmert, Bauformen des Erzählens, Stuttgart 1968³, Zitat: 15 f.; Stanzel (o. Anm. 41), Zitat: 8. Ein solcher Typusbegriff erbringt für das Lehrgedicht, was er auch für die Beschreibung des Romans leisten soll: „Indem sich ein Roman einem der möglichen Typen der

Ist es schon nicht möglich, im Rahmen einer solchen das Überlieferte unter neuen Gesichtspunkten ordnenden Bestandsaufnahme ein jedes der zahlreichen erhaltenen Werke umfassend und alle seine Aspekte ausschöpfend zu interpretieren, so bringt die typologische Fragestellung eine zusätzliche Eingrenzung der Interpretation, eine weitere Selektion bestimmter Gesichtspunkte aus dem Bedeutungsganzen der Gedichte notwendig mit sich.[45] Dies muß in Kauf genommen werden, sosehr es zu bedauern ist, daß z. B. stilistische Fragen weitgehend außer Betracht bleiben müssen. Es versteht sich, daß sprachlich-stilistische Phänomene nicht ohne Bedeutung für die hier verfolgte Betrachtungsweise sind, und insofern wird auch in gewissem Maße darauf einzugehen sein. Eine detaillierte Stiluntersuchung wäre aber eine Aufgabe für sich, die hier nicht – gleichsam nebenbei – geleistet werden kann.

Müssen schon diese die Struktur der Werke unmittelbar betreffenden Fragen so weit unberücksichtigt bleiben, als es durch den methodischen Ansatz bzw. die arbeitspraktische Notwendigkeit der Beschränkung gefordert ist, so kann erst recht auf weitergehende Probleme wie etwa das einer geschichtlichen Entwicklung der Gattung im griechischen und römischen Bereich – und darüber hinaus – und der Bedingungen einer solchen Entwicklung nicht eingegangen werden. Ebenso muß die Frage nach den Gründen der Dominanz bestimmter Themen und Typen zu bestimmten Zeiten sowie nach dem Publikum der einzelnen Lehrgedichte und deren Funktion im Rahmen der jeweiligen literarischen und gesellschaftlichen Umwelt außer Betracht bleiben. Für die Beantwortung dieser (und anderer) literaturhistorischen Fragen gibt uns die Überlieferung nur ein außerordentlich begrenztes Material an die Hand, welches zunächst einmal sorgfältig zu sammeln und sodann in langwieriger Detailarbeit auszuwerten ist. Diese auch für andere, stärker im Blickfeld der Forschung stehende literarische Gattungen kaum geleistete Aufgabe kann hier nicht zusätzlich in Angriff genommen werden. Der typologische Ansatz als solcher ist ahistorisch und sollte aus metho-

---

Gattung zuordnen läßt, wird die für den Typus charakteristische Struktur auch für diesen Roman sichtbar oder aber gibt sich die Abweichung der besonderen Romanstruktur von jener des Typus zu erkennen" (Stanzel 8).

[45] Erschöpfende Vollständigkeit ist weder in dieser Hinsicht beabsichtigt, noch kann sie etwa im Hinblick auf die Berücksichtigung und Nennung aller einschlägigen Literatur angestrebt werden. Zwar ist in allen Fällen – zumindest der Intention nach – die wesentliche Literatur berücksichtigt, aber ein Bemühen um Vollständigkeit würde zumal bei den vielbehandelten Autoren ins Uferlose führen. Bei der Erörterung verhältnismäßig gut erforschter und bekannter Werke wie etwa der Lehrgedichte des Lukrez und Vergil kann zudem vieles als bekannt vorausgesetzt und so entweder nur kurz resümiert oder sogar als selbstverständlich übergangen werden. Eine handbuchartige Zusammenfassung des Wissens kann nicht das Ziel dieser Untersuchung sein.

dischen wie arbeitspraktischen Gründen zunächst nicht mit literaturgeschichtlichen Fragestellungen verknüpft werden. Diese sind zur Erklärung und Erhellung des vom typologischen Ansatz zutage geförderten Befundes unerläßlich – aber als ein eigenes, mit eigenen Problemen konfrontiertes Verfahren.[46] Die literaturhistorische Erörterung des Komplexes ‚antike Lehrdichtung' muß in dieser Arbeit unterbleiben. Wo die Dinge einigermaßen klar zu sein und eine sichere Aussage zu erlauben scheinen, wird selbstverständlich auf derartige Hinweise nicht verzichtet. Ansonsten gebietet die Forschungslage Zurückhaltung.

Eine weitere Einschränkung, die sogar den engeren Bereich der Lehrgedichte selbst betrifft, ergibt sich mit Notwendigkeit aus dem typologischen Ansatz. Dieser ist erfolgversprechend und sinnvoll nur an vollständig oder zumindest ausreichend erhaltenen Werken durchzuführen. Anhand von einzelnen Fragmenten oder gar nur Titeln läßt sich nichts Sicheres über die Haltung des Autors zu seinem Stoff aussagen. All dies bleibt deshalb außerhalb der Betrachtung. Wird die gesamte vorarateische Lehrdichtung, die ja – bis auf Hesiod – nur fragmentarisch erhalten ist, schon durch diese Überlegung aus der folgenden Untersuchung ausgeschlossen, so erweist sich dies auch aus einem anderen Grund als zweckmäßig. Aus den oben dargelegten fundamentalen Unterschieden zwischen dem vor- und dem nacharateischen Lehrgedicht (s. o. S. 23 ff.) ergibt sich, daß die typologische Fragestellung erst im Hinblick auf die zweite Periode sinnvoll angewendet werden kann. Denn erst wo sich dem Dichter die Wahl zwischen Prosa und metrisch gebundener Form bietet, erst wo der Autor nicht aus eigenem Sachwissen heraus eine von ihm selbst konzipierte Lehre verbreitet, sondern fremdes, längst in systematisierter Weise vorliegendes Wissen versifiziert: erst da treten Dichtung und Lehre in ein Spannungsverhältnis, erst da ergibt sich die Möglichkeit unterschiedlicher Einstellung zum Stoff und damit typologischer Differenzierung. Das Lehrgedicht der ersten Periode ist von vornherein typologisch festgelegt und insofern für die hier verfolgte Fragestellung, die ja aus den eben genannten Gründen auf die Erörterung evolutionärer Zusammenhänge weitgehend verzichtet, uninteressant.[47]

---

[46] Vgl. hierzu Lämmerts grundsätzliche Ausführungen (9 ff., bes. 16 f.); s. auch u. S. 251 f.

[47] Als durch ihre Vorlage von vornherein typologisch fixiert bleiben auch lateinische Übersetzungen griechischer Lehrgedichte weitgehend unberücksichtigt. Mag der Übersetzer auch in Einzelheiten eine gewisse Selbständigkeit im Verhältnis zu seiner poetischen Vorlage entfalten und diese gelegentlich erweitern oder kürzen (so etwa die Arat-Übersetzungen des Germanicus und Avienus) und mag anhand eines Vergleichs die typologische Struktur des Originals zusätzliches Profil gewinnen (von dieser Möglichkeit wird denn auch unten von Fall zu Fall Gebrauch gemacht), so bleiben die Übersetzungen doch als solche im ganzen durch ihre Vorlage gebunden. Sie stellen ein wichtiges Re-

Aus ähnlichen Gründen erscheint es sinnvoll, das christliche Lehrgedicht unberücksichtigt zu lassen. Es steht schon aufgrund seiner thematischen Fixierung
außerhalb der Tradition der fachwissenschaftlich-philosophischen Lehrdichtung.
Die christlichen Lehrdichter sind sich dessen offenbar bewußt. Sie lassen keinerlei Bestreben erkennen, ihre Dichtung zu der heidnischen Gattung in Beziehung
zu setzen, geschweige denn diese in spezifisch christlicher Weise fortzuführen.
Die Haltung der Autoren ihrem Gegenstand gegenüber ist selbstverständlich
durch das persönliche Engagement und das Bewußtsein von dessen existentieller
Bedeutung für die Menschheit von vornherein festgelegt. Auch der seit Arat für
die Lehrdichtung charakteristische Gegensatz von trockenem, poesiefernem Stoff
und poetischer Darstellungsweise trifft – zumindest unter produktionsästheti-
schem Aspekt, d. h. im Bewußtsein der Autoren – auf das christliche Lehrgedicht
nicht zu. Sei es daß die Lehre einen stark paränetisch-erbaulichen Charakter besitzt und sich insofern einer Mahnrede nähert,[48] sei es daß die Paränese in eine
antihäretische Zielsetzung eingebettet ist,[49] sei es daß ein bestimmtes Spezial-
thema aus christlicher Sicht behandelt wird:[50] immer stehen die Autoren mit
ihrer ganzen Person hinter der Lehre, und ihr leidenschaftliches Eintreten für
den erhabenen, alle anderen Stoffe an Bedeutsamkeit hinter sich lassenden Gegenstand läßt sie gewissermaßen von selbst zur dichterischen Darstellungsweise

---

zeptionsphänomen dar und spielen insofern eine wesentliche Rolle in der Geschichte des
Lehrgedichts, können aber im Rahmen einer typologischen Fragestellung ohne Schaden
übergangen werden.

[48] Orientius: *Commonitorium;* Commodian: *Instructiones, Carmen apologeticum;* das
anonyme Gedicht *De resurrectione mortuorum.* In diesen Werken wird sachlicher Lehrstoff so gut wie gar nicht vermittelt. Es geht den Autoren nicht um Ausbreitung eines
Sachwissens, das sie etwa aus einer wissenschaftlichen Vorlage schöpften. Leidenschaftliche Paränese ist der charakteristische Grundzug dieser ‚Lehrgedichte‘, die – gemessen
an ihren profanen Verwandten – diesen Namen gar nicht tragen sollten: Hier wird keine
Sache gelehrt, hier wird zu einer bestimmten Lebensführung gemahnt.

[49] Das anonyme Gedicht *Adversus Marcionem;* Augustinus: *Psalmus contra pestem
Donati;* Prosper: *De ingratis;* Prudentius: *Apotheosis, Hamartigenia.* In den antihäreti-
schen Schriften muß sich das sachlich beschreibende Element dogmatisch-systemati-
scher Lehre stärker entfalten als in der zuvor genannten Gruppe. So ist es nicht verwunderlich, daß in dieser Hinsicht das anonyme antimarkionitische Gedicht dem profanen
Lehrgedicht am nächsten kommt. Andererseits läßt Prudentius wieder deutlich den Abstand erkennen: Ein solches Maß an emotionaler Beteiligung des Autors, dessen persönliche Begeisterung die sachliche Darstellung verdunkelt und verdrängt, wäre im profanen Lehrgedicht undenkbar.

[50] Prosper (?): *Carmen de providentia divina.* Selbst hier, wo ein Sachthema argu-
mentierend abgehandelt wird, dient das Ganze der Paränese. Der Dichter wendet sich an
einen bestimmten Kreis einfältiger Leute (100. 969: *rudes*), um ihnen in einer konkreten
Situation der Anfechtung beizustehen.

greifen. Der weitgehend paränetischen Ausrichtung dieser Gedichte entsprechend streben die Autoren zum weitaus überwiegenden Teil gar nicht die Ausbreitung eines systematisch geordneten Wissens- und Dogmenbestandes an, d. h., die christlichen Lehrdichter versifizieren nicht wie ihre heidnischen Vorgänger eine systematisch-theoretische Prosavorlage, sondern sie verfügen frei und selbständig über den Lehrstoff im engeren Sinne und stellen ihn souverän in den Dienst ihrer umfassenden protreptisch-missionarischen Absicht. Das christliche Lehrgedicht ist eine eigenständige literarische Form, die eine eigene Untersuchung erfordert.

Bleiben so aufgrund der typologischen Fragestellung sogar solche Werke unberücksichtigt, die in den engeren Kreis der Lehrdichtung gehören, so versteht sich das im Hinblick auf andere, weiter entfernte Ausprägungen didaktischer Literatur von selbst. Eine Behandlung der Satire oder der poetischen Epistel wird man in diesem Zusammenhang nicht erwarten – genauso wenig wie etwa eine Erörterung von Sammlungen moralischer Maximen wie der sog. *Disticha Catonis*. Allen diesen Formen fehlt dasjenige Moment, welches das Spezifikum des hier thematisierten Gegenstandes ausmacht: die systematisch-geschlossene Darstellung eines einer bestimmten Fachdisziplin zugehörigen und von ihr in Prosa abgehandelten, in sich kohärenten Stoffbereiches. Am ehesten könnte man ein Eingehen auf die *Ars poetica* des Horaz vermissen. Aber auch dieser poetische Lehrbrief verzichtet auf die für das Lehrgedicht obligatorische Systematik; der Lehrstoff wird im lockeren Stil des *sermo* in einer vom Dichter selbständig vorgenommenen Selektion vorgetragen. Die Form der Epistel dominiert eindeutig. Das Fehlen jeglicher Anspielung bzw. Bezugnahme auf die Lehrgedichtstradition zeigt zur Genüge, daß Horaz sich des Gattungsunterschiedes sehr wohl bewußt war. Dieses Bewußtsein ist auch für den modernen Betrachter maßgebend.[51]

Da es im folgenden in erster Linie um eine adäquate Beschreibung und Einordnung der erhaltenen Lehrgedichte geht, empfiehlt sich ein streng systematisches Vorgehen nicht. Wenn man etwa zunächst einige für die typologischen Unterschiede bedeutsame Gesichtspunkte herausarbeitete (z. B.: Verhältnis zum Adressaten; Betonung der formalen Schwierigkeit der Poetisierung; Vollständigkeit und Systematik in der Stoffausbreitung; Wahrheitsanspruch; Verwendung von sachlich entbehrlichen Darstellungsmitteln wie mythologischen und sonstigen Digressionen u. a. m.) und dann anhand dieser Kriterien die einzelnen Werke

---

[51] Gewisse Elemente des Lehrgedichts (Wendung an einen Adressaten, Anschluß an eine Prosavorlage) sind vorhanden, werden aber unverkennbar vom Stil der Epistel überlagert und beherrscht; vgl. Pöhlmann 836 mit Anm. 134, der die Horazische *Ars* aufgrund ähnlicher Erwägungen mit Recht aus seiner Darstellung ausschließt.

analysierte, erschienen die Gedichte selbst nicht als Ganzes, sondern würden an verschiedenen Orten je nach maßgebendem Aspekt behandelt, und der Leser hätte selbst die verstreuten Bemerkungen zu einem Gesamtbild zusammenzufügen. Abgesehen davon, daß bei einem derartigen Vorgehen lästige Vor- und Rückverweise überhandnehmen müßten, daß sich Wiederholungen nicht vermeiden ließen, würde dabei ein wesentliches Ziel dieser Arbeit verfehlt: die Schaffung eines auf der Deskription der Einzelwerke beruhenden Gesamtbildes der antiken Lehrdichtung, die differenzierte Beurteilung eines jeden Gedichts. Aus diesem Grunde ist es vorzuziehen, die Werke der Reihe nach als Ganzes zu interpretieren und typologisch einzuordnen, wobei jeweils erneut der oben angedeutete Begriffsapparat anzuwenden sein wird. Auch bei diesem Verfahren sind verschiedene Möglichkeiten denkbar. Es empfiehlt sich aus praktischen Erwägungen, Gedichte, welche sich stofflich eng berühren (z. B. landwirtschaftliche oder medizinische Lehrgedichte) nicht auseinanderzureißen. Zwar wurden oben stoffliche Gesichtspunkte als Kriterium der Typologie zurückgewiesen (s. o. S. 29 f.); aber auch unter typologischen Aspekten ist es zweckmäßig, inhaltlich verwandte Werke nebeneinander zu betrachten, weil dabei die signifikanten Unterschiede mit unmittelbarer Deutlichkeit in die Augen springen: Die stoffliche Nähe läßt typologische Differenzen um so manifester werden. Deshalb wird im folgenden darauf verzichtet, streng nach Maßgabe der oben genannten drei Haupttypen vorzugehen und etwa zunächst alle Gedichte zu erörtern, die dem ,sachbezogenen' Typ zuzuordnen sind, und entsprechend fortzufahren, um schließlich denjenigen ihren Platz zwischen den Haupttypen zuzuweisen, welche Rand- oder Zwischenpositionen einnehmen. Bei einem solchen Vorgehen müßte stofflich Vergleichbares ebenso auseinandergerissen werden, wie wenn man versuchte, sich streng an die chronologische Abfolge zu halten – ein Verfahren, welches schon an vielfach ungeklärten Datierungsfragen scheitern müßte und welches zudem im Hinblick auf die leitende Fragestellung wenig sinnvoll wäre.

Das für die folgende Untersuchung gewählte Vorgehen stellt einen Kompromiß dar und versucht, durch eine Kombination der skizzierten Möglichkeiten die Stoffülle auf die praktikabelste Weise in den Griff zu bekommen. Es empfiehlt sich zunächst, die oben deduktiv gewonnenen drei Typen an drei konkreten Realisationen empirisch zu verifizieren und damit zugleich detaillierter zu konturieren. Das geschieht anhand der Lehrgedichte des Arat, Nikander und Lukrez, verhältnismäßig reinen Ausprägungen der drei Typen. Dabei wird zugleich auch – aufgrund der Chronologie der genannten Autoren – historischen Gesichtspunkten Rechnung getragen. Nachdem dergestalt die drei Typen konkret vor Augen geführt sind, können die übrigen Werke anhand der gewonnenen

Kriterien interpretiert werden. Sie werden aus den genannten Gründen zu Sachgruppen (landwirtschaftliche Gedichte usw.) zusammengefaßt. Den Abschluß bildet als eine Art Anhang eine kurze Erörterung zweier Sonderformen: des ‚Lehrgedichts‘ als mnemotechnischen Mittels der sachlichen Unterweisung und des spielerisch-parodistischen Lehrgedichts.

II Die drei Grundtypen

1. Arat

In den *Phainomena* des Arat ist uns das früheste derjenigen Lehrgedichte erhalten, die ihren Stoff einer fachwissenschaftlichen Prosavorlage entnehmen. Die beiden Hauptteile des Werkes, die Beschreibung des Sternenhimmels und die Lehre von den Wetterzeichen, gehen je auf eine spezifische Fachschrift zurück.[1] Arat vereinigt also unter einem noch zu bestimmenden leitenden Aspekt zwei in sich geschlossene fachwissenschaftliche Bereiche in einem Lehrgedicht. Er hat sich dabei – das sei schon hier mit Nachdruck festgehalten – nicht einen abseitigen, „poetischer Gestaltung möglichst widerstrebenden" Stoff gewählt, um daran ein stilistisches Bravourstück zu exerzieren,[2] er hat seinen Gegenstand auch nicht „mit einer gewissen Willkür"[3] ergriffen: beide Stoffe sind vielmehr für das Leben der Menschen dieser Zeit, zumal der Seeleute und Bauern, von eminent praktischer Bedeutung und keineswegs belanglos.[4] Es wird sogleich zu zeigen sein, daß gerade der mit dem Lehrgegenstand verbundene praktische Nutzen von Arat immer wieder in das Bewußtsein des Lesers gerückt wird. Das Moment fachinterner, theoretischer Exklusivität, welches – träte es in den Vordergrund – eher zu Beurteilungen wie den eben zitierten hätte Anlaß geben können, wird absichtlich zurückgehalten hinter der Geste praktisch-konkreter Belehrung.

In bemerkenswerter Abweichung von seinem literarischen Vorbild, den *Erga* Hesiods, wendet sich das Gedicht nicht an einen bestimmten, mit Namen ge-

---

[1] Die antike Überlieferung führt die Himmelsbeschreibung auf den Astronomen Eudoxos zurück. Die gegen diese Tradition von R. Böker, Die Entstehung der Sternsphäre Arats, SBLeipz, Nat.-math. Kl., 99, 1952, geltend gemachten Bedenken, denen sich teilweise auch M. Erren, Die Phainomena des Aratos von Soloi (Hermes Einzelschr. 19), Wiesbaden 1967, bes. 192 ff., anschließt, können hier nicht diskutiert werden (vgl. die Kritik W. Ludwigs, RE Suppl. 10, 1965, 33, und diejenige von D. Pingree, Gnomon 43, 1971, 347 ff.). Für den Wetterzeichenteil ist als Vorlage eine entsprechende Spezialschrift anzusetzen, deren Rekonstruktion allerdings problematisch ist (vgl. G. Kaibel, Hermes 29, 1894, 102 ff.; O. Regenbogen, RE Suppl. 7, 1940, 1412 ff.).

[2] So W. Kroll, RE 24. Halbbd., 1925, 1847.

[3] So F. Klingner, EntrAntClass 2, 1953, 142.

[4] Die Relevanz des Gegenstandes wird von K. Schütze, Beiträge zum Verständnis der Phainomena Arats, Diss. Leipzig 1935, 7 ff., eindringlich herausgearbeitet.

nannten Adressaten. Aber ungeachtet der Natur des Gegenstandes, dem eine beschreibende Darstellung am ehesten angemessen zu sein scheint, bezieht der Autor den anonymen Leser durch imperativische Wendungen wiederholt als Partner in die Lehre ein. Er wird angewiesen, dieses oder jenes Himmelsbild ausfindig zu machen bzw. die einzelnen Wetterzeichen zu beobachten.[5] Der Leser erhält auch praktische Ratschläge: z. B. zu einer bestimmten Zeit das Meer nicht zu befahren (287 ff. 300 ff. 413 ff.), aus bestimmten Wetterzeichen entsprechende Schlüsse zu ziehen (795. 801. 803. 804 usw.); und er wird generell aufgefordert, die Zeichen, die ihm in der Natur gegeben sind, zu beachten und sein Tun an ihnen zu orientieren (758 ff. 1142 ff.). Diese wenigen Nachweise, die unschwer vermehrt werden könnten, müssen hier genügen, um zu zeigen, daß der Autor seinen Adressaten durchweg im Blick behält.

Die Betrachtung sowohl der in die Himmelsbeschreibung eingestreuten Bemerkungen über die Zeichenfunktion der Phänomene als auch der im zweiten Hauptteil aneinandergereihten Wetterzeichen gestattet eine genaue Bestimmung des von der Lehre angesprochenen Adressatenkreises. Die Unterweisung richtet sich vor allem an diejenigen, deren Tätigkeit von dem Lauf der Sterne und den Witterungsbedingungen in besonderem Maße abhängig ist: Bauern und Seefahrer. Während das Proömium die Funktion der Himmelszeichen für den Ackerbau hervorhebt (5 ff.), wird in den einleitenden Versen des zweiten Hauptteils, dem ‚zweiten Proömium‘ (s. u. Anm. 31), die Bedeutung der Zeichen für die Schiffahrt betont (758 ff.). So ist an den beiden exponierten Stellen des Werkes jeweils eine Adressatengruppe besonders angesprochen. Über die Beschreibung der Himmelsbilder sind Hinweise auf Zeichen für Bauern und Seeleute in etwa gleichmäßig verteilt,[6] wenn auch ein gewisses Übergewicht der Schiffahrt nicht zu übersehen ist. Im Wetterzeichenteil dienen die beiden Adressatengruppen der dispositionellen Gliederung des Stoffes: Zunächst werden Wetterzeichen aus dem Beobachtungsbereich einer meeresnahen Bevölkerung, d. h. also zum Nutzen der Seefahrer, geboten (909–1043), sodann solche für den Bauern (1044–1137).[7]

Arat hat also mit seiner Lehre den Bereich menschlicher Tätigkeit im Auge, den auch Hesiod in den *Erga* erfaßt hatte. Er bietet keine theoretische Beschreibung astronomischer Sachverhalte,[8] sondern richtet den Blick einfacher Bauern

---

[5] Vgl. z. B. 75. 76. 89. 96. 142 u. pass.; 778. 782. 799. 832 u. pass.

[6] Hier nur einige Beispiele: 149 ff. 265 ff. 332 ff. 462 ff. (Ackerbau); 37 ff. 152 ff. 287 ff. 300 ff. 408 ff. 431 ff. 559 ff. (Schiffahrt).

[7] Vgl. W. Ludwig, Hermes 91, 1963, 433 f. Auch hier besitzt – bei aller Tendenz des Autors, für eine Ausgewogenheit zu sorgen – die Schiffahrt ein leichtes Übergewicht.

[8] In diesem Zusammenhang ist darauf hinzuweisen, daß Arat ausdrücklich auf die Erörterung theoretischer Probleme verzichtet. Die Lehre von den Planeten, das eigentliche Kernstück wissenschaftlicher Astronomie, wird von ihm übergangen, angeblich

und Seefahrer auf den Himmel und die sie umgebende Natur, damit sie lernen, sich in der Welt zurechtzufinden und sich die Winke der Gottheit, die sich dem Menschen überall offenbaren, zunutze zu machen. Praktischen Nutzen sollen die Adressaten aus dem Gedicht ziehen; vom Nutzen seiner Lehre spricht der Autor wiederholt.[9]

Der Wendung an die der Unterweisung bedürftige Schicht einfacher, ihrer Arbeit nachgehender Menschen entspricht die Weise, in der die Lehre dargeboten wird. Der Leser wird nie überfordert. In aller Einfachheit und nicht ohne eine gewisse bewußt angenommene Naivität werden ihm die Sternbilder vor Augen geführt und durch häufige Vergleiche[10] gewissermaßen menschlich nahegebracht. Die durch bestimmte Epitheta erzielte Emotionalisierung[11] des Stoffes, die gelegentliche Beschreibung der Sterne als aktiv handelnder Wesen,[12] die belebende Einfügung von Sternsagen: all das unterstreicht diese Art vorwissenschaftlicher, auf das Verständnisvermögen des Adressaten zugeschnittener Stoffentfaltung.[13]

Nun ist jedoch unübersehbar, daß die sprachliche Form der Darbietung in einem äußerst scharfen Kontrast zu der inhaltlich-gedanklichen Darstellungsweise steht. An die Stelle der einfältigen Naivität tritt hier eine höchst bewußte, die gesamte Tradition der epischen Sprache reflektierende, nur einem sprachlich wie literarisch hoch gebildeten Leser in ihrem Anspielungsreichtum verständliche, ‚philologische‘ Feinsinnigkeit. Es ist dies jener Aspekt der *Phainomena*, der das Gedicht am innigsten mit der Kunstauffassung der hellenistischen Dichter-Gelehrten verbindet[14] und der in Antike und Neuzeit auf ebenso begeisterte Zustimmung wie scharfe Ablehnung gestoßen ist.[15] Das für die alexandrinisch-

---

aufgrund bescheidener Zurückhaltung gegenüber der Schwierigkeit dieses Gegenstandes, in Wirklichkeit jedoch deshalb, weil dieses Theorem im Rahmen der konkret-praktischen Belehrung keine Funktion hat (454–461); vgl. Ludwig, RE Suppl. 10, 1965, 33 f.; s. auch u. S. 49).

[9] Vgl. etwa 462 ff. 758 ff. 1142 ff.

[10] Vgl. etwa 45. 58. 63. 91. 183 u. pass.

[11] Vgl. etwa 57 (δεινοῖο πελώρου). 179 (Κηφῆος μογερὸν γένος).

[12] z. B. 157 ff. 331 ff.; vgl. dazu Erren 61 ff.

[13] Vgl. die zutreffende Charakteristik durch Kaibel 91: Arat fand „einen einfachen und leichten Stil, der bald mit wenigen Worten das zum Verständnis nöthige umfaßt, bald dem Dichter Freiheit giebt, in maßvoller Behaglichkeit zur Erzählung oder Betrachtung oder auch zu einer seltenen wissenschaftlichen Erklärung abzuschweifen ... es ist wie wenn der Vater dem Kinde den Sternenhimmel beschreibt ...“

[14] Durch die akrostichische Verwendung eines Schlüsselbegriffs hellenistisch-alexandrinischer Poetik, des λεπτόν, in den Versen 783 ff. bekennt Arat programmatisch seine literaturtheoretische Stellung; vgl. dazu E. Vogt, Ant&Abendl 13, 1967, 83 ff.

[15] Vgl. in der Antike das Urteil des Kallimachos (Ep. 27) mit dem des Anonymus De

hellenistische Dichtung so charakteristische gelehrte Element in der sprachlich-
literarischen Kunst des Arat, welches, da genügend bekannt, hier nicht dokumentiert zu werden braucht,[16] ist – wie alle derartigen Phänomene in der hellenistischen Literatur – auf ein elitäres, mit einem Maximum literarischer Bildung
ausgestattetes Publikum ausgerichtet, das in der Umgebung der Höfe oder in
den sich herausbildenden großen städtischen Zentren anzutreffen war. Dieses
Publikum hat mit dem oben herausgearbeiteten, der praktischen Unterweisung
bedürftigen Adressaten, der arbeitenden bäuerlichen und seefahrenden Bevölkerung, nichts gemein.

Angesichts dieses Tatbestandes ist die Folgerung unausweichlich, daß es sich
bei dem Anspruch, die Ackerbau bzw. Seehandel treibende einfache Bevölkerung konkret zu belehren, um eine Fiktion handelt,[17] eine Fiktion freilich, die
über das ganze Werk hin als solche aufrechterhalten wird. Das Gedicht besitzt
– das zeigt sich in diesem Zusammenhang zum ersten Mal – zwei Ebenen. In
bewußtem Anschluß an die *Erga* Hesiods wendet sich der Autor mit seiner
Lehre an Bauern und Seefahrer – aber zugleich läßt er diese didaktische Haltung
als Fiktion deutlich werden, indem er mit seiner sprachlich-literarischen Kunst
ein ganz anderes Publikum anspricht. Dieses ist der wahre Adressat, der durch
die solcherart gebrochene Wiederbelebung des alten hesiodeischen Lehrgedichts
in spezifischer Weise unterhalten, nicht aber eigentlich belehrt wird – jedenfalls
nicht in der direkten Art wie der scheinbare Adressat. Die Lehre, die Arat seinem eigentlichen Publikum zu offerieren hat, ist ähnlich versteckt, befindet
sich ebenso auf einer übergeordneten Ebene wie dieses Publikum selbst.

Hat sich somit der im Gedicht mehrfach angesprochene Adressat als fiktiv
erwiesen, so erhebt sich der Verdacht, daß auch dessen praktische Unterweisung,
der konkrete Nutzen, den die Himmels- und Wetterzeichenbeschreibung angeblich anstrebt, nur scheinbar Ziel des Werkes sind. Der Verdacht wird zur Gewiß-

---

subl. (10,5 f.). Eine extrem unterschiedliche Beurteilung ist auch in der Moderne Folge
einer die formalen Aspekte des Werkes isolierend herausstellenden Betrachtungsweise.
Vgl. etwa das Verdikt Krolls (1849: „was jetzt unter den Händen eines reflektierenden
Gelehrten ... [aus der homerischen Sprache] wird, das kann ... nur ein scheußlicher
Wechselbalg genannt werden, den man besser in der Wiege erstickt hätte") mit der besonderen Hochschätzung der formalen Kunst des Arat durch B. A. van Groningen, La
poésie verbale grecque, Med. Ned. Ak., Afd. Lett., N. R. 16,4, Amsterdam 1953. Zu
dessen Auffassung von Arats Werk als einer Art „poésie pure" s. u. Anm. 38.

[16] Eine grundlegende Untersuchung der sprachlich-literarischen Kunst des Arat fehlt
bisher. Ansätze dazu bei Schütze 19 ff.; van Groningen 74 ff.; Ludwig, Hermes 91,
1963, 447 f.; ders. RE Suppl. 10, 1965, 36 f.; zur komplizierten und verfeinerten An-
spielungstechnik vgl. Verf., RhM 113, 1970, 167 ff.

[17] Vgl. Ludwig, Hermes 91, 1963, 448.

heit, wenn man den Anspruch des Dichters, praktische Belehrung zu erteilen, im einzelnen verfolgt. Da wird denn z. B. deutlich, daß die programmatische Aussage des Proömiums, nach der die Tätigkeit des Bauern durch göttliche Zeichen gelenkt wird, ohne konkrete Ausführung bleibt. Weder wird die bäuerliche Arbeit wirklich in ihrer Verflechtung mit dem Lauf der Sterne gezeigt, noch werden etwa praktische Hinweise gegeben, wie die während eines Jahres anfallenden Tätigkeiten nach den himmlischen Zeichen auszurichten seien. Ferner soll – um ein weiteres Beispiel zu geben – die Kenntnis der gemeinsamen Auf- und Untergänge von großem Nutzen sein für die Bestimmung der Nachtzeit (559 ff. 730 ff.). Aber diese Betonung zu Beginn und gegen Ende des langen Katalogs der Auf- und Untergänge vermag nicht darüber hinwegzutäuschen, daß hierin nicht das Ziel der Darstellung liegt. Denn Arat führt weder im einzelnen vor Augen, wie eine solche Zeitbestimmung vorzunehmen sei, noch achtet er bei der Ausbreitung des Stoffes selbst auf diejenige Exaktheit und Schärfe der Gliederung,[18] die eine praktische Benutzung des Katalogs erst ermöglichen würde. Diese Beispiele, die leicht ergänzt werden könnten,[19] genügen, um deutlich zu machen, worum es dem Autor tatsächlich geht. Es ist nicht sein Ziel, den Adressaten konkret zu unterweisen, ihm methodische Hilfestellung zu gewähren und ihm zu zeigen, *wie* er aus den ihm zuteil werdenden Zeichen Nutzen ziehen könne – das wäre wirklich eine praktische Lehre, wie sie etwa weite Passagen der *Erga* Hesiods bieten; Arat begnügt sich vielmehr mit dem wiederholten Hinweis darauf, *daß* die Zeichen für den Menschen von großem Nutzen sind. Er macht den Leser auf bestimmte Sachverhalte aufmerksam und setzt auseinander, *daß* diese im Rahmen der göttlichen Vorsehung und ihrer Sorge um die Menschen eine gottgewollte Funktion besitzen, ohne eigentlich zeigen zu wollen, *wie* man sich dieser Zeichen zum eigenen Vorteil zu bedienen habe. Damit ist deutlich geworden, daß dem fiktiven Adressaten eine fiktive praktische Lehre zugeordnet ist. Indem sich jedoch der Anspruch praktischer Didaktik als nur

---

[18] Der Dichter verwischt im Gegenteil absichtlich die scharfen Neueinsätze, um das katalogartige Nacheinander nicht zu eintönig werden zu lassen: Vgl. z. B. den fließenden Übergang zwischen Skorpion und Schütze (663 ff.).

[19] Hier nur zwei weitere Beispiele: Der Katalog der Sternbilder in der nördlichen Hemisphäre ist so aufgebaut, daß der Dichter jeweils beim Pol beginnt und dann die Sternbilder bis zu einem Tierkreiszeichen verfolgt. Arat bemüht sich aber, diese wohl bereits in der Vorlage befolgte Anordnung zu verwischen (vgl. Erren 76 ff.), und er läßt sich von einem unter praktischen Gesichtspunkten geradezu unsinnigen Prinzip leiten, wenn er die Tierkreiszeichen in rückwärtiger Folge abschreitet. Hier sind ästhetische Überlegungen ebenso bestimmend wie auch im Wetterzeichenteil, wo die Verschleierung der Disposition und Systematik die praktische Orientierung des Werkes als fiktiv erweist (vgl. Erren 265 ff.; s. u. Anm. 26).

scheinbar und vorgeblich erweist, wird zugleich erkennbar, daß als eigentliche, tatsächlich intendierte Lehre eine bestimmte weltanschauliche Überzeugung das Gedicht durchzieht, keine praktische Lehre also, sondern eine eher ‚philosophische‘, die sogleich näher zu charakterisieren sein wird. Diese Lehre ist – wie gesagt – hinter der Oberfläche des Stoffes versteckt und muß wie der eigentliche Adressat erst zum Vorschein gebracht werden; sie gehört wie dieser einer zweiten, übergeordneten Ebene an.

Das bereits von zwei wesentlichen Gesichtspunkten her aufgewiesene Nebeneinander der scheinbaren und der eigentlichen Intention und die Überlagerung der ersteren durch die letztere wird auch bei der Frage nach dem Thema der *Phainomena*, die nunmehr gestellt werden kann, eine entscheidende Rolle spielen. Für die Beantwortung dieser Frage gibt die Betrachtung des Proömiums erste wichtige Aufschlüsse.[20] „Mit Zeus wollen wir beginnen ...“ Der Name der höchsten Gottheit steht programmatisch am Anfang des ganzen Werkes. Zeus, dessen Wesen die Welt in ihrer Gesamtheit durchdringt, sendet den Menschen in gütiger Liebe Zeichen für ihre Tätigkeit. Zu diesem Zweck hat er die Sterne an den Himmel gesetzt. In ihrer Funktion als himmlische Zeichen lenken sie das Leben auf der Erde. Die wenigen Verse umreißen bedeutungsvoll die stoische Lehre von der Vorsehung, welche die Welt erfüllt und speziell dem Tun der Menschen gilt. Die Gestirne sind das Mittel, dessen sich die Gottheit in ihrer Liebe zu den Menschen bedient. Erst nach diesen grundsätzlichen Bemerkungen wendet sich Arat an die Musen mit der Bitte, seinen Gesang zu leiten. Dabei nennt er – wie es kürzer nicht geht – sein Thema (17 f.):

ἐμοί γε μὲν ἀστέρας εἰπεῖν
ᾗ θέμις εὐχομένῳ τεκμήρατε πᾶσαν ἀοιδήν.

Die Sterne sind also sein Thema. Aber es gilt genauer hinzusehen: nicht die Sterne als solche. Der Dichter fügt eine bemerkenswerte Spezifizierung hinzu. Er bittet darum, die Gestirne in der Weise zu besingen, wie es angemessen ist (ᾗ θέμις), d. h. in ihrer Funktion als Mittler der göttlichen Vorsehung, als Zeichen für die Menschen.[21] Es wird also schon hier angedeutet, daß die Sternbe-

---

[20] Die Ausführungen beschränken sich hier, wie auch sonst, auf die für die hier verfolgte Fragestellung bedeutsamen Gesichtspunkte und ziehen die gerade für die Interpretation des Proömiums besonders reiche und ergiebige Literatur nur insoweit heran, als es für diesen Zusammenhang notwendig ist.

[21] Erst diese Beziehung des ᾗ θέμις auf εἰπεῖν gibt der Aussage ihre wichtige Pointe (vgl. Erren 29 f.). G. Pasquali, Das Proömium des Arat, in: Charites (Festschr. F. Leo), Berlin 1911, 116 Anm. 4, übersieht diese Pointe, wenn er den Ausdruck auf εὐχομένῳ im Sinne von „rite precantes“ bezieht. Pasqualis Hinweis auf die rhythmische Zusammengehörigkeit wird widerlegt durch ein Enjambement, wie es etwa 328 f. vorliegt. – Man könnte sich fragen, ob mit dem Stichwort ἀστέρας vielleicht nur der erste Teil des

schreibung nicht Selbstzweck ist, sondern unter einem bestimmten Gesichtspunkt steht. Dieser Gesichtspunkt nun war vorher deutlich herausgestellt worden: Die himmlischen Phänomene sind das Mittel, durch welches die Vorsehung zu uns spricht. Schon die Ponderierung der Gedanken im Proömium und die betonte Voranstellung des Namens der höchsten Gottheit lassen deutlich werden, daß das als solches explizit genannte Thema: die Himmelsphänomene, nur scheinbar thematisiert wird. Diese sind – das zeigt bereits eine genauere Interpretation des Proömiums – nichts weiter als der darzulegende Stoff, über dem sich das eigentliche Thema des Gedichts auf einer höheren Ebene erhebt: die Lehre von der alles durchdringenden, zumal dem Menschen zugewandten göttlichen Vorsehung.[22]

Die Beschreibung der Himmels- und Wetterzeichen, ausdrücklich als Thema deklariert und dementsprechend auch in verhältnismäßiger Vollständigkeit und Systematik durchgeführt,[23] ist ,transparent' für das vom Autor während und über dieser Beschreibung etablierte weltanschaulich-philosophische Thema. Die beiden Teile des Gedichts sind nichts weiter als die Explizierung dieses eigentlich thematischen Grundgedankens, insofern der Dichter bei seiner Darstellung erkennen läßt, daß die Vorsehung Gottes von erhabenen, unendlich weit entrückten Gestirnen über die der Erde schon näheren Himmelskörper: Sonne und

---

Werkes, die Himmelsbeschreibung, gemeint sei, ob also Arat an dieser Stelle gar nicht eine das ganze Gedicht erfassende Themastellung nenne. Diesem Bedenken gegenüber ist aber darauf zu verweisen, daß von ἀστέρες im engeren Sinne wiederholt auch im Wetterzeichenteil die Rede ist (vgl. z.B. 926 ff. 941. 995 ff. 1013 ff.), daß ferner von Himmelsphänomenen (ἀστέρες im weiteren Sinne) das ganze Gedicht handelt und daß schließlich gerade die Zeichenfunktion dieser Phänomene das einheitstiftende Element des vom Stoff her gesehen zweigeteilten Werkes ist.

[22] Vgl. Erren 17; A. W. James, Antichthon 6, 1972, 34 f. Schütze (29) weist mit Recht auf den bemerkenswerten Umstand hin, daß das Gedicht von dem Zeus-Hymnus eingeleitet wird, ohne daß dabei eine genauere Angabe des Themas erfolgt. Dieses werde erst ungewöhnlich spät genannt, und so werde auch der Leser erst nach geraumer Zeit aus der Ungewißheit bezüglich des Themas entlassen. Diese an sich richtige Beobachtung verfehlt jedoch die eigentliche Intention des Autors: Arat redet von Anfang an von seinem Thema, und dort, wo er es endlich mit Namen zu nennen scheint, etabliert er ein Scheinthema, nennt er nichts weiter als seinen Stoff.

[23] Mag Arat auch im einzelnen aus künstlerisch-ästhetischen Gründen oft von allzu starrer Systematik abgehen, so behält er diese doch im ganzen bei. Das erhellt ebenso aus dem Aufbau der Himmelsbeschreibung wie aus der Gliederung des Wetterzeichenteils. Im Hinblick auf die Vollständigkeit des darzubietenden Stoffes gestattet sich der Dichter zwar einmal angesichts der nicht zu bewältigenden Fülle der Zeichen die Bemerkung: τί τοι λέγω ὅσσα πέλονται / σήματ' ἐπ' ἀνθρώπους; (1036 f.), aber allein die Sternbilderbeschreibung des ersten Teils läßt das Streben nach vollständiger Ausbreitung des Stoffes erkennen.

Mond, über die atmosphärischen, ,meteorologischen' Phänomene bis endlich
hinab in den irdischen Bereich und dessen niederste Dimensionen die ganze Welt
erfüllt und alle diese Bereiche dem Menschen in zeichengebender Funktion dienen läßt.[24]

Die Weise, wie sich die beiden thematischen Ebenen durchdringen und wie
der weltanschauliche Leitgedanke durch die Beschreibung der Phänomene, d. h.
den Stoff, durchscheint und vom Autor präsent gehalten wird, ist im einzelnen
zu zeigen. Gleich zu Beginn der Sachdarstellung wird der thematische Grund-
ton unüberhörbar in doppelter Weise angeschlagen. Arat hat kaum mit der Beschreibung der Sternbilder begonnen, da benutzt er die erste sich ihm bietende
Gelegenheit zu einer mythologischen Digression (30 ff.). Das ist um so erstaun-
licher, als er sich – wie noch zu zeigen sein wird – hinsichtlich der Einfügung
von Sternsagen und mythologischen Episoden ansonsten eine bemerkenswerte
Beschränkung auferlegt. Es handelt sich an der genannten Stelle um einen Zeus-
Mythos. Offensichtlich hat die Digression die Funktion, durch erneute Erwähnung der bereits im Proömium angesprochenen Gottheit den dort geäußerten
thematischen Grundgedanken zu Beginn der eigentlichen Sachbehandlung dem
Leser ins Gedächtnis zu rufen und damit die Stoffentfaltung unter dem Gesichtspunkt zu eröffnen, unter den der Autor seinen Gegenstand gestellt hat.[25]
Ferner wird im Zusammenhang mit denselben beiden zuerst beschriebenen Stern-
bildern, welche den Anknüpfungspunkt für den Zeus-Mythos bieten, ausführlich
deren Funktion im Rahmen des von der Vorsehung geschaffenen Zeichensystems
dargestellt: Die Bärinnen sind unerläßliche Orientierungszeichen für alle Schiff-
fahrt (37 ff.). Der Hinweis auf die Zeichenfunktion der beiden Sterne dient
demselben Zweck wie der vorausgehende Mythos, indem die dort in Erinnerung
gerufene Gottheit nunmehr in ihrem konkreten Wirken für die Menschen charakterisiert wird: Durch die spezifische Behandlung der beiden an erster Stelle
stehenden Sternbilder führt Arat exemplarisch vor Augen, in welcher Weise und
woraufhin die ganze folgende Sachdarstellung zu interpretieren ist.

Wenn sich die Entfaltung des Stoffes nun im weiteren Verlauf weitgehend
verselbständigt und bis auf wenige, mit bewußter Überlegung eingestreute, leit-
motivisch wiederkehrende Stellen den thematischen Grundgedanken aus dem
Auge zu verlieren scheint, wenn die Fülle des Stoffes in den Vordergrund tritt
und das Thema scheinbar verdeckt, so ist an das oben Gesagte (S. 41 ff.) zu er-

---

[24] Die Bewegung des Werkes vom Erhabensten und Größten bis hinab zum Niedrig-
sten und Kleinsten (von den Fixsternen bis zu den Mäusen) wird treffend charakterisiert von Ludwig, Hermes 91, 1963, 429 ff.
[25] Die mythologischen Episoden der *Phainomena* werden unten (S. 51 ff.) gemeinsam
behandelt.

innern: Der Dichter hält durchweg die Fiktion aufrecht, mit seinem Gedicht der einfachen Bevölkerung um des praktischen Nutzens willen die Kenntnis des Sternenhimmels zu vermitteln. Diese Fiktion erfordert nun aber auf der unteren, stofflichen Ebene eine möglichst vollständige Ausbreitung des Lerngegenstandes. Der Adressat der scheinbar intendierten Lehre muß erst einmal fähig werden, sich am Himmel zurechtzufinden und die einzelnen Sternbilder zu identifizieren, ehe er sich diese als Zeichenträger nutzbar machen kann. Das bewußte Spiel mit den beiden Ebenen, die Aufrechterhaltung der Fiktion: [26] das ist der Grund für die unter dem Aspekt des eigentlichen Themas ausufernde Stoffülle. Die Stellen, an denen die weltanschauliche Intention des Autors durchscheint, seien kurz skizziert. 149 ff. wird die Wirksamkeit der Vorsehung im Hinblick auf Ackerbau und Seefahrt angedeutet. 264 ff. erinnert der Dichter erneut daran, daß es Zeus ist, der den Menschen in den Sternbewegungen seine Zeichen übermittelt. Dieser Gedanke wird gegen Ende der Sternbilderbeschreibung noch einmal aufgenommen und in einer sich ausweitenden Episode betont herausgestellt (402 ff.). Die Nacht – in ihrer Personifizierung vertritt sie an dieser Stelle als ein anderer Name die Gottheit, die sonst durch Zeus repräsentiert wird – hat Mitleid mit den stark gefährdeten Seefahrern und richtet deshalb am Sternbild des Altars, also im fernen Süden der Himmelskugel, ein „großes Zeichen" für kommenden Sturm auf. Der 426 auftauchende Name des Zeus unterstreicht nur allzu deutlich die Beziehung der Passage auf das Proömium. Der Kerngedanke des Werkes tritt hier, gegen Ende des ersten Großabschnittes, noch einmal in aller Breite hervor: Der ganze Himmel ist voll göttlicher Zeichen; selbst im entfernten, kaum mehr sichtbaren Süden findet sich ein Beispiel für die Wirksamkeit der Vorsehung.[27]

---

[26] Zum Beweis der hier aufgestellten Behauptung, der Autor verfolge mit seiner Darstellung keinen konkret-praktischen Zweck, ist zusätzlich zu den bereits oben (Anm. 19) angeführten Argumenten hinsichtlich des Sternbilderkataloges auf den Mangel an klarer, d. h. für den Leser deutlicher, dispositioneller Gliederung hinzuweisen. Die einzelnen Großabschnitte werden zwar oft durch dispositionelle Bemerkungen markiert (vgl. 319 ff. 451 ff. 460 f.) – aber auch das nicht immer: So wird gerade der Übergang vom ersten zum zweiten Hauptteil bewußt und kunstvoll verschleiert (733 ff.; vgl. dazu Erren 241 ff.) –; innerhalb der Abschnitte wird dagegen die in der Vorlage sicherlich gegebene klare Disposition gern verdeckt. Das gilt sowohl für den Sternbilderkatalog (s. o. Anm. 19) als auch für den Wetterzeichenteil: Vgl. etwa die unmerklichen Übergänge 908/9 (der Neueinsatz mit dem Thema ‚Wind' wird dadurch verschleiert, daß auch unmittelbar vorher vom Wind die Rede war) und 1036 ff. (Sturm – Schnee). Es ist dies das Verfahren eines nach künstlerischen Gesichtspunkten vorgehenden Dichters, nicht das eines konkretes Wissen vermittelnden Lehrers (vgl. Ludwig, Hermes 91, 1963, 438 f.).

[27] Vgl. zu der Partie Erren 65 ff., der aber zu weit zu gehen scheint, wenn er be-

Es ist bezeichnend, daß Arat selbst in dem Abschnitt, in dem er die Erörterung der planetarischen Bewegungen – angeblich als zu schwierig – ablehnt, nicht versäumt, auf „große Zeichen" hinzuweisen, die mit den Planeten verbunden seien (454 ff.; s. o. Anm. 8). Selbst in dieser Partie, in der der Dichter die Behandlung eines Gegenstandes von sich weist, dessen theoretisch-astronomische Natur keine Beziehung zu seinem eigentlichen Thema besitzt, scheint dieses durch: Mit den Ausdrücken μακροὶ ἐνιαυτοί und μακρὰ σήματα (458 f.) deutet Arat für den gebildeten Leser, an den allein er sich ja wendet, unmißverständlich auf die stoische Lehre vom ‚Großen Jahr' und der periodischen Welterneuerung hin. Auch dafür hat die Vorsehung Zeichen an den Himmel gesetzt.[28] Auch in den beiden folgenden Großabschnitten hält Arat seinen Grundgedanken präsent. Sowohl bei der Behandlung der Himmelskreise (462–558) als auch bei der Darstellung der gemeinsamen Auf- und Untergänge (559–732) wird der Aspekt betont, unter dem der Autor seine erschöpfende Beschreibung gelesen wissen will: Es handelt sich um Phänomene, die für das Leben der Menschen von großem Nutzen sind, es handelt sich wieder um Zeichen der Gottheit.[29]

Der im Proömium herausgearbeitete Gedanke, alle Himmelserscheinungen hätten die Funktion göttlicher Zeichen, wird am Ende des ersten Hauptteils abschließend noch einmal ins Gedächtnis gerufen (732). Durch ihre spezifische Eröffnung (s. o. S. 47) und diesen Abschluß wird also die gesamte Himmelsbeschreibung von dem thematischen Leitgedanken umrahmt und damit beherrscht. Auf eine überleitende Passage, in welcher der Leser auf die ihm vertraute, immer schon in praktischem Gebrauch befindliche Nutzanwendung der himm-

---

hauptet, Arat habe das Zeichen völlig willkürlich mit dem Sternbild des Altars verbunden, indem er ohne sachlichen Anhalt kompositorischen Gesichtspunkten Rechnung getragen habe. Für diese Behauptung bedarf es doch wohl stärkerer Argumente, als sie Erren zur Verfügung stehen. Bei aller Fiktivität der konkret-didaktischen Absicht geht Arat dennoch in seiner Souveränität dem Stoff gegenüber nicht so weit, daß er sachlich Unhaltbares um ästhetischer Effekte willen frei erfände.

[28] Die antike Überlieferung weiß von einem Lehrgedicht des Arat über die Planetenbewegungen mit dem Titel Κανών. Wenn es sich dabei wirklich um ein Gedicht des Arat handeln sollte – es stimmt immerhin bedenklich, daß das Werk ein im Verhältnis zu dem Erfolg der *Phainomena* so geringes Interesse gefunden hat –, so läßt die Bemerkung der *Phainomena* vermuten, daß auch in dem Gedicht über die Planeten weniger theoretisch-astronomische Fragen im Mittelpunkt gestanden haben als vielmehr solche der stoischen Weltanschauung. Es ist gut denkbar, daß die Lehre von den Bewegungen der Planeten in ähnlicher Weise wie die der *Phainomena* ‚transparent' war für ein sich darüber erhebendes weltanschaulich-philosophisches Thema. Jedoch sind das Mutmaßungen über ein verlorenes Werk, dessen Authentizität zudem starkem Zweifel unterliegt (vgl. Verf., Hermes 100, 1972, 500 Anm. 6).

[29] Vgl. 462 ff. 559 ff. 728 ff.

lischen Zeichen, den Metonischen Kalender, hingewiesen wird,[30] folgt ein Abschnitt, der sich – wie das Proömium – von dem Stoff löst, sich über ihn erhebt und allgemein-programmatische Aussagen über das Wirken des Zeus, d. h. also der Vorsehung, enthält (758–772). Die Aussagen entsprechen inhaltlich denen des Proömiums. Das weltanschauliche Thema wird zu Beginn des zweiten Hauptteils, der Darstellung der Wetterzeichen, noch einmal klar herausgestrichen. Dieses ‚zweite Proömium'[31] hat die Funktion, die eigentliche Intention des Autors und die erst durch sie erzielte thematische Einheit des stofflich in zwei Teile zerfallenden Werkes nachdrücklich in Erinnerung zu rufen. Wie sehr dem Dichter daran gelegen ist, den Adressaten mit seinem weltanschaulichen Credo zu überzeugen, zeigt die an dieser wichtigen Nahtstelle des Gedichts entfaltete Reflexion (768 ff.). In der ihm eigenen, eher andeutenden als breit ausführenden Weise setzt sich Arat mit einem für seine Überzeugung gefährlichen, nahezu fatalen Einwand auseinander: Oft genug überfällt den Menschen unerwartetes und unvorhersehbares Unheil. Wie sollte das mit der vom Dichter verkündeten Allgegenwart einer gütigen Vorsehung zu vereinbaren sein? Auf eine theoretisch-argumentierende Theodizee kann sich der Lehrdichter selbstverständlich nicht einlassen. Er bleibt bei seiner einfältig-naiven Darstellungsweise und beruft sich mit treuem Kinderglauben auf den Ratschluß des Zeus. Alles habe er uns noch nicht enthüllt, manches bleibe den Menschen noch verborgen; sie hätten zu warten, bis Zeus weitere Zeichen zu geben gewillt sei. Gewiß, diese Auskunft wird den Zweifler so nicht überzeugen können. Aber der aufmerksame Leser – und für ihn schreibt Arat – wird sich der grundlegenden Aussagen der Parthenos-Episode (s. u. S. 53) erinnern und in deren Licht auch diese Stelle verstehen. Dann wird klar, was der Autor meint: Die Menschen erhalten von seiten der Gottheit jeweils die Hilfe, deren sie nach Maßgabe ihres moralischen Verhaltens würdig sind. In unverhofftem Unheil, im Ausbleiben göttlicher Zeichen und Hilfe ist also nichts anderes zu erblicken als Vergeltung und Strafe. Mit diesem ernsten Hinweis auf die Kehrseite oder besser: Bedingung der göttlichen Liebe versucht Arat dem Einwand zu begegnen und den potentiellen Zweifler zu seiner Überzeugung zu bekehren.

Die genannten Beispiele machen deutlich, in welcher Weise die Darstellung des Stoffes selbst ‚transparent' wird für das sich in ihm repräsentierende Hö-

---

[30] 733–757. Zu dieser Partie vgl. Erren 241 ff.

[31] Es ist unter den genannten Gesichtspunkten durchaus sinnvoll, mit Ludwig, Hermes 91, 1963, 432, von der Partie als einem „zweiten Proömium" zu sprechen. Man muß dabei allerdings die Vorstellung fernhalten, Arat habe dadurch den Beginn des zweiten Hauptteils dispositionell deutlich markieren wollen. Das Gegenteil ist der Fall (s. o. Anm. 26).

here.[32] Arat läßt den Leser immer wieder erkennen, daß es nicht der Stoff als solcher ist, der ihn zu der poetischen Darstellung bewogen hat. Der Stoff ist ihm bei allem Eigengewicht nicht Selbstzweck, seine Entfaltung dient übergeordneten Gesichtspunkten, die sich von Anfang an als eigentliches Thema profilieren. Die Himmelsphänomene stellen sich dem Dichter deshalb nicht als ein nach den ihnen innewohnenden Gesetzmäßigkeiten rein sachlich vorzuführender und sich anzueignender Lehr- und Lerngegenstand dar, sie sind vielmehr als Träger und Mittler der den Menschen von seiten der Gottheit zuteil werdenden fürsorglichen Hilfe selbst etwas Wunderbares und in Ehrfurcht zu Bestaunendes. Es ist die ‚Transparenz‘ der Phänomene für das durch sie Repräsentierte, welche den Autor zu dieser spezifischen, von einer nüchtern-wissenschaftlichen Darstellung sich so sehr abhebenden Sicht der Himmelserscheinungen führt.[33]

Eine besondere Betrachtung erfordern gerade auch unter dem hier im Mittelpunkt stehenden Aspekt die mythologischen Episoden, die Arat aus verschiedenen Gründen über das Werk verstreut hat. An einer durchgehenden Mythisierung des Sternenhimmels – eine Absicht, die angesichts entsprechender Tendenzen in der den Dichter umgebenden zeitgenössischen Literatur immerhin nicht überraschen würde – hat er kein Interesse. Er legt sich vielmehr in dieser Hinsicht eine bemerkenswerte Beschränkung auf.[34] Für diese Zurückhaltung sind vor allem zwei Faktoren verantwortlich. Einmal behält Arat den fiktiven Zweck, Bauern und Seefahrer konkret zu belehren, durchweg im Auge und gestattet sich deshalb nur selten rein ornamentale Einlagen. Vor allem aber würde sein weltanschauliches Thema durch eine solche durchgehende Mythisierung nicht gefördert werden.[35] Der Dichter beschränkt sich auf die gelegentliche

---

[32] Hingewiesen sei noch auf 1094–1103: Oft ergebe es sich, daß, was dem einen nützt, dem anderen schadet. So ist eben das Los der Menschen. Aber – so korrigiert der Autor sogleich den Anflug einer pessimistischen Weltsicht – der eine wie der andere erhalten die Winke der Vorsehung.

[33] Vgl. z. B. 15 (Zeus als μέγα θαῦμα). 46 (Drache als μέγα θαῦμα). 453 (Gestirne als ἀγάλματα). 469 ff. (Wunder der Milchstraße). 529 ff. (wunderbare Kunst in der Konstruktion der Himmelskreise); vgl. U. v. Wilamowitz-Moellendorff, Hellenistische Dichtung in der Zeit des Kallimachos 1, Berlin 1924, 204.

[34] Vgl. G. A. Keller, Eratosthenes und die alexandrinische Sterndichtung, Diss. Zürich 1946, bes. 5 ff. Es ist bezeichnend, daß Arat die Gelegenheit zu einer umfassenden Sternsage, die ihm die Andromeda-Gruppe darbot, nicht ergreift, sondern daß er die einzelnen Glieder dieser Gruppe auseinanderreißt (179–204. 248 ff.). Mit der nüchternen Behandlung dieser Sterne vgl. man die ausführliche Ausbreitung der Sage bei Manilius (s. u. S. 124 f.).

[35] Durch derartige Erwägungen fühlen sich die Übersetzer Germanicus und Avienus nicht gebunden. Die schon bei Germanicus feststellbare Tendenz, die von Arat gebotenen Mythen stärker auszugestalten (vgl. dazu P. Steinmetz, Hermes 94, 1966, 475 ff.) und

Belebung seiner Darstellung durch eine kurze Andeutung einer Sternsage und unterstreicht damit die – wiederholt erwähnte – bewußt angenommene kindliche Naivität seiner Erzählweise. Gleichzeitig benutzt er an solchen Stellen gern die Gelegenheit, in der dem Hellenismus eigenen distanzierten Weise mit dem Erzählten sein ironisches Spiel zu treiben.[36] Aber darüber hinaus hat der Mythos bei Arat eine wichtige thematische Funktion. Manche scheinbaren Digressionen vom ‚Thema‘, d. h. also vom Stoff, erweisen sich bei näherem Zusehen als Abschnitte, in denen der Blick des Adressaten vom Stoff fort- und auf den thematischen Grundgedanken hingelenkt wird. Gleich zu Beginn der sachlichen Darlegung, bei der Beschreibung der ersten beiden Sternbilder, fügt der Dichter einen Mythos ein, und es ist selbstverständlich künstlerische Absicht, daß die bereits im Proömium angesprochene höchste Gottheit selbst Gegenstand dieser Episode ist (30 ff.; s. o. S. 47). Arat führt die Verstirnung der Bärinnen auf die Dankbarkeit des Zeus zurück. Der Gott hat sie durch die Versetzung an den Himmel für die Dienste belohnt, die sie ihm einst auf Kreta erwiesen haben. In der Form des Mythos entfaltet der Autor hier noch einmal den Gedanken, der das Proömium beherrschte: Die Sterne sind von der Vorsehung als Zeichen für die Menschen an den Himmel gesetzt. Ganz bewußt stellt Arat den Kontrast heraus zwischen der Vorstellung einer alle Welt durchdringenden Gottheit und dem Bilde des schreienden Zeus-Kindes.[37] Auch die leichte Distanzierung εἰ ἐτεὸν δή (30) läßt das ironische künstlerische Spiel erkennen, ein Spiel, das in spezifisch

von sich aus neue Sternsagen hinzuzufügen (vgl. etwa 91 f. 157 ff. 264 f. 275 ff. u. pass.; dazu W. Leuthold, Die Übersetzung der Phaenomena durch Cicero und Germanicus, Diss. Zürich 1942, 75 ff.), tritt bei Avienus in noch stärkerem Maße hervor.

[36] Charakteristisch für diese Haltung ist die Behandlung der Orion-Sage (637 ff.). Der Dichter distanziert sich zunächst der betroffenen Göttin gegenüber von der anstößigen Geschichte als einem προτέρων λόγος, erzählt sie dann aber um so bereitwilliger, als an dieser Stelle – etwa in der Mitte des Kataloges der gemeinsamen Auf- und Untergänge – eine poetische Auflockerung dringend erwünscht ist. Das spielerisch-ironische Element, das in der scheinbar so entrüsteten Distanzierung liegt und das auch die Erzählung selbst durchzieht (vgl. 645 f.), ist auch dem antiken Scholiasten nicht entgangen (S. 462 Maaß). Wieder ist ein Vergleich mit dem Übersetzer Germanicus geeignet, das Besondere an der Darstellungsweise des Arat stärker hervortreten zu lassen. Der Römer verfolgt mit den Mythen eine ernsthaft moralisierende Tendenz, was sich an seiner Fassung der Orion-Sage exemplarisch ablesen läßt (644 ff., bes. 656). Zum Spielerischen in den Mythen des Arat vgl. Erren 39 ff.

[37] Die Berührung mit dem Zeus-Hymnus des Kallimachos (54) ist immer gesehen worden. Die Betonung des Kontrasts zwischen den beiden Seinsweisen der Gottheit ist bezeichnend für die Sehweise hellenistischer Dichter; vgl. etwa den Artemis-Hymnus des Kallimachos und – über die Bedeutung des Kindes im Zeitalter des Hellenismus – H. Herter, BonnJbb 132, 1927, 250 ff. (speziell zum intendierten „komischen Kontrast“: 251 f.). Um desselben Gegensatzes – und der Erinnerung an den thematischen Leitgedan-

hellenistischer, Erhabenes mit Kleinstem kontrastierender Weise am Anfang der Sachdarstellung den thematischen Leitgedanken des Proömiums erneut in den Blick rückt.

Neben dem einleitenden Mythos ist vor allem die Parthenos-Episode von thematischer Bedeutung (98 ff.). Es ist hier nicht der Ort, den Beziehungen dieser Partie zur Weltaltererzählung in den *Erga* Hesiods nachzugehen und eine umfassende Interpretation zu liefern. Das Folgende beschränkt sich darauf, die Funktion der Episode im Hinblick auf das Thema des Gedichts kurz zu erläutern. Das Weltbild des Dichters und damit das Thema der *Phainomena* erhält in dem Mythos seine geschichtliche Perspektive. In der Erzählung von der „Jungfrau Gerechtigkeit", welche im Urzustande der Menschheit in aller Offenheit unter den Menschen weilte und mit ihnen verkehrte, sich dann aber in dem Maße von der Erde zurückzog, wie auf dieser Schlechtigkeit und Laster die Oberhand gewannen, bis sie schließlich im Himmel ihre Zuflucht suchte, von wo sie nur noch nachts als Sternbild der Jungfrau den Menschen erscheint, erklärt Arat die gegenwärtige Situation des Menschen anhand des Rückblicks zum verlorenen Urzustand. Ehemals vollzog sich der göttliche Beistand unmittelbar, es gab keine scharfe Trennung zwischen Gott und Mensch, welche einen Verkehr durch Zeichen erfordert hätte. Erst in der Gegenwart hat sich das Göttliche von der Erde zurückgezogen – aber auch jetzt nicht radikal und endgültig: Die Himmelsphänomene eröffnen auch in der Gegenwart immer noch einen Weg der Kommunikation zwischen Gott und Mensch. Dies ist ihre Bedeutung, die sie zu mehr als einem Gegenstand theoretisch-sachlicher Wissenschaft macht. Indem man die Himmelserscheinungen darstellt – das macht die Parthenos-Episode deutlich –, handelt man zugleich und vor allem von der Gottheit und der Weise ihres Wirkens in der Gegenwart, d. h. die wahre Beschreibung der Himmelsphänomene muß diese in Richtung auf das sich in ihnen vollziehende Wirken der Gottheit transzendieren.

Unter Zusammenfassung der vorstehenden Beobachtungen läßt sich das Lehrgedicht des Arat abschließend in folgender Weise charakterisieren. Das erste uns erhaltene nachhesiodeische Lehrgedicht besitzt eine sehr komplizierte Struktur und stellt insofern – wie auch in manch anderer Hinsicht – ein charakteristisches Produkt hellenistischer Literatur dar. Der Autor ergreift einen schon an sich bedeutsamen, aufgrund seiner praktischen Aspekte breite Kreise interessierenden Stoff. Die Bedeutsamkeit des Gegenstandes läßt es von vornherein nicht zu, von seiner Ergreifung als einem Akt der Willkür zu sprechen, als dem Resultat

---

ken – willen berichtet Arat, wieder mit der für ihn charakteristischen Distanzierung, von einer weiteren Kindheitsgeschichte des Zeus: 162 ff.

eines Strebens nach einer der poetischen Darstellung möglichst großen Widerstand entgegensetzenden Vorlage, an der sich das dichterische Formtalent nur
um so brillanter hätte entfalten wollen.[38] Arat besitzt zweifellos eine starke
Affinität zu seinem Stoff. Die Affinität ist aber nicht allein und nicht in erster
Linie durch den Gegenstand als solchen und seine praktische Verwendbarkeit für
das tägliche Leben bedingt. Was den Dichter vor allem gerade diesen Stoff – und
keinen anderen – ergreifen läßt, ist dessen ‚Transparenz‘ für das sich in ihm
offenbarende göttliche Wirken. Die beiden Aspekte des Stoffes haben die oben
charakterisierte Überlagerung der beiden thematischen Ebenen zur Folge. Auf
der unteren Ebene läßt sich der Autor in seiner Darstellung von den vom Stoff
aufgrund des ihm selbst zukommenden Gewichts geltend gemachten Ansprüchen
leiten und führt das durch die Vorlage gegebene System verhältnismäßig erschöpfend vor Augen. Aber wie der Stoff ‚transparent‘ ist, so ist auch seine Behandlung durch den Autor ‚transparent‘ für das in mannigfacher Weise immer wieder
etablierte übergeordnete, eigentliche Thema.

---

[38] S. o. S. 40. Diese (besonders von Ludwig, RE Suppl. 10, 1965, 37 f. korrigierte)
fundamentale Fehleinschätzung des Verhältnisses des Dichters zu seinem Stoff und die
daraus resultierende ebenso verfehlte Eingrenzung der dichterischen Intention auf das
rein Formal-Sprachliche sind nicht zuletzt verursacht durch die antike Überlieferung,
Arat sei durch seinen königlichen Herrn Antigonos Gonatas zu der Versifizierung der
Eudoxischen Vorlage aufgefordert worden. Diese Tradition ist jedoch inzwischen längst
als legendäre Ausgestaltung bestimmter literaturhistorischer und biographischer Fakten
erwiesen. Auch der Umstand, daß dem Arat in der antiken Überlieferung außer den
Phainomena und dem Werk über die Planeten (s. o. Anm. 28) eine Reihe weiterer, medizinischer Lehrgedichte zugeschrieben werden, konnte leicht zu der Vorstellung führen,
Arat habe die Stoffe seiner didaktischen Poesie mit einer gewissen Willkür und ohne
besondere Affinität ergriffen. Es sprechen jedoch starke Gründe dafür, diese Tradition
ebenso in das Reich der Legende zu verweisen wie die Auftragsgeschichte (vgl. dazu
zuletzt Verf., Hermes 100, 1972, 500 ff. mit allem Material; anders F. Kudlien, RhM
117, 1974, 282 Anm. 15). Aller Wahrscheinlichkeit nach hat Arat außer den Himmelserscheinungen keinen weiteren Gegenstand als Stoff für seine Lehrdichtung verarbeitet. –
Als markantestes Beispiel jener oben erwähnten strikten Eingrenzung der dichterischen
Intention auf das rein Formale ist B. A. van Groningens Versuch zu nennen, die *Phainomena* zusammen mit einigen anderen Werken der hellenistischen Literatur als „poésie
pure“ zu interpretieren, als eine Dichtung, für die der Stoff nur Vehikel sprachlich-formaler Kunst und daher ohne jede eigene Relevanz ist (s. o. Anm. 15). Bezeichnenderweise geht van Groningen bei dieser seiner Arat-Interpretation von der Auftragsgeschichte aus und betrachtet diese als historisch zutreffend (74 ff.). Es ist nur folgerichtig,
wenn die Gedichte des Arat bei einer solchen Betrachtungsweise als typologisch gleichartig mit denen des Nikander charakterisiert werden (van Groningen 88 f.) – ein ekla-
tantes Fehlurteil, wie im nächsten Kapitel zu zeigen sein wird. (Auf eine ins einzelne
gehende Auseinandersetzung mit der Arbeit van Groningens kann hier verzichtet werden; vgl. dazu H. Herter, Gnomon 27, 1955, 254 ff.).

Die sich in dem Neben- oder besser: Übereinander der zwei thematischen
Ebenen äußernde spezifische Haltung des Dichters zu seinem Stoff ist das wesentliche Charakteristikum des ‚transparenten‘ Lehrgedichttyps, eines Typs, der
von den *Phainomena* ziemlich rein verkörpert wird. Das charakteristische Verhältnis zum Stoff hat die gegenseitige Überlagerung auch der übrigen für das
Gedicht konstitutiven Ebenen zur Folge: Mit der Darbietung des Gegenstandes
ist die scheinbar intendierte konkret-praktische Lehre und der durch sie betrof-
fene Adressatenkreis verbunden. Beides wird von der hinter der Oberfläche
sichtbar werdenden eigentlichen Lehre, dem weltanschaulichen Credo, bzw. dem
wahren Adressaten überlagert.

Die *Phainomena* des Arat erweisen sich in ihrer kunstvollen Struktur als ein
den spezifischen geistigen wie künstlerischen Interessen seiner Zeit Rechnung
tragender Versuch einer Wiederbelebung der alten hesiodeischen Form. Selbstverständlich mußte die Wiederaufnahme der jahrhundertealten Gattung aufgrund der gegenüber Hesiod völlig veränderten sozialen Stellung des Dichters
und dessen ebenfalls grundverschiedener gesellschaftlicher Umwelt – abgesehen
von den ganz anders gearteten literaturtheoretischen Ansichten dieser Zeit – in
eine neue Richtung führen. Hesiod war selbst Bauer gewesen und hatte für sei-
nesgleichen geschrieben. Daraus ergab sich eine einfache, ungebrochene Weise
lehrhafter Dichtung. Indem Arat, ein dem Arbeitsleben entrückter Dichter an
den Höfen hellenistischer Herrscher, die hesiodeische Form aufgreift, muß diese
ihre geradlinige Einfachheit verlieren: Der Hofdichter wendet sich mit seiner
Kunst an das ihm gemäße Publikum und trägt eine diesem Publikum verständliche weltanschauliche Lehre vor. Zugleich behält er aber, wenn auch nur scheinbar, die durch das literarische Vorbild gegebenen Ebenen der praktischen Unterweisung und des Adressaten bei. So erzeugt die Adaptation der obsoleten Form
an den Geist der neuen Zeit ein äußerst kompliziertes Gebilde,[39] in seiner Vielschichtigkeit ein typisches Erzeugnis der Hochblüte hellenistischer Literatur.
Das durch die *Phainomena* repräsentierte ‚transparente‘ Lehrgedicht erfordert
von seiten des Dichters ein geschärftes künstlerisches Bewußtsein und ein außerordentlich hohes Maß poetischer Gestaltungskraft, Eigenschaften, die gerade die

---

[39] Gemäß der hier verfolgten typologischen Fragestellung hat sich diese Darstellung
auf die Beschreibung der aus der spezifischen Haltung zum Stoff resultierenden komplizierten Struktur des Werkes beschränkt. Andere Aspekte, wie etwa die ständige Beziehung auf das Hesiodeische Vorbild und dessen Umdeutung aus stoischem Geist (vgl. für
ein signifikantes Beispiel Verf., RhM 113, 1970, 167 ff.; ferner H. Schwabl, Zur Mimesis
bei Arat, in: Antidosis [Festschr. W. Kraus], WSt Beih. 5, 1972, 336 ff.), tragen ebenfalls zur Vielschichtigkeit des Gedichts bei, müssen aber in diesem Zusammenhang
außer Betracht bleiben.

griechischen Autoren der ersten Hälfte des 3. vorchristlichen Jahrhunderts aus-
zeichnen und die danach nur selten wieder anzutreffen sind.

2. Nikander

Arat hatte die alte literarische Form für seine Zeit neu konstituiert. Aufgrund
der mehrfachen Brechung der Hesiodeischen Geradlinigkeit und Direktheit und
der dadurch erzielten Vielschichtigkeit konnte diese aus dem Geiste der neuen
Zeit erfolgte Wiederentdeckung den gewandelten Ansprüchen eines Publikums
genügen, das sich im Umkreis der hellenistischen Machtzentren herangebildet
hatte und mit seinen verfeinerten ästhetischen Anschauungen den literarischen
Geschmack der Zeit bestimmte. In einer solchen Atmosphäre war nach Arat
eine Rückkehr zur einschichtigen Einfachheit Hesiods nicht denkbar. Wer sich
nach ihm in der durch sein Werk der Literatur neu erschlossenen Gattung der
Lehrdichtung versuchen wollte, konnte nur in der durch die *Phainomena* gewie-
senen Richtung weitergehen – jedenfalls wenn er den literarischen Agon mit dem
Vorgänger aufzunehmen suchte und sich an dasselbe Publikum wie dieser wandte. Sofern man nun den durch das Vorbild eingeschlagenen Weg nicht einfach
wiederholen, sondern über ihn hinausgelangen wollte, eröffneten sich im Grunde nur zwei Fortführungsmöglichkeiten. Die eine Möglichkeit bleibt dem Vorgänger sehr nahe, führt dessen Intention nur noch konsequenter durch: Das
Eigengewicht des Stoffes – und damit die Ausführlichkeit und Systematik seiner
Darstellung – tritt gegenüber dem eigentlichen Thema sehr viel stärker zurück,
als es bei Arat der Fall ist, und der scheinbare Lehrgegenstand ist in noch höherem Maße als bei Arat durchgängig ‚transparent‘ für das ihn überlagernde wirkliche Thema. Dieser Weg bedeutet typologisch keine Änderung, er ist nur eine
Variante desselben Typs.[1] Anders die zweite Möglichkeit: Durch die in den
Phainomena erfolgte Überlagerung des Stoffes durch ein übergeordnetes Thema
war bereits eine gewisse (thematische) Zurückdrängung des ersteren erzielt.
Dieser Ansatz konnte in der Richtung verstärkt werden, daß nunmehr der Stoff
von vornherein in seiner allgemeinen Bedeutsamkeit ganz abgewertet wurde,
daß er in diesem Falle tatsächlich „mit einer gewissen Willkür" (s. o. S. 40) ergriffen wurde. Dabei dient nun aber – und das ist der entscheidende Unterschied

---

[1] Der Weg wurde tatsächlich beschritten – ob allerdings bereits von einem hellenistischen Autor, muß angesichts der spärlichen Reste der Literatur dieser Zeit offenbleiben.
Für uns ist diese Variante des ‚transparenten‘ Typs erst in der lateinischen Lehrdichtung
faßbar. Sie ist dort unter ähnlichen gesellschaftlichen und künstlerischen Voraussetzungen entstanden wie das Arateische Muster: Vergils *Georgica*.

gegenüber dem ‚transparenten‘ Arateischen Lehrgedicht – der nicht um seiner selbst willen gewählte Stoff nicht mehr der Etablierung eines übergeordneten, durch den Gegenstand durchscheinenden Themas. Diese für die Struktur der *Phainomena* konstitutive Tendenz spielt hier keine Rolle mehr. Statt dessen tritt eine andere, bei Arat ebenfalls bereits angelegte in den Vordergrund: Das formal-artistische Element, die sprachlich-literarische Gelehrsamkeit, mit einem Wort: das ‚Philologische‘ wird nunmehr zur zentralen Intention des Autors erhoben. Auf diese Weise der Fortführung des Arateischen Lehrgedichts trifft dann tatsächlich die Charakterisierung zu, welche im Hinblick auf die *Phainomena* nachdrücklich zurückgewiesen werden mußte: Der Dichter wählt in dem Bestreben, die Distanz zwischen dem Gegenstand der poetischen Darstellung und dieser selbst so groß wie nur möglich werden zu lassen, einen abseitigen, spröden, „poetischer Gestaltung möglichst widerstrebenden“ Stoff, damit sich an diesem Widerstand seine sprachlich-formale Kunst um so glänzender bewähre (s. o. S. 40).

Es ist dies der Weg, den Nikander beschritten hat. Seine Lehrdichtung umfaßt – soweit das Erhaltene ein sicheres Urteil erlaubt – zwei Wissenschaftsbereiche: Landwirtschaft und (vor allem) Medizin.[2] Schon aus der Vielfalt der zum Objekt poetischer Darstellung gemachten Gegenstände und deren banaler Unerheblichkeit[3] erhellt, daß es nicht etwa eine persönliche Affinität zu dem

---

[2] Die Tatsache, daß wir mit zwei zeitlich nicht sehr weit voneinander getrennten Dichtern desselben Namens zu rechnen haben, macht die jeweilige Zuordnung der einzelnen, vielfach kaum mehr als durch den Titel kenntlichen Werke problematisch. Man darf aber wohl mit G. Pasquali, StudIt 20, 1913, 55 ff., einen Epiker Nikander von unserem Lehrdichter unterscheiden und so mit großer Wahrscheinlichkeit dem Verfasser der erhaltenen Lehrgedichte, *Theriaka* und *Alexipharmaka*, aus dem Bereich der Medizin noch weitere, durch das Suda-Lexikon dem Titel nach bekannte Werke zuschreiben: Ἰάσεων συναγωγή, Προγνωστικά (eine poetische Paraphrase der entsprechenden Schrift des Corp. Hipp.). Wir wissen über diese Versifizierungen medizinischer Wissenschaft abgesehen von ihrem Titel so gut wie gar nichts, können also über ihren Charakter kein sicheres Urteil abgeben. Allerdings läßt die typologische Gleichartigkeit der beiden erhaltenen medizinischen Gedichte vermuten, daß auch die verlorenen derselben Art waren – sofern sie überhaupt dem Lehrdichter Nikander gehören und ihm nicht untergeschoben sind, womit immer gerechnet werden muß. Die Ὀφιακά scheinen keinen systematisch-lehrhaften Charakter besessen zu haben (vgl. O. Schneider, Nicandrea, Leipzig 1866, 37 ff.) und gehören insofern nicht in den hier thematisierten Zusammenhang. Dem landwirtschaftlichen Bereich ordnen sich die Γεωργικά und Μελισσουργικά zu (vgl. W. Kroll, RE 33. Halbbd., 1936, 255). Das fragmentarische Material läßt auch hinsichtlich dieser Werke ein sicheres Urteil nicht zu.

[3] Aus dem medizinischen Bereich wären bedeutsamere und für die Allgemeinheit interessantere Gegenstände zu behandeln gewesen als gerade die das Abstruse streifende Lehre von allen nur denkbaren tierischen wie pflanzlichen Giften. Und mag auch das

jeweiligen Stoff und auch nicht das Bewußtsein von dessen Bedeutsamkeit war, was dem Autor gerade diesen Gegenstand als für eine dichterische Gestaltung besonders geeignet erscheinen ließ. Offensichtlich kam es ihm nicht auf den Stoff als solchen an, sondern vielmehr auf die durch ihn gegebene maximale Distanz zwischen dessen Trockenheit und Geringfügigkeit und der Kunst der poetischen Darbietung: je größer der Kontrast, um so größer die sprachlich-formale Aufgabe und – im Falle ihrer Bewältigung – die Anerkennung. Unter diesem Gesichtspunkt mußte ein Lehrgegenstand um so geeigneter für die Absichten des Dichters erscheinen, je geringer seine eigene Relevanz und je abstoßender seine fachwissenschaftliche Nüchternheit war.[4]

Ein solcher Gegenstand ist die Lehre von den Giften und deren Behandlung, welche Nikander gleich in zwei hexametrischen Werken entwickelt. Geht es in den *Theriaka*, wie in den ersten beiden Versen zutreffend und erschöpfend gesagt wird, um die Beschreibung der Gifttiere, ihrer Bisse und deren Heilung, so widmen sich die *Alexipharmaka*, wie ebenfalls zu Beginn des Gedichts deutlich herausgestellt wird (4 f.), der Darstellung von Giften und deren Gegengiften. Beide Werke gehen in ihrer stofflich-wissenschaftlichen Substanz auf die pharmakologische Abhandlung des Iologen Apollodor zurück, stellen also, wie nach Arat nicht anders zu erwarten ist, keine eigene wissenschaftliche Leistung dar.[5] Jedes der beiden Gedichte wendet sich an einen bestimmten, jeweils im Proömium angesprochenen Adressaten, der nach der Aussage des Lehrdichters durch die im folgenden erteilte Unterweisung in die Lage versetzt werden soll, einem durch einen Schlangenbiß oder ein Gift bedrohten Patienten kundige Hilfe zu leisten. In den *Theriaka* ist es ein gewisser – nicht mit dem Dichter gleichen Namens zu verwechselnder – Hermesianax, welcher in dieser Weise als Partner der Lehre angeredet wird (3 ff.), in den *Alexipharmaka* nimmt dessen Stelle ein Protagoras ein (1 ff.).[6] Abgesehen von den beschreibenden Partien (*Theriaka:*

Bild, das wir aus den Fragmenten der *Georgika* für dieses Gedicht gewinnen, trügen, da für dessen Einseitigkeit die spezifischen Interessen des Exzerptors Athenaios verantwortlich sein können, so scheint doch allein das Vorkommen von Rezeptanweisungen u. dgl. m. für das Gesamtbild des Werkes charakteristisch zu sein.

[4] Angesichts dieser Überlegungen sollte man sich hüten, die Präponderanz medizinischer Themen in der Dichtung des Nikander auf eine besondere, persönliche Affinität des Autors zu diesen Gegenständen und ein Bewußtsein von deren Bedeutung zurückzuführen oder gar den Didaktiker für einen Arzt zu halten, wie es das Suda-Lexikon tut (vgl. dagegen Kroll 252). Wir haben es nicht mit einem auf dem Gebiet der Poesie dilettierenden Mediziner, sondern mit einem Dichter-Philologen zu tun, der aufgrund bestimmter künstlerischer Absichten in der Medizin dilettiert.

[5] Zur Quellenfrage vgl. Schneider 181 ff.

[6] Beide Gedichte wenden sich also nicht an den direkt Betroffenen, sondern wollen

Beschreibung der Gifttiere und der Bißsymptome; *Alexipharmaka:* Beschreibung
der Gifte) bleibt der zu instruierende Adressat während der Darstellung der
Heilmittel immer im Blick der lehrhaften Anordnungen des Autors. Diese sind
ganz auf den praktischen Nutzen der Betroffenen bzw. auf den Heilerfolg des
behandelnden Arztes ausgerichtet – zumindest wird das von Nikander immer
wieder betont.[7]
    Der von dem Autor beanspruchten praktischen Tendenz entspricht die Weise
der Stoffentfaltung. Beide Werke führen den wissenschaftlichen Gegenstand
vollständig und systematisch vor. Die Darstellung läßt sich ganz von der der
Sache immanenten, eigenen Gesetzlichkeit leiten, übernimmt ohne ästhetische
Bedenken das in der Prosavorlage aus sachlichen Gründen befolgte, künstlerischer Gestaltung so wenig entsprechende Prinzip eintöniger Aneinanderreihung der Fälle und läßt die Gliederung des Stoffes durch dispositionelle Bemerkungen (Ankündigungen und Rekapitulationen) deutlich und ohne jeden Versuch einer Verschleierung hervortreten.[8] Nikander ist offenbar bestrebt, den
Stoff in aller Klarheit zu entfalten, ihm nichts Eigenes von sich aus hinzuzufügen, was die Klarheit der Lehre und ihre praktische Benutzbarkeit beeinträch-
tigen könnte. So nimmt er offensichtlich bewußt die Eintönigkeit in Kauf,
welche sich aus der Aneinanderreihung strukturell gleicher Einheiten ergibt (vgl.

---

jeweils einen bestimmten Adressaten zu der Rolle des helfenden Arztes befähigen (vgl.
noch Th. 495 f.; Al. 43 ff.). Es fällt jedoch auf, daß diese Konstellation nicht durchweg
beachtet wird. Vielfach hat der Autor nicht den einen Fall behandelnden Arzt im Auge,
sondern den unmittelbar Betroffenen selbst; vgl. etwa die Erörterung der vorbeugenden
Vorsichtsmaßnahmen (Th. 21 ff.) und die Darstellung der Heilmittel (Th. 507. 525 ff. u.
pass.; Al. 115 f. 279 f. u. pass.). Der Grund für diese Inkonsequenz ist nicht leicht anzu-
geben. Reine Nachlässigkeit dürfte jedoch bei einem Autor wie Nikander kaum vorliegen. Es ist sehr wahrscheinlich, daß bereits die wissenschaftliche Vorlage den praktizierenden Arzt ansprach und daß sich Nikander, der auch sonst seiner Quelle so nah wie
nur möglich bleibt, ihr auch in diesem Punkte anschließt. Wenn er jedoch im Verlauf der
Darstellung oft den das Wissen vermittelnden Adressaten hinter dem Patienten zurücktreten läßt, so dient das vermutlich dem Zweck, der Lehre eine größere praktische Un-
mittelbarkeit zu verleihen.
    [7] Vgl. z. B. in den *Theriaka* die Bemerkungen des Proömiums, ferner Stellen wie 100.
117. 493 ff. u. pass.
    [8] Dispositionelle Bemerkungen heben in den *Theriaka* scharf die einzelnen Großab-
schnitte gegeneinander ab; vgl. 493 ff. (Beginn der Rezepte gegen Schlangenbisse); 714
(abschließende Bemerkung zum gesamten Schlangenteil); 715 f. (Beginn der Giftspinnen-
beschreibung); 769 f. (Beginn der Skorpionbeschreibung); 837 (Ankündigung der Heilmittel). Auch innerhalb der Großabschnitte ist der Autor bestrebt, die seiner Darstellung
zugrunde liegende Systematik klar hervortreten zu lassen (vgl. etwa 528. 636). Das
gleiche Prinzip gilt für die *Alexipharmaka*. Auch dort setzt der Dichter die einzelnen
Gifte scharf voneinander ab und ermöglicht so dem Leser eine leichte Orientierung.

etwa in den *Theriaka* die stereotype Aufeinanderfolge von Schlangenbeschreibung und Bißsymptomen, in den *Alexipharmaka* diejenige von Gift und jeweiligem Gegengift). Die durch den Gegenstand gegebene ermüdende Einförmigkeit wird durch die formelhafte Ähnlichkeit des Eingangs strukturell gleicher
Glieder noch unterstrichen.[9] Es sieht demnach so aus, als strebe Nikander tatsächlich nichts weiter an als eine sich an die systematische Darstellung seiner
wissenschaftlichen Vorlage möglichst eng anschließende poetische Paraphrase
derselben,[10] als habe er wie jene die Absicht konkreter Belehrung.

Bei näherem Hinsehen erweist sich diese anscheinend die beiden Werke beherrschende Intention jedoch als ein vom Autor nur auf der Oberfläche der
Gedichte angestrebter Eindruck, als eine Fiktion. Die Vollständigkeit und Sachnähe der Darstellung dient dazu, die mit der Entfaltung des Wissens[11] verfolgte
konkret-lehrhafte Tendenz als das entscheidende Anliegen erscheinen zu lassen,
ihre Fiktivität zu verstecken – damit der aufmerksame Leser an deren Entdek-
kung ein um so feinsinnigeres Vergnügen habe.

So wird dieser Leser beachten, daß zwar für den Aufbau beider Gedichte die
durch den Stoff bedingte Aufeinanderfolge von beschreibenden und anweisen-
den Partien (Beschreibung der Bißsymptome bzw. Gifte und Empfehlung von
Rezepten) bestimmend ist, daß dieses Prinzip aber jeweils unterschiedlich befolgt wird. Während die *Alexipharmaka*, ihrer wissenschaftlichen Vorlage folgend, einer jeden Giftbeschreibung das entsprechende Gegengift jeweils unmittelbar zuordnen und so dem etwaigen praktischen Benutzer des Lehrgedichts
eine klare Orientierung erlauben, geben die *Theriaka* das Prinzip der direkten
Zuordnung der jeweils einschlägigen Rezepte zu ihrem Anwendungsbereich,
welches auch für deren Vorlage mit Sicherheit postuliert werden kann, auf. Der
Dichter faßt hier vielmehr die einzelnen Heilmittel zu großen Therapieabschnitten zusammen, ohne daß klar würde, auf welchen konkreten Fall sich die katalogartig aneinandergereihten Rezepte beziehen. Die Rezeptkataloge dokumentieren zwar eindrucksvoll die Fülle seines Wissens, sind aber für einen prakti-

---

[9] Vgl. etwa in den *Alexipharmaka* die Anfänge der jeweiligen Heilmittelbeschreibun-
gen: 43. 87. 128. 162 usw. Die ermüdende, an einen wissenschaftlichen Traktat erin-
nernde Gleichförmigkeit wird offenbar gesucht.

[10] Zwischen Vorlage und Gedicht scheint dasselbe Verhältnis zu bestehen, welches nach
dem Urteil des Suda-Lexikons zwischen den *Prognostika* und deren wissenschaftlicher
Quelle gegeben war: μεταπέφρασται δὲ ἐκ τῶν Ἱπποκράτους Προγνωστικῶν.

[11] Die Pose des über eine Fülle nützlichen Wissens verfügenden Lehrers nimmt der
Autor gern an. Besonders eindrucksvoll stellt er Th. 805 ff. den unerschöpflichen Reichtum seiner Kenntnisse durch das anaphorisch wiederkehrende οἶδα heraus (805. 811.
822. 829).

schen Benutzer ohne jeden Wert, da ihm nicht gesagt wird, welches der Mittel auf seinen konkreten Fall anzuwenden ist.[12] Nicht zuletzt durch dieses Verfahren der Stoffdarbietung läßt der Autor die Fiktivität des scheinbar erhobenen Anspruchs, ein praktisches Lehrbuch zu schreiben, deutlich werden. Aber auch die Behandlung der einzelnen Rezepte selbst könnte die Forderung, die ein medizinischen Rat Suchender an das Werk des Dichters zu stellen hätte, nicht erfüllen. Denn der Autor unterläßt es nur zu oft, bei der Beschreibung bestimmter Rezeptmischungen exakte Maßangaben mitzuliefern, wodurch seine Mitteilungen praktisch nutzlos werden.

Schließlich – und vor allem – erweist der Stil der Darstellung die angebliche lehrhafte Absicht als rein fiktiv. Was oben (S. 42 f.) in dieser Hinsicht zu Arat gesagt wurde, trifft auf Nikander in noch viel stärkerem Maße zu. Das bereits in den *Phainomena* festzustellende Bestreben, die geprägte und weitgehend konventionalisierte poetische Sprache nicht als selbstverständliches Medium eigener Aussage einfach zu übernehmen, sondern sie in gelehrter, ‚philologischer‘ Arbeit zu durchleuchten und weiterzuentwickeln, tritt in den Lehrgedichten des Nikander als die zentrale, alles beherrschende Intention des Autors in den Vordergrund und äußert sich in einer Präsentation sprachlich-formaler Gelehrsamkeit und glossematischer Dunkelheit, welche alles bis dahin in der Literatur Dagewesene in den Schatten stellt. Die auf dem philologisch-literarischen Sektor entfaltete Gelehrsamkeit, die sich noch aus anderen Bereichen verstärkt,[13] überdeckt das schon im Stoff selbst gegebene gelehrte Element völlig, und man könnte überspitzt sagen, daß sie das eigentliche Thema der Gedichte bildet. Es ist hier nicht notwendig, dieses für beide Werke gleichermaßen charakteristische

---

[12] Vgl. Th. 493–714 (Heilmittel gegen Schlangenbisse). 837–933 (Rezepte gegen Spinnen, Skorpione und andere Gifttiere). Der Widerspruch zwischen dem vom Autor erhobenen Anspruch und dessen Erfüllung kommt 837 ff. exemplarisch heraus. Während Nikander 837 betont, er wolle nunmehr die den Bissen jeweils zugeordneten Heilmittel vorführen, folgt ein umfassender Katalog aneinandergereihter Rezepte, der die Ankündigung Lügen straft: Der Dichter entlarvt seine eigene Fiktion. Die Zusammenfassung der Heilmittel zu zusammenhängenden großen Therapieabschnitten entspringt nicht in erster Linie dem Wunsch, die Materialfülle zu kürzen (so H. Schneider, Vergleichende Untersuchungen zur sprachlichen Struktur der beiden erhaltenen Lehrgedichte des Nikander von Kolophon [Klass.-philol. Studien 24], Wiesbaden 1962, 36 ff.); sie ist vielmehr Resultat der Tendenz, den Stoff nach ästhetischen Prinzipien zu strukturieren und zu ponderieren. Diese Tendenz ist im Hinblick auf die Gestaltung der Heilmitteldarstellung stärker als das Bestreben, die Fiktion eines praktischen Lehrbuchs aufrechtzuerhalten (vgl. dazu Verf., RhM 117, 1974, 53 ff.; s. auch u. S. 62).
[13] Vgl. etwa die Kataloge wenig bekannter Örtlichkeiten Th. 214 ff. 458 ff. 607 f. 633 ff. u. pass.; vgl. auch die gelehrten Anspielungen Al. 6 ff. 13 ff. 149 ff. u. pass. Zu den Verweisen auf seltene Mythen s. u. S. 62 f.

Moment in seinen einzelnen Ausformungen zu erörtern.[14] Für den hier verfolgten Zweck ist es ausreichend, auf das genügend bekannte Faktum hinzuweisen
und daraus entsprechende Schlüsse zu ziehen.

Das dominierende formale Interesse des Autors äußert sich auch in anderer
Hinsicht. Der aufmerksame Leser, den Nikander nicht anders als Arat im Auge
hat, erkennt unter der Oberfläche der anscheinend sich so ganz den sachlichen
Gegebenheiten des Stoffes anpassenden und auf künstlerische Gliederungs- und
Gestaltungsprinzipien verzichtenden, nüchternen Darstellung bei genauerem
Hinsehen eine durchgehende Tendenz, durch eine ausgewogene Ponderierung
der Großabschnitte und ein vermittels bestimmter Zahlenresponsionen sorgfältig
abgestimmtes Verhältnis der aneinandergereihten Einzelabschnitte zueinander
die amorphe Stoffmasse zu strukturieren und so auf eine ästhetische Ebene zu
heben.[15] Sobald diese Tendenz erkannt ist, wird deutlich, daß sich der Autor nur
scheinbar völlig der seinem Gegenstand eigenen Gesetzmäßigkeit überläßt. Die
inneren Proportionen, welche die Stoffentfaltung beherrschen, entspringen nicht
dem Wesen des Stoffes selbst und beruhen nicht auf dem Gewicht seiner einzelnen Elemente, sondern sind das Ergebnis künstlerischer Ökonomie. Das Streben
nach ästhetischer Strukturierung der Stoffülle ist stärker als die von einem Lehrdichter zunächst zu erwartende Bereitschaft, den Gegenstand adäquat darzustellen. Auch dies dokumentiert das eigentliche Interesse des Dichters.

Der rein formalen Ästhetisierung des Stoffes dienen auch die gelehrten, zumeist abgelegene Sagen betreffenden mythologischen Anspielungen und Episoden. Sie haben in der Regel ätiologischen Charakter und werden vom Autor
außer zur weiteren Unterstreichung seiner Gelehrsamkeit vor allem als Elemente
künstlerischer Strukturierung des Lehrgegenstandes verwendet. Für Einzelheiten
ist wieder auf die Anm. 15 genannte Untersuchung zu verweisen. Hier sei nur
in kurzen Umrissen auf folgendes hingedeutet. Beide Gedichte setzen an den Beginn der Sachdarstellung eine mythologische Anspielung (Th. 8 ff. Al. 13 ff.). In
den *Theriaka* markiert die ätiologische Erzählung von der Begegnung zwischen
Esel und Schlange eine wichtige Zäsur innerhalb der Schlangenbeschreibung, in
dieser ihrer Funktion durch das Akrostichon ΝΙΚΑΝΔΡΟΣ zusätzlich unterstützt (343 ff.). Eine ähnliche, gliedernde Funktion erfüllt am Ende der Schlangenbeschreibung der Mythos von der Verwandlung des Gecko (484 ff.). Der sich
anschließende zweite Großabschnitt, die zusammenfassende Darstellung der
Heilmittel gegen Schlangenbisse, ist so aufgebaut, daß jeweils auf einen Ab-

---

[14] Material dazu bei O. Schneider 203 ff.; Kroll 259 ff.; A. Crugnola, Acme 14, 1961,
119 ff.

[15] Diesen Fragen des künstlerischen Aufbaus ist Verf. an anderer Stelle ausführlich
nachgegangen (s. o. Anm. 12). Das dort Gesagte soll hier nicht wiederholt werden.

schnitt, welcher nur pflanzliche Rezepte enthält (493–556. 636–688), ein solcher folgt, der auch tierische Mittel berücksichtigt oder sogar in den Vordergrund stellt (557–635. 689–713). Jeweils gegen Ende der Pflanzenabschnitte hat Nikander eine erzählende Digression über einen gewissen Alkibios eingefügt (541–549. 666–675). Die beiden mythologischen Episoden haben ganz offensichtlich vor allem die Aufgabe, die künstlerische Struktur der Heilmitteldarstellung deutlich zu machen und die zwei Pflanzenabschnitte zu parallelisieren. Schließlich sei noch auf das durch eine mythologische Anspielung markierte Ende der Beschreibung der übrigen Gifttiere (835 f.) hingewiesen. Damit tritt die Funktion der mythologischen Digressionen in den Lehrgedichten des Nikander klar hervor: Der Mythos ist bei ihm ein rein formales Element der Ästhetisierung des Stoffes, er dient in erster Linie dem Bestreben, hinter der durch die wissenschaftliche Vorlage gegebenen sachlich-systematischen Gliederung einen ästhetischen Ansprüchen genügenden, künstlerischen Aufbau sichtbar werden zu lassen. Da der Autor keinerlei Absicht zeigt, über seinem Stoff ein übergeordnetes, diesen transzendierendes Thema zu etablieren, wird bei ihm das Mittel, welches bei Arat dazu diente, dem Leser das eigentliche Thema im Verlauf der Stoffentfaltung in Erinnerung zu rufen (s. o. S. 51 ff.), zu einem ornamentalen Element der Poetisierung ohne jede thematische Bedeutung.

Die auf die Spitze getriebene sprachliche Gelehrsamkeit und die unter der Oberfläche der beiden Werke versteckte, nur einem aufmerksamen und geschulten Auge erkennbare künstlerische Struktur, welche sich souverän über der Eigengewichtigkeit des Stoffes erhebt, lassen die wirkliche Intention des Autors und deren Adressaten erkennen. Die eigentliche Intention ist eben jene in vielfacher Weise erzielte formale Ästhetisierung,[16] und diese wiederum wendet sich an dasselbe elitäre, gebildete Publikum wie das literarische Vorbild. Indem Nikander seine beiden Gedichte an einen bestimmten, jeweils namentlich angesprochenen Partner richtet, greift er über Arat hinaus auf den Archegeten der Gattung, Hesiod, zurück. Aber er hat – im Gegensatz zu Hesiod und in Übereinstimmung mit Arat – nicht die Absicht, den jeweiligen Adressaten konkret zu belehren. Es geht ihm nicht um Wissensvermittlung, sondern um die Erzeugung eines spezifischen ästhetischen Vergnügens; sein Ziel ist – in der Terminologie der antiken Poetik – nicht das *docere,* sondern das *delectare.* Die Fixierung der Lehrgedichte auf eine bestimmte Person ist zu verstehen als ein literarischer

---

[16] Im vorangehenden sind nur einige besonders auffallende und für den Autor charakteristische Elemente dieser Ästhetisierung skizziert. Eine umfassende Untersuchung derjenigen Mittel, deren sich Nikander zum Zweck der formalen Poetisierung des Stoffes bedient, leistet die Arbeit von H. Schneider (o. Anm. 12).

Bezug.[17] Sie soll den Leser an die *Erga* Hesiods erinnern, damit er sich des Abstandes dieser neuen Weise lehrhafter Dichtung von ihrem Ursprung um so klarer bewußt werde.[18] Die Fixierung dient außerdem der von Nikander angestrebten Verschleierung seiner eigentlichen Absicht: Der Anschein konkreter, praktischer Unterweisung, der besonders durch die nüchterne Trockenheit und scheinbare Sachnähe der Stoffdarstellung erweckt wird, wird durch das in der Wendung der Lehre an eine bestimmte Person liegende hesiodeische Element noch verstärkt.

Die beiden erhaltenen Werke des Nikander sind exemplarische Ausprägungen des ‚formalen‘ Typs der Lehrdichtung, eines Typs, der aus der Weiterentwicklung der von Arat geschaffenen Form entstanden ist (s. o. S. 56 f.). Die Wahl des Stoffes ist nicht mehr von thematischen Gesichtspunkten abhängig, sie geschieht in dieser Hinsicht völlig willkürlich. Nicht der Gegenstand als solcher ist für den Dichter von Belang, sondern die in seiner Trockenheit und Banalität begründete Distanz zu dichterischer Darstellung. Der Stoff ist nichts weiter als Vehikel formaler Kunst, als Material, an dem sich das sprachlich-poetische Vermögen des Autors zu bewähren hat. Es ist selbstverständlich, daß ein unter solchen Gesichtspunkten gewählter Lehrgegenstand nicht mit ernsthafter didaktischer Absicht vorgetragen wird. Es ist auch klar, daß ein solcher Stoff nicht ‚transparent‘ sein kann für ein übergeordnetes Thema, welchem das eigentliche Interesse des Dichters gälte. Dieser Autor zeigt keinerlei Absicht, die stoffliche Ebene zu transzendieren, denn es ist ja gerade deren spröde Wissenschaftlichkeit

---

[17] Der Evozierung der literarischen Tradition, in die sich die Lehrdichtung des Nikander stellt, dient auch die mythologische Erzählung, die unmittelbar an das Proömium der *Theriaka* anschließt (8 ff.; vgl. dazu Verf., Hermes 102, 1974, 119 ff.). Neben der ‚Einstimmung‘ in den Gegenstand des Werkes – die Erzählung von der bösen titanischen Herkunft der Gifttiere wirft ein bezeichnendes Licht auf deren Wesen – hat die Partie vor allem die Funktion, die beiden literarischen Vorbilder des Autors, Hesiod und Arat, ins Gedächtnis zu rufen: An den Archegeten der Gattung wird durch Namensnennung ausdrücklich erinnert (12); auf den unmittelbaren Vorgänger wird durch die Anspielung auf den Orion-Mythos der *Phainomena* (637 ff.) für den kundigen Leser unüberhörbar verwiesen. Mit dieser das Gedicht einleitenden Hervorkehrung der Gattungstradition erklärt Nikander unmißverständlich seine Absicht, den poetischen Agon mit seinen Vorgängern aufzunehmen.

[18] Diese Funktion der Wendung an den bestimmten Adressaten besteht ungeachtet der Tatsache, daß es sich bei den genannten Personen nicht um fiktive Namen handelt. Einer solchen Interpretation stünde die Weise, in der Protagoras charakterisiert wird (Al. 1 ff.), entgegen. Aber man darf auch nicht meinen, daß sich die Gedichte jeweils nur an die zu Beginn angesprochenen Hermesianax und Protagoras wendeten. Deren Hervorhebung ist vielmehr als eine Art Widmung zu verstehen. Schon der oben (Anm. 6) erwähnte Wechsel der Adressaten zeigt, daß der Autor ein Publikum im Auge hat, von dem die genannten Personen nur einen Teil darstellen.

und Banalität, die ihn angezogen hat und an der sich seine formale Kunst messen will. In der Bewältigung der in dem Kontrast von Gegenstand und poetischer Form liegenden Schwierigkeit erblickt der Dichter seine formale Aufgabe. Indem dies zum zentralen Anliegen wird, erhält es gewissermaßen thematischen Stellenwert. Das Kennzeichen dieses Typs ist geradezu das Fehlen eines inhaltlich-gedanklichen Themas. Der Stoff besetzt diese Stelle nur scheinbar, und ein ihn überlagerndes Thema wird nicht etabliert. Insofern ist das eigentliche ‚Thema' dieses Typs nicht auf der inhaltlichen Ebene zu suchen, sondern auf der formalen: in der Weise der Darstellung selbst. Wenn wir in diesem Sinne bei den Gedichten des Nikander von einem ‚formalen Thema' sprechen, wird zugleich ihre Problematik und die des durch sie repräsentierten ‚formalen' Typs [19] deutlich. Die Fragwürdigkeit eines literarischen Werkes, welches ohne ein tatsächlich durchgeführtes inhaltlich-gedankliches Thema auszukommen meint, ist evident – zumal im Hinblick auf ein Lehrgedicht. Eine Literatur, deren Intention sich in dieser Weise auf das rein Formale beschränkt, verliert sich in die Unverbindlichkeit ästhetischen Spiels und sich selbst genügender Artistik. Durch die Verabsolutierung des formalen Aspekts, der in dem Arateischen Vorbild zwar angelegt, dort aber thematisch gebunden war, ist in den Lehrgedichten des Nikander eine Extremposition erreicht, welche allenfalls wiederholt,[20] aber nicht mehr überschritten werden konnte. Die literarische Form des Lehrgedichts, die in besonderem Maße an ein dominierendes Thema gebunden ist, wird durch den ‚formalen' Typ, der auf jegliche thematische Aussage verzichtet, ad absurdum geführt.

---

[19] Diese Bezeichnung des durch Nikander repräsentierten Typs erfaßt das ihn auszeichnende wesentliche Merkmal schärfer und deutlicher als die gelegentlich begegnende Charakterisierung dieser Variante als der „artistischen" Form der Lehrdichtung (so etwa M. Fuhrmann, in: Die nicht mehr schönen Künste, hrsg. H.-R. Jauß, München 1968, 551). Als artistisch – und zwar in noch höherem Maße als die Werke des Nikander – können auch die *Phainomena* gelten, insofern für sie das kunstvolle In- und Übereinander der verschiedenen Ebenen charakteristisch ist. Der Begriff des Artistischen vermag nicht zu einer angemessenen typologischen Differenzierung beizutragen; er ist eher geeignet, die hellenistischer Literatur gemeinsamen Züge zu erfassen, und das bedeutet: die im vorangehenden herausgearbeiteten Unterschiede zwischen Arat und Nikander zu nivellieren – was denn auch im Rahmen von Pauschalurteilen über ‚das' hellenistische Lehrgedicht oft genug geschieht.

[20] Hier sind zwei Gedichte zu nennen, die dem Nikandrischen Typ sehr nahe kommen: das astrologische Gedicht des Maximus (u. S. 131 ff.) und das Jagdgedicht des Nemesianus (u. S. 165 ff.). Aber es scheint, daß es noch weitere Wiederholungen dieses Typs gegeben hat: Man denke etwa an die Gedichte des Aemilius Macer und die Ovid zugeschriebenen *Halieutica*. Ein sicheres Urteil ist jedoch allein von den Titeln und den spärlichen Resten der in Frage kommenden Werke her nicht möglich.

3. Lukrez

Das früheste vollständig erhaltene Lehrgedicht in lateinischer Sprache steht außerhalb der durch die *Phainomena* Arats eingeleiteten hellenistischen Tradition. Das diese Tradition kennzeichnende artistische Moment fehlt in dem Werk des Lukrez völlig. Das bei Arat und Nikander festgestellte kunstvolle Spiel mit fiktiver und eigentlicher Zielsetzung ist hier aufgegeben zugunsten einer von den unmittelbaren hellenistischen Vorläufern bewußt gemiedenen konkret-lehrhaften, einschichtigen Direktheit, die das Gedicht mit der ursprünglichen, vorhellenistischen Form griechischer Lehrdichtung verbindet. Der Grund für diesen Neuansatz, dem angesichts der zeitgenössischen Arat- und Nikanderrezeption im lateinischen Bereich (vgl. Ciceros *Aratea* und die Lehrgedichte des Aemilius Macer) etwas durchaus Anachronistisches anhaftet, ist aber nicht etwa in einem aus primär literarischen Erwägungen resultierenden Bestreben zu sehen, die frühe Form lehrhafter Dichtung im Rückgriff über den Hellenismus hinaus neu zu etablieren und damit für die lateinische Literatur zu gewinnen. Der Anstoß liegt vielmehr im außerliterarischen Bereich. Die Begegnung mit der epikureischen Lehre hat Lukrez im Innersten seiner Existenz getroffen. Er sieht in ihr die wahre Heilslehre, den einzigen Weg, der aus den Wirren und Nöten dieser Welt befreiend herausführt, und fühlt sich aufgerufen, diesen Weg seinen Mitmenschen nahezubringen. Erst dieses Bewußtsein missionarischer Verpflichtung ist es, welches Lukrez zu literarischer Tätigkeit veranlaßt. Die im frühen Griechentum herausgebildete Form philosophischer Lehrdichtung (die allerdings der Propagierung der eigenen Erkenntnisse der Autoren gedient hatte) bietet sich ihm dar als das geeignete Instrument, die in ihrem existentiellen Gewicht einmal erkannte Heilslehre zu verbreiten und die Zeitgenossen für sie zu gewinnen. Indem sich der Autor aus innerster Überzeugung der missionarischen Aufgabe unterzieht, wendet er sich grundsätzlich an alle, die der Botschaft bedürfen, nicht – wie seine hellenistischen Vorgänger – an eine eng umgrenzte Gruppe literarisch Interessierter.[1] Sowohl die aus dem Bewußtsein von der fundamen-

---

[1] Die sowohl durch die Konventionen poetischer Didaktik vorgegebene (vgl. Hesiod, Empedokles, Nikander) als auch aus – allerdings im einzelnen nicht zu klärenden – biographischen Fakten resultierende Wendung an einen bestimmten, namentlich genannten Adressaten (Memmius) sollte über die umfassende Zielrichtung des Gedichts nicht hinwegtäuschen. Es richtet für den Rezipienten, anders als die Werke des Arat und Nikander, keine Schranken philologisch-literarischer Gelehrsamkeit auf, sondern wendet sich wie die Lehre Epikurs an jedermann. Darauf weist auch die Tatsache, daß der spezifische Adressat nur gelegentlich in den Blick kommt und – zumal in den Büchern 3. 4. 6 – in der Regel dem anonymen Leser Platz macht. Die namentliche Herausstellung

talen Bedeutung des Gegenstandes herrührende leidenschaftliche persönliche Beteiligung des Dichters an seiner Lehre als auch die missionarische Wendung an einen prinzipiell unbegrenzten Adressatenkreis lassen den entscheidenden Unterschied zu den sehr viel stärker bzw. ausschließlich literarischen Intentionen eines Arat und Nikander von Anfang an klar erkennen: Hier tritt die Sache selbst in den Mittelpunkt; der Dichter, überzeugt von deren alles andere verdrängenden Bedeutsamkeit, wird zu ihrem lehrenden Vermittler und stellt damit diejenige Funktion der Gattung wieder in den Vordergrund, die seine berühmten Vorgänger nur mehr indirekt verfolgt oder gar ganz aufgegeben hatten: die Lehre.

Wenn im folgenden die Merkmale der Lukrezischen Lehrdichtung charakterisiert werden, so kommen dabei in weitem Umfang Momente zur Sprache, welche die Lukrez-Forschung schon seit längerer Zeit herausgearbeitet hat. Auf detaillierte Einzelnachweise kann deshalb oft verzichtet werden. Es kommt im Rahmen der hier verfolgten Fragestellung darauf an, bestimmte Beobachtungen unter typologischem Aspekt zusammenzufassen und dabei vielleicht einige Darstellungselemente schärfer in den Blick zu bekommen bzw. besser in ihrer Funktion zu verstehen.

Über das Thema seines Gedichts und die damit intendierte Zielsetzung unterrichtet Lukrez den Leser im Eingang des ersten Buches mit einer für das ganze Werk charakteristischen Klarheit.[2] Im Anschluß an den vorangestellten Venus-Hymnus,[3] innerhalb dessen das Thema mit *rerum natura* (25) summarisch umrissen wird, folgt eine ausführliche Ankündigung des in den folgenden sechs Büchern vorgetragenen Lehrgegenstandes und des damit verfolgten Zweckes. Das geschieht in zwei Anläufen. Zunächst werden die Lehre von den Atomen

---

des Memmius ist also nicht in einem ausschließlichen Sinn zu verstehen, sondern hat eher die Funktion einer Widmung.

[2] Es blieb besonders der entwicklungsgeschichtlichen Lukrez-Interpretation vorbehalten, diese Klarheit zu verdunkeln. Die Irrwege dieser Interpretationsweise, mit deren Hilfe man einzelne Stadien der Entstehung des Werkes aufzeigen zu können und diese u. a. in dem Proömium des ersten Buches wiederzufinden meinte, brauchen hier nicht in extenso nachgezeichnet zu werden. Es genüge ein Hinweis auf die grundsätzliche Kritik dieser Betrachtungsweise durch G. Müller, Philologus 103, 1959, 53 ff., und auf die neuere Untersuchung von L. Gompf, Die Frage der Entstehung von Lukrezens Lehrgedicht, Diss. Köln 1960, mit dessen Analyse des Proömiums (77 ff.) die folgende Darstellung im wesentlichen übereinstimmt. Sie beschränkt sich auf die Herausarbeitung der wesentlichen Linien des Lukrezischen Gedankengangs.

[3] 1–43. Zum Venus-Hymnus und zu dessen scheinbarem Widerspruch zu der Haltung des Epikureers *religio* und Mythos gegenüber s. u. S. 72 f. Die Verse 44–49 sind als Interpolation aus 2,646 ff. zu streichen. Ihre Verteidigung durch F. Giancotti, Il preludio di Lucrezio, Messina/Florenz 1959, 222 ff., ist ohne Überzeugungskraft (vgl. Müller 58 ff.; s. auch u. Anm. 19).

und deren kosmologisch-theologische Implikationen genannt (50–61), womit der Inhalt der Bücher 1, 2, 5, 6 erfaßt wird. Die sich anschließende Epikur-Eloge (62–79) macht die Herkunft und den Zweck solchen Wissens deutlich: Es trägt dazu bei, die Geißel des menschlichen Glücks, die *religio*, unschädlich zu machen. Man solle sich ja nicht – so fährt Lukrez fort – durch falsche Scheu von diesem Weg abbringen lassen, zeige doch das allbekannte, erschreckende Beispiel der grausamen Opferung der Iphigenie, zu welchen Verbrechen der Glaube an das Eingreifen der Götter in die natürlichen Phänomene geführt hat (80–101). Bis zu diesem Punkt hat Lukrez von seinem kosmologischen Thema, dessen Zielrichtung und deren Berechtigung gesprochen. Aber, so setzt er 102 erneut an, Ursache der *religio* ist nicht nur der Glaube an die Wirksamkeit der Götter im Bereich der Natur, sondern ebenfalls die Furcht des einzelnen, nach dem Tode im Jenseits fortzuleben und dort unter Umständen zur Rechenschaft gezogen zu werden. Zur Beseitigung des Aberglaubens bedarf es also nicht nur des zunächst umrissenen kosmologischen Wissens,[4] sondern auch der Erkenntnis von dem vergänglichen Wesen der Seele und der Einsicht in die mit ihr verbundenen Phänomene. Damit ist dem Leser der Inhalt und das Ziel der mittleren Bücher 3 und 4 summarisch vor Augen geführt. In den beiden Themenbereichen des Gedichts (auf kurze Begriffe gebracht: Kosmologie und Psychologie) hat man also nach der Aussage des Proömiums nicht um ihrer selbst willen vermittelte Wissenschaft zu erblicken; sie dienen vielmehr – wie bei Epikur selbst[5] – der Aufgabe, den Menschen von dem Druck der *religio*, die sein Leben vergiftet, zu befreien. Nach epikureischer Auffassung, wie sie Lukrez 5,1161 ff. vorträgt, sind es zwei Gründe, die zur Entstehung religiösen Aberglaubens geführt haben und immer wieder führen: Phänomene der Seele im Traum und kosmologische Erscheinungen. Dem entsprechen die zwei Erscheinungsweisen der *religio*, deren Beseitigung durch rationale Aufklärung Lukrez im Proömium nacheinander als das Ziel seiner Lehrdichtung bezeichnet.

Es ist genügend bekannt und braucht hier deshalb nicht im einzelnen verfolgt zu werden, daß die im Proömium genannte Zielsetzung die Darstellung der epikureischen Lehre von Anfang bis Ende bestimmt.[6] Alle Elemente des Werkes

---

[4] Die Verse 127 ff. verweisen zurück auf das 54 ff. Ausgeführte, wobei die an der ersten Stelle stärker im Mittelpunkt stehende Atomlehre der Bücher 1 und 2 hier zugunsten des Inhalts der ‚meteorologischen‘ Bücher 5 und 6 zurücktritt. Diese Funktion der Verse 127 ff. hatte schon J. Vahlen gesehen (Ges. philolog. Schriften 2, Leipzig/Berlin 1923, 27 f.) – eine Erkenntnis, welche erst im Zuge entwicklungsgeschichtlicher Dublettensuche verlorenging.

[5] Vgl. Epikur, R. sent. 11: εἰ μηθὲν ἡμᾶς αἱ τῶν μετεώρων ὑποψίαι ἠνώχλουν καὶ αἱ περὶ θανάτου, μή ποτε πρὸς ἡμᾶς ᾖ τι... οὐκ ἂν προσεδεόμεθα φυσιολογίας.

[6] Hier seien nur einige Stellen genannt, an denen die im Proömium betonte Zielrich-

dienen dem Ziel, dem Adressaten das philosophische System als den einzigen zur Vernichtung der *religio* führenden Weg so klar und überzeugend wie nur möglich vorzustellen und ihn zu dieser Lehre zu bekehren. Die Lehre selbst wird dort, wo sie vielleicht aufgrund eingefleischter Vorurteile oder vermeintlicher Unglaubwürdigkeit auf Skepsis stoßen könnte, durch eine unerschöpfliche Fülle von Beweisen, Analogien, klärenden und veranschaulichenden Vergleichen, durch Vorwegnahme und Erledigung möglicher Einwände untermauert.[7] Der Dichter läßt sich um der Klarheit der Darstellung willen von der dem Gegenstand innewohnenden Systematik leiten und geht im Interesse des Lesers, der angesichts des ohnehin schon erheblichen Schwierigkeitsgrades des Stoffes nicht noch zusätzlich überfordert werden soll, Schritt für Schritt vor. Die Aufeinanderfolge der einzelnen Schritte ist ebenso durch die Sache wie durch didaktische Überlegungen bestimmt.[8] Die durchsichtige Gliederung des Ganzen wird durch dispositionelle Bemerkungen, welche die einzelnen Ausführungen jeweils einleitend ankündigen und vielfach auch abschließend rekapitulieren, zusätzlich unterstrichen.[9] Im Großen geschieht dies in den Proömien, die durch summarische

---

tung immer wieder explizit wird. Das geschieht sogleich bei Eintritt in die Sachdarstellung: Die Einsicht in das Prinzip *nil e nilo* ist grundlegend für die Erkenntnis, daß es für die Erklärung natürlicher Phänomene der Annahme göttlicher Einwirkung nicht bedarf (1,149 ff.). 1,931 f.: Der Ruhm des Dichters gründet sich auf das Verdienst, die Menschen von der *religio* befreit zu haben. Proömium 2: Befreiung von *religio* ist nur durch die *ratio* Epikurs möglich. 2,1090 ff.: Die Einsicht in die Existenz einer unendlichen Vielzahl von Welten führt zur Erkenntnis, daß diese nicht unter dem Einfluß von *domini superbi* stehen können. (Auf diesen befreienden Durchblick in die Unendlichkeit hin sind die beiden ersten Bücher angelegt; vgl. G. Müller, Die Darstellung der Kinetik bei Lukrez, Berlin 1959, pass., bes. 85 f.). Proömium 3: Die Lehre Epikurs enthüllt das wahre Wesen der Götter und entlarvt den Wahn falscher religiöser Vorstellungen. Die Lehre von der Seele beseitigt Todesfurcht (37 ff.) und *religio* (54). 5,65 ff.; 6,46 ff.: Zweck der Kosmologie ist es, einen Rückfall in Aberglauben zu verhindern.

[7] Einzelbelege erübrigen sich. Zur Fülle der Beweise vgl. etwa 1,400 ff. 411 ff. Wichtig ist, daß die Vergleiche bei Lukrez keinen ästhetischen Eigenwert besitzen, sondern ausschließlich im Dienste der auf Überzeugung des Lesers ausgehenden Sachdarstellung stehen; vgl. 1,280 ff. 823 ff.; 2,112 ff. 317 ff. u. pass.

[8] Das methodisch-didaktische Vorgehen wird gleich zu Beginn der Entfaltung des Lehrgegenstandes deutlich (1,149 ff.) und kommt in gliedernden, dispositionellen Zwischenbemerkungen des Autors auch später wiederholt zum Ausdruck: z. B. 2,184 *(nunc locus est)*. 478 f. 522 f. *(pergam conectere rem, quae / ex hoc apta fidem ducat)*; 3,35 f.; 5,64 *(nunc huc rationis detulit ordo)*. 418 *(ex ordine ponam)*. Vgl. auch die spezielle Wendung an den Adressaten 1,1114 ff.

[9] Das Bestreben des Dichters, die einzelnen Schritte der Stoffentfaltung durch dispositionelle Bemerkungen zu markieren, um so dem Leser die innere Struktur des Gegenstandes durchsichtig werden zu lassen, braucht nicht belegt zu werden. Die stereotype Eintönigkeit dieser Hinweise – vgl. etwa das wiederholte *nunc age* im vierten

Zusammenfassung des Behandelten und Ankündigung des Folgenden, daran sachlich Anschließenden dem Leser den argumentativen Kontext ins Bewußtsein rufen und ihm außerdem jeweils den mit der im folgenden vorzutragenden sachlichen Lehre intendierten Zweck klar vor Augen stellen.

Es ist nur konsequent, daß sich ein Autor, dessen mit leidenschaftlichem Ernst verfolgtes Ziel die Bekehrung des Adressaten ist, immer wieder ausdrücklich an diesen wendet. Der Leser wird wiederholt zur Aufmerksamkeit, zur geistigen Mitarbeit, zur unvoreingenommenen Prüfung der vorgetragenen Argumente aufgefordert. Er solle dem Autor nicht mißtrauen, sich nicht von der Wahrheit, die Lukrez durchweg für sich in Anspruch nimmt und in deren Bewußtsein er des öfteren mit unduldsamer Schärfe gegen gegnerische Ansichten polemisiert,[10] abbringen lassen.[11] Der Adressat erhält methodische Anweisungen; ihm wird pausenlos eingehämmert, daß es zwecklos und unmöglich sei, den Argumenten des Dichters Widerstand entgegenzusetzen.[12]

Der missionarische Überzeugungseifer läßt den Lehrdichter zu den formalen Darstellungsmitteln greifen, die ihm die rhetorische Theorie und Praxis seiner Zeit zur Verfügung stellte.[13] Diese Mittel stehen – wie überhaupt alles Formale, wie alle Elemente der Poetisierung – konsequent im Dienst der thematischen Zielsetzung. Das zeigt nicht nur die ganz auf das Sachliche konzentrierte Art der Stoffentfaltung, die auf ornamentale Glanzlichter, auf äußerliche Ausschmückung verzichtet; das wird durch die bekannte Reflexion des Dichters über die Funktion der Poesie in seinem Lehrgedicht (1,921 ff.) ausdrücklich von diesem selbst unterstrichen. Lukrez sieht seinen Ruhm in erster Linie in der Tatsache begründet, daß er die epikureische Heilslehre verbreitet, erst sekundär darin, daß dies in poetischer Form geschieht (929 ff.). Die dienende Funktion der Dichtung wird anschließend mit aller nur wünschenswerten Deutlichkeit herausgestellt: Die dichterische Form ist gleichsam der Köder, mit dem das Interesse des Adressaten für den schwierigen und trockenen Gegenstand zu-

---

Buch (110. 176. 269. 673. 722) und *quod superest* im sechsten Buch (219. 423. 906) – läßt erkennen, daß es Lukrez in erster Linie um eine klare Darstellung der Sache geht und daß formal-ästhetische Überlegungen demgegenüber eine untergeordnete Rolle spielen.

[10] 1,51 *(vera ratio)*. 637: Die Vorsokratiker sind *a vera ratione* abgeirrt (1,659. 711. 740. 758. 880); u. pass. Elemente der Polemik durchziehen das ganze Werk (vgl. nur 1,1052 ff.; 3,370 ff. 754 ff.; 4,469 ff. 822 ff.; 5,110 ff. 1041 ff.; 6,379 ff.).

[11] 1, 50 ff. 80 ff. 267. 370; 2,66. 581 f. 1023 ff. u. pass.

[12] 1, 402 ff. 1114 ff.; 6,527 ff. (methodische Hinweise). Zur immer wieder eingeschärften unentrinnbaren Stringenz der vorgetragenen Argumentation braucht nur auf das stereotype *fateare necesse est* (und ähnliches) verwiesen zu werden.

[13] Vgl. dazu C. J. Classen, TAPA 99, 1968, 77 ff.

nächst geweckt und dann aufrechterhalten werden soll. Im Gegensatz zu Heraklit, der berühmt *(clarus)* ist wegen seiner dunklen Sprache *(ob obscuram linguam)* und der von den *stolidi* bewundert wird, denen das für das Ohr angenehm Aufgeputzte für wahr gilt, rechnet es sich Lukrez als Verdienst an, *obscura de re tam lucida carmina* zu verfassen (933 f.) und seine aufhellende, klärende Poesie in den Dienst der wahren Lehre zu stellen.[14] Der Dichter ist sich der dabei zu überwindenden formalen Schwierigkeiten wohl bewußt; er nimmt sie aber um der Sache willen auf sich.[15] Während für den ‚formalen‘ Typ des hellenistischen Lehrgedichts die Bewältigung dieser Schwierigkeiten, die ästhetisch ansprechende Poetisierung eines ‚unpoetischen‘ Gegenstandes, das zentrale Anliegen des Autors darstellt und der Stoff – gewissermaßen sekundär – unter diesem Aspekt gewählt wird, ist Lukrez zu der Auseinandersetzung mit diesen formalen Problemen durch die Notwendigkeit gezwungen, seine Lehre mit den Mitteln der Poesie dem Adressaten überhaupt erst nahezubringen.[16] Angesichts der klaren Unterordnung der dichterischen Form unter die Entfaltung des Lehrgegenstandes und angesichts der ausdrücklichen Charakterisierung des Poetischen als eines psychagogischen, im Dienst der Bekehrung stehenden Hilfsinstruments ist es absurd, in der dichterischen Darstellung der epikureischen Lehre durch Lukrez ein deren Prinzipien widersprechendes Moment zu sehen und dies biographisch-psychologisch im Sinne der berüchtigten Persönlichkeitsspaltung zu interpretieren, wonach das Innere des Lehrdichters durch eine nicht endgültig ausgetragene Spannung zwischen leidenschaftlicher Aneignung der epikureischen Doktrin und einer deren Grundsätzen unzugänglichen eigenen seelischen Grundstruktur zerrissen würde.[17]

---

[14] Die Beziehungen der Bemerkung über Heraklit (1,638 ff.) zu der Selbstaussage des Lukrez werden gut herausgearbeitet von P. Boyancé, REA 49, 1947, 96 f. und L. Lenaghan, TAPA 98, 1967, 228 f. Gerade auf die Klarheit der poetischen Form, d. h. auf deren der durchsichtigen Entfaltung der Sache dienende Funktion, kommt es dem Autor an.

[15] Vgl. 1,136 ff. Die *patrii sermonis egestas* wird von Lukrez wiederholt als ein Moment beklagt, das seine Aufgabe erschwert: 1,139. 832; 3,260.

[16] Die sich von dem Einfluß entwicklungsgeschichtlicher Betrachtungsweise noch nicht ganz lösende Auffassung H. Dillers, StudIt 25, 1951, 11. 29, bei Lukrez habe ursprünglich gerade die Überwindung der formalen Schwierigkeit im Sinne des artistischen hellenistischen Lehrgedichts eine wesentliche Rolle gespielt (vgl. auch K. Büchner, Class&Mediaev 13, 1952, 234 ff.), erscheint im Lichte dieser Erwägungen wenig plausibel und findet im Text keine ausreichende Stütze (laut brieflicher Mitteilung ist im übrigen Dillers Skepsis gegenüber genetischen Erklärungen inzwischen gewachsen); vgl. auch Müller, Kinetik 114.

[17] Diese ‚existentielle‘ Richtung der Lukrez-Interpretation, die im deutschen Sprachraum besonders kraß durch O. Regenbogen, Lukrez. Seine Gestalt in seinem Gedicht

So wie die poetische Form als ein dienendes Element funktional auf die thematische Intention ausgerichtet ist, enthält das Werk auch keine anderen Be-
standteile, die ein von dem Thema losgelöstes Eigengewicht besäßen und nicht
fest an dieses gebunden wären. Die durch die Gattungstradition eröffnete und
von Arat und Nikander genutzte Möglichkeit, die nüchterne Darstellung des
Stoffes durch sachlich an sich entbehrliche Ruhepunkte zu unterbrechen und die
Lehre besonders durch mythologische Digressionen belebend aufzulockern und
zu ästhetisieren, wird von Lukrez souverän außer acht gelassen. Abgesehen von
dem das Gedicht einleitenden und aufgrund seiner prononcierten Stellung im
Proömium besonderen Bedingungen unterliegenden Venus-Hymnus findet sich
keine mythologische Erzählung, die nicht in engem Zusammenhang mit der
sachlich-thematischen Argumentation – zumindest als polemischer Bezugspunkt –
stünde; ja, auch der auf den ersten Blick mit epikureischer Lehre nur schwer in
Einklang zu bringende Anruf der Venus steht in engster gedanklicher Beziehung zu dem im folgenden entwickelten Gegenstand. Mit Hilfe der mythologischen Metonymie der als kosmische Potenz verstandenen Liebesgottheit wird
dem Leser sogleich im Eingang des Werkes ein Grundprinzip des Epikureismus,
die ἡδονή, in ihrer allumfassenden Wirksamkeit vor Augen geführt.[18] Dieses
Prinzip – und darauf kommt es dem Dichter hier vor allem an – erstreckt seine
Wirkungsmacht auch auf das im Entstehen begriffene Werk selbst: Die zur
Gottheit personifizierte *voluptas* vermag kraft ihrer alle Bereiche des Lebendigen durchdringenden Potenz auch dem Gedicht den poetischen Reiz (*lepos: 28*)
zu verleihen, um den Lukrez bittet (21 ff.) und dessen psychagogische Funktion
im Proömium angedeutet (14 f.) und im Verlauf der erwähnten Selbstaussage

(1932), in: Kleine Schriften, München 1961, 296 ff., vertreten wurde (vgl. auch F. Klingner, Hermes 80, 1952, 3 ff.), scheint erfreulicherweise an Einfluß zu verlieren (vgl. etwa
Wolfg. Schmid, Ant&Abendl 2, 1946, 218, und Müller, Kinetik 92 ff.; vgl. aber andererseits den von diesen kritischen Stimmen unbeeinflußten Versuch W. Fauths, den
Ansatz Regenbogens fortzuführen: Divus Epicurus. Zur Problemgeschichte philosophischer Religiosität bei Lukrez, in: Aufstieg und Niedergang der römischen Welt, hrsg.
H. Temporini, 1,4, Berlin 1973, 205 ff.. Was den durch die Wahl poetischer Darstellungsweise vermeintlich gegebenen Widerspruch zu Prinzipien der epikureischen Philosophie angeht, so weist Wolfg. Schmid, Gnomon 20, 1944, 12 ff., treffend darauf hin,
daß unter bestimmten (gerade von Lukrez erfüllten) Bedingungen auch der orthodoxe
Epikureismus die Poesie durchaus anerkennt; vgl. ferner noch Müller, Kinetik 111 ff.
    [18] Vgl. Müller, Kinetik 120 f.; P. Boyancé, Lucrèce et l'épicurisme, Paris 1963, 65 ff.
Daß mit dem Götterpaar Venus – Mars zugleich auch auf das Empedokleische Begriffs-
paar φιλία – νεῖκος angespielt werde (so W. Kranz, Philologus 96, 1944, 87 f.; D. Furley, BullIClSt 17, 1970, 55 ff.), ist möglich, erscheint aber angesichts der konsequenten
und ausschließlichen Anlehnung des Lukrez an seine epikureische Vorlage als zweifelhaft
(zum Verhältnis des Dichters zu Empedokles s. u. S. 78 f.).

näher charakterisiert wird (vgl. die Wiederaufnahme von *lepos:* 1,934). Wenn sich die Metonymie, deren Gebrauch mit orthodoxer epikureischer Lehre durchaus vereinbar ist (vgl. 2,655 ff.), zu einem ausgeführten mythologischen Bild erweitert, so ist das nur der adäquate poetische Ausdruck für eine den Kosmos erfüllende, umfassende Wirkungsmacht, und man sollte sich hüten, diesen vermeintlichen systeminternen Widerspruch als Beleg für den oben (S. 71) angesprochenen ungelösten Konflikt im Inneren des Lehrdichters auswerten zu wollen.[19] Die mythologische Ausweitung der Metonymie trägt zugleich in spezifisch epikureischer Weise den Gepflogenheiten der Gattung Rechnung, indem die personifizierte *voluptas* die üblicherweise im Proömium angerufene Muse ersetzt (vgl. die Proömien des Hesiod und Arat).[20]

Mit Ausnahme einer einzigen Partie, die sogleich betrachtet werden soll, findet sich in dem ganzen Werk kein größerer mythologischer Exkurs. Wenn der Dichter gelegentlich auf mythologische Erzählungen Bezug nimmt, geschieht dies nie um der poetisch-ornamentalen Belebung der Darstellung willen; solche Bezugnahmen verfolgen vielmehr immer das Ziel, der mythisch-religiösen Welterklärung eine natürlich-rationale entgegenzustellen und damit die Möglichkeit des Rückfalls in den Aberglauben, die aufgrund solcher vorwissenschaftlicher Erklärungsweisen auch nach den befreienden Entdeckungen Epikurs immer noch gegeben ist, wirksam zu bekämpfen. Die letztlich aus der Verwunderung über scheinbar nicht erklärbare Phänomene entstandenen Märchen der *veteres Graium poetae* haben, sofern nicht das törichte Staunen in Wissen überführt wird, auch heute noch ihre Gefährlichkeit[21] und werden vom Autor mit schneidender

---

[19] Vgl. Classen 99 ff. Für Regenbogen stellt das Venus-Proömium ein Musterbeispiel dafür dar, welchen inneren Kampf Lukrez auszufechten hatte (375): „Man kann es gar nicht anders fassen, als daß man sagt: der mythenschauende und mythengestaltende Dichter im Menschen Lukrez ist mehr und mehr Herr geworden über den „nüchternen Sinn" des Epikurjüngers." Die Verse 44–49, offenkundig die Interpolation eines den Dichter korrigierenden Besserwissers, werden bei dieser Sicht als Protest des Epikureers Lukrez gegen den Dichter Lukrez gedeutet, ein Protest, dessen endgültige Einarbeitung der Tod verhindert habe (s. auch o. Anm. 3).

[20] Vielleicht besitzt der Venus-Hymnus noch eine weitere, ganz konkrete Zielrichtung. Wenn man bedenkt, daß Arat im Eingang der *Phainomena* in der Gestalt des Zeus die alle Welt durchdringende und in ihren Schutz nehmende Vorsehung preist (s. o. S. 45 f.), daß Lukrez an derselben Stelle seines Lehrgedichts Venus als die Verkörperung des kosmischen Lustprinzips feiert, so drängt sich der Gedanke auf, daß der Römer der stoischen Eröffnung der *Phainomena* eine spezifisch epikureische, formal jedoch an den Vorgänger bewußt anklingende gegenüberstellt.

[21] Das gedankenlose Staunen als Hindernis rationaler Erkenntnis und als gefährliche Verführung zu religiöser Welterklärung wird von Lukrez mehrfach angesprochen: 2, 1023 ff. (vgl. 5,97 ff.); 5,82 ff. (= 6,58 ff.). 1204 ff. u. pass.

Ironie abgefertigt.[22] Um der aus mythischer Naturerklärung für seine Zielsetzung erwachsenden Gefahr zu begegnen, hat Lukrez auch jenen einzigen breiten
Exkurs in die Sachdarstellung eingeflochten, auf den soeben hingewiesen wurde:
die *Magna-mater*-Digression im zweiten Buch (600 ff.). Hier geht es jedoch
nicht so sehr darum, der mythischen Erklärung natürlicher Phänomene eine
naturwissenschaftliche entgegenzustellen, sondern hier wendet sich der Dichter
anhand eines in allen Einzelheiten ausgeführten exemplarischen Falles einerseits gegen die Versuchung, einer Naturpotenz – an der vorliegenden Stelle: der
Erde – einen Status religiöser Anbetungswürdigkeit zu verleihen, und sodann
gegen die gerade den Stoikern eigentümliche Tendenz, einem aus dieser Versuchung resultierenden Kult und Mythos auf dem Wege allegorisierender Interpretation einen vernünftigen Sinn abzugewinnen.[23] Lukrez referiert zunächst die
kultischen Handlungen und deren allegorisierende Deutung, um anschließend
beides radikal zu verwerfen. Auch dieser Exkurs ist untrennbar mit dem das
ganze Gedicht leitenden thematischen Gedanken verbunden. Die Beseitigung der
religio als des entscheidenden Hindernisses für das Glück der Menschen kann
nur auf dem Wege einer natürlichen Erklärung der Phänomene erfolgen und
impliziert eine grundsätzliche Ablehnung mythischer Betrachtungsweisen. Damit ist aber auch der Verzicht auf jegliche allegorisierende Interpretation mythischer Sehweisen gefordert. Ein solcher Kompromiß der aufgeklärten Vernunft mit ihrem Gegensatz, dem Mythos, ist von der Sache her nicht vertretbar
und für die Erreichung des dem Dichter-Aufklärer am Herzen liegenden missionarischen Ziels gefährlich. Aus diesem Grunde wird ihm eine erschöpfende
und exemplarische Auseinandersetzung gewidmet.

Von welcher Seite man auch an das Gedicht herantritt, immer wieder wird
deutlich, daß die Verbreitung der epikureischen Lehre als des einzig vorhandenen Weges zur Vernichtung der *religio* der dominierende Grundtenor ist, dem
alle Elemente des Werkes, die formalen Darstellungsmittel wie die gedanklichen
Argumentationen, funktional untergeordnet sind. So bleibt auch das Bestreben,
für alle Phänomene natürliche Ursachen zu finden und diese dem Adressaten
plausibel zu machen, immer auf die antireligiöse Zielsetzung ausgerichtet. Die
Ursachenforschung ist – in genauer Übereinstimmung mit Epikur – nie Selbstzweck, sondern vollzieht sich stets im Blick auf ihre Relevanz für die angestreb-

---

[22] Vgl. 5,396 ff.: die Phaethonsage, eine Geschichte der *veteres Graium poetae*, die
von der *vera ratio* weit entfernt ist; 6,738 ff.: Das zunächst so staunenswerte Phänomen
der *loca Averna* ist natürlich erklärbar; mythische Erklärungen wie die Erzählungen
der *Graium poetae* (754) haben mit der *vera ratio* nichts zu tun (767); vgl. ferner 4,
580 ff. 1233 ff. 1278 f.; 6,387 ff.

[23] Vgl. P. Boyancé, REL 19, 1941, 147 ff.; Müller, Kinetik 42 ff.

te Befreiung der Menschen von den sie quälenden nichtigen Ängsten. So ist es nicht verwunderlich, wenn für eine Erscheinung gelegentlich mehrere mögliche Ursachen nebeneinander genannt werden, ohne daß es Lukrez als notwendig erachtet, sich für eine der Möglichkeiten zu entscheiden. Es ist ferner verständlich, daß unter diesen Voraussetzungen eine lückenlose Vollständigkeit nicht angestrebt wird. Wo die exakte Erkenntnis eines Phänomens nicht von Bedeutung für das allein maßgebende Ziel ist, wird sie als irrelevant beiseitegelassen.[24]

Die *religio,* der polemische Bezugspunkt des ganzen Gedichts, wird am Schluß des Werkes noch einmal in eindrucksvoller Weise angesprochen: am Ende der an der Thukydideischen Schilderung orientierten Beschreibung der athenischen Seuche zu Beginn des Peloponnesischen Krieges. Der Dichter schlägt mit dieser Partie unübersehbar einen Bogen zu dem Proömium und der dort von Anfang an herausgestellten antireligiösen Zielsetzung.[25] Diese thematisch bedeutsame Funktion des Gedichtschlusses scheint bisher nicht gebührend beachtet worden zu sein. Sie soll deshalb hier abschließend herausgearbeitet werden.

---

[24] Nebeneinander möglicher Ursachen: 5,509 ff. 650 ff. 656 ff. u. pass. Verzicht auf Vollständigkeit, sofern dem Adressaten das Prinzip klar ist: 6,527 ff.

[25] Daß wir mit der Beschreibung der Seuche tatsächlich den von Lukrez so gewollten Schluß des Werkes vor uns haben, sollte nicht in Zweifel gezogen werden (wie es Boyancé, Lucrèce et l'épicurisme 79 ff., tut). Die Tatsache, daß die Ankündigung des *largus sermo* über das Wesen der Götter (5,155) in unserem Text ohne Ausführung bleibt, darf nicht zu der Vermutung führen, diese Erörterung sei von Lukrez im Anschluß an die Seuchenschilderung geplant gewesen. Nicht mehr als eine unsichere Vermutung muß auch die Erwägung bleiben, dieser *sermo* sei 5,1198–1203 angelegt, aber nicht endgültig ausgeführt (Müller, Kinetik 11 Anm. 3; Müller versucht diese Vermutung neuerdings in einem scharfsinnigen Beitrag zu stützen: Die fehlende Theologie im Lucreztext, in: Monumentum Chiloniense [Festschr. E. Burck], Amsterdam 1975, 277 ff.; aber es bleibt fraglich, ob der textkritische Befund – dessen Richtigkeit einmal vorausgesetzt – die weitreichenden Folgerungen erlaubt, zu denen Müller gelangt). Das Problem ist wohl am besten mit der Annahme zu lösen, Lukrez habe im Verlauf der Darstellung seine Absicht geändert, sei aber zur Tilgung der Ankündigung nicht mehr gekommen oder habe sie einfach übersehen. (Als Zeichen der Nichtvollendung ist auch das Fehlen eines Proömiums am Beginn des vierten Buches zu betrachten, ein Befund, der von einem Interpolator durch die Übertragung der Verse 1–25 aus dem ersten Buch [926 ff.] verdeckt wurde; vgl. dazu Wolfg. Schmid, Philologus 93, 1938, 346 ff. Die Versuche, die Übernahme der Verse aus dem ersten Buch Lukrez selbst zuzuschreiben, bedeuten einen Rückschritt hinter die durch Schmid erzielte Erkenntnis.) Auch in dieser Absichtsänderung äußert sich wieder einmal die konsequente Ausrichtung der Darstellung der epikureischen Lehre auf das von Anfang an herausgestellte Ziel: Im Hinblick auf die Vernichtung des Aberglaubens ist die Bekämpfung falscher Vorstellungen wichtiger und effektiver als die positive Darlegung der epikureischen Theorie über das Wesen der Götter (anders – im Sinne der Unverzichtbarkeit der positiven Darlegung hinsichtlich des verfolgten Zweckes – Müller, Die fehlende Theologie 277 f. 288 ff.).

Der Vergleich der Lukrezischen Darstellung mit derjenigen seiner historischen Vorlage (Thuc. 2,47 ff.) hat als Intention des Lehrdichters die Steigerung des Schreckens und die betonte Herausstellung der Todesangst der betroffenen Menschen angesichts dieses Schreckens ergeben.[26] Diese Ausgestaltung ist nicht etwa auf die spezifische, von epikureischer ἀταραξία denkbar weit entfernte Seelenverfassung des Römers zurückzuführen, der ohne sachlichen Grund die Thukydideische Darstellung pathetisch übersteigert hätte;[27] sie steht vielmehr in engster Beziehung zu dem Thema des Dichters: Gerade in einer solchen Grenzsituation, gerade einem derartigen exzeptionellen Schrecken gegenüber, auf den die große Masse nur mit blinder Todesangst zu reagieren weiß, gilt es sich zu bewähren. Eine solche Situation wie die athenische Seuche legt zugleich in brutalster Weise offen, in welchem Maße die Menschen der epikureischen Lehre bedürfen.[28] Entscheidend für die Erkenntnis der Funktion des Finales ist es aber, in den Blick zu bekommen, auf welches Ziel Lukrez die Schilderung hinführt.[29] Indem er einen Aspekt, der auch bei Thukydides vorhanden ist, dort aber im umfassenden Zusammenhang von dessen Erörterung der Auswirkung der Ereignisse auf die menschliche Verhaltensweise nur eine nebensächliche Rolle spielt, für den Schluß aufspart, rückt er ihn in eine entscheidende Position: Es handelt sich um die Folgen des alle Vorstellungskraft übersteigenden Geschehens für die *religio*. Dieses Moment wird gelegentlich auch bei Thukydides berührt, bildet dort aber nicht den Zielpunkt der ganzen Schilderung.[30] Bei Lukrez steht es ab 1272 bis zum Ende im Vordergrund. 1276 f. wird deutlich ausgesprochen, worauf es ihm ankommt:

---

[26] 1156 ff. 1208 ff. (vgl. dazu Thuc. 2,49,8). 1230 ff. 1238 ff.; vgl. dazu J. Grimm, Die literarische Darstellung der Pest in der Antike und in der Romania, München 1965, 49 ff.

[27] So G. Härke, Studien zur Exkurstechnik im römischen Lehrgedicht, Würzburg 1936, 28 f., im Banne von Regenbogens Lukrezbild.

[28] Vgl. Grimm 49 ff.; Müller, Kinetik 11.

[29] Dieses entscheidende Moment ist bisher nicht recht gewürdigt worden. Das gilt auch für die ausführliche Behandlung der Partie bei H. Klepl, Lukrez und Virgil in ihren Lehrgedichten, Diss. Leipzig 1940 (Nachdr. Darmstadt 1967), 52 ff. Auch hier verstellt die Auffassung von dem „eigentümlichen seelischen Zwang ..., bei grauenhaften Vorstellungen verweilen ... zu müssen" (57), von vornherein die Möglichkeit einer adäquaten Erfassung der Lukrezischen Intention (vgl. Wolfg. Schmid, Gnomon 20, 1944, 85 ff.). Abwegig ist auch die Deutung des Buchschlusses durch P. H. Schrijvers, Horror ac divina voluptas. Etudes sur la poétique et la poésie de Lucrèce, Amsterdam 1970, 312 ff., als eines Spiegels für den moralischen Verfall der zeitgenössischen römischen Gesellschaft. Für derartige Spekulation bietet der Text keinen Anhaltspunkt.

[30] Vgl. Thuc. 2,47,4. 52,3. Bei Thukydides mündet die Darstellung in die umfassende Erörterung der moralischen Folgen (53).

nec iam religio divum nec numina magni
pendebantur enim: praesens dolor exsuperabat.

Dies zeigt sich nach Lukrez in zweierlei Hinsicht: einmal darin, daß die Heiligtümer der Götter ohne jede Scheu mit Leichen angefüllt wurden (1272 ff.). Die sich von der nüchtern registrierenden Darstellung des Thukydides (52,3) so stark abhebende sarkastische Betonung des grausigen Kontrasts läßt die Intention des Dichters deutlich werden. Angesichts einer solchen Ausnahmesituation enthüllt sich die ganze Nichtigkeit des Aberglaubens; alle seine Ausprägungen werden durch die Wirklichkeit hinweggefegt. Zu derselben Erkenntnis führt ein Blick auf die momentane Aufgabe der alten Begräbnissitten (1278 ff.). In deutlichem Rückverweis auf einen das ganze Werk einleitenden und die Zielsetzung des Dichters rechtfertigenden Gedanken des Proömiums wird – wieder in bezeichnender Steigerung der Thukydideischen Darstellung – ein besonders abscheuliches Verhalten abschließend herausgestellt. Der blutige Kampf um die Scheiterhaufen angesichts der toten Angehörigen ist ein gräßlicher Beweis für das völlige Schwinden religiöser Scheu. Der jäh hereingebrochene Schrecken und die schlimme Armut bringen die Menschen dazu, sich über ihre bisherigen, religiös fundierten Verhaltensweisen und über die in der *religio* verankerten Normen hinwegzusetzen, und führen zu einer so grausigen Szenerie (1282). Der Anklang von 1282 an 1,101 *(tantum religio potuit suadere malorum)* unterstreicht den Bezug zum Proömium. Unter dem Druck einer solchen Not und Verzweiflung erweist sich die *religio* als das, was sie ist: leerer Schein und Wahn. Sie, die sonst bei all ihrer Nichtigkeit das Leben der Menschen zu vergiften und diese zu verbrecherischen Taten zu verleiten in der Lage ist (vgl. besonders 1, 80 ff.), vermag unter solchen Umständen nicht einmal ein gesittetes Verhalten zu garantieren. Am Ende des Werkes wird so der von Anfang an dominierende polemische Bezugspunkt noch einmal herausgestellt. Die thematische Einheit und Geschlossenheit des Ganzen wird damit überzeugend unterstrichen.

Lukrez ist – so läßt sich zusammenfassend konstatieren – aus existentieller Aneignung einer fremden Lehre und aus dem Bewußtsein missionarischer Verpflichtung, diese Lehre an die Mitmenschen weitergeben zu müssen, zum Lehrdichter geworden. Stoff und Thema sind daher bei ihm identisch. Es ist nicht legitim, hier überhaupt von einer ‚Wahl‘ des Stoffes zu sprechen, insofern sich die poetische Intention ja erst an dem Gegenstand entzündet. Der Dichter hat sich die Heilslehre ganz zu eigen gemacht; er steht ihr nicht als Wählender distanziert gegenüber. Lukrez ist primär Lehrer. Das Dichterische kommt erst sekundär hinzu als das psychagogische Instrument, das konsequent in den Dienst der Lehre gestellt wird. Angesichts der strikten, funktionalen Ausrichtung der poetischen Mittel auf den zu lehrenden Gegenstand und der Identität von dar-

gestelltem Stoff und Thema erweist sich das Lehrgedicht des Lukrez als Reprä-
sentant des ‚sachbezogenen‘ Typs. Indem Stoff und Thema als Objekt tatsäch-
licher und direkter Didaktik zusammenfallen, wird der kompliziert struktu-
rierte, vielschichtige Komplex der hellenistischen Lehrdichtung eines Arat und
Nikander durch eine von stärkstem persönlichen Engagement getragene, direkt
appellierende, einschichtige Form abgelöst, die unmittelbar auf die Anfänge
didaktischer Dichtung zurückzugreifen scheint. Wenn es auch denkbar ist, daß
Lukrez aufgrund des spezifischen Weges, der ihn zur Dichtung führte, von sich
aus und ohne äußeren literarischen Einfluß zu der Neubelebung der alten, vom
Hellenismus überholten Weise der Lehrdichtung gekommen ist, so ist doch die
Möglichkeit literarischer Anregung durch die frühgriechische philosophische
Didaktik nicht auszuschließen, ja, sie ist sogar wahrscheinlich. Gerade das besondere Gewicht, das dem Empedokles von Lukrez verliehen wird, weist darauf
hin.[31] Die Hervorhebung des Empedokles und seiner literarischen Tätigkeit mag
vielleicht sogar als ein Bekenntnis des Römers zu dieser ursprünglichen, ‚sachbezogenen‘ Art didaktischer Poesie und indirekt als Ablehnung der spielerischen
hellenistischen Formen verstanden werden.[32] Jedenfalls bedeutet das Lukrezi-

---

[31] Vgl. 1,716 ff. Gewiß sind es zunächst die sachlichen Berührungen mit der Lehre
des Empedokles und die Tatsache, daß dieser den Versuch einer natürlichen Welterklä-
rung unternommen hat, welche zu dem Preis des Philosophen geführt haben (vgl. Müller,
Kinetik 114 f.); aber dessen *praeclara reperta* sind in poetischer Form vorgetragen, ein
Faktum, das Lukrez besonderer Hervorhebung würdigt (731: *carmina quin etiam*). Der
Preis gilt also auch dem Lehrdichter, und es ist insofern legitim zu fragen, ob nicht das
Werk des Vorgängers für Lukrez zugleich ein Vorbild war, welches seine eigene Dichtung beeinflußt hätte. Für eine sich auf den Lehrstoff erstreckende Einwirkung bleibt
dabei aufgrund der fugenlosen Anlehnung des lateinischen Didaktikers an seine epikureische Vorlage so gut wie kein Raum (s. o. Anm. 18). Im Formalen ist dagegen Empe-
dokleischer Einfluß nicht unwahrscheinlich (vgl. Kranz 68 ff., bes. 70 ff.; W. Rösler,
Hermes 101, 1973, 48 ff., hält es mit beachtenswerten Argumenten für unwahrscheinlich, daß Lukrezens Kenntnis der Vorsokratiker auf eigener Originallektüre beruhe; er ist
aber hinsichtlich der Möglichkeit einer direkten Empedokles-Lektüre zu gewissen Kon-
zessionen bereit: S. 61).

[32] Es ist in diesem Zusammenhang bezeichnend, daß bei Lukrez jeder Hinweis auf
hellenistische Lehrgedichte, die doch – wie etwa Ciceros Versuch der Arat-Übersetzung
zeigt – zu seiner Zeit in hohem Ansehen standen, fehlt, daß nicht einmal Hesiod, der
immer wieder genannte Archeget der Gattung, erwähnt wird (s. aber o. Anm. 20). Daß
derartige literarische Bezüge, deren Evozierung ein wesentliches Element der hellenistischen Lehrdichtung bildet, in dem Gedicht des Lukrez keine Rolle spielen, ist vor allem
in der strikten Ausrichtung der Darstellung auf die zu lehrende Sache selbst begründet.
Aber vielleicht kann man doch einen Schritt weiter gehen. Die völlige Ignorierung der
unmittelbaren hellenistischen Vorgänger und des von diesen als Autorität auf den Schild
gehobenen Hesiod einerseits und die alleinige Herausstellung des Empedokleischen

sche Lehrgedicht einen Neubeginn in der Geschichte der Gattung. Das leidenschaftliche Bestreben, eine in ihrer fundamentalen Bedeutung erkannte Lehre den Zeitgenossen nahezubringen, führt zu einer kraftvollen, alles andere als epigonalen Wiederbelebung der literarisch untergegangenen Form. Lukrez setzt sich dabei souverän über die Vorstellungen seiner hellenistischen Vorgänger (und von deren Anhängern im Rom des ersten Jahrhunderts) hinweg, die diese Form als den gewandelten ästhetischen Anforderungen eines neuen Publikums nicht mehr entsprechend betrachtet und deshalb einer deren einfache Struktur verkomplizierenden Verfeinerung unterzogen hatten. Mit der Neukonstituierung des ursprünglichen Typs poetischer Didaktik durch Lukrez ist für die lateinische Lehrdichtung ein einflußreiches Korrektiv gegen die Dominanz der hellenistischen Ausprägungen der Gattung errichtet.

Lehrgedichts andererseits legen den Gedanken nahe, daß Lukrez die artistische Richtung, in welcher die hellenistischen Autoren die didaktische Poesie fortentwickelt hatten, für verfehlt hielt und daß er im Anschluß an das ursprüngliche, ,sachbezogene', frühgriechische Lehrgedicht bewußt einen neuen Weg einschlug (vgl. 1,925 ff.).

III Die übrigen Lehrgedichte

1. Landwirtschaftliche Lehrgedichte

a) Vergil

Während bereits der Titel des Lukrezischen Werkes *(De rerum natura)* an die
Gedichte der frühgriechischen Philosophen Περὶ φύσεως erinnert und eine
Verbindung zu diesen herstellt, ordnet sich Vergil mit den *Georgica* unverkennbar in die Tradition hellenistischer Lehrdichtung ein. Der Titel evoziert im Bewußtsein des Lesers sofort das gleichnamige Werk des Nikander, und es bedürfte nicht erst des ausdrücklichen Zeugnisses des Quintilian, um literarische
Beziehungen Vergils zu dem hellenistischen Vorgänger, die sich gelegentlich auch
deutlich fassen lassen, als sicher zu postulieren.[1] Vergil tritt mit den *Georgica*
offenbar in Konkurrenz zu seinem ebenfalls am hellenistischen Lehrgedicht
orientierten Zeitgenossen Aemilius Macer, indem er sich dem von diesem über-
gangenen Bereich der Nikandrischen Dichtung zuwendet (vgl. Quint. 12,11,27).
Auch andere Autoren des Hellenismus sind in den *Georgica* gegenwärtig. So
liegt etwa der Beschreibung der Himmelszonen (1,233 ff.) der *Hermes* des Eratosthenes zugrunde. Eine sowohl dem Umfang wie der Bedeutung nach besonders wichtige Stellung nehmen die Berührungen mit den *Phainomena* des Arat
ein. Sie werden ihrem Gewicht entsprechend an geeigneter Stelle eingehend erörtert werden (s. u. S. 93 ff.). Und wenn Vergil 2,176 stolz für sich in Anspruch
nimmt: *Ascraeumque cano Romana per oppida carmen,* so kommt darin zunächst im Blick auf den stofflichen Bereich das Bewußtsein zum Ausdruck, der
landwirtschaftlichen Lehrdichtung des böotischen Archegeten der Gattung ein

---

[1] Quint. 10,1,56: *Nicandrum frustra secuti Macer atque Vergilius?* Das Ausmaß der
Beziehungen ist aufgrund der nur geringen Reste der Nikandrischen *Georgika* nicht
festzustellen. Es dürfte angesichts der völlig anderen Intention Vergils (dabei ist die
prinzipielle Gleichartigkeit der *Georgika* des Nikander mit dessen erhaltenen Lehrgedichten vorausgesetzt, s. o. S. 57 f.) auch nicht sehr groß sein und über stoffliche Berührungen hinaus schon gar nicht Wesentliches betreffen. Andererseits sollte man nun aber
auch nicht so weit gehen, daß man die Äußerung Quintilians nur im Sinne einer bloßen
Wiederaufnahme des Nikandrischen Stoffes durch Vergil interpretiert (vgl. W. Richter,
Vergil: Georgica, München 1957, 195). Ein deutlicher Bezug auf die *Theriaka* sei hier
wenigstens genannt: Georg. 3,414 ff. (vgl. Th. 21 ff. 359 ff.).

römisches Gegenstück entgegenzusetzen. Zugleich liegt jedoch in der Berufung auf Hesiod auch ein Bekenntnis zur literarischen Tradition des Hellenismus. Hesiod war ja die Autorität, die gerade von den führenden Literaten der hellenistischen Hochzeit für ihre neuen poetologischen Auffassungen in Anspruch genommen wurde, wie etwa die *Phainomena* Arats und deren Rezeption durch Kallimachos zeigen.[2] Der Name ‚Hesiod‘ bezeichnete als solcher bereits so etwas wie ein Programm. Indem Vergil also die Hesiodnachfolge betont, was abgesehen von der zitierten programmatischen Selbstaussage durch eine Reihe von Anspielungen geschieht, stellt er sich – in Übereinstimmung mit anderen Autoren dieser Epoche – bewußt in diese hellenistische Tradition.[3]

Das zeigt sich auch in der Weise, wie der Dichter seinen Stoff charakterisiert. Die unter dem Einfluß der dichtungstheoretischen Prinzipien des Kallimachos stehenden hellenistischen Autoren hatten ja nicht nur das ihrer Ansicht nach obsolet gewordene homerisierende Großepos durch kleinere Formen zu ersetzen versucht, um in diesen ihr feines Kunstverständnis um so glänzender zur Entfaltung kommen zu lassen; sie hatten auch die dem Großepos angemessenen ‚großen‘ heroischen Stoffe zugunsten solcher aufgegeben, deren Gegenstand vorzüglich die ‚kleinen‘ Bereiche des täglichen Lebens oder auch weniger heroische Aspekte des Mythos waren. Dabei stellte vielfach gerade der Kontrast zwischen der Geringfügigkeit des Stoffes und der epischen Form seiner Darbietung ein dem Autor wichtiges ästhetisches Element dar – so wie es oben für die Nikandrischen Lehrgedichte herausgearbeitet wurde. Auch Vergil weist an mehreren Stellen ganz im Sinne der hellenistischen Tradition auf die beengende Kleinheit seines Stoffes hin, wobei der in diesem Zusammenhang verwendete Ausdruck *tenuis* zweifellos an den Schlüsselbegriff alexandrinischer Poetik, wie er etwa exemplarisch in dem Akrostichon der *Phainomena* (783 ff.; s. o. S. 42 Anm. 14) herausgestellt wird, das λεπτόν, erinnern soll.[4] An einer Stelle wird sogar der

---

[2] Zum hesiodeischen Element in den *Phainomena* vgl. Verf., RhM 113, 1970, 167 ff. (mit weiterer Literatur). Das Urteil des Kallimachos (Ep. 27): Ἡσιόδου τὸ τ' ἄεισμα καὶ ὁ τρόπος. Vgl. zur Inanspruchnahme des Hesiod durch die Alexandriner im übrigen H. Herter, Bursian 255, 1937, 214 f. (s. auch u. S. 96 f.).

[3] Vgl. W. Frentz, Mythologisches in Vergils Georgica (Beitr. z. Klass. Philol. 21), Meisenheim 1967, 132 f. Von den zahlreichen Anspielungen an Hesiods *Erga* hier nur einige Beispiele: 1,125 ff. (Op. 109 ff.); Bezugnahmen treten besonders massiert bei der Schilderung des Arbeitskalenders (1,204 ff.) und des Mondkalenders (1,276 ff.) auf, wobei an der letztgenannten, mit einem betonten Anklang einsetzenden Stelle (vgl. Op. 802 ff.) der durch das Nebeneinander der das Vorbild übersteigernden grausigen Szenerie des Titanenkampfes und des absichtlich banalen Schlußverses (286) erzielte ironische Kontrast das hellenistischer Poesie eigene souveräne Spiel des Dichters mit seiner Vorlage deutlich werden läßt (s. auch u. S. 90 f.).

[4] 1,177: *tenuis curas;* 2,475 ff.: Vergil begnügt sich Lukrez gegenüber als *inglorius*

typisch hellenistische Kontrast zwischen Stoff und Form deutlich ins Bewußtsein des Lesers gerückt.[5] Die in diesem Kontrast liegenden Möglichkeiten spielerisch-

(486) mit dem kleineren Gegenstand (s. aber u. S. 84 f.); 4,6: *in tenui labor*. Im Lichte dieser Aussagen ist auch das Proömium des dritten Buches zu interpretieren. Die vielverhandelten Probleme dieses Proömiums können hier nicht im einzelnen erörtert werden. Dafür sei auf die ausführlichen Untersuchungen von U. Fleischer, Hermes 88, 1960, 280 ff., und V. Buchheit, Der Anspruch des Dichters in Vergils Georgika, Darmstadt 1972, 92 ff., verwiesen. In den ersten beiden Versen wird durch die Anrufung der ‚zuständigen‘ Gottheiten der Stoff des folgenden Buches umrissen. Die Verse 3–8a reflektieren über diese Stoffwahl, wobei dem Lehrgegenstand des Buches – und implizit demjenigen des Gesamtwerks überhaupt – mythologische Stoffe, wie sie besonders die epische Dichtung des Hellenismus liebte (vgl. Richter 264), gegenübergestellt werden: Diese Stoffe sind vielfach behandelt und bieten dem Dichter keinen Raum mehr zu eigener Entfaltung. Deshalb, so kann der Leser ohne weiteres aus dem Kontext zumal des vorangegangenen Finales von Buch 2 leicht ergänzen, hat sich Vergil der didaktischen Poesie zugewandt. In Zukunft aber, so fährt der Dichter 8 ff. fort, müsse er einen Weg beschreiten, auf dem er wie Ennius höchsten Ruhm erwerben könne (auf Ennius spielt Vers 9 unüberhörbar an). Das im folgenden breit ausgeführte Bild des Dichtertriumphes und des am Mincius errichteten Caesar-Tempels verweist auf das künftige nationale Epos. Sowohl das Ennius-Zitat wie auch das *modo vita supersit* (10) einerseits und das *interea* (40) und *mox tamen* (46) andererseits lassen keinen Zweifel daran, daß in dem Proömium das gegenwärtige Lehrgedicht und das gedanklich bereits konzipierte Epos einander gegenübergestellt werden. Das Lehrgedicht bleibt trotz der spezifischen Züge, die es mit der *Aeneis* verbinden und die bereits in die Richtung des künftigen (‚unhellenistischen‘) nationalen Großepos weisen, noch im Rahmen der hellenistischen Tradition und der von dieser favorisierten kleineren Formen. Erst der große, erhabene Stoff des geplanten Nationalepos eröffnet dem Dichter die Möglichkeit, die enggezogenen Grenzen alexandrinischer Dichtungsweise (der fiktionalen wie der didaktischen) zu durchstoßen und sich im Dichtertriumph „vom Erdboden zu erheben" (9). Diese hier nur in den wesentlichen Grundzügen entwickelte Funktion des Proömiums wird sowohl von denjenigen verkannt, die 8 ff. nicht auf das künftige Epos, sondern auf das gegenwärtige Gedicht zu beziehen versuchen (so etwa K. Büchner, P. Vergilius Maro, RE Sonderdruck, Stuttgart 1961, 269 ff.), als auch von Buchheit (92 ff.), der bereits in 3,1 f. einen Verweis auf das nationale Epos zu erkennen meint und von daher den im Sinne der obigen Ausführungen zentralen Gegensatz ‚Lehrgedicht – Epos‘ hinsichtlich der Gedankenführung des Proömiums überhaupt bestreitet (vgl. dazu Verf., Gnomon 46, 1974, 661).

[5] 3,289 f.: *nec sum animi dubius verbis ea vincere magnum / quam sit et angustis hunc addere rebus honorem*. Diese Bemerkung betrifft zwar zunächst den zuvor angekündigten und im folgenden vorgetragenen Lehrgegenstand: die Kleinviehzucht; sie darf aber angesichts der in vorstehender Anm. zitierten Stellen ohne Bedenken auf das ganze Werk bezogen werden. Der Gegensatz zu Lukrez (1,922 ff.), auf den Vergil deutlich anspielt, ist offensichtlich: Bei jenem besteht die Schwierigkeit darin, einen großen und bedeutenden Gegenstand (931: *magnis de rebus*) in dichterischer Form adäquat und klar darzustellen (s. o. S. 71), bei Vergil dagegen darin, einem kleinen Stoff durch Poesie Würde zu verleihen.

distanzierter Darstellung – auch dies ein bekanntes Charakteristikum hellenistischer Poesie – werden von dem Dichter nicht übersehen, sondern, zumal im Bienenbuch, gern entfaltet.[6] Nach diesen Bemerkungen braucht die Vielzahl der Elemente, in denen sich die hellenistische Orientierung der *Georgica* äußert, nicht mehr im einzelnen erörtert zu werden. Nur wenige seien hier kurz genannt. Vergil dokumentiert seine Gelehrsamkeit ähnlich wie Arat und Nikander durch Kataloge wie etwa den der Weinsorten (2,89 ff.); er schiebt wie seine hellenistischen Vorgänger mythologische Erzählungen und Anspielungen in die Stoffdarstellung ein (s. u. S. 89 ff.); er beschließt das Werk mit einem regelrechten Epyllion, also einer spezifischen Ausprägung epischer Erzählung, welche in Rom besonders durch die Neoteriker zur programmatischen Form hellenistischer Dichtungsweise erhoben wurde.

Wenn sich der Autor mit seinem Werk in dieser Weise in die Tradition hellenistischer Dichtung stellt, so ist das gerade nach dem diesen Bereich ignorierenden oder gar ablehnenden Neuansatz des Lukrez (s. o. S. 78 f.) eine bedeutsame Tatsache, dies um so mehr, als die literarische Auseinandersetzung mit dem großen lateinischen Vorgänger bei Vergil eine gewichtige Rolle spielt und deutlich werden läßt, daß der Augusteer seinen von Lukrez wegführenden Weg mit vollem Bewußtsein gewählt hat. Es stellt sich die Frage nach dem Grund der Abkehr von Lukrez und der erneuten Hinwendung zu den hellenistischen Autoren. Gewiß kann man zur Beantwortung dieser Frage darauf hinweisen, daß der Dichter von seinen poetischen Anfängen an eng mit der hellenistischen Literatur verbunden war; man kann auch auf die durch den Stoff gegebene Beziehung zur didaktischen Poesie des Hellenismus verweisen. Aber das reicht sicherlich nicht aus, denn der landwirtschaftliche Lehrgegenstand hätte auch – wie etwa das Beispiel Hesiods zeigt – ganz anders entfaltet werden können, als es in den *Georgica* geschieht. Entscheidend war nicht so sehr der Stoff als solcher als vielmehr die spezifische Haltung des Dichters ihm gegenüber. In diesem Punkte traf er sich mit hellenistischen Autoren, und zwar im besonderen, wie zu zeigen sein wird, mit Arat. Diese übereinstimmende Haltung dem jeweiligen Stoff gegenüber (wobei wiederum deren spezifisch historisch-gesellschaftliche Ursachen als ein genuin literaturgeschichtliches Problem hier weitgehend außer Betracht bleiben: s. o. S. 34 f.) ist in erster Linie für den über Lukrez hinausgehenden Rückgriff auf die alexandrinische Tradition verantwortlich.

Wenn eben beim Nachweis der hellenistischen Elemente der *Georgica* auf die Stellen hingewiesen wurde, an denen der Dichter von der Kleinheit seines Lehr-

---

[6] Vgl. 3,294; 4,170 ff.: Der Vergleich der Bienen mit den Blitze schmiedenden Kyklopen zeigt sehr schön das souveräne Spiel des Dichters mit Groß und Klein; vgl. hierzu im übrigen F. Klingner, Virgil, Zürich/Stuttgart 1967, 300. 313 f.

gegenstandes spricht, und wenn dabei an die Gedichte des Nikander erinnert
wurde, so muß doch nunmehr scharf der Unterschied hervorgehoben werden.
Bei Vergil handelt es sich nicht um die Wahl eines an sich beliebigen Stoffes als
Vehikel formaler Kunstentfaltung ohne eigentliches Thema; er ergreift seinen
Gegenstand vielmehr aus einer inneren Notwendigkeit heraus und ist zutiefst
von dessen Bedeutsamkeit durchdrungen.[7] Die im Sinne der hellenistischen Theorie betonte Kleinheit des Stoffes ist im Grunde nur eine scheinbare.[8] Wer, wie
der Dichter, das bäuerlich-ländliche Leben nicht von ferne sieht, sondern sich
aufmerksam und teilnehmend in es vertieft, erfaßt die Bedeutung dieses Lebens-
bereiches und sieht dessen poetische Darstellung in einem neuen Lichte. Die
innere Beteiligung des Lehrdichters an seinem Gegenstand, ja, seine Liebe zu ihm
braucht hier nicht im einzelnen aufgezeigt zu werden. Es genüge ein kurzer Blick
auf das Finale des zweiten Buches, um das Verhältnis des Autors zu seinem Stoff
deutlich werden zu lassen[9] – und um zugleich erkennbar werden zu lassen, in
welchem Maße in den *Georgica* bereits die in der *Aeneis* endgültig vollzogene
Transzendierung der hellenistischen Tradition angelegt ist.

Vergil preist diejenigen glücklich, die um den Segen des Landlebens wissen
und sich ihm in diesem Bewußtsein anvertrauen. Sie sind der Segnungen des
Goldenen Zeitalters, das für die übrigen Menschen längst dahingeschwunden ist,
noch teilhaftig (458 ff.). Dieser Gedanke wird im Anschluß an die Auseinandersetzung mit dem Werk des römischen Vorgängers 493 ff. fortgeführt. Dem in

---

[7] Wie die Aussage 3,41 *(tua, Maecenas, haud mollia iussa)* zeigt, nahm auch der poli-
tisch maßgebende Kreis um Octavian lebhaftes Interesse an der Arbeit des Dichters,
ein Interesse, das sich angesichts der Gedankenwelt des Werkes und der restaurativen
Vorstellungen der politischen Führung sicherlich nicht nur auf das rein Literarische beschränkt hat. Man sollte die Bedeutsamkeit dieser Aussage nicht herunterspielen, sondern sie vielmehr als Anstoß zu (im Rahmen dieser Arbeit allerdings nicht anzustellen-
den) Überlegungen nehmen, inwieweit im Falle Vergils eine Einflußnahme der Macht-
haber auf die Literatur im Sinne von deren Ideologisierung stattgefunden haben mag.
Aber selbstverständlich darf man nun andererseits die Stelle auch nicht in dem Sinne
mißverstehen, als hätte Maecenas dem Dichter einen ihm an sich widerstrebenden Stoff
aufgedrängt, als übernähme Vergil die Rolle eines propagandistischen Sprachrohrs. Die
Intentionen des Didaktikers und die der politischen Führung trafen hier offenbar zusammen.
[8] Das kommt an einer der Stellen, welche die Kleinheit des Stoffes betonen, deutlich
zum Ausdruck: *in tenui labor; at tenuis non gloria* (4,6).
[9] Vgl. zum Folgenden die eindringende Interpretation Buchheits (55 ff.); ferner
B. Spiecker, James Thomsons Seasons und das römische Lehrgedicht. Vergleichende
Interpretationen, Nürnberg 1975, 76 ff. (aufschlußreiche Konfrontation des Vergilischen
‚Lob des Landlebens‘ und dessen Imitation durch den englischen Klassizisten). Hier
werden nur die wesentlichen Aspekte kurz skizziert.

seinen beglückenden Einzelheiten idyllisch ausgemalten Leben des Bauern werden kontrastierend die Lebensformen gegenübergestellt, die sich von diesem alleinigen Fundament menschlichen Glücks und staatlicher Ordnung entfernt haben; und schließlich wird – mit Bezug auf die *laudes Italiae* als der *Saturnia tellus* (2,136 ff.) – das Landleben als die Keimzelle und Quelle für Roms Aufstieg gepriesen. Es repräsentiert das glückselige Zeitalter des Saturn, das einst, in Roms Anfängen, alle Bereiche des Lebens erfaßte, nunmehr aber nur noch in diesem einen Bezirk sichtbar wird und nur aus diesem heraus wiederhergestellt werden kann – die Aufgabe und Leistung des Octavian, wie besonders aus dem folgenden Proömium des dritten Buches hervorgeht. Aus dieser Partie, die anhand einer idealisierend-sentimentalen Verklärung des Bauernlebens und der bäuerlichen Anfänge Roms den Weg aus den am Ende des ersten Buches beklagten Wirren und Nöten der Zeit aufzeigt, erhellt das besondere Verhältnis des Dichters zu seinem Gegenstand mit aller nur wünschenswerten Klarheit. Die innere Anteilnahme an dem Lehrstoff gründet nicht so sehr auf diesem als solchem, d. h. auf dem praktischen Nutzen und der konkreten Funktion der Landwirtschaft für die Befriedigung elementarer menschlicher Bedürfnisse – wie etwa bei Hesiod –, als vielmehr auf dem Bewußtsein von der das unmittelbar Praktische weit übersteigenden umfassenden Bedeutsamkeit des Gegenstandes im Hinblick auf die Wiedergewinnung individuellen wie staatlichen Glücks. Der Stoff gewinnt also für den Autor gerade deswegen an Bedeutung, weil er über sich selbst auf ein Allgemeineres hinausweist, das sich in ihm repräsentiert. Das Gewicht des Stoffes ergibt sich aus dessen Transparenz. Aufgrund der umfassenden Bedeutsamkeit des Lehrgegenstandes für die ersehnte Rückkunft einer konfliktfreien Goldenen Zeit kann sich Vergil im Mittelstück des Finales mit Lukrez und dessen Anspruch messen (475 ff.). Dabei darf die für Vergil charakteristische Geste der Selbstbescheidung, die ihn seinen kleinen Stoff gemessen an der naturphilosophischen Ursachenerklärung des Vorgängers als Betätigungsfeld eines *inglorius* hinstellen läßt, nicht darüber hinwegtäuschen, daß sein Anspruch in Wirklichkeit den des Lukrez hinter sich läßt, insofern in der von Vergil den Zeitgenossen vor Augen geführten eigentlichen Bedeutung seines Lehrgegenstandes ein Heilsweg für den einzelnen wie für die ganze Gesellschaft beschlossen liegt, ein Heilsweg, der den von Lukrez vertretenen, auf das individuelle Glück beschränkten quantitativ und qualitativ übertrifft (490 ff.).[10]

---

[10] Die richtige Einschätzung der Gestik der Selbstbescheidung bei Buchheit 60 ff. Die ganze Partie 475 ff. ist von der Tendenz des Dichters beherrscht, sein Werk von dem des Lukrez abzusetzen. Dessen Ursachenerklärung hat das Ziel, Todesfurcht und *religio* zu beseitigen (490 ff.), Vergil will dagegen den Adressaten von neuem in die göttliche Ordnung einfügen (493 ff.). Man verkennt diese ausschließliche Zielrichtung der Partie,

Es kann als eine gesicherte, grundlegende Erkenntnis der *Georgica*-Interpretation gelten, daß die im Finale des zweiten Buches so deutlich werdende Transparenz des Stoffes für den übergreifenden politisch-weltanschaulichen Aspekt die Entfaltung des landwirtschaftlichen Lehrgegenstandes von Anfang an bestimmt. Dabei steht in den ersten beiden Büchern der politisch-nationale Gesichtspunkt thematisch im Vordergrund. Das dritte Buch bemüht sich durch die Herausarbeitung der Grunderfahrungen der Liebe und des Todes um eine Sinndeutung menschlichen Lebens überhaupt in seiner physischen Abhängigkeit von elementaren Naturkräften. Das vierte Buch schließlich rückt im Spiegel der Welt der Bienen wieder den staatlichen Aspekt in den Vordergrund und kulminiert in der im Aristaeus-Epyllion dargestellten wunderbaren Überwindung des Todes durch fromme Sühnung begangener Schuld – ein bedeutungsvolles Symbol für die vom Dichter erhoffte Wiedergeburt Roms durch den Retter Octavian. Die Entfaltung der praktischen Lehre, die Darstellung der bäuerlichen Arbeiten, ist bei Vergil nie Selbstzweck. Da der Stoff für ihn erst durch seine Transparenz für das in ihm beschlossene umfassende Thema der Wiedergewinnung einer heilen Welt bedeutsam wird, kommt es dem Autor nicht auf eine systematische und vollständige Ausbreitung des Lehrgegenstandes an, sondern auf die Sinndeutung bäuerlichen Lebens. Den Dichter interessiert weniger die Realität der ländlichen Arbeitswelt (die er im übrigen kaum aus eigener Erfahrung kennen dürfte) als die Idee des Bauerntums als des Garanten einer neu heraufziehenden Goldenen Zeit. Dies ist genügend bekannt und braucht hier nicht anhand einer Interpretation des Gesamtwerkes vorgeführt zu werden.[11] Nur einige charakteristische Momente seien im folgenden herausgegriffen.

---

wenn man in den Versen 477 f. eine Anspielung auch auf Arat sehen möchte (so z. B. M. Schmidt, Die Komposition von Vergils Georgica, Paderborn 1930, 102; E. Paratore, A&R 3,7, 1939, 180 Anm. 6). Wie 479 ff. und 490 ff. ist auch 477 f. an Ursachenerklärung im Sinne des Lukrez gedacht. Schon 475 f. wird deutlich auf Lucr. 1,922 ff. angespielt, und die beiden folgenden Verse haben Lucr. 5,509 ff. 751 ff. im Auge. Arat spielt in den *Georgica* gewiß eine wichtige Rolle – sogar eine sehr viel bedeutendere, als man ihm gemeinhin zuzusprechen bereit ist (s. u. S. 93 ff.); aber im Finale des zweiten Buches setzt sich Vergil ausschließlich mit Lukrez auseinander.

[11] Grundlegend für diese die moderne Interpretation der *Georgica* zu Recht bestimmende Sicht sind die Arbeiten von E. Burck, besonders: De Vergilii Georgicon partibus iussivis, Diss. Leipzig 1926, und Hermes 64, 1929, 279 ff. In der Dissertation wird gezeigt, in welchem Maße das Streben nach sachlicher Richtigkeit und sachgemäßer Systematik, nach Vollständigkeit und Praktikabilität der Anweisungen hinter künstlerischen Gesichtspunkten zurücktritt. In dem Aufsatz verfolgt Burck, wie die übergreifenden, leitenden Gesichtspunkte die Darstellung des Stoffes durchdringen, formen und beherrschen (zu der im Zuge dieser Tendenzen stattfindenden ‚Bukolisierung' des arbeitsweltlichen Stoffbereichs vgl. jetzt R. Kettemann, Vergils Georgika und die Bukolik, Diss.

So wie die hellenistischen Vorgänger keine wirkliche Belehrung des von dem Lehrgegenstand an sich betroffenen Adressatenkreises intendierten und ihre Gedichte im Grunde an ein solcher Unterweisung nicht bedürftiges, kultiviertes Lesepublikum richteten, sind auch die *Georgica* durch die Diskrepanz zwischen fiktivem und eigentlichem Adressaten bestimmt. Der Dichter erklärt zu Beginn des Werkes als sein Ziel, die unwissenden Bauern zu belehren, und ruft Octavian zur Mithilfe bei diesem Unternehmen auf (1,41 f.). Als Adressaten praxisbezogener Unterweisung werden die Bauern auch sonst gelegentlich angesprochen,[12] und Vergil wendet sich an sie wiederholt als anordnender Lehrer. Diese Haltung ist besonders stark im ersten Buch ausgeprägt, verliert in den folgenden Büchern jedoch ständig an Einfluß, bis im vierten Buche schließlich der Bauer als Partner konkreter Lehre so gut wie ganz verschwindet und der befehlend-lehrhafte Stil durch einen rein deskriptiven verdrängt wird.[13] Die Geste der praktischen Unterweisung wird also allmählich aufgegeben; und wenn der Autor am Ende der *laudes Italiae* die *Saturnia tellus* insgesamt als Adressaten seiner Dichtung anruft (2,173 ff.), so läßt er selbst durchblicken, daß die Wendung an die Bauern eine reine Fiktion ist. Im Zuge dieser Fiktion wird auch der Stoff als fiktives Thema entfaltet. Die Darstellung selbst läßt die Fiktivität der konkret-didaktischen Intention immer wieder deutlich werden und die eigentliche Absicht hervortreten. Es geht dem Dichter nicht darum, dem Bauern Anweisungen für seine Tätigkeit zu erteilen, sondern darum, den Römern insgesamt – und das heißt natürlich: den maßgebenden, literarisch ansprechbaren Schichten – den Sinn und die Bedeutung bäuerlichen Lebens und damit das Wesen menschlichen Lebens überhaupt vor Augen zu führen.[14]

Heidelberg 1972). Was den Verzicht auf Vollständigkeit in der Erfassung des Lehrstoffes angeht, so wird dieser vom Dichter ausdrücklich an zwei Stellen ausgesprochen: 1,176 f. und bes. 2,42 ff. Die Darstellung selbst läßt diesen Verzicht immer wieder erkennbar werden. So werden etwa aus dem Mondkalender (1,276 ff.) nur drei Tage herausgegriffen, und die Beschreibung der Wetterzeichen (1,351 ff.) entnimmt der entsprechenden, verhältnismäßig systematischen und vollständigen Behandlung des Arat souverän und ohne Rücksicht auf Systematik und Vollständigkeit einzelne Elemente (vgl. L. A. S Jermyn, G&R 20, 1951, 26 ff. 49 ff.): Vergil läßt sich nicht von der Sache leiten, sondern von sie transzendierenden künstlerischen und thematischen Gesichtspunkten (vgl. Klingner 214 ff.).

[12] 1,100 f. 210; 2,35 f.; 3,288.

[13] Vgl. Burck, De Verg. Georg. part. iuss. 58 ff.

[14] Die Fiktivität des bäuerlichen Adressaten und der konkreten landwirtschaftlichen Lehre ist bereits in der Antike treffend erkannt: ... *ut ait Vergilius noster, qui non quid verissime sed quid decentissime diceretur aspexit, nec agricolas docere voluit sed legentes delectare* (Sen., Ep. 86,15). Die an den poetischen Errungenschaften der hellenistischen Literatur geschulte hohe künstlerische Vollendung der Darstellung kann sich

Die Fiktivität der praktischen Unterweisung wird durch den bereits erwähnten Verzicht auf eine streng systematische Stoffentfaltung unterstrichen. Das Bestreben, die trockene Systematik der Fachschriftsteller zu vermeiden, äußert sich vor allem in der Tendenz, die durch die Sache gegebenen Einschnitte zu verdecken und den Übergang von einem Lehrabschnitt zum anderen zu verschleiern. Der Dichter läßt die dem Stoff immanente sachliche Gliederung, die er als solche zunächst von den Fachschriftstellern übernimmt, durch eine übergeordnete, der Profilierung seines eigentlichen Themas dienende Disposition überdecken. So wird etwa im ersten Buch der neue Abschnitt über den Arbeitskalender mit *praeterea* eingeleitet, als handle es sich um eine kontinuierliche Fortsetzung der bisherigen Anweisungen (204),[15] und die Figur der Praeteritio dient der fortlaufenden Argumentation ebenso (104) wie der Markierung – oder besser: Verschleierung – eines neuen Lehrgegenstandes, der Wetterbeobachtung (311). In diesem Abschnitt ist dem Dichter die Betonung der teleologischen Weltordnung und die Herausstellung der die bäuerliche Arbeit in ihren Schutz nehmenden gütigen Gottheit, also die Konzeption der Einbettung des *labor* in eine höhere, göttliche Ordnung, wichtiger als die klare Gliederung des sachlichen Lehrstoffes (vgl. 231 ff. 351 ff.). Den Lehrgegenstand scharf strukturierende, der Orientierung des Adressaten dienende dispositionelle Bemerkungen – ein wichtiges, konstitutives Element der ‚sachbezogenen‘ Darstellung bei Lukrez (s. o. S. 69 f.) – sind in den *Georgica* sehr selten, und wo Vergil einmal stereotype Lukrezische Formeln verwendet, dient dies weniger dem Ziel durchsichtiger, sachgemäßer Gliederung des Stoffes als der literarischen Betonung der Gattungstradition.[16]

Das eigentliche, ideell-politische Thema kommt besonders in den vom Gegenstand abschweifenden Digressionen zum Vorschein. Insofern solche Unterbrechungen der lehrhaften Stoffausbreitung dieser erst ihren tieferen Sinn verleihen und somit alles andere als entbehrlich sind, kann man bei ihnen von ‚Exkursen‘ im üblichen Sinne gar nicht sprechen. Die Abschnitte arbeiten den stoff-

---

nur an ein „gebildetes, kunstsinniges Lesepublikum" (Richter 5 f.), an einen „highly sophisticated reader" (L. P. Wilkinson, The Georgics of Virgil, Cambridge 1969, 53) wenden.

[15] Vgl. auch 2,83; 4,210. Der reichliche Gebrauch dieser Überleitungsformel bei Lukrez ist bekannt. Aber dort hat sie bezeichnenderweise nicht die Funktion, einen neuen Abschnitt einzuleiten; sie setzt vielmehr die Argumentation durch einen neuen Gesichtspunkt fort (vgl. etwa 1,174. 346. 615).

[16] Gelegentlich werden Lukrezische Formeln dazu verwandt, eine neue Stilebene zu signalisieren und nach einem Exkurs die Rückkehr zur nüchternen Sachdarstellung zu kennzeichnen: 2,177 *(nunc locus)*. 346 *(quod superest)*. Ausgezeichnete Bemerkungen dazu bei Klingner 242 f. 259.

übergreifenden Gehalt des Werkes heraus und können als thematische Kernpartien aus dem Gedicht nicht herausgelöst werden.[17] Was vom Standpunkt der landwirtschaftlichen Lehre aus als von der Sache wegführender Exkurs erscheint, ist in Wirklichkeit konstitutives Element der tatsächlich verfolgten Didaktik. Die Digressionen können ganz verschiedener Art sein. Sie können in der Weise vertiefender mythologischer Erzählung der täglichen Mühe bäuerlicher Arbeit die höhere Weihe einer gottgewollten, dem Menschen gestellten Aufgabe verleihen und so das Landleben in ein umfassendes Sinngefüge einordnen (1, 121 ff.); sie können die Tätigkeit des Bauern als ein der Gegenwart noch verbliebenes Element der Goldenen Zeit und als das einzig tragfähige Fundament einer neuen, die politisch-sozialen Wirren überwindenden Ordnung vor Augen führen und damit die allgemeine, gesellschaftliche Bedeutung des Lehrgegenstandes hervorkehren (1,463 ff. 2,136 ff. 458 ff.); sie können ländlich-natürliches Geschehen als Sinnbild menschlichen Lebens erfassen und so etwa Liebe und Tod als Grundphänomene alles kreatürlichen Lebens in den Blick rücken (3,219 ff. 478 ff.): immer aber zeigen sie den übergeordneten thematischen Aspekt auf, der die Stoffentfaltung bestimmt, um dessentwillen die Lehre überhaupt vorgetragen wird.[18] Die ‚Exkurse‘ sind weder – wie bei Lukrez (s. o. S. 73 f.) – als Teil der Argumentation untrennbar mit dem sachlichen Lehrstoff selbst verbunden, noch sind sie – wie bei Nikander (s. o. S. 62 f.) – ein thematisch entleertes Element poetischen Schmuckes, ein Instrument formaler Ästhetisierung und Auflockerung des Lehrgegenstandes. Sie dienen allein dem Ziel, die leitenden thematischen Grundgedanken im Verlauf der fiktiven konkreten Lehre eindringlich herauszuarbeiten bzw. präsent zu halten. In diesem Punkt kommt zum ersten Mal eine bedeutsame Nähe der *Georgica* zu Arats *Phainomena* in den Blick (s. o. S. 51 ff.).

Eine eigene Betrachtung verdienen die in nicht geringer Zahl eingeflochtenen mythologischen Erzählungen und Anspielungen. Der Dichter verweist bisweilen

---

[17] Vgl. die treffenden Bemerkungen bei Burck, Hermes 64, 1929, 316 ff., über die G. Härke, Studien zur Exkurstechnik im römischen Lehrgedicht, Würzburg 1936, 30 ff., nicht wesentlich hinausführt.

[18] Besonders bezeichnend ist die Art, wie der ‚Exkurs‘ über die Liebesraserei der Tiere und die anschließende Reflexion über den in allen Lebensbereichen gleichermaßen herrschenden *amor* (3,219 ff.) abgebrochen werden und der Autor sich zu seiner ‚eigentlichen‘ Aufgabe zurückruft: Er habe sich von der Liebe zu Einzelheiten fesseln lassen, während die Zeit enteile (284 f.). Die ‚Abschweifung‘ wird mit spielerischer Ironie deshalb als solche so scharf markiert, weil es sich dabei eben gerade nicht um eine entbehrliche Abschweifung handelt. Es sind gerade die übergreifenden Zusammenhänge, denen der *amor* des Dichters, d. h. sein eigentliches Interesse, gehört, nicht der stoffliche Lehrgegenstand als solcher (vgl. Richter 295 f.).

auf entlegene Mythen und unterstreicht mit der Entfaltung solcher Gelehrsamkeit den hellenistischen Charakter seines Werkes.[19] Aber die Funktion derartiger Einlagen erschöpft sich nicht etwa darin, die literarische Tradition, die Kontinuität alexandrinischer-Vergilischer Poesie bewußt zu machen und darüber hinaus vielleicht der Darstellung einen stärkeren poetisch-ornamentalen Reiz zu verleihen. Wie der in seinem thematischen Gewicht soeben in groben Umrissen charakterisierte ätiologische ‚Exkurs‘ über Ursprung und Sinn bäuerlicher Arbeit (1,121 ff.) so stehen auch andere mythologische Digressionen in engem Zusammenhang mit der umfassenden Zielsetzung des Gedichts. Ob es sich um die Liebesaffäre des Saturn und dessen Metamorphose in ein Roß handelt (3,92 ff.), um die Qualen der von Juno gejagten Io (3,152 f.), um die Liebesgeschichte zwischen Pan und Luna (3,391 ff.),[20] um die Geburtsgeschichte des Juppiter (4, 149 ff.): immer ist es das Bestreben des Dichters, durch derartige Ausblicke in den Bereich des Mythos die Einbindung des ländlichen Geschehens in die Sphäre des Göttlichen anzudeuten und damit den seit dem Proömium mit seinem weit ausholenden Götteranruf das ganze Werk durchziehenden Gedanken der unter dem Schutz der Gottheit stehenden bäuerlichen Arbeitswelt zu unterstreichen.[21] Dies ist unter anderem auch eine wesentliche Funktion des das Gedicht beschließenden Aristaeus-Epyllions.[22]

Die den Lehrstoff transzendierende thematische Bedeutung mythologischer Digressionen kommt besonders deutlich an einer bereits unter anderem Aspekt

---

[19] S. o. S. 81 ff. Die hellenistischen Elemente in den mythologischen Anspielungen der *Georgica* arbeitet gut heraus Frentz (o. Anm. 3), bes. 69 ff. Vgl. hierzu auch die obigen Bemerkungen zu Nikander (S. 62 f.).

[20] Aufgrund des leicht anstößigen Gehalts der Geschichte (Liebesverführung einer Göttin), die im übrigen auf Nikander zurückgeht (vgl. Macrob., Sat. 5,22,9 f.), meint sich der Dichter mit der Formel *si credere dignum est* salvieren zu müssen. Aber trotz solcher Bedenken erzählt er die Geschichte – ein Beweis, daß die Distanzierung ironisch-spielerisch gemeint ist. Die Parallele zu der ganz ähnlichen Haltung des Arat (Phaen. 30; s. o. S. 52) ist nicht zu verkennen.

[21] Dieser Gedanke kommt besonders in den mehrfach dargestellten Götterfesten zum Ausdruck. Ihm entspricht die tiefe Religiosität, mit der der Lehrdichter dem Landleben als dem gottgewollten Betätigungsfeld des Menschen gegenübersteht; vgl. Burck, Hermes 64, 1929, 282 ff.; Buchheit 71 ff. (Verhältnis zu Lukrez).

[22] Die mit dem Schluß des Werkes verbundenen verwickelten Probleme können hier verständlicherweise nicht behandelt werden (vgl. den Literaturüberblick bei Wilkinson 325 f. und – als eine der neuesten Darstellungen – K.-H. Pridik, Vergils Georgica. Strukturanalytische Interpretationen, Diss. Tübingen 1971, 215 ff.). Zur Interpretation des Epyllions und insbesondere zu dessen problematischer Einordnung in den Gehalt des Gesamtwerkes sind richtungweisend die Ausführungen Klingners (326 ff.; dazu Burck, Gnomon 36, 1964, 677 ff.; s. auch o. S. 83. 86).

betrachteten Stelle des ersten Buches zum Ausdruck: in der Erzählung von dem Kampf des Juppiter mit den Giganten (1,278 ff.; s. o. Anm. 3). Oben wurde das hellenistischer Poesie eigene souveräne Spiel mit der literarischen Vorlage herausgestellt. Hier ist nun auf einen weiteren, nicht minder wichtigen Gesichtspunkt hinzuweisen. Gerade die Erweiterung der Hesiodeischen Darstellung durch das verhältnismäßig breit ausgeführte Bild von den Giganten und deren vergeblichem Aufstand gegen das Regiment des Juppiter läßt erkennen, worauf es Vergil ankommt: Juppiter war als Urheber und Garant der den bäuerlichen Bezirk bestimmenden Ordnung eindringlich in den Gehalt des Werkes einbezogen worden (1,121 ff.); er wird auch 1,351 ff. als Schöpfer des himmlischen Zeichensystems angesprochen, das gerade auf das Landleben als den der Goldenen Zeit am nächsten stehenden menschlichen Lebensbereich ausgerichtet ist. Der Aufstand der Giganten läßt erkennen, welcher Gefährdung die göttliche Weltordnung ausgesetzt war, bis sie endgültig die Oberhand behielt – so wie in dem römischen Bürgerkrieg, dessen Schrecken das Finale des ersten Buches dem Leser in Erinnerung ruft, die von Gott gewollte irdische Ordnung entscheidend in Gefahr gerät und erst durch das Eingreifen des als Retter gefeierten Octavian und die durch ihn vollzogene Neugründung des Staates auf dem Fundament des Bauerntums, soweit dies dem allgemeinen Verfall sich hat entziehen können, wiederhergestellt wird. So ist der im Rahmen der Sachdarstellung scheinbar so überflüssige Mythos ein Musterbeispiel für die Weise, wie der Dichter während des Vortrags der fiktiven praktischen Lehre seinen leitenden Grundgedanken präsent werden läßt.

Ähnliches läßt sich an den Vergleichen beobachten. Vergil geht mit diesem durch die Tradition an die Hand gegebenen Element poetischer Darstellung verhältnismäßig sparsam um. Der Vergleich steht bei ihm auch nicht im Dienst der sachlichen Lehre, wie es für die ganz anders orientierte Lehrdichtung des Lukrez charakteristisch ist (s. o. S. 69); er führt vielmehr eher von dem Lehrgegenstand fort, indem er entweder einzelnen Momenten des Stoffes, die dem Dichter unabhängig von ihrer sachlichen Relevanz in besonderem Maße am Herzen liegen, ein zusätzliches, ästhetisches Gewicht verleiht (vgl. etwa 3,196 ff.) oder indem er die den Stoff überlagernden thematischen Gesichtspunkte hervortreten läßt. Als Beispiel dafür sei einmal auf 1,201 ff. verwiesen, wo die Reflexion des Autors über den allgemeinen Niedergang der Dinge, sofern sich nicht der Mensch dem entgegenstemme – eine Reflexion, die in engster Beziehung steht zu einem Grundgedanken des ersten Buches: dem von Gott gewollten *labor* –, durch einen Vergleich eindrucksvoll abgeschlossen wird. Sodann sind aber besonders jene Stellen zu nennen, an denen der Vergleich – weit davon entfernt, den Lehrstoff anschaulich zu verdeutlichen – eher das Banal-Einfache der bäuerlichen Praxis in ein überraschendes Licht taucht, es verfremdet und damit den Leser aufhorchen und über die stoffliche Ebene hinausfragen läßt. Die Gegenüberstellung der beiden Heeresvergleiche Georg. 2,279 ff. und Lucr. 2,323 ff. führt deren unterschiedliche Funktion deutlich vor Augen.[23] Lukrez will einen Lehrsatz durch eine Analogie verdeutlichen, er will – wie auch sonst oft – Unsichtbares anschaulich machen. Der Vergleich dient also unmittelbar der Lehre. Das Gegenteil ist bei Vergil der Fall. Hier geht es um eine bestimmte Anordnung der Setzlinge, die durch den landwirtschaftlichen Fachausdruck oder, sofern dieser als poetischer Ausdrucksweise nicht angemessen erschien, durch dessen adäquate Umschreibung sehr viel klarer hätte dargestellt werden können, als es der Vergleich mit der Heeresaufstellung vermag. In den *Georgica* kommt vielmehr durch das unvermittelte Nebeneinander des Kleinen und Banalen mit dem Großen, des Friedlich-Arbeitstechnischen mit dem Kriegerisch-Erhabenen ein befremdliches Element herein. Der Lehrstoff wird nicht klarer, anschaulicher, sondern er erscheint in einem merkwürdigen Licht, er wird ‚mystifiziert‘, er wird ‚transparent‘. Denn mit dem Gedanken der Ordnung und der militärischen Zucht tritt ein Aspekt ins Bewußtsein, der über den unmittelbaren Zusammenhang hinaus auf ein Grundmotiv der ersten beiden Bücher verweist: Der Bauer steht wie ein Soldat an der ihm von Gott angewiesenen Stelle und hat die Aufgabe, das Land gleichsam einer militärischen Zucht zu unterwerfen.[24] Das Befremdliche des Vergleiches weist den Leser also auf das Eigentliche, um das es dem Dichter geht, hin, und der zunächst so irritierende Kontrast zwischen Groß und Klein macht gerade auf das den Stoff transzendierende ideelle Thema aufmerksam. Ähnliches läßt sich an dem Vergleich der emsigen Tätigkeit der Bienen mit den Blitze schmiedenden Kyklopen erkennen (4,170 ff.). An dieser Stelle wird die Paradoxie des ungleichen Verhältnisses, der geradezu schreiende Kontrast von Groß und Klein von Vergil selbst ausdrücklich hervorgehoben: *si parva licet componere magnis* (176). Wenn das zarte Getümmel der Bienen mit der Blasebalgarbeit der unförmigen Riesen verglichen wird, die „mit gewaltiger Kraft ihre Arme erheben" und mit ihren Schlägen den Aetna erschüttern, so liegt darin selbstverständlich ein nicht zu übersehendes spielerisches Element (s. o. S. 82 f.). Zugleich hat aber die befremdliche Paradoxie auch eine thematische Funktion. Sie gibt dem Leser ein Signal, die vor ihm entfaltete kleine Welt der Bienen, also die stoffliche Ebene, zu transzendieren und diese Welt als Spiegel von etwas Größerem, Bedeutenderem zu betrachten: als Spiegel einer geordneten staatli-

---

[23] Vergil spielt auf die Lukrez-Stelle durch die fast wörtliche Wiederholung eines Halbverses (282: 326) unüberhörbar an. Zum Folgenden vgl. Klingner 248 f.

[24] Die Beziehung des Vergleiches auf das *labor*-Thema des ersten Buches wird von Richter (225) mit Recht hervorgehoben.

chen Gemeinschaft, in der ein jedes Glied seine Aufgabe zum Wohle des Ganzen erfüllt.[25] Wieder dient also der Vergleich dem Zweck, den beherrschenden thematischen Leitgedanken hervortreten zu lassen.

Eingangs dieser Betrachtung der *Georgica* wurde die enge Verflechtung des Werkes mit der literarischen Tradition des Hellenismus, d. h. vor allem die Kontinuität mit der didaktischen Dichtung dieser Epoche, betont. Es wurde darauf hingewiesen, daß es besonders das spezifische Verhältnis des Dichters zu seinem Stoff war, welches ihn über Lukrez hinaus zum hellenistischen Lehrgedicht, und dort speziell zu Arat, führte. Die grundsätzliche typologische Nähe zu den *Phainomena* dürfte durch die obigen Ausführungen hinreichend deutlich geworden sein. Die wesentlichen übereinstimmenden Merkmale seien hier noch einmal genannt. Beide Autoren wählen als Gegenstand poetischer Darstellung einen schon an sich gewichtigen Stoff, der aber durch seine jeweils spezifische Transparenz zusätzlich an Bedeutsamkeit gewinnt. In beiden Fällen wird der Lehrgegenstand gerade um des ihm innewohnenden weltanschaulichen Gehalts willen ergriffen. Indem dieser Gehalt zum Thema gemacht wird, dessen Entfaltung das eigentliche Ziel des Autors ist, ergibt sich ein Nebeneinander (oder besser: Übereinander) der konkret-praktischen Lehre und des eigentlichen, weltanschaulichen Themas. Die scheinbar intendierte praktische Unterweisung wird zur reinen Fiktion, der die Fiktion des angeblich angesprochenen, von dem Lehrstoff betroffenen Adressaten entspricht. Der bewußte Verzicht auf systematische Vollständigkeit und auf das Hervortreten einer klaren, an der Sache orientierten Gliederung bei der Ausbreitung des Stoffes unterstreicht die Fiktivität der vordergründig-didaktischen Intention;[26] Abschweifungen und ,Exkurse' haben

---

[25] Die Konzeption der Spiegelbildlichkeit der Bienenwelt für das staatliche Leben der Menschen durchzieht dominierend die ganze Bienendarstellung; vgl. dazu im einzelnen H. Dahlmann, Der Bienenstaat in Vergils Georgica, AbhMainz, Geistes- u. sozialwiss. Kl., 1954, 10, und Buchheit 161 ff. Buchheit arbeitet auch zutreffend die thematische Bedeutung des Vergleiches heraus (172 Anm. 706), befindet sich aber gegenüber Klingner (313 f.) im Unrecht, wenn er nur die bedeutsame Funktion des Vergleiches sieht, das ebenfalls vorhandene spielerische Element dagegen leugnet. Beides ist hier, wie auch an der betrachteten Stelle 1,278 ff. (s. o. S. 90 f.), ineinander verschränkt.

[26] In diesem Punkt besteht allerdings zwischen den *Phainomena* und den *Georgica* ein gradueller Unterschied. Wenngleich die Vernachlässigung klarer Disposition auch für Arat charakteristisch ist (s. o. S. 44) und wenngleich ein gewisser Verzicht auf Vollständigkeit und Systematik auch bei ihm festzustellen ist (s. o. S. 46 mit Anm. 23), so wird doch in den *Phainomena* die Fiktion der konkreten sachlichen Unterweisung konsequenter aufrechterhalten als bei Vergil (s. o. S. 47 f.); und während der Augusteer mit eindringlicher Konsequenz die leitenden thematischen Gedanken auch während der ,praktischen' Lehre ständig durchscheinen läßt (das zeigen im einzelnen die Interpretationen Burcks und Klingners) und den Stoff souverän seinen übergeordneten Interessen

gerade die Aufgabe, hinter dem Stoff das eigentliche Thema dem Leser ins Bewußtsein zu rufen.

Angesichts dieser fundamentalen Übereinstimmung der *Georgica* mit den *Phainomena* stellt sich die Frage, ob es nicht das Werk des Arat war, welches Vergil für die Gestaltung seines Lehrgedichts wesentliche Anstöße gegeben hat, ob es nicht die Einsicht in die kunstvolle, mit den beiden Ebenen, der stofflichen und der thematischen, spielende Struktur der *Phainomena* war, die Vergil zu der prinzipiell gleichen Form seines Lehrgedichts geführt hat – wobei von den historisch-gesellschaftlichen Bedingungen von dessen Genese in diesem Zusammenhang wieder abzusehen ist. Diese Frage ist selbstverständlich nicht zweifelsfrei zu beantworten. Die folgenden Bemerkungen über die konkret feststellbaren Reflexe der *Phainomena* in dem Gedicht des Vergil machen aber jedenfalls den gewichtigen Einfluß des Arat deutlich und tragen, wenn schon nicht zu einer positiven Beantwortung der oben gestellten Frage, so doch wenigstens dazu bei, die von dem Römer betonten Bezüge zu seinem berühmten griechischen Vorgänger gebührend herauszustellen und das Verhältnis des Augusteers zu dem hellenistischen Neuschöpfer der didaktischen Gattung in ein rechtes Licht zu rükken.[27]

Schon im stofflichen Bereich ist die Einwirkung der *Phainomena* bemerkenswert groß. Der gesamte Abschnitt über die Wetterzeichen (1,351–463) ist in engstem Anschluß an Arat gestaltet. Der Dichter verweist mit diesem Block eindringlich auf seinen Vorgänger. Wichtiger als die stoffliche Übernahme ist aber die Tatsache, daß Vergil auch den thematischen Aspekt, unter dem in den *Phainomena* der Stoff vorgetragen wird, übernimmt und am Beginn des Abschnitts betont herausstellt: Die Gottheit selbst – der Zeus des Arat wird durch den *pater ipse*, d. h. Juppiter, ersetzt – hat diese Zeichen den Menschen gege-

---

unterwirft, bleibt Arat dem stofflichen Material stärker verhaftet und bemüht sich um dessen verhältnismäßig systematische und vollständige Ausbreitung. Vergil geht hier deutlich über seinen Vorgänger hinaus und wertet das rein Stoffliche zugunsten der ihn interessierenden weltanschaulichen Gesichtspunkte stärker ab als dieser.

[27] Die weithin vorherrschende undifferenzierte Sicht der hellenistischen Lehrdichtung als einer artistischen, allein aus dem Kontrast von trockenem Lehrstoff und poetischer Form lebenden, manierierten Form – eine Betrachtungsweise, welche nur allzu leicht Didaktiker wie Arat und Nikander über einen Leisten schlägt – mußte notwendig eine zutreffende Würdigung der Bedeutung Arats für die *Georgica* verhindern. In der Regel wird die didaktische Poesie des Vergil von dem hellenistischen Lehrgedicht abgehoben, wobei die Werke des Arat und Nikander als grundsätzlich gleichartig der vermeintlich völlig neuen Intention des Römers gegenübergestellt werden (vgl. etwa Burck, Hermes 64, 1929, 320; Büchner 309 ff.; Klingner, EntrAntClass 2, 1953, 140 ff.). Auch Wilkinson, der die Beziehungen der *Georgica* zu Arat untersucht (60 ff.), bekommt die grundsätzliche typologische Identität der beiden Werke nicht in den Griff.

ben (1,351 ff.). Dieselbe teleologische Sicht bestimmt die Darstellung des Arbeitskalenders. Die Himmelsordnung ist um der Orientierung der Menschen willen geschaffen (1,231: *idcirco*). Auch hier ist es die Absicht des Autors, an die Anschauung des Arat, die er übernimmt, zu erinnern.[28] Die für das weltanschauliche Thema der *Phainomena* so zentrale Parthenos-Episode (98 ff.; s. o. S. 53) scheint in den *Georgica* gleich an mehreren thematisch bedeutsamen Stellen durch. Zunächst ist erneut auf das ätiologische Mythologem 1,121 ff. zu verweisen. Vergil spielt zugleich auf die Weltaltererzählung Hesiods und die Episode der *Phainomena* an. Er benutzt aber diese Gelegenheit, die Auffassung des hellenistischen Didaktikers von der göttlichen Vorsehung, die er an den eben genannten Stellen selbst teilt, zu vertiefen. Bei Arat – wie bei Hesiod – beruht die Weltalterfolge auf dem moralischen Verfall der Menschen. Zeus spielt bei ihm in diesem Zusammenhang keine Rolle. Der Prozeß vollzieht sich ohne dessen Einwirkung. Bei Vergil dagegen führt Juppiter selbst Not und Mühe auf die Erde, um auf diese Weise die Menschen zu kulturstiftender Arbeit zu bewegen. Vergil bereichert die Vorstellung von dem Walten einer göttlichen Vorsehung um ein ihm wesentliches Moment, das Moment des *labor* als der durch die göttliche Ordnung bestimmten Aufgabe des Menschen. Die von der Stoa übernommene Arateische Konzeption einer die Menschheit in ihren Schutz nehmenden gütigen Gottheit wird also um eine entscheidende Dimension vertieft. Von besonderer Bedeutung für den ideellen Gehalt der *Georgica* ist die Vorstellung von dem ländlichen Leben als dem Bereich, in dem die verlorene Goldene Zeit noch wirksam und von dem aus ihre Rekonstituierung möglich ist. Dieser Gedanke kommt zumal in den *laudes Italiae* (2,136 ff.) und im Finale des zweiten Buches zum Ausdruck. An beiden Stellen erinnert sich der Leser an die Parthenos-Episode der *Phainomena*, wozu ihn der Dichter durch deutliche Anspielungen selbst auffordert.[29] Auch dort war ja – in Abänderung der Weltaltererzählung des Hesiod – das gerechte Leben der Goldenen Zeit als ein bäuerliches, Ackerbau treibendes charakterisiert, eine Idealisierung des Bauerntums, die sehr wohl die Sicht des Vergil hat beeinflussen können.[30] Schließlich ist auf eine weitere Stelle aufmerksam zu machen, an der ebenfalls die thematische Bezugnahme auf Arat deutlich wird: 4,149 ff. Vergil spielt auf die kretische Geburtsgeschichte des Juppiter an und läßt den Gott aus Dank für die ihm von den Bienen geleisteten Dienste diesen ihre ausgezeichneten Begabungen verleihen. Sehr viel entschei-

---

[28] Die Verse 1,244 f. beziehen sich deutlich auf Phaen. 45 f., und die Verse 1,257 f. scheinen auf den Schluß der *Phainomena* anzuspielen (1153 f.).

[29] 2,460 *(iustissima tellus)*. 473 f. *(Iustitia* verläßt den ländlichen Bereich als letzten); vgl. bes. 2,536 ff. mit Phaen. 131 f. (dazu Wilkinson 144).

[30] Vgl. Phaen. 110 ff. (dazu F. Solmsen, Hermes 94, 1966, 127).

dender, weil die eigentliche thematische Ebene betreffend, als die in den Kommentaren verzeichnete Berührung mit Lucr. 2,629 ff. ist die Beziehung zu dem genau parallelen Mythos zu Beginn der *Phainomena* (30 ff.; s. o. S. 47. 52). Dort sind es die Bärinnen, die Zeus aus Dank für ihre ihm als Kind gewährte Hilfe an den Himmel versetzt und denen er wie allen anderen Sternen ihre Aufgabe im Sinne der göttlichen Weltordnung zugesprochen hat. In den *Georgica* sind es die Bienen, deren dem Willen Juppiters entspringendes Wesen diejenige Ordnung spiegelt, die von der Gottheit dem menschlichen Bereich zugedacht ist.

Damit dürfte das Ausmaß der stofflichen wie thematischen Verknüpfung der *Georgica* mit den *Phainomena* genügend deutlich geworden sein. Gerade im Zusammenhang mit der oben aufgewiesenen typologischen Identität gewinnen diese mannigfachen Bezüge ein bedeutsames Gewicht. Der Einfluß der *Phainomena* auf die *Georgica,* zu dem sich Vergil ganz offensichtlich bereits im Proömium seines Werkes bekennt,[31] war offenbar sehr viel stärker, als man heute allgemein annimmt.[32] Ja, das Werk des Arat war im innerliterarischen Bereich

---

[31] Der Bezug des Proömiums der *Georgica* auf das der *Phainomena* ist bisher nicht angemessen gewürdigt worden. Wie zu Beginn der übrigen Bücher gibt Vergil zunächst eine kurze Inhaltsangabe. Den Kern des Proömiums bildet die Anrufung der ländlichen Götter und des Octavian als des künftigen Gottes. Diese Partie nimmt dieselbe beherrschende Stellung ein wie der Zeus-Hymnus zu Beginn der *Phainomena.* Es ist nun entscheidend zu sehen, wie thematisch wichtige Aussagen der *Phainomena,* die sich dort auf Zeus beziehen, in den *Georgica* im Hinblick auf den künftigen Gott Octavian gemacht werden. Dieser nimmt offenbar bei Vergil die Funktion wahr, die bei Arat Zeus innehat, was zusätzlich dadurch unterstrichen wird, daß in dem Vergilischen Anruf Juppiter als die höchste Gottheit im Unterschied zu der Paralleldarstellung bei Varro (1,1,4–6) fehlt: Dessen Stellung nimmt in dem Proömium der *Georgica* ganz offensichtlich Octavian ein. Wenn Vergil 24 ff. ausführt, es sei ungewiß, welchen *concilia deorum* Octavian angehören werde: ob er die *urbes* und die *cura terrarum* in seine Obhut nehmen und *potens auctor frugum tempestatumque* sein werde oder ob er in Zukunft als Gott des Meeres von den Seefahrern verehrt werde, so ist die Parallele zu Arat nicht zu übersehen (vgl. G. Wissowa, Hermes 52, 1917, 103). In den *Phainomena* heißt es, Zeus sei gegenwärtig auf allen Wegen und Plätzen, auf dem Meere und in den Häfen (2–4); und die Schutzfunktion des Zeus für Landbevölkerung wie Seefahrt ist bekanntlich das Thema des Gedichts. Wie Arat am Ende des Proömiums Zeus (und die Musen) bittet, seinen Gesang zu leiten (15 ff.), so fordert Vergil den künftigen Gott auf: *da facilem cursum* (40), und appelliert an sein Mitleid mit den unwissenden Bauern – ein Verhalten, welches Octavian mit dem Zeus des Arat aufs engste verbindet (Phaen. 5 ff. u. pass.). Octavian, der von dem Didaktiker gefeierte Retter des Staates und Neugründer Roms, darf also die Stelle beanspruchen, die Arat der gütigen, das Wohlergehen der Menschheit garantierenden Vorsehung zugesprochen hat. Auf diese Weise wird schon im Proömium der *Georgica* der thematische Gehalt der *Phainomena* in die nach Auffassung des Dichters mit Octavian einsetzende neue römische Wirklichkeit transponiert.

[32] S. o. Anm. 27. Vgl. aber auch den Ansatz zu einer zutreffenden Würdigung bei

für Vergil der entscheidende Anstoß, und der Anspruch, ein *Ascraeum carmen* der *Saturnia tellus* Italiens zu singen, meint nichts anderes, als das „hesiodeische Lied" des Arat, als welches die *Phainomena* von Kallimachos bezeichnet worden sind (s. o. S. 81), in die Gegenwart römischer Wirklichkeit zu transponieren und mit einem neuen, römischen Gehalt zu füllen.

b) Columella

Vergil hatte im Rahmen seines Lehrgedichts auf die Behandlung des Gartenbaus verzichtet und dessen Darstellung ausdrücklich Späteren überlassen (Georg. 4,116 ff. 147 f.). Seiner nicht auf das Praktische gerichteten Intention entsprechend fügt er statt dessen einen ‚Exkurs' (s. o. S. 88 f.) ein, der am Beispiel des *Corycius senex* das innere Glück selbstgenügsamer Gartenarbeit vor Augen führt, ein Glück, welches schwerer wiege als die Reichtümer der Könige (4, 125 ff.). Der ‚Exkurs' rückt noch einmal wichtige Leitmotive des Werkes in den Blick. Der *labor*-Gedanke des ersten Buches, der Preis Italiens und des Landlebens, im zweiten Buch im Blick auf die Wiedergewinnung der Goldenen Zeit als leitender Gesichtspunkt über der Stoffentfaltung etabliert: all dies gewinnt hier mit der (wirklichen oder fiktiven) Erinnerung des Autors an ein eigenes Erlebnis in der Form individuellen Glücks erneut Gestalt.[1] Das Technische einzelner Anweisungen wird zugunsten der erneuten Evozierung der thematischen Aspekte souverän übergangen.

Gerade diese stoffliche Lücke nun füllt Columella im zehnten Buch seines Traktats über die Landwirtschaft aus. Dem Wunsch seiner Freunde folgend und mit ausdrücklicher Berufung auf die entsprechende Aufforderung des von ihm zutiefst verehrten *vates maxime venerandus,* der er um so bereitwilliger Folge leistet, als er schon aus Interesse an der Sache eine dichterische Gestaltung auch dieses landwirtschaftlichen Teilbereichs für wünschenswert halten muß, setzt Columella an den in der ursprünglichen Konzeption vorgesehenen Schluß seines Prosawerkes eine poetische Darstellung über den Gartenbau und komplettiert so nicht nur seine eigene Schrift, sondern auch die Lehrdichtung des Vorgängers.[2]

W. Ludwig, Hermes 91, 1963, 427: Die starke Bezugnahme Vergils auf Arat darf gewertet werden „als Zeichen einer hohen Schätzung der Aratischen Dichtung – und nicht nur ihres Stoffes – durch Vergil".

[1] Diese Funktion des ‚Exkurses' wird von E. Burck, Der korykische Greis in Vergils Georgica (IV 116–148), in: Navicula Chiloniensis (Festschr. F. Jacoby), Leiden 1956, 156 ff., überzeugend herausgearbeitet.

[2] Vgl. 9,16,2 und die Vorrede zum zehnten Buch. Daß die poetische Behandlung des Gartenbaus ursprünglich als krönender Abschluß des Gesamtwerkes gedacht war, erhellt aus den beiden genannten Stellen sowie aus 11,1,2.

Wie den Bemerkungen des Fachschriftstellers selbst zu entnehmen ist, handelt es
sich dabei um eine Art poetischer Stilübung, die sich ihres dilettantischen Cha-
rakters durchaus bewußt ist. Erst das hartnäckige Drängen besonders des Sil-
vinus, des Adressaten der Lehrschrift, vermochte den Autor zu veranlassen,
einen „Geschmack von seiner Verskunst" zu geben, und Columella ist – gerade
im Blick auf Vergil – einsichtig genug, die Qualität seines dichterischen Versuchs
realistisch einzuschätzen.[3] Wenn dieser Versuch im folgenden trotz seines einge-
standenen Dilettantismus mit einigen Bemerkungen charakterisiert werden soll,
so geschieht das zunächst deshalb, weil in dem Buch, obgleich es nur einen Teilbereich einer Fachwissenschaft erfaßt, ein abgeschlossenes und vollständiges
Lehrgedicht im kleinen vorliegt, das im Rahmen dieser Untersuchung nicht gut
übergangen werden kann. Zugleich aber ergibt sich dabei die Gelegenheit, das
Wesen der *Georgica* anhand der Folie dieser sich betont als Imitation gebenden
Fortführung[4] um so deutlicher hervortreten zu lassen.

Die das Gedicht umrahmenden Prosabücher zeigen das für einen Fachschriftsteller charakteristische Verhältnis zu seinem Lehrgegenstand. Ohne jede Tendenz einer idealisierenden Sicht, welche ja die Transparenz des Stoffes in den
Georgica bewirkte, steht der Autor seinem Stoff in der Haltung eines nüchternen, selbst praktizierenden Landwirts gegenüber. Diese sachliche, praxisnahe
Haltung kommt auch in der Vorrede des Gesamtwerkes zum Ausdruck, die doch
ansonsten gerade die der Bedeutung des Gegenstandes nach Auffassung des Columella nicht gerecht werdende öffentliche Einschätzung der Landwirtschaft zu
korrigieren und deren allgemein bedeutsame Aspekte herauszustellen sich bemüht. Auch hier wird die wesentliche Funktion des Ackerbaus in seinem unmittelbaren, materiellen Nutzen und in der durch ihn eröffneten Möglichkeit gesehen, auf anständige Weise zu finanziellem Wohlstand zu gelangen.[5] Um dieser

---

[3] Vgl. bes. 11,1,2: *sed tibi, Publi Silvine, pertinaciter expetenti versificationis nostrae
gustum negare non sustinebam ...;* ferner Praef. 10,5: *quare quicquid est istud, quod
elucubravimus, adeo propriam sibi laudem non vindicat, ut boni consulat, si non sit
dedecori prius editis a me scriptorum monumentis.*

[4] Die Intention der Vergilimitation kommt abgesehen von den genannten Stellen
programmatisch in den Anspielungen zu Beginn und am Ende des Buches zum Ausdruck.
Die Fülle der *Georgica*-Anklänge und -Zitate verzeichnet die kommentierte Ausgabe
von E. de Saint-Denis: Columelle: De l'agriculture, Livre X, Paris 1969. Einige von
ihnen, die für die Beurteilung des Verhältnisses von Vorbild und Nachahmung besonders aufschlußreich sind und die den typologischen Abstand deutlich werden lassen,
werden im folgenden zur Sprache kommen.

[5] Vgl. Praef. 1,7: Die Landwirtschaft ist eine *res corporibus nostris vitaeque utilitati
maxime conveniens*, sie ist *id genus amplificandi relinquendique patrimonii, quod omni
crimine caret.*

materiell-praktischen Bedeutung der Landwirtschaft willen macht sich der Autor an die Arbeit, ein bisher vernachlässigtes Gebiet sachgemäß und vollständig darzustellen.

Die nüchterne Sachbezogenheit der Prosabücher bestimmt trotz allen Bemühens um eine Poetisierung des Stoffes, das sogleich zu erörtern sein wird, auch die Dichtung über den Gartenbau. Der Lehrgegenstand wird in sachgemäßer Systematik entfaltet. Eine Reihe praxisbezogener Einzelvorschriften für die Anlage des Gartens eröffnet das Gedicht. Anschließend (35–40) gibt Columella Aufschluß über Inhalt und Disposition des Folgenden. Die Darstellung ist in Übereinstimmung mit dieser Ankündigung klar gegliedert. Die einzelnen Abschnitte sind im Interesse der besseren Übersicht des Lesers deutlich voneinander abgehoben.[6] Der leichten Orientierung des Adressaten dient auch die strenge Ausrichtung der Anweisungen auf den Jahresablauf der Arbeit. Der Autor geht in strikter chronologischer Reihenfolge vor. Die Anweisungen setzen im Herbst nach der Ernte ein und enden mit der Ernte im darauffolgenden Spätsommer. Das Streben nach chronologischer Systematik, die sich in einer Fülle aneinandergereihter Einzelanweisungen und in den Pflanzenkatalogen dokumentierende Intention einer möglichst vollständigen Stofferfassung,[7] die auch vor ästhetischer Indezenz nicht zurückschreckende, an der gärtnerischen Praxis orientierte Ausbreitung fachwissenschaftlicher Einzelheiten:[8] all dies läßt das nüchterne Verhältnis des Autors zu seinem Stoff und die Sachbezogenheit seiner Darstellung deutlich werden. Columella ist auch hier, bei seinem Ausflug in die Lehrdichtung, in erster Linie Fachschriftsteller, Lehrer und erst sekundär Dichter.

Als dilettierender Dichter bemüht sich Columella nun allerdings um eine Poetisierung des Stoffes. Zu diesem Zweck bedient er sich reichlich einer ganzen

---

[6] *cultus* (35) verweist auf die Partie über die Bodenbearbeitung (41–93). Entsprechend der Ankündigung (35 f.: *tempora quaeque serendis / seminibus, quae cura satis*) schließt sich ein umfangreicher Block an, der mit ermüdender Vollständigkeit in der Reihenfolge der Saat- bzw. Setzzeiten eine Fülle von Pflanzen katalogartig aneinanderreiht (94–254) und dabei auch die Pflege der Saaten berücksichtigt (140 ff.). Es folgt die Blütezeit der Blumen (255–311; vgl. 36 f.: *quo sidere primum / nascantur flores Paestique rosaria gemment*). Den Abschluß bildet naturgemäß die Ernte (312–432). Deren Darstellung beginnt mit der Schilderung des einträglichen Verkaufs von Knoblauch, Zwiebeln usw., verweilt ausführlich bei der Aufzählung der drohenden Gefahren und der Möglichkeiten, ihnen zu begegnen, und endet mit dem Einbringen der Baumfrüchte und des Weines. Auch darauf war in der Inhaltsangabe verwiesen worden (38 f.).

[7] Reihung von praktischen Einzelanweisungen: etwa 6 ff. 41 ff. 318 ff. Pflanzenkataloge: z. B. 96 ff. 166 ff. 230 ff.

[8] Vgl. etwa 31 ff. (praktische Funktion des Priapus). 81 ff. (Düngung mit Viehmist und dem Inhalt der Latrine). 357 ff. (Abwehrzauber mit Hilfe einer menstruierenden Frau).

Palette poetischer Darstellungsmittel,[9] die ihm die literarische Tradition und zumal die *Georgica* als unmittelbares Vorbild an die Hand gaben. Alle diese poetischen Elemente sind aber der an sich sachbezogenen Lehre als ein nur äußerliches Ornament aufgepfropft. Das Mißverhältnis zwischen der nüchternen Sachlichkeit der Stoffentfaltung und den aufgesetzten poetischen Lichtern kommt besonders klar in den vom Autor offenbar als für eine Dichtung obligatorisch angesehenen ,dichterischen' Umschreibungen der Zeitangaben zum Ausdruck, ist aber auch sonst wiederholt zu beobachten.[10] Es ist angesichts des bewußten Anschlusses Columellas an die *Georgica* nicht verwunderlich, daß er sich wie Vergil in die Kontinuität hellenistischer Dichtung stellt. Er übernimmt aus seinem Vorbild den Gedanken der Kleinheit des Stoffes und benutzt dafür denselben Begriff wie Vergil – ohne freilich von der für die *Georgica* charakteristischen Verschränkung von Kleinheit des Stoffes und Bedeutsamkeit des durch ihn Repräsentierten etwas ahnen zu lassen.[11] Aus dem Umkreis hellenistischer Dichtung stammen vor allem Kunstmittel wie gelehrte Umschreibungen, geographi-

---

[9] Vgl. etwa die Zusammenstellung bei Saint-Denis 15 ff. Selbstverständlich erfordert die poetische Form auch die Berücksichtigung allgemeiner gattungsspezifischer Konventionen, welche die Darstellungsweise des zehnten Buches von derjenigen der Prosabücher abheben. So fehlt in dem Gedicht z. B. die sachliche Auseinandersetzung mit den Autoritäten der Disziplin, die sonst bei Columella einen breiten Raum einnimmt, völlig, und die im wesentlichen beschreibende Ausbreitung des Stoffes in den Prosabüchern macht in dem Lehrgedicht einer Darstellungsweise Platz, die wie die der *Georgica* und anderer Lehrgedichte durch eine imperativische Wendung des Lehrers an den Adressaten gekennzeichnet ist.

[10] Umständliche Umschreibung von Zeitangaben: 41 ff. 52 ff. 77 ff. u. pass. An der zuletzt genannten Stelle wirkt der Kontrast zwischen der poetischen Ausmalung des nahenden Frühlings, der durch das Gezwitscher der Schwalbe angekündigt wird, und den unmittelbar anschließenden brutal-realistischen Düngungsanweisungen unfreiwillig komisch. Ohne inneren Grund sind ferner, um nur ein weiteres dichterisches Stilmittel zu nennen, Apostrophen wie 172. 192 f. 248 und der hochpoetische Anruf der Nymphen 263 ff.

[11] S. o. S. 83 ff.; vgl. Col., Praef. 10,4: ... *tenuem admodum et paene viduatam corpore materiam...*; 40: *Pierides tenui deducite carmine Musae.* In deutlichem Bezug auf Georg. 2,475 ff. setzt auch Columella seine *cura levior* von dem größeren Gegenstand des Lukrezischen Lehrgedichts ab (215 ff.). Auch hier ist von der Ambivalenz der Vergilischen Reflexion, die ja aufgrund der eigentlichen, umfassenden Bedeutung des an sich kleinen Stoffes hinter der Geste der Selbstbescheidung den Anspruch, Lukrez zu übertreffen, erkennbar werden läßt (s. o. S. 84 f.), nichts zu spüren. Columella vergleicht einfach die beiden Stoffe miteinander und meint damit offenbar den Gehalt der *Georgica*-Stelle wiederzugeben. Er verfehlt deren eigentlichen Sinn, weil er überhaupt das Wesen seines Vorbildes, d. h. die es charakterisierende Transparenz des Stoffes für das übergeordnete Thema, verkennt.

sche und mythologische Kataloge, mythologische Digressionen und Anspielungen.[12]

Im Unterschied zu den *Georgica* besitzen die Elemente der Poetisierung bei Columella keinerlei thematische Funktion. Ihr äußerlich-ornamentaler Charakter läßt sich exemplarisch aufzeigen anhand eines Vergleichs zweier Exkurse mit deren Vergilischen Vorbildern. Gleich zu Beginn der Sachdarstellung des ersten Buches läßt Vergil bedeutungsvoll den Deukalion-Mythos anklingen (61–63), um mit dem Hinweis auf die Härte des Menschengeschlechts *(durum genus)* von Anfang an das Leitthema des ersten Buches zu etablieren. Die gottgewollte Ordnung des *labor,* die sogleich in einem breit ausgeführten Mythos näher charakterisiert wird (121ff.), findet bereits an dieser Stelle ihre Vorbereitung: Schon die Art ihrer Entstehung weist die Menschen auf den Weg harter Arbeit. Columella nun übernimmt alle diese Elemente und führt die mythologische Andeutung der *Georgica* zu einem breiten Bild aus (59 ff.). Aber der Mythos, der Gedanke der Härte, des *labor:* all dies ist bei ihm nichts weiter als ein dankbar aus dem Vorbild übernommenes poetisches Glanzlicht, welches ohne gedankliche und thematische Funktion dem Lehrstoff aufgesetzt und in der Folge vergessen wird. Das bei Vergil der übergeordneten und eigentlich thematischen Ebene angehörende Element wird als schmückende Einlage in eine ansonsten ausschließlich sachbezogene, weil fachwissenschaftliche Darstellung eingefügt und damit seiner ursprünglichen Funktion beraubt.

Das gleiche läßt sich an dem Frühlingsexkurs (194 ff.) erkennen. Die Anregung dafür erhielt Columella wieder durch einen entsprechenden ‚Exkurs‘ der *Georgica:* 2,323 ff. Wieder werden einzelne Andeutungen Vergils breit ausgestaltet. Man vergleiche nur die das Numinose des Geschehens, dessen Einbindung in einen umfassenden, göttlichen Rahmen betonende Vergilische Schilderung der kosmischen Vermählung des allmächtigen Vaters mit der Erde (325–327) und die Imitation durch Columella, die das erhabene Bild durch mythologische Parallelen und durch gelehrte Anspielungen stofflich anreichert – und damit verflacht (200 ff.). Bei Vergil wird der Frühling dargestellt als „ein Stück heiliger Urzeit der Welt", als ein Paradies auf Erden.[13] Das gerade das zweite Buch durchziehende Thema der Goldenen Zeit und ihrer Wiederkunft aus der verbliebenen heilen Welt des Landlebens gewinnt hier erneut Gestalt (s. o. S. 84 f.). Der Leser wird zurückverwiesen auf die *laudes Italiae,* das als *Saturnia tellus*

---

[12] Gelehrte Umschreibungen: 29 ff. 52. 77 u. pass.; Katalog geographischer Namen: 130 ff.; Katalog der Nymphen und ihrer Orte: 263 ff.; mythologische Erweiterungen und Anspielungen: 59 ff. 155 f. 172. 174 f. 205. 268 ff.

[13] F. Klingner, Virgil, Zürich/Stuttgart 1967, 258; Klingners eindringliche Interpretation des ‚Exkurses‘ (254 ff.) ist überhaupt zu vergleichen.

den Segen ewigen Frühlings genießt (vgl. 2,149: *hic ver adsiduum*) und aus dem
derjenige Retter erstehen wird, der dazu bestimmt ist, das paradiesische Glück
der Urzeit wieder heraufzuführen. Wie immer bei Vergil besitzt der ‚Exkurs‘
eine zentrale thematische Funktion, ist unlösbar mit dem ideellen Thema verbunden. Nichts davon bei Columella. Er übersieht zunächst die thematisch bedeutsamen Elemente in der Vergilischen Beschreibung und reduziert seinen
Frühlingspreis auf die vergleichsweise vordergründigen Aspekte von Liebe und
Fruchtbarkeit. Aber auch diese sind seiner Darstellung äußerlich aufgesetzt und
könnten ohne weiteres fehlen, ohne daß das Thema des Fachschriftstellers gefährdet würde: Sein Thema ist ja eben nichts anderes als der landwirtschaftliche
Stoff selbst. Wieder wird also eine ‚schöne Stelle‘ aus den *Georgica* übernommen
und ihrer dortigen Funktion entleert, ohne über ihren Schmuckcharakter hinaus
inhaltlich eine neue Funktion zu erhalten. Insofern hat Columella völlig recht,
wenn er sich nach dieser sich über die lehrhafte Stoffentfaltung erhebenden
Abschweifung abbrechend zu seinem kleinen Gegenstand zurückruft.[14] In der
Tat hat das eine mit dem anderen sehr wenig zu tun, und der Exkurs ist einer
der zahlreichen ‚poetischen‘ Fremdkörper in dem Gedicht, er ist nichts weiter als
ein Mittel formaler Ästhetisierung.[15]

So stellt sich der dichterische Versuch des Columella typologisch als ein Zwit-
ter dar, und dieses in sich widersprüchliche Gesamtbild kann angesichts der Tatsache, daß der Fachautor ja erst sekundär, d. h. durch die äußere Einwirkung
seiner Freunde, zum Lehr*dichter* geworden ist, nicht überraschen. Das Gedicht
ist – wie bei dem Verhältnis des Fachschriftstellers zu seinem Stoff nicht anders
zu erwarten – grundsätzlich dem ‚sachbezogenen‘ Typ zuzurechnen. Indem aber
im Zuge der *Georgica*-Nachahmung der sachbezogenen Darstellung besonders
durch Übernahme von ästhetisch stark ansprechenden, ‚schönen‘ Passagen des
Vorbildes dichterischer Glanz verliehen wird, ein Glanz, der jedoch ganz im

---

[14] 215 f.: *sed quid ego infreno volitare per aethera cursu / passus equos audax sublimi
tramite raptor?* Hier kehrt der Autor wirklich von einer Abschweifung zu seinem
eigentlichen Gegenstand zurück, während die entsprechende Geste Vergils, die der Aussage Columellas selbstverständlich zugrunde liegt (Georg. 3, 284 ff.; s. o. S. 89 mit Anm.
18), ironisch durchblicken läßt, daß gerade in der ‚Digression‘ thematisch Wesentliches
enthalten ist.

[15] Mit dieser Kennzeichnung wird bewußt an die Charakterisierung des ‚formalen‘
Typs der Nikandrischen Lehrgedichte erinnert. Gerade der Frühlingsexkurs erfüllt eine
ähnliche formal-gliedernde Funktion wie entsprechende (mythologische) Einlagen bei
Nikander (s. o. S. 62 f.): Er markiert das Ende der ersten Hälfte des Gedichts, welche die
Arbeiten vom Herbst bis zum Frühjahr erfaßt. Die anschließende Reflexion über das
Verhältnis zu der naturphilosophischen Lehrdichtung des Lukrez leitet als eine Art
‚zweites Proömium‘ die zweite Hälfte des Buches ein.

Äußerlich-Ornamentalen verbleibt und thematisch nicht gebunden ist, rückt das Gartenbaugedicht in die Nähe des ‚formalen' Typs Nikandrischer Prägung. Die sinnentleerende Adaptation zentraler Partien der *Georgica* erweist die Vergilimitation Columellas als oberflächlich und insofern mißglückt.[16] Die typologische Betrachtung entlarvt die im Blick auf den Wortlaut des Gedichts so stark ins Auge fallende Vergil-Nähe als nur vordergründig und läßt den das Wesentliche betreffenden Abstand des dilettierenden Fachschriftstellers von seinem Vorbild deutlich werden.

c) Das „Carmen de insitione" des Palladius

Im Rahmen der Betrachtung der landwirtschaftlichen Lehrgedichte ist abschließend ein kurzer Blick zu werfen auf ein 85 elegische Distichen umfassendes, in einer Reihe von Handschriften sich an den Prosatraktat des Palladius anschließendes Gedicht über Baumveredelung *(de insitione)*. Sowohl die in Prosa abgefaßte Vorrede der Dichtung, in der der Autor seinen poetischen Versuch als eine Art Zeitvertreib zur Überbrückung der Frist bis zum Erscheinen des Gesamtwerkes kennzeichnet, als auch die einleitenden Verse selbst, die auf die vorangegangenen 14 Prosabücher zurückverweisen (3: *bis septem parvos, opus agricolare, libellos)*, legen die Annahme nahe, daß das Gedicht und der Prosatraktat von demselben Verfasser stammen. Wenn im folgenden trotz dagegen vorgebrachter Einwände von der Autorschaft des Palladius für das Gedicht ausgegangen wird, so soll damit der Authentizitätsstreit nicht als abgeschlossen und endgültig zugunsten des Palladius entschieden betrachtet werden, sondern es wird vielmehr dem Prinzip Rechnung getragen, an der handschriftlich bezeugten Echtheit des Buches so lange festzuhalten, als seine Unechtheit nicht als erwiesen gelten kann.[1] Auf eine detaillierte Erörterung dieser Frage kann hier ver-

---

[16] Eine zutreffende Beurteilung der Vergilimitation des Columella – gerade auch was die Übernahme wichtiger Motive der *Georgica* betrifft – bietet H. Weinold, Die dichterischen Quellen des L. Iunius Moderatus Columella in seinem Werke De re rustica, Diss. München 1959, 7 ff.

[1] Einwände gegen die Echtheit wurden geltend gemacht von H. Widstrand, Eranos 27, 1929, 129 ff. (vgl. dazu L. Bieler, Lustrum 2, 1957, 240). Eine ausführliche Diskussion und weitgehende Erledigung dieser Einwände bietet J. Svennung, Untersuchungen zu Palladius und zur lateinischen Fach- und Volkssprache, Lund 1935, 46 ff. Die Schwierigkeit des Problems wird noch durch den Umstand vergrößert, daß auch der von Svennung in einer Handschrift im Anschluß an Buch 13 entdeckte und im Jahre 1926 als Buch 14 des Palladius edierte veterinärmedizinische Traktat in seiner Authentizität umstritten ist (vgl. die Bedenken Widstrands, Eranos 26, 1928, 121 ff., und die Entgegnung von Svennung 24 ff.). Textausgabe: J. C. Schmitt, Leipzig 1898; R. H. Rod-

zichtet werden, da das Problem der Authentizität für die Beurteilung des poetischen Traktats im Rahmen dieser typologischen Fragestellung von untergeord-
neter Bedeutung ist.

In offensichtlicher Orientierung an dem vergleichbaren Verfahren des Columella setzt auch der landwirtschaftliche Fachschriftsteller der ausgehenden
Antike[2] an das Ende seines bewußt schmucklos und nüchtern gehaltenen, in
strenger chronologischer Reihenfolge des jährlichen Arbeitskalenders vorge-
henden Lehrbuchs eine Versifizierung eines Teilbereichs seines Stoffes. Allerdings entfaltet er dabei nicht – wie Columella – einen von ihm bisher noch
nicht behandelten Gegenstand. Er faßt vielmehr die über die Prosabücher ver-
streuten Pfropfungsvorschriften zusammen und gibt so „ein poetisches Repeti-
torium eines bekannten Gegenstandes".[3] Während der Prosatraktat in seiner
nüchternen Sachlichkeit als praktisches Handbuch für eine breite Benutzer-
schicht gedacht ist – in dieser Funktion hat das Werk tatsächlich dasjenige des
Columella weitgehend verdrängt –, wendet sich das Gedicht als Ergebnis literarischen Zeitvertreibs an den gelehrten Freund, einen gewissen Pasiphilus. Der
Autor betrachtet seine poetische Unternehmung selbst als Spielerei und nimmt
sie nicht allzu ernst.[4] Auch die Wahl des Versmaßes scheint die spielerische Intention des Verfassers zu unterstreichen und zu zeigen, daß er nicht die Absicht
hat, sich mit seinem *carmen modicum* (9) in die Tradition ernsthafter Lehrdichtung zu stellen.[5]

---

gers bereitet eine neue Ausgabe für Teubner (Leipzig) vor; vgl. dens., An introduction
to Palladius (BullICISt Suppl. 35), London 1975.

[2] Die chronologische Fixierung des Palladius ist umstritten. Sichere Grenzpunkte für
den zeitlichen Ansatz sind einerseits Gargilius Martialis (3. Jahrhundert) als eine der
Quellen und andererseits Cassiodorus (6. Jahrhundert) als terminus ante quem. Der
Spielraum dazwischen bleibt groß genug; vgl. Schanz/Hosius, Geschichte der röm. Literatur 4,1, München 1914[2], 190; Svennung 5 ff.

[3] Svennung 63. Dabei können gelegentliche Kürzungen und Erweiterungen nicht
über die wesentliche inhaltliche Übereinstimmung hinwegtäuschen (vgl. Svennung 60 ff.).

[4] Praef. 1: *pro usura temporis hoc opus de arte insitionis adieci.* 2 f.: *verum nescio, si
tuum ad has modo minutias inclinetur ingenium ... et licet de his nugis favorabiliter
sentias, ego meas opes aestimare non differo.*

[5] Die poetische Umsetzung lehrhafter Gegenstände als spielerische Weise literarischen
Zeitvertreibs begegnet wiederholt in der lateinischen Literatur der Spätantike. Hier ist
nur auf die didaktischen Dichtungen des Terentianus Maurus (s. u. S. 231 f.) und Ausonius
(s. u. S. 233) hinzuweisen. Auch Ausonius bedient sich dabei gern des elegischen Versmaßes, eines Metrums, das im übrigen bereits von Ovid für seine spezifische Ausprägung
didaktischer Poesie verwendet wurde (s. u. S. 238 ff.), das aber auch als Träger ernsthafter Lehrdichtung gelegentlich Verwendung fand: Es sei verwiesen auf das medizinische
Gedicht des Andromachos (s. u. S. 195 f.), das – allerdings weitgehend verlorene – astro-

Zur Charakterisierung des Gedichts selbst genügen einige kurze Bemerkungen. Der Verfasser stellt in den einleitenden Versen die hohe Kunst der Baumveredelung heraus und versucht die Bedeutung seines Gegenstandes noch durch die Erwägung zu unterstreichen, daß der Lenker des Weltalls selbst *(ipse poli rector)* den bei der Veredelung jeweils erneut wiederholten, sekundären Schöpfungsakt *(naturam fieri sanxit ab arte novam)* menschlicher Kunst überantwortet habe.[6] Der Autor mißt also diesem Bereich der Landwirtschaft offenbar besondere Bedeutung bei, und das ist wohl auch der Grund für die Wahl gerade dieses Stoffes als Gegenstand poetischer Bearbeitung. Die Darstellung selbst bleibt ganz im Sachlichen. Der dilettierende Dichter vermag hier ebensowenig den Fachschriftsteller zu verleugnen, wie das im Gartenbaugedicht des Columella der Fall ist. Die Sachnähe übertrifft die des Columella sogar noch erheblich. Nach der Schilderung dreier Pfropfweisen (37–44) beginnt ein Katalog von Pflanzen und deren jeweiligen Kombinationsmöglichkeiten, der sich ohne jede sachfremde Unterbrechung oder Abschweifung bis zum Ende des Gedichts erstreckt. Das stoffliche Thema wird in genauer Entsprechung zur einleitenden Inhaltsangabe und mit der Intention einer einigermaßen vollständigen Erfassung des Gegenstandes abgehandelt.[7] Die Poetisierung des Stoffes ist sehr sparsam. Sie besteht abgesehen von der personifizierenden Sicht der Pflanzen, die im übrigen auch den Stil der Prosabücher bestimmt (Svennung 74 ff.), im wesentlichen in der Beifügung von Epitheta, in wenigen Metonymien und ganz vereinzelten, sich zwanglos ergebenden mythologischen Anspielungen.[8] Der Autor läßt sich ganz von seinem Stoff leiten, die Sachbezogenheit seiner Darstellung wird durch kein fremdes Element gestört. Er leistet tatsächlich nichts weiter als eine Versifizierung – bzw., wenn man an Palladius als Verfasser festhält: eine poetische Zusammenfassung – des von ihm für besonders wichtig gehaltenen Lehrgegenstandes. Insofern be-

---

logische Werk des Anubion (s. u. S. 126 Anm. 1) und das *Commonitorium* des christlichen Didaktikers Orientius (s. o. S. 36 Anm. 48).

[6] 21–34. Möglicherweise ist Palladius zu dieser Partie angeregt worden durch Georg. 1,121 ff. Auch dort ist es die höchste Gottheit selbst, welche die Menschen zur Hervortreibung der Künste veranlaßt.

[7] Vgl. 19 f.: *quae quibus hospitium praestent virgulta docebo, / quae sit adoptivis arbor onusta comis.*

[8] Eine Zusammenstellung der poetischen Mittel und ein zutreffendes Urteil über deren spärliche Verwendung bei Svennung 70 ff. Der Stil des Gedichts spricht jedenfalls eher für die Autorschaft des Palladius als dagegen (wie Widstrand, Eranos 27, 1929, 138, meint). Die für eine Dichtung bemerkenswerte Nüchternheit der Darstellungsweise entspricht den eingangs des Prosatraktats für diesen aufgestellten, jeden rhetorischen Schmuck ablehnenden stilistischen Prinzipien – wenn man diese auf die Dichtung überträgt – eher, als daß sie ihnen widerspräche.

sitzt das kleine Gedicht ungeachtet der bei seiner Entstehung mitwirkenden und
gelegentlich zum Vorschein kommenden unernst-spielerischen Intention [9] eine
– typologisch gesehen – sehr viel einheitlichere Struktur als Columellas Versuch
der *Georgica*-Fortsetzung. Gerade die sachbezogene Schlichtheit des *Carmen
de insitione* hebt sich in diesem Sinne positiv ab von der vielgestaltigen, doppel-
gesichtigen Buntheit des Gartenbaugedichts, zu welcher der durch unreflektierte,
exzessive Vergilimitation fehlgeleitete poetische Ehrgeiz des Columella geführt
hat. Beide Gedichte setzen sich jedoch insofern gemeinsam von der Tradition
des ernsthaft werbenden ‚sachbezogenen‘ Lehrgedichts ab, als für beide Fachschriftsteller die Poetisierung ihres Stoffes ein gleichermaßen sekundäres (wenn
auch unterschiedlich motiviertes) Moment darstellt, als bei beiden die dichterische Form nicht einer inneren Notwendigkeit entspringt, sondern ein an sich
beliebiges Akzidens bedeutet.

2. Astrologische Lehrgedichte

a) Manilius

Ist die wiederholte dichterische Darstellung der Landwirtschaft im Hinblick
auf deren zentralen Stellenwert im Leben der Antike und auf ihren unmittelbar
manifesten materiellen Nutzen bzw. hinsichtlich der Anziehungskraft, welche
natürliches Geschehen immer für die Dichtung besessen hat, auch dem modernen
Interpreten ohne weiteres verständlich, so mag er zunächst mit um so größerem
Befremden die Tatsache zur Kenntnis nehmen, daß sich eine große Zahl von
Autoren der poetischen Behandlung astrologischer Lehrstoffe zugewandt hat.
Man könnte leicht geneigt sein – wie es gelegentlich auch geschieht –, gerade die
den modernen Betrachter so sehr befremdende Abstrusität dieses Gegenstandes
als Grund für seine häufige dichterische Bearbeitung anzuführen, etwa in dem
Sinne, daß in dem bei diesem Stoff ins Extrem gesteigerten Kontrast zwischen
der Abseitigkeit und diffizilen Trockenheit des Lehrgegenstandes einerseits und
der gewählten stilistischen Form seiner Darbietung andererseits der wesentliche
Reiz für die antiken Lehrdichter gelegen habe. Dabei würde man jedoch unre-
flektiert die moderne Einstellung zur Astrologie als einer nicht ernst zu nehmenden Pseudowissenschaft auf die Antike übertragen. Man hat im Gegenteil davon
auszugehen, daß das Interesse breiter Schichten an dieser Disziplin seit dem

---

[9] Vgl. etwa 3 f. *(bis septem parvos, opus agricolare, libellos, / quos manus haec
scripsit parte silente pedum)*, wo der Autor mit der konkreten und übertragenen Bedeutung von *pes* sein Spiel treibt.

Hellenismus ständig wuchs und daß für die Menschen der griechisch-römischen Antike, für die ja schon, nicht zuletzt aufgrund des Einflusses der Platonischen und Aristotelischen Philosophie, der Sternenhimmel als solcher weithin Gegenstand religiöser Verehrung war, die Lehre von der alles irdische Geschehen bestimmenden Einwirkung der Himmelsphänomene nichts weniger als eine von vornherein indiskutable Abstrusität darstellte. Wer also den Versuch unternahm, das astrologische System in einem Lehrgedicht zu entwickeln, ergriff aus der Sicht des antiken Publikums einen bedeutsamen und gewichtigen Stoff, und das an einer bestimmten Spielart der hellenistischen Lehrdichtung orientierte Interpretationsschema eines kalkulierten Gegenspiels von Form und Inhalt in dem oben charakterisierten Sinne hat hier ganz aus dem Blick zu bleiben. Es ist im Gegenteil gerade die Überzeugung von der Bedeutsamkeit des Gegenstandes, welche die Vielzahl poetischer Darstellungen der Astrologie hervorgerufen hat.

Diese allgemeinen Bemerkungen lassen sich sogleich an dem zu Beginn des ersten nachchristlichen Jahrhunderts entstandenen [1] astrologischen Lehrgedicht des Manilius, den *Astronomica*, konkretisieren. Der Autor, über dessen Lebensumstände wir nichts wissen und dessen Name nicht einmal völlig sicher ist, weist wiederholt auf das Gewicht und die umfassende Bedeutsamkeit seines Gegenstandes hin. Das Thema wird gleich in den ersten beiden Versen vor Augen geführt: die Sterne in ihrer schicksalhaften Funktion und die *divinae artes,* d. h. die Kunst, in dieses „Werk himmlischer Vernunft" einzudringen und es den Menschen nutzbar zu machen.[2] Von Anfang an setzt der Dichter diese Weise der Welterkenntnis von einer solchen ab, wie sie in dem Lehrgedicht des Lukrez vorliegt: Die Kenntnis der Gestirne und ihrer Umläufe allein reicht nicht aus; die Einsicht in deren schicksalhafte Funktion muß hinzukommen, d. h., die

---

[1] Zu dem vielverhandelten Problem, ob das Gedicht unter dem Prinzipat des Augustus oder des Tiberius oder etwa auch teils unter diesem, teils unter jenem entstanden sei, soll hier nicht Stellung bezogen werden. Die Frage ist von verhältnismäßig geringer Bedeutung und hat die Forschung übertrieben stark beschäftigt; vgl. dazu zuletzt E. Gebhardt, RhM 104, 1961, 278 ff.; E. Flores, Augusto nella visione astrologica di Manilio ed il problema della cronologia degli Astronomicon libri, Ann. fac. lett. e filos., Neapel, 9, 1960/1, 5 ff. – Der Text des Manilius wird zitiert nach der Ausgabe von A. E. Housman, M. Manilius. Astronomicon I–V, London 1903/1930.

[2] Das in der Welt wirkende und sie schicksalhaft bestimmende Prinzip himmlischer *ratio* wird des öfteren in seiner für das Gedicht thematischen Funktion herausgestellt: Vgl. etwa 2,60 ff.; 4,436 f. Der Autor weist während seiner technisch-systematischen Darlegungen immer wieder auf den Nutzen hin, der mit seiner Lehre verbunden sei. Dieser auf die Relevanz des Gedichts für die Lebenspraxis des Adressaten zielende Aspekt kommt programmatisch im Proömium des vierten Buches zum Ausdruck, wo das Bewußtsein von dem alles bestimmenden Einfluß der *fata* als ersehnte Befreiung aus den Sorgen und Ängsten des Lebens angepriesen wird.

Astrologie ist Ziel und Krönung naturphilosophischer Welterklärung.[3] Diese
stolze Überzeugung des Verfassers kommt zumal in dem mit Vers 25 beginnenden
Abschnitt zum Ausdruck, der die Kunst der Sterndeutung auf göttlichen Ursprung zurückführt. Die Astrologie erscheint hier als der Gipfelpunkt in dem
Siegeslauf der menschlichen *ratio;* sie stellt über der Ursachenerklärung eines
Lukrez eine höhere Stufe menschlicher Vernunfttätigkeit, die höchste Stufe überhaupt, dar. Indem sich der Autor diesem neuen, bisher poetisch noch nicht behandelten Gegenstand zuwendet, läßt er zugleich – eben aufgrund der alles
andere übertreffenden Bedeutsamkeit seines Stoffes – die Lehrdichtung eines
Vergil und Lukrez hinter sich.[4] Der Mensch hat es bei dieser Beschäftigung mit
den Sternen mit dem Göttlichen selbst zu tun, und insofern muß der Dichter dem
Einwand begegnen, der Mensch überschreite damit die ihm gesetzten Schranken
und versuche Unmögliches. Manilius hebt selbst mehrfach die immensen Schwierigkeiten hervor, die ein solches Unternehmen mit sich bringt, wobei er wieder
entsprechende Äußerungen des Lukrez (s. o. S. 70 f.) im Auge hat.[5] Aber diese
Schwierigkeiten, die notwendig mit einem so gewichtigen Gegenstand verbunden sind, stellen für die *ratio* kein unüberwindliches Hindernis dar, ja Gott
selbst hat dem Menschen die Vernunft gerade zu dem Zweck gegeben, mit ihrer
Hilfe in diese seine Geheimnisse einzudringen.[6] Dies ist ihre eigentliche Aufgabe. Die in den Sternen waltende göttliche Vernunft wartet geradezu darauf,

---

[3] 1,13 ff.; vgl. dazu H. Rösch, Manilius und Lucrez, Diss. Kiel 1911, 61 ff. Man hat
längst erkannt, daß Manilius in Konkurrenz tritt zu Lukrez und dessen Heilslehre die
seine gegenüberstellt: Erst die Einsicht in die umfassende Wirkungsmacht des *fatum*
vermag die Menschen wirklich von ihren Ängsten zu befreien (vgl. das Proömium des
vierten Buches). Zu der antilukrezischen Zielrichtung der *Astronomica* vgl. neuerdings
F.-F. Lühr, Ratio und Fatum. Dichtung und Lehre bei Manilius, Diss. Frankfurt 1969,
bes. 73 ff.
[4] Vgl. Verf., Gymnasium 78, 1971, 393 ff. Der Neuigkeitsanspruch wird wiederholt
erhoben: 1,4 ff. 113 f.; 2,53 ff.; 3,1 ff. Man darf darin nicht nur die Übernahme eines
literarischen Topos sehen, sondern muß diesen Anspruch im Zusammenhang mit dem
Bewußtsein des Dichters von der überragenden Bedeutsamkeit seines Themas interpretieren: In dieser Hinsicht handelt es sich bei der Dichtung des Manilius um ein bisher
nie dagewesenes, unerhörtes Wagnis (vgl. z. B. 3,1 ff.; zur Berechtigung des Neuigkeitsanspruches vgl. jetzt auch A. Reeh, Interpretationen zu den Astronomica des Manilius,
Diss. Marburg 1973, 28 ff.).
[5] 1,7 ff.; 3,26 ff.; 4,303 ff. 366 ff. 387 ff. 866 ff. Daß solche Bemerkungen (und auch
solche, welche die formalen Schwierigkeiten des Autors hervorheben; dazu s. u. S. 112 f.)
zugleich den Zweck verfolgen, die eigene Arbeit als derjenigen des Lukrez mindestens
ebenbürtig erscheinen zu lassen, hebt J. van Wageningen, RE 27. Halbbd., 1928, 1125,
mit Recht hervor.
[6] 4,387 ff. 866 ff. Zur grenzenlosen Kraft der *ratio* vgl. noch 1,539 ff. und besonders
die Formulierung 4,932: *ratio omnia vincit.*

lädt dazu ein, von der menschlichen *ratio* erfaßt zu werden.[7] Indem der Dichter diesem göttlichen Auftrag nachkommt,[8] wendet er sich dem erhabensten Gegenstand zu, der überhaupt denkbar ist.

Das Bewußtsein, die letzte und höchste Errungenschaft menschlicher Vernunfttätigkeit zum Thema seiner Dichtung zu machen, und das daraus resultierende Bestreben, den Leser von diesem Stellenwert der Astrologie zu überzeugen und ihn so für die Lektüre des schwierigen Werkes und schließlich auch für die Lehre selbst zu gewinnen: all das führt bereits im Proömium dazu, daß sich der Autor von den seinem Publikum vertrauten Lehrgedichten des Lukrez und Vergil absetzt. Dabei handelt es sich nicht, wie oben bereits angedeutet, um eine innerliterarische Auseinandersetzung des Dichters Manilius mit seinen Vorgängern, in der es um ästhetische Fragen ginge, um den Anspruch, die Leistung der Vorgänger in der Gattung literarisch weiterzuführen und zu übertreffen. Dieser Gesichtspunkt, wie er etwa charakteristisch ist für das Verhältnis der hellenistischen Lehrdichter gegenüber Hesiod oder – um ein römisches Beispiel aus einer anderen Gattung zu nennen – für die Auseinandersetzung des Horaz mit Lucilius, spielt bei Manilius allenfalls eine untergeordnete Rolle. Die literarisch-ästhetische Leistung eines Lukrez und Vergil bleibt unangetastet, und die unübersehbare, geradezu programmatische Bezugnahme auf deren didaktische Gedichte besonders am Ende des ersten Buches[9] läßt das Bestreben des Autors deutlich werden, im Bewußtsein des Lesers die große lateinische Lehrgedichtstradition wach zu halten, in die sich das neue Werk stellt. Der Anspruch, die Vorgänger hinter sich zu lassen, gründet sich in erster Linie auf den inhaltlichen Aspekt der *Astronomica*. Indem das Gedicht eine höhere Stufe der Vernunft zum Gegenstand hat als die naturphilosophische oder landwirtschaftliche Didaktik der berühmten Vorläufer, steht ihm sachlich ein höherer Rang zu.

Diese Reflexion über das Thema und die im Zusammenhang damit stehende Abgrenzung von den Vorgängern bleibt im Proömium des Werkes weitgehend implizit. Der Leser hat die Intention des Autors aus – allerdings sehr deutlichen –

---

[7] 1,11 ff.; 2,115 ff.; 4,874. 915 ff.

[8] Vgl. 5,8 ff. Gerade die zuletzt genannten Stellen machen deutlich, daß Manilius den Anspruch erhebt, mit seinem Gedicht in göttlichem Auftrag zu handeln (vgl. noch 4,920 f.: *ipse vocat nostros animos ad sidera mundus / nec patitur, quia non condit, sua iura latere.*), und *iussus* (5,10) verleiht diesem Anspruch prägnanten Ausdruck. Housmans Änderung in *aussus* (in der Editio minor, Cambridge 1932, nicht mehr als zwingend betrachtet) ist also nicht gerechtfertigt.

[9] Die Schilderung der athenischen Pest (884 ff.) und des römischen Bürgerkriegs (906 ff.) evoziert unmittelbar die entsprechenden Abschnitte in den Gedichten des Lukrez und Vergil (vgl. W. Bühler, Hermes 87, 1959, 487 ff.; ferner F.-F. Lühr, WSt 86, 1973, 113 ff.).

Anspielungen zu erfassen. Sehr viel ausdrücklicher spricht sich Manilius im Proömium zum zweiten Buch aus. Zunächst läßt er hier die Vertreter der hexametrischen Poesie unter besonderer Berücksichtigung der Lehrdichtung [10] Revue passieren. Ausgangspunkt ist natürlich Homer, aus dem alle Nachwelt geschöpft hat: *amnemque in tenues ausa est deducere rivos* (10). Wie das Folgende zeigt, darf man diesem Vers bereits eine kritische Implikation entnehmen, und angesichts des Begriffs *tenuis* ist schon an dieser Stelle mit der Möglichkeit zu rechnen, daß sich der Autor besonders mit derjenigen Richtung auseinandersetzen wird, für die dieser Begriff von programmatischer Bedeutung ist: mit der hellenistischen Dichtung alexandrinischer Prägung (s. o. S. 81). Die folgende Reihe der Autoren ist in der Sicht des Manilius durch einen ständigen Niedergang gekennzeichnet. Um im Bild von Vers 10 zu bleiben: Der Homerische Strom löst sich in immer kleinere Rinnsale auf. Der Grund des dichterischen Niedergangs liegt nach der Auffassung des Manilius nicht etwa in einem Verlust an poetischer Kraft oder in wachsendem formalen Unvermögen, sondern vielmehr darin, daß die von den nachhomerischen Dichtern gewählten Themen immer gegenstandsloser und unverbindlicher, die Relevanz der ergriffenen Stoffe immer geringfügiger wird. Die mythologische Dichtung des Hesiod wird zwar aufgrund ihrer inzwischen erwiesenen sachlichen Unhaltbarkeit mit unverkennbar ironischen Zügen referiert,[11] aber die *Erga* behandeln jedenfalls noch ein bedeutendes Thema und erfüllen eine wichtige Funktion (24: *pacis opus magnos naturae condit in usus*); insofern spricht der astrologische Lehrdichter von ihnen mit Hochachtung. Das Hesiodeische Vorbild ernsthafter poetischer Didaktik konnte jedoch nicht verhindern, daß die Späteren andere Wege gingen. „Gewisse Leute", so fährt Manilius mit *quidam* deutlich abweisend fort, haben sich dem Sternenhimmel zugewandt und diesen mit allen nur möglichen Sagen überzogen. Dabei wird die erhabene Welt der Gestirne in Abhängigkeit gebracht von verschiedensten irdischen Zufällen (35: *ex variis pendentia casibus astra*), und der Himmel ist nichts weiter als eine *fabula* – in den Augen des Manilius eine unerhörte Entstellung der Wahrheit.[12] Der Autor hat nicht speziell Arats *Phainomena* im Auge, sondern er wendet sich allgemein gegen die hellenistische Sterndichtung.[13] Er bezieht aber offenbar Arat ohne weiteres in diese Tradition

---

[10] Diese wird also der hexametrischen Dichtung subsumiert (s. o. S. 20). Daß Manilius primär die Lehrdichtung im Auge hat, erhellt nicht zuletzt aus Vers 49 (*doctae ... sorores*).

[11] 11 ff. Vgl. etwa die ironische Formulierung *primos titubantia sidera cursus* (14).

[12] Daß Manilius selbst sehr gern die hier abgelehnten Mythen in seine Darstellung einflicht, bedeutet einen Widerspruch, der unten (S. 123 ff.) zur Sprache kommen wird.

[13] Das geht schon daraus hervor, daß die *Phainomena*, die ja überhaupt im Hinblick auf Sternsagen verhältnismäßig zurückhaltend sind, einige der hier genannten Mythen

mit ein und lehnt den ganzen Komplex als eine artistische, nicht an der Sache als solcher interessierte, dem Gegenstand unangemessene und ihn daher entwürdigende Dichtung ab.[14] Aber nicht genug damit, so lesen wir weiter: Theokrit (der Bukoliker wird hier offenbar als didaktischer Autor verstanden) nimmt sich bukolische Gegenstände vor – ohne diese allerdings adäquat darzustellen. Andere besingen die Jagd, wieder andere Schlangen und Gifte; und schließlich geht man sogar so weit, den Tartarus ans Tageslicht heraufzuführen: Man wendet sich also am Ende einem rein imaginären Stoff zu.[15] Der ständige thematische Substanzverlust führt schließlich zu einem Realitätsverlust. Nunmehr hat es der Dichter nicht mehr mit einer Wirklichkeit, mag sie auch noch so unbedeutend sein, zu tun, sondern sein Thema ist eine reine Fiktion.

Es ist deutlich, daß sich Manilius in erster Linie gegen eine bestimmte Spielart der hellenistischen Lehrdichtung wendet: gegen den hier als ‚formal‘ bezeichneten Typ. Dieser wird von Manilius zutreffend unter dem Aspekt thematischer Entleerung gesehen. Das Prinzip dieser Richtung, die bewußte Wahl geringer, an sich bedeutungsloser Stoffe, das Zurücktreten des Inhaltlichen zugunsten des Formalen, erscheint ihm als Irrweg. In schärfstem Kontrast dazu betont er im folgenden seinen neuen, eigenen Weg: Sein Gedicht hat es mit den göttlichen Gesetzen selbst zu tun, welche die ganze Welt durchdringen und regieren (53 ff.). Bei diesem Unternehmen löst sich der Dichter aus der Masse seiner Zunftgenossen und beschreitet einen herausgehobenen, einsamen Weg (136 ff.; vgl. 137 mit 52). Der Autor distanziert sich zugleich auch von der breiten Masse des Publikums. Sein Werk gilt der kleinen Schar derer, die Reichtümer, Macht und Luxus der Erkenntnis der Sternenwelt und deren schicksalhafter Bedeutung hintanstellen und sich nicht durch „schmeichelnde Klänge“ und „süßen Ohrenschmaus“ von der Mühe dieser Aufgabe abhalten lassen.[16] Der Lehrdichter beansprucht

---

nicht enthalten: Kallisto-, Schwan-, Erigone-Sage; vgl. im übrigen J. Möller, Studia Maniliana, Diss. Marburg 1901, 22 f.

[14] Die Tatsache, daß in dem Epiker-Katalog bei Quintilian (10,1,55) Theokrit unmittelbar auf Arat folgt, läßt vermuten, daß auch Manilius, der sich im folgenden Theokrit zuwendet, zunächst von Arat ausgegangen ist, dann aber verallgemeinernd die gesamte alexandrinische Sterndichtung in den Blick genommen hat. Daß diese undifferenzierte Sicht der *Phainomena* der Vielschichtigkeit des Werkes nicht gerecht wird, braucht nicht näher erläutert zu werden.

[15] Da außer im Falle Theokrits keine Identifizierungsansätze gegeben werden, ist es müßig zu fragen, wer im einzelnen gemeint ist (vgl. dazu die Zusammenstellungen bei H. W. Garrod, Manili Astronomicon liber II, Oxford 1911, ad loc.). Dem Dichter kommt es nicht auf Autoren an, sondern auf Themen.

[16] 141 ff. Die Verse 147 f. sind schwierig (vgl. E. Bickel, RhM 80, 1931, 410 ff.; R. Helm, Lustrum 1, 1956, 150); soviel aber ist sicher, daß in ihnen die Mühe der Sternenerkenntnis den *blandi soni* und dem *dulcis per aures affectus* gegenübergestellt wird.

ein exklusives Publikum, nicht anders als die zuvor kritisierten Vertreter der
hellenistischen Dichtung. Aber während diese die breite Masse gerade aufgrund
ihrer ästhetischen Intentionen zugunsten der literarisch gebildeten Elite von
vornherein aus dem Blick ließen, hat sich die Motivation bei Manilius völlig
verschoben. Bei ihm ist es nicht die literarische Intention, die zur Ausschließung
eines breiten Publikums führt; maßgebend dafür ist vielmehr die mit dem Gewicht der Sache verbundene Schwierigkeit, die vom Adressaten im Hinblick
auf die Einsicht in die Sachverhalte zu fordernde geistige Anstrengung. Dazu
sind nur wenige imstande. Die üblicherweise angesprochenen breiteren Leser-
schichten sind durch ihre Affinität zu billigem ästhetischen Genuß charakterisiert. Manilius hat es nicht mit dem *dulce* zu tun, sondern mit der Mühe der auf
Wahrheit zielenden Erkenntnis. Während die hellenistische Lehrdichtung, so
dürfen wir den Kerngedanken des Proömiums zusammenfassen, in ihrer zunehmenden thematischen Verkümmerung die Ansprüche der Sache und damit der
Wahrheit immer stärker in den Hintergrund und statt dessen das *dulce* in den
Mittelpunkt treten ließ, gelangt in den *Astronomica* die Wahrheit – und zudem: die höchste Wahrheit – zu ihrem Recht. Die Lehrdichtung hat es wieder
mit Lehre zu tun, und zwar nunmehr mit dem erhabensten Lehrgegenstand
überhaupt. Durchdrungen von dem Gewicht und Ernst seines Themas tritt Manilius der hellenistischen Spielerei, wie er sie polemisch vereinfachend, aber
nicht ganz ohne Berechtigung sieht, als einer verirrten Abart der Lehrdichtung
entgegen.[17]

Kommt es dem Autor in dem Proömium des zweiten Buches darauf an, die
thematische Substanz seines Stoffes im Vergleich zu anderen Lehrgedichten her-
vorzukehren, so verfolgt die Themareflexion am Beginn des dritten Buches einen
anderen Aspekt. Nunmehr wird die Schwierigkeit der eigenen poetischen Aufgabe betont.[18] Während es sich andere Dichter leicht machen und als Gegenstand
ihrer Werke mythologische und historische Stoffe wählen, deren Glanz poetischer Darstellung entgegenkommt und die zu dichterischer Behandlung geradezu
einladen, hat sich Manilius einem Gebiet zugewandt, dessen Erkenntnis bereits
große Schwierigkeiten bereitet und das insofern der sprachlichen Darstellung

[17] Es ist kein Zufall, daß in dem kritischen Abriß der hexametrischen Dichtungen
von Lukrez und Vergil nicht die Rede ist. Diese Didaktiker befassen sich mit einem
durchaus ernsten und bedeutsamen Thema. Die zentrale Intention des Proömiums ist
eben die Auseinandersetzung mit der spielerischen hellenistischen Dichtung und deren
Ausläufern. Dies wird in der Regel verkannt (so auch neuerdings bei S. Koster, Antike
Epostheorien, Wiesbaden 1970, 135 ff.).

[18] Lühr, Ratio und Fatum 34 ff., der nach Erklärungen für den Umstand sucht, daß
in beiden Proömien der Neuigkeitsanspruch erhoben wird, erkennt nicht die jeweils
unterschiedliche Zielrichtung.

– zumal der poetischen – ungeheure Widerstände entgegensetzt (3,26 ff.). Aufgrund der besonderen Natur dieses Gegenstandes kann hier nicht ein gleiches Maß an ästhetischer Vollendung erreicht werden wie in den Gedichten, deren Stoff selbst schon ästhetische Qualitäten besitzt. Deshalb wird der Leser aufgefordert, nicht *dulcia carmina* zu erwarten, sondern seinen Verstand anzustrengen, um den Wahrheitsgehalt des Vorgetragenen zu erfassen (36 ff.). Wie im Proömium des zweiten Buches erhebt Manilius auch hier den Wahrheitsanspruch. Sein Ziel ist die sach- und wahrheitsgemäße Darstellung des Lehrstoffes. Gegenüber dieser Bemühung um das *verum* tritt der Gesichtspunkt des *dulce* in den Hintergrund. Die künstlerische Intention erweist sich als sekundär im Verhältnis zum Sachinteresse. Dieselbe Haltung dem Stoff gegenüber erwartet der Autor auch von seiten des Adressaten.

Die in der Betonung der Schwierigkeiten und in dem Wahrheitsanspruch liegenden Berührungen mit Lukrez sind deutlich und brauchen nicht im einzelnen nachgewiesen zu werden. Es ist auch nicht zweifelhaft, daß dem Autor die Berührungen mit seinem Vorgänger bewußt gewesen sind. Aber man würde die Bedeutung dieser Aussagen verkennen, wollte man sie im wesentlichen als literarische Anspielungen verstehen. Der tiefere und eigentliche Grund für die Berührung mit Lukrez ist darin zu sehen, daß für beide Didaktiker der Lehrstoff dieselbe existentielle Bedeutung besitzt, daß beide ihm in demselben engagierten Verhältnis gegenüberstehen. Bei Lukrez wie bei Manilius ergibt sich der Wahrheitsanspruch aus der Überzeugung von dem fundamentalen Gewicht ihres Gegenstandes,[19] und beide nehmen die Schwierigkeiten seiner poetischen Darstellung[20] um der Wichtigkeit der Lehre willen auf sich. Lukrez hatte ausdrücklich über die Funktion der dichterischen Form und deren Verhältnis zur sachlichen Argumentation reflektiert und die Poesie als psychagogisches Instrument in den Dienst der missionarischen Aufgabe gestellt (s. o. S. 70 f.). Angesichts der Aussagen der beiden soeben betrachteten Proömien des Manilius und der in ihnen ausgesprochenen Ablehnung des *dulce* zugunsten des Wahrheitsgehalts stellt sich die Frage, warum Manilius seine Lehre überhaupt in dichterischer Weise vorträgt.

---

[19] Wie bei Lukrez beherrscht der Kampf um das *verum* auch die Darstellung des Manilius; vgl. neben den genannten Stellen noch 4,303 ff. (das *verum* liegt nicht offen zutage; es ist verborgen, und um seiner habhaft zu werden, bedarf es großer geistiger Anstrengungen); und wie bei Lukrez ist scharfe sachliche Polemik auch bei Manilius die Konsequenz aus dem Wahrheitsanspruch; vgl. 1,483 ff. (Polemik gegen die atomistische Zufallslehre); 3,218 ff. (Ablehnung einer ungenauen Methode der Horoskopbestimmung; vgl. bes. 247: *nec tibi constabunt aliter vestigia veri*); 3,537 ff. (Ablehnung einer bestimmten astrologischen Methode).

[20] Auf die Schwierigkeit der Darstellung wird immer wieder hingewiesen: 1,113 ff.; 2,693 ff. 784. 829 f. 897 f.; 3,40 ff.; 4,430 ff.

Schon die Tatsache, daß er sich nicht mit einem Prosatraktat begnügt hat, zeigt, daß die Antithese *verum – dulce* nicht in dem Sinne zu verstehen ist, als werde das Bemühen um eine ästhetisch ansprechende Form prinzipiell abgelehnt. Die Antithese hat offenbar keinen ausschließlichen Charakter; sie soll vielmehr die Rangordnung der beiden Ziele klarstellen: Die ästhetische Intention hat hinter dem Streben nach Wahrheit zurückzutreten. Der Bedeutung des Themas entsprechend hat dessen sach- und wahrheitsgemäße Entfaltung Vorrang vor dem Streben nach künstlerischer Vollendung. Aber selbst nach dieser Präzisierung und Relativierung der Antithese bleibt die Frage bestehen: warum schreibt Manilius ein Lehr*gedicht*?

Aus einer Reihe von Stellen wird von Anfang an deutlich, daß der Autor die poetische Komponente in seinem Werk als wichtigen, integralen Bestandteil betrachtet. So wird das Gedicht bedeutungsvoll mit dem Wort *carmine* eingeleitet, und 1,20 ff. spricht Manilius davon, daß er es als Dichter-Priester mit einer doppelten Aufgabe zu tun habe: einer sachlich-inhaltlichen und einer künstlerisch-formalen.[21] Die folgenden Verse sollen anscheinend diese hohe Einschätzung des Poetischen begründen: Die erhabene Welt der Gestirne ist prosaischer Beschreibung kaum zugänglich, sie bedarf dichterischer Darstellung. Hier liegt offenbar der Gedanke zugrunde, daß die ehrfurchtgebietende Natur des vorzutragenden Lehrgegenstandes eine bestimmte, gehobene Weise der didaktischen Vermittlung erfordert, daß die den Lehrstoff kennzeichnende Gesetzmäßigkeit am besten in einer unter strengem Gesetz stehenden, d. h. metrisch gebundenen Sprache vor Augen geführt wird.[22] Die poetische Form scheint also nach Auffassung des Manilius notwendig mit dem Thema verbunden zu sein. Sie ist keine willkürliche Zutat des Autors, sondern die adäquate Weise, die Sache überhaupt in den Griff zu bekommen; sie ist der Weg zur Wahrheit, sie ist das Instrument, diese zu verbreiten. Die starke Hervorhebung der Bedeutung der dichterischen Form stellt also keinen Widerspruch dar zu den zuvor betrachteten Stellen, an denen das *verum* als das entscheidende Anliegen gegenüber dem *dulce* herausgestrichen wurde. Die Zurückweisung des Strebens nach vordergründigem ästhetischen Vergnügen bedeutet nicht einen Verzicht auf poetische Darstellung überhaupt.

---

[21] 21 f.: *ad duo templa precor duplici circumdatus aestu / carminis et rerum.* Vgl. auch die betonte Hervorhebung der dichterischen Form 1,113 ff.; 2,765 ff.; 4,436 ff.

[22] Diese von Lühr, Ratio und Fatum 23 ff., mit guten Gründen vorgeschlagene Interpretation der Verse 22–24 ist derjenigen vorzuziehen, wonach an dieser Stelle (ähnlich wie 3,31 ff.) die Schwierigkeit poetischer Darstellung im Verhältnis zu einer prosaischen hervorgehoben würde (so etwa J. H. Waszink, StudIt 27/8, 1956, 589 f.). Erst im Zuge der hier vertretenen Interpretation erhält die Formulierung *certa cum lege canentem* (22) prägnanten Sinn.

Soweit die Dichtung funktional auf die adäquate Erfassung der Wahrheit gerichtet bleibt, ist sie nicht nur legitim, sondern dem Wesen des Gegenstandes sogar angemessen. Sobald sie jedoch konkurrierend als Selbstzweck neben die Sacherkenntnis tritt und diese verdrängt, d. h. sobald sie auf dem Wege ornamentaler Poetisierung nicht mehr Wahrheitserkenntnis vermitteln, sondern nur noch ästhetisch unterhalten will, verliert sie ihre Berechtigung.

Inwieweit der Autor dieses Prinzip der funktionalen Unterordnung der Poesie unter die sachliche Argumentation auch in der Praxis befolgt, wird noch zu prüfen sein. In der Theorie besteht jedenfalls – wie angesichts der Stellung zum Thema nicht anders zu erwarten – weitgehende Übereinstimmung mit Lukrez. Dies wird durch eine noch zu betrachtende Aussage zusätzlich unterstrichen: 4,431 ff. betont Manilius wieder einmal die Schwierigkeit, die Lehre in poetische Sprache umzusetzen. Das Folgende ist textkritisch sehr unsicher. Soviel scheint jedoch klar, daß der Autor erwägt, in Anbetracht der immensen Schwierigkeiten die Berücksichtigung ästhetischer Gesichtspunkte bei seiner Darstellung hintanzustellen und sich prosaischer Stoffentfaltung zu nähern, und daß er diese Erwägung mit der Bemerkung zurückweist, dann würde seine Bemühung fruchtlos bleiben, da das Fehlen jeglichen ästhetischen Reizes der Wirkung des Werkes Abbruch tun müßte. Hier kommt offensichtlich diejenige psychagogische Funktion der poetischen Form in den Blick, die bei Lukrez im Mittelpunkt steht. Andererseits, so fährt Manilius fort (436 ff.), darf das Streben nach ästhetischer Wirkung nicht zum Selbstzweck werden. Die Aufgabe des Dichters besteht primär darin, das Thema sach- und wahrheitsgemäß [23] darzustellen, es dem Adressaten vor Augen zu führen, nicht aber es auszuschmücken: die Gottheit bedarf eines solchen Schmuckes nicht.[24] Poetische Ausgestaltung nach eigenem Gutdünken würde bedeuten, „die Welt an Worten hängen zu lassen" – und damit machte man sich eines ähnlichen Sakrileges schuldig wie diejenigen hellenistischen Sterndichter, die mit ihren Erzählungen den Himmel von irdischen Zufälligkeiten abhängen lassen.[25] Diese Aussage läßt noch einmal den Stellenwert deutlich werden, den das Moment der Dichtung bei Manilius besitzt. Das Poetische ist einerseits unverzichtbar als geeignetes Mittel, den erhabenen Gegenstand

---

[23] *ad iussa* (437): nach Geheiß der Sache, nicht nach eigenem Gutdünken (vgl. Housman, zu 5,10).

[24] 439 f.: *ostendisse deum nimis est: dabit ipse sibimet / pondera;* vgl. auch 3,39: *ornari res ipsa negat contenta doceri.*

[25] Gerade angesichts dieser zu vergleichenden Stelle 2,25 ff. (vgl. bes. 35: *ex variis pendentia casibus astris*) erscheint es angebracht, an *suspendere* (4,440) gegen Bentley und Housman *(splendescere)* festzuhalten: Die Welt schmückt sich selbst; es ist nicht recht, sie an Worten aufzuhängen, ihre Würde davon abhängig zu machen.

überhaupt in den Griff zu bekommen, und als psychagogisches Element; es ist
aber andererseits der sachlichen Lehre und der Wahrheitserkenntnis als dienendes Hilfsinstrument unter- und zugeordnet. Die Dichtung darf ihre funktionalen
Grenzen nicht überschreiten, das *dulce* hat hinter dem *verum* zurückzutreten.[26]
    Es ist nunmehr zu verfolgen, in welchem Maße die in der Reflexion des Dich-
ters über sein Thema und die Funktion der Poesie zutage getretenen Prinzipien
tatsächlich die Stoffentfaltung beherrschen. Man erwartet von einem Autor, der
von der alles überragenden Bedeutsamkeit seines Themas überzeugt ist und der
die sachliche Belehrung des Adressaten und die Ausbreitung der in der Lehre
beschlossenen Wahrheit für sein Ziel erachtet, eine ganz an der Sache selbst
orientierte, streng themabezogene Darstellung. Diese Erwartung wird denn auch
in einem hohen Maße erfüllt.
    Im ersten Buch wird das astronomische Fundament für die in den folgenden
Büchern entfaltete astrologische Lehre gelegt. In vier großen Blöcken wird dem
Leser diejenige Orientierung gegeben, die er als Grundlage für alles weitere benötigt: Stellung der Erde im Kosmos (118–246), Beschreibung der Himmelskörper (255–482), Himmelsmaße und -kreise (539–757), Meteore und Kometen
(809 ff.). Das Buch stellt eine sachlich unerläßliche Vorbereitung auf das astrologische Thema dar. Im Rahmen dieser Vorbereitung kann das Astrologische
selbst noch nicht entfaltet werden. Als Ausgleich und in der Absicht, den thematischen Grundgedanken des Werkes auch hier, im Vorfeld, präsent zu halten,
benutzt der Dichter die Fugen zwischen den einzelnen Blöcken dazu, thematische, stoisch-weltanschauliche Gesichtspunkte hervorzuheben: Nachdem bereits
247–254 die göttliche Vernunft als das die Welt durchdringende Prinzip herausgestellt wurde, entwickelt sich dieser Gedanke breit in der Mitte des Buches in
betonter Polemik gegen die atomistische Weltsicht, wie sie Lukrez vertritt (483
–531). An die Schilderung der Milchstraße schließt sich die mit reichen Beispielen illustrierte, erbauliche Lehre der Stoiker von der im Tode belohnten
virtus an (758 ff.; s. u. S. 122 f.), und nahe an das Thema führt der Schluß des Buches, der die schicksalhafte Vorbedeutung himmlischer Phänomene in den Blick
rückt (874 ff.). Alle diese Abschnitte rufen während der vorbereitenden und

---

[26] Es ist deutlich geworden, daß die Aussagen des Manilius über die Funktion der
dichterischen Form sich ergänzen und zu einem einheitlichen Gesamtbild führen. Es ist
demnach ungerechtfertigt, wenn Lühr, Ratio und Fatum 37 ff., die Stellen, an denen die
Bedeutung der Poesie relativiert und das *dulce* dem *verum* untergeordnet wird, als
nicht der wirklichen Ansicht des Manilius entsprechend betrachtet und in ihnen einen
Versuch erblickt, das eigene Werk im vorhinein gegen den Vorwurf poetischen Mißlin-
gens abzusichern. Lühr übersieht dabei zudem, daß das spezifische Verhältnis zum
Gegenstand, das Manilius mit Lukrez verbindet, von vornherein zu einer entsprechenden
Relativierung der poetischen Form führen muß.

grundlegenden Ausführungen die Tatsache in Erinnerung, daß die Darlegungen des ersten Buches unter einem umgreifenden Aspekt zu sehen sind, sie erinnern den Leser an das astrologisch-weltanschauliche Thema.[27]

Manilius läßt sich bei seiner Disposition von Anfang an von der Sachlogik leiten. Er macht dies selbst immer wieder deutlich. Er beginnt seine Darstellung mit der Bemerkung, als erstes müsse er den Kosmos im ganzen vorstellen (120 f.). Die darauf folgende Himmelsbeschreibung vollzieht sich, wie der Dichter ausdrücklich bemerkt, in „fester Reihenfolge" (256). Dabei steht die Grundlage des gesamten astrologischen Systems, der Tierkreis, naturgemäß an erster Stelle.[28] Der Zodiakus wird hier – und auch jeweils im folgenden – in derselben systematischen Ordnung vorgeführt: mit dem Zeichen des Widders als Ausgangspunkt. Der Autor strebt eine seinem Thema gemäße Vollständigkeit an, was 805 ff. besonders deutlich zum Ausdruck kommt: Ehe die Darstellung zur eigentlichen Astrologie übergehen kann, ist die Beschreibung der Welt in allen Einzelheiten zu vervollständigen.

Die in der Stoffentfaltung des ersten Buches festzustellende strenge Sachbezogenheit bestimmt erst recht die Darlegung des Themas in den folgenden Büchern. Die für das astrologische System des Manilius zentrale Zodiakalastrologie nimmt die Bücher 2 bis 4 ein. Der Dichter läßt sich durchweg von sachlichen und methodisch-didaktischen Gesichtspunkten leiten. Ausgangspunkt der astrologischen Lehre hat die Klassifizierung der Tierkreiszeichen zu sein (2,150 f.). Dabei darf man auch das Geringste nicht übergehen, denn in allem wirkt die *ratio* (234 f.). Aber die Kenntnis der Zeichen selbst reicht nicht aus: Man muß ihre Kombinationen beachten (270 ff.). Deren Wirkung wird *proposito in ordine* beschrieben werden (296). Als *proxima cura* (433 ff.) ist die Verteilung der Götter und diejenige der Körperglieder auf die Zeichen zu behandeln. Schließlich werden die Beziehungen der Zeichen untereinander betrachtet (466 ff.). Dieser Abschnitt baut auf den vorangegangenen Lehrstücken auf; die Klassifizierungen und Kombinationen spielen in ihm eine wichtige Rolle, und hier wird

---

[27] Der Bezug der Lehre über das Fortleben der Seelen zu dem astrologischen Thema ist allerdings verhältnismäßig gering; er besteht im wesentlichen darin, daß beide Gedankengänge eingebettet sind in die stoisch-weltanschauliche Grundüberzeugung des Autors. Die im Hinblick auf das Thema unverständlich breite Illustrierung dieser Lehre sowie die an entsprechende Partien des Lukrez und Vergil erinnernden exkursartigen Schilderungen der athenischen Pest und des römischen Bürgerkriegs am Schluß des Buches lassen Elemente des Werkes in den Blick treten, die eher eine künstlerisch-ornamentale als eine thematisch-sachlche Funktion besitzen (s. u. S. 123 ff).

[28] 256 ff.; vgl. bes. 262: *ut sit idem mundi primum quod continet arcem;* zu der an dieser Stelle implizierten zentralen und fundamentalen Stellung des Tierkreises für die Astrologie des Manilius vgl. W. Schwarz, Hermes 100, 1972, 601 ff.

das Versprechen, die *vires* der Kombinationen zu erörtern, eingelöst (vgl. etwa 520 ff. 608 ff.). Nachdem bisher die Zeichen für sich betrachtet worden sind, kann nunmehr eine weitere Komplizierung vorgetragen werden, und zwar wieder *certo sub ordine* (690): Die Kräfte der Sterne wirken nicht isoliert, sie unterliegen vielmehr verschiedensten Einflüssen. Das wird dargestellt anhand der Lehre von den Dodekatemorien (687 ff.), den *cardines* und *loca* (788 ff.).

Das sachorientierte, methodisch bewußte Vorgehen des Didaktikers ist sogleich deutlich. Vom Grundlegenden und Einfachen ausgehend wendet er sich Schritt für Schritt jeweils komplizierteren Lehrabschnitten zu. Dieses Darstellungsprinzip wird dem Leser immer wieder klar gemacht, es wird einmal sogar in einer längeren Reflexion über die Lehrmethode ausdrücklich erörtert. Manilius verweist wiederholt darauf, daß er von den Planeten an späterer, geeigneter Stelle handeln werde.[29] Vorerst beschränke er sich auf die Beschreibung der Tierkreisastrologie. Dies wird 2,751 ff. damit begründet – und anhand von zwei Beispielen belegt –, daß man in allen Bereichen zunächst die elementaren Grundlagen schaffen müsse, ehe man zum Komplizierteren fortschreiten könne. Andernfalls ergebe sich eine unnatürliche, verkehrte Reihenfolge, ein *praeposterus ordo*.[30] Wenn der Autor seine gesamte poetische Darstellung an diesem Grundsatz orientiert, so resultiert das aus dem Bestreben, die Lehre so klar und einprägsam wie nur möglich vorzutragen, dem Adressaten das Eindringen in den Gegenstand, so weit es geht, zu erleichtern und die immensen Verständnisschwierigkeiten, die dem Stoff ohnehin innewohnen, durch Anpassung der einzelnen Lehrgegenstände an den Horizont des Lernenden und durch deren didaktisch optimale Abfolge nach Möglichkeit zu verringern.

Seinem methodisch-didaktischen Darstellungsprinzip folgend vervollständigt der Dichter in den nächsten zwei Büchern die Tierkreisastrologie. Die thematische Einheit der ersten vier Bücher wird von Manilius dadurch unterstrichen, daß der ganze dem Zodiakus gewidmete Komplex durch einen ‚Epilog‘ abgeschlossen wird, dessen allgemeine, sich über das Technische erhebende Gedanken unverkennbar auf das Proömium des Gesamtwerkes zurückverweisen.[31] Es ist

---

[29] 2,750 *(proprio ordine)*. 965 *(sub certa stellarum parte)*; s. auch die folgende Anm.

[30] 2,764. 783; vgl. auch 3,156 ff.: Über die Planeten wird später *ordine sub certo* gehandelt werden; im Augenblick wird darauf verzichtet, um nicht beim Leser Verwirrung zu stiften. 3,586 ff.: Von den Planeten wird erst dann gesprochen, wenn die *materies rerum* fest eingeprägt ist und keine Konfusion mehr eintreten kann. Vgl. zum methodisch-didaktischen Vorgehen auch Reeh 53 ff.

[31] 4,866–935. Zum Gedanken, daß die Himmelserkenntnis kein *nefas*, sondern eine von Gott den Menschen gesetzte Aufgabe ist, vgl. 1,11 ff. 25 ff.; die Ausführungen über die alles bezwingende Kraft der *ratio* erinnern an 1,66 ff.; der Herrscheranruf des Proömiums (1,7 ff.) hat seine Entsprechung in 4,934 f.

hier nicht der Ort, die Argumentation der Bücher im einzelnen zu verfolgen. Nur einige, für die typologische Fragestellung bedeutsame Gesichtspunkte seien hervorgehoben. Immer wieder betont der Lehrdichter sein an der Sache orientiertes, methodisches Vorgehen. Das zu Beginn des dritten Buches vorgetragene, neue Lehrstück, die Lehre von den Lebenslosen, ist eine *res summa* von höchstem Nutzen (43 ff.); es ist *sollemni ordine* zu entfalten (93). Nach der Aufzählung der Lebenslose muß ausgeführt werden, mit welchen Zeichen und wann diese aufsteigen (160 ff.). Im Rahmen der detaillierten Erörterung über die richtige Bestimmung des Horoskops kommt Manilius auf das Gesetz des Wechsels der Tag- und Nachtlängen zu sprechen. Um jedoch die Darlegungen zum Horoskop nicht zu unterbrechen und dem Leser unnötige Verwirrung zu ersparen, wird dieses Lehrstück für später aufgeschoben (270: *venietque suo per carmina textu*). Es wird am Ende vom Autor vertretenen Verfahrens der Horoskopbestimmung vorgetragen (443 ff.).[32] Dieselbe methodische Sachbezogenheit bestimmt die Ausführungen des vierten Buches. Der Autor kündigt an, er werde auch hier *ex ordine* verfahren (123). Bezeichnend ist wieder, um ein Moment herauszugreifen, das Vorgehen bei der Behandlung der Länderastrologie. Wie im ersten Buch, wo der Himmelsbeschreibung ein grundlegender Umriß der Welt vorausgeschickt wird (118 ff.; s. o. S. 116), läßt sich Manilius auch hier von dem Grundsatz leiten, der Erörterung über die Verteilung der einzelnen Länder auf die jeweiligen Zeichen einen den Leser grob orientierenden allgemeinen geographischen Abriß voranzustellen (585 ff.).

Neben der sich an der Struktur des Lehrgegenstandes und an didaktischen Notwendigkeiten ausrichtenden Disposition des Stoffes ist es wieder das Streben nach möglichst vollständiger Ausbreitung der relevanten Einzelheiten, welches das den Autor leitende Sachinteresse unterstreicht. Ein gutes Beispiel dafür ist die Diskussion der Horoskopbestimmung. Die fundamentale Bedeutung dieses Lehrstücks für das gesamte astrologische System rechtfertigt eine entsprechende Ausführlichkeit der Darstellung.[33] Manilius setzt auseinander, wie wichtig die exakte Fixierung des Horoskops ist, und lehnt folgerichtig die Vulgärmethode der Bestimmung wegen ihrer Ungenauigkeit ab (218 ff.). Nichtsdestoweniger

---

[32] Housman (ad loc.) tilgt 268–270 mit der Begründung, *impulsae* (269) habe keine Beziehung und die Verse paßten nicht auf den Wechsel von Tag- und Nachtlänge, sondern auf die Planetenbewegungen. Das ist aber nicht überzeugend; denn *impulsae* ist offenbar auf *tenebrae* (d. h. sinngemäß: Tag und Nacht) zu beziehen, und der wörtliche Anklang von 444 f. *(paribus per sidera . . . / . . . gradibus)* an 268 *(gradibus per sidera certis)* spricht zusätzlich gegen Housmans Interpretation.

[33] 3,203–509. Die grundlegende Funktion der richtigen Horoskopbestimmung wird immer wieder eingeschärft: 206 ff. 389. 503 ff.

schließt er an die Beschreibung des von ihm vertretenen Bestimmungsverfahrens einen Abschnitt an, in dem der vorher abgelehnte Weg nunmehr im nachhinein vorgeführt wird (483 ff.). Offensichtlich läßt er sich dabei von der Erwägung leiten, auch diese Methode, die ja weithin praktiziert wurde, dürfe dem Leser nicht vorenthalten werden.[34] Bezeichnend ist auch die Bemerkung, mit welcher der Dichter den Gegenstand des fünften Buches einführt (5,1 ff.): Ein anderer hätte nach der Darstellung der Zodiakalastrologie an diesem Punkt seinen Weg beendet und wäre sofort zu den Planeten übergegangen.[35] Er aber wolle, dem Geheiß des Weltgottes folgend, alle Sterne und den ganzen Himmel erfassen. Aufgrund dieses Vollständigkeitsanspruches wendet sich Manilius nunmehr den übrigen Fixsternen zu. Er kündigt an, er werde deren *vires* beschreiben, sowohl bei ihrem Aufgang wie bei ihrem Untergang (27 f.). Die Behandlung der Fixsternastrologie wird 693 ff. durch die arktischen Sternbilder vervollständigt, und eine am Beginn verstümmelte Abhandlung über die unterschiedliche Lichtstärke der Sterne beschließt das Buch (710 ff.).

An dieser Stelle sieht sich die Interpretation zwei Schwierigkeiten gegenüber, die nicht restlos geklärt werden können. Zunächst ist auffällig, daß Manilius im Gegensatz zu seiner Ankündigung nur die Aufgänge der Gestirne behandelt. Gerade angesichts des sonst vorherrschenden Vollständigkeitsstrebens wird man nicht geneigt sein, sich mit dem Fehlen eines Abschnitts über die Untergänge ohne weiteres abzufinden. Insofern hat Breiters Vermutung (176) einiges für sich, dieser Abschnitt habe ursprünglich in der vor Vers 710 anzusetzenden Lücke gestanden. Allerdings verschärft sich das Problem durch einen weiteren, für die gesamte astrologische Lehre noch gravierenderen Umstand: Die im Verlauf der Erörterung des Tierkreises immer wieder bekundete Absicht, die Planeten an dem ihnen zukommenden Ort, d. h. im Anschluß an die Zodiakal- und Fixsternastrologie, zu behandeln,[36] findet keine Erfüllung. Es ist gerade angesichts dieser Stellen undenkbar, daß der Lehrdichter auf die Darstellung der Planetenastrologie verzichtet haben sollte. Selbst wenn im Gegensatz zu den anderen uns kenntlichen astrologischen Systemen die Planeten bei Manilius eine im Verhältnis zur Tierkreisastrologie untergeordnete Rolle gespielt haben sollten (s. o. S. 117 mit Anm. 28), so konnte doch dieser so wichtige Lehrge-

---

[34] Vgl. T. Breiter, M. Manilii Astronomica, 2. Bd., Leipzig 1908, 98 ff.

[35] Die Verse 1–4 setzen keineswegs die Behandlung der Planeten voraus, wie D. B. Gain, Latomus 29, 1970, 128 ff., behauptet. Vielmehr wird in den Versen 5–7 unmißverständlich von dem Übergang zu den Planeten gesprochen. Die von Gain im Anschluß an Bentley vertretene Tilgung dieser Verse ist nicht gerechtfertigt, zumindest nicht, was Vers 5 angeht (vgl. Breiter 146; Housman, ad loc.).

[36] Vgl. 1,15. 809 f.; 2,738 ff. 961 ff.; 3,155 ff. 585 ff.; 5,1 ff. (s. o. S. 118).

genstand in einem Gedicht, das solchen Wert auf Vollständigkeit legt, nicht fehlen. Sofern man nicht mit der Möglichkeit rechnen will, daß die *Astronomica* auf dem Überlieferungswege verstümmelt wurden, bleibt als Erklärung für den Tatbestand nur die Annahme übrig, daß der Autor seine Dichtung – aus welchen Gründen auch immer – unvollendet hinterlassen hat.[37]

Wie bei Lukrez so dient auch bei Manilius die sachbezogene Darstellung dem Ziel, dem Adressaten die Lehre in ihrer ganzen Bedeutsamkeit vor Augen zu führen, ihn für sie zu gewinnen, ihn zu ihr zu bekehren. In den *Astronomica* herrscht die gleiche missionarische Grundhaltung vor wie in dem Lehrgedicht des römischen Epikureers. Das äußert sich hier wie dort in der mehrfach wiederholten Wendung an den Leser, dem Vortrag aufmerksam und unter Anspannung der eigenen Geisteskräfte zu folgen;[38] es zeigt sich in dem Eingehen auf mögliche Einwände und in dem Bestreben, den Adressaten durch Analogien und Beweise von der Richtigkeit der Ausführungen zu überzeugen.[39] Wie ferner Lukrez bestimmte Fragen, die für sein Argumentationsziel ohne Bedeutung sind, unentschieden läßt, sofern nur sein eigentliches Anliegen dadurch nicht gefährdet wird (s. o. S. 75), so läßt auch Manilius solche Streitfragen offen, die seine astrologische Grundüberzeugung nicht berühren und deren Lösung hinsichtlich der Überzeugungskraft seiner Argumentation ohne Belang wäre. So werden gleich zu Beginn der Darstellung eine Reihe von Weltentstehungstheorien neben-

---

[37] Die Vermutung von G. P. Goold, RhM 97, 1954, 370 ff., die Planeten seien in der Lücke hinter Vers 709 behandelt gewesen, hat wenig für sich, denn es ist kaum denkbar, wie dieser zentrale Gegenstand auf so kurzem Raum adäquat hätte dargestellt werden können. Wenig mehr als Spekulation ist auch der Versuch von P. Thielscher, Hermes 84, 1956, 353 ff., aus überlieferungsgeschichtlichem Material Anhaltspunkte dafür zu finden, daß in einem sechsten Buch die Fixsternuntergänge und in zwei weiteren Büchern die Planetentheorie entwickelt worden seien. Thielschers Behauptung (359), der Schluß des fünften Buches sei als Werkende unpassend, ist geradezu unsinnig. Gerade der eindrucksvolle Vergleich des Sternenkosmos mit einem geordneten Staatswesen (734 ff.) könnte sehr wohl das Gesamtwerk beschließen, läßt er doch noch einmal die das Weltall durchwaltende *ratio* sinnfällig werden (vgl. Lühr, Ratio und Fatum 68 ff.). Doch damit ist natürlich noch nicht gesagt, daß dieser Vergleich tatsächlich als Werkschluß gedacht war. Ähnlich wie Thielscher rechnet auch Gain mit ursprünglich acht Büchern. Seine Argumentation ist gleichermaßen spekulativ und – soweit sie sich auf den Text des Manilius selbst beruft – unhaltbar (s. o. Anm. 35). Die wahrscheinlichste Erklärung des Befundes dürfte die sein, daß das Werk – wie das des Lukrez – unvollendet geblieben ist (vgl. F. Boll, Sphaera, Leipzig 1903, 387 f. 394 ff.; Breiter XI f.; van Wageningen 1123).

[38] Vgl. z. B. 2,788. 898 ff.; 3,36 ff. 43. 275 f.; 4,308 f. 368 ff. 387 ff. 502.

[39] Vgl. z. B. 1,173 ff. 194 ff. 483 ff. (Argumente für die stoische und gegen die atomistische Weltsicht; vgl. auch 2,67 ff.); 4,23 ff. (historische Beweise für die Macht des *fatum*). 416 ff.

einander genannt, ohne daß sich der Autor auf eine von ihnen festlegte (1, 122 ff.): Die jetzige Weltordnung, auf die es ihm allein ankommt, ist jedenfalls zweifelsfrei erkennbar (147 ff.). Ihre vernünftige Organisation gilt es zu zeigen; demgegenüber sind naturphilosophisch-spekulative Theorien über ihre Entstehung von sekundärer Bedeutung. Das Ziel des Manilius ist es, das Wirken der göttlichen Vernunft in der Welt aufzuzeigen und den Adressaten von der Einwirkung der Gestirne auf das irdische Leben zu überzeugen. Naturwissenschaftliche Ursachenerklärung, soweit sie nicht im Dienst dieser Lehre steht oder für sie nutzbar gemacht werden kann, interessiert ihn nicht.[40]

So trägt Manilius auch keine Bedenken, naturwissenschaftliche und mythologische Welterklärung wie gleichberechtigt nebeneinander stehen zu lassen. Zwar erscheint an herausgehobener Stelle der Mythos ganz im Sinne Lukrezischer Weltsicht als eine unzureichende, schließlich von der *ratio* überwundene Weise der Naturerklärung,[41] aber dennoch treten gelegentlich rational-naturwissenschaftliche und mythologische Erklärungen nebeneinander auf. Dieser auf den ersten Blick gerade bei einem Autor, der die *ratio* zu seinem Thema macht, so auffällige Widerspruch erklärt sich daraus, daß die Didaktik des Manilius im Unterschied zu der des Lukrez gerade nicht das Ziel verfolgt, auf dem Wege der Erklärung der Phänomene jeglichen Ansatzpunkt der *religio* zu beseitigen, sondern daß mit der Entfaltung des astrologischen Systems dem epikureisch-atomistischen Weltverständnis des Vorgängers ein stoisch-religiöses entgegengestellt wird. Im Rahmen einer solchen Intention besteht zu einem antimythologischen Rigorismus kein Anlaß. Dieser Sachverhalt läßt sich exemplarisch er-

---

[40] Vgl. etwa noch die doxographische Aneinanderreihung möglicher Erklärungen für das wunderbare Phänomen der Milchstraße (1,718 ff.) und für die Entstehung der Kometen (1,817 ff.). Das Vorgehen an der letztgenannten Stelle ist bezeichnend. Den zwei naturwissenschaftlichen Erklärungen stellt Manilius schließlich eine weltanschaulich-religiöse an die Seite (874 ff.), und es ist unverkennbar, daß er am ehesten geneigt ist, sich diese zu eigen zu machen, weil sie seiner astrologischen Weltsicht am besten entspricht: Gott sendet diese Zeichen, um auf schicksalverhängtes Unheil vorauszudeuten. Ganz selten erlaubt sich der Autor ein solches Offenlassen einer Entscheidung auch in eigentlich astrologischen Fragen. Wenn sich aber Manilius z. B. 3,680 ff. nicht auf eine der referierten Bestimmungen der Jahrpunkte festlegt, sondern sich auf das Referat der Möglichkeiten beschränkt, so ist es verfehlt, daraus auf ein mangelndes Interesse des Autors an der Sache zu schließen (so G. Lanson, De Manilio poeta eiusque ingenio, Paris 1887, 65): Wo die Theorie nicht einheitlich ist, bleibt dem literarischen Vermittler vielfach nichts anderes übrig, als die unterschiedlichen Ansätze zu referieren. Vgl. im übrigen Reeh 67 ff.

[41] 1,96 ff., bes. 103–105: Der Blitze schleudernde und donnernde Juppiter hat naturphilosophischer Ursachenerklärung zu weichen. Nichtsdestoweniger erlaubt sich Manilius bisweilen eben diese mythische Sprechweise (vgl. z. B. 1,366 ff.).

läutern anhand der Ausführungen des Manilius über das Wunder der Milchstraße (1,684 ff.). Dieses bereits von Arat mit ehrfürchtigem Staunen beschriebene (Phaen. 469 ff.), eindrucksvolle Phänomen läßt die Menschen voller Verwunderung aufschauen und nach den Ursachen der Erscheinung fragen (715 ff.). Zunächst werden drei naturwissenschaftliche Erklärungen vorgebracht (718–734). Dann aber wird sehr breit die alte Kunde von der Himmelsfahrt des Phaethon referiert (735–749), und erwähnenswert scheint dem Dichter auch die *fama mollior* von der verschütteten Milch der Götterkönigin (750–754). Darauf folgt wieder eine naturphilosophische Erklärung (755–757). Beide Erklärungsweisen stehen bis zu diesem Punkt unentschieden nebeneinander; [42] bis hierher hat Manilius nur referiert, ohne selbst Stellung zu nehmen. Die Reihe der Erklärungsversuche kulminiert in einem mit Vers 758 beginnenden, sich bis Vers 804 erstreckenden Abschnitt, welcher eigentlich gar keine Erklärung des Phänomens bietet, sondern dieses vielmehr mythisch-religiös-erbaulich ausdeutet: Die Sterne der Milchstraße sind der Aufenthaltsort auserwählter Seelen, deren *virtus* durch diese Annäherung an das Göttliche belohnt worden ist. Auf die Propagierung dieses stoischen Glaubens kommt es dem Dichter an. Demgegenüber rücken naturwissenschaftliche und mythologische Erklärung auf eine Ebene.[43]

Doch wenn auch aufgrund der spezifischen Intention des Manilius das Fehlen eines antimythologischen Rigorismus verständlich ist, so bleibt doch die Frage nach der Funktion der mythologischen Ätiologien. Die beiden Mythen in dem soeben betrachteten doxographischen Abschnitt tragen zur Etablierung oder Profilierung der erbaulichen Lehre nichts bei, sie stellen ein thematisch überflüssiges Ornament dar. Damit kommt ein Aspekt des Werkes in den Blick, der einer eingehenden Erörterung bedarf. Denn ähnlich wie in der Partie über die Milchstraße begegnen in dem Gedicht auch sonst gelegentlich kürzere oder längere mythologische Erzählungen (bzw. andere Einlagen: s. o. Anm. 27), die thematisch entbehrlich sind und insofern im Widerspruch stehen zu der die *Astronomica* ansonsten charakterisierenden strengen Sach- und Themabezogenheit der Ausführungen. Es kommt hinzu, daß Manilius an diesen Stellen seiner eigenen Aussage zuwiderhandelt, die oben erörtert wurde (s. o. S. 110 f.): Die scharfe Ablehnung mythologischer Sterndichtung, die in einer dem Gegenstand unwür-

---

[42] Breiter (28) meint zu Unrecht, Züge der Geringschätzung in der mythologischen Erzählung zu entdecken; vgl. dagegen Lühr, Ratio und Fatum 106 ff.

[43] Vgl. Lanson 59, der aus der Tatsache, daß die mythologische Erklärung bei Manilius einen so breiten Raum einnimmt, folgert: „Ex quo non iniuria colligat aliquis, non a Manilio in explicanda astronomia ipsam astronomiam quaeri, sed per astronomiam alia quaedam atque illi aliena."

digen Weise den Himmel von irdischen Zufälligkeiten abhängen lasse (2, 25 ff.), sollte auch den Dichter bei seiner eigenen Darstellung binden. Um so überraschter konstatiert man den Reichtum an Sternmythen, die der Stoffentfaltung besonders im ersten Buch eingefügt sind. Zwar wird im Rahmen der Verstirnungssagen oft der Gesichtspunkt des Verdienstes und der Belohnung hervorgehoben, was auf das Wirken einer göttlichen *ratio* weist und in einem gewissen thematischen Bezug zu der Theorie des Aufstiegs auserwählter Seelen in die Sternenregion steht;[44] aber dieser Bezug, falls wirklich vom Autor intendiert, wird nie explizit gemacht. Andererseits begegnen Mythen, die selbst diese vage Berührung mit thematischen Gesichtspunkten nicht aufweisen,[45] und gelegentlich gerät die Darstellung in einen bedenklichen Widerspruch zur göttlichen Majestät und macht sich genau des Vorwurfs schuldig, den der Dichter an anderer Stelle gegen die Katasterismen-Poesie schleudert.[46]

Die thematische Funktionslosigkeit mythologischer Erzählungen erstreckt sich nicht nur auf das erste Buch. Auch in den übrigen Büchern handelt Manilius gelegentlich seinen eigenen Grundsätzen zuwider.[47] Besonders eklatant wird diese Durchbrechung eigener Darstellungsprinzipien an der in ihrem Umfang alle übrigen Digressionen weit übertreffenden Andromeda-Episode im fünften Buch.[48] Manilius unterbricht an dieser Stelle die Sachdarstellung und fügt eine sich ganz verselbständigende, in sich geschlossene, bis zur Entfaltung einzelner Details gehende Erzählung der Andromeda-Perseus-Sage ein. Es handelt sich um einen regelrechten Exkurs, wie er seit Arat in der Lehrdichtung heimisch geworden war. Offenbar ist der Autor durch diese Tradition, d. h. durch rein literarische Erwägungen, zu seiner Episode angeregt worden. Sie ist durch dieselbe Beziehungslosigkeit zu ihrer sachlich-lehrhaften Umgebung gekennzeichnet wie die übrigen mythologischen Erweiterungen; sie ist wie diese nichts weiter als ein thematisch entbehrliches Ornament der Lehre. Während die spezifische Verwendung der ‚Exkurse‘ bei Arat und Vergil das für diese Autoren bezeichnende

---

[44] 1,337 ff. (Schwan). 343 ff. (Adler). 361 ff. (Wagenlenker). 366 ff. (Ziege). 412 ff. (Argo). Zu der Theorie des Seelenaufstiegs vgl. 1,758 ff. (s. o. S. 116) und 4,886 ff.

[45] Vgl. etwa 1,319 ff. (Kranz). 324 ff. (Leier). 355 ff. (Andromeda). 433 ff. (Cetus).

[46] Vgl. etwa die Anspielung auf das Liebesabenteuer des Juppiter (1,337 ff.) und besonders die Ausmalung der Gigantomachie mit der Beschreibung des *Iuppiter timens* (1,420 ff.). – Die hier herausgestellte innere Widersprüchlichkeit der *Astronomica* wird von Reeh (87) mit unzureichender Argumentation bagatellisiert bzw. sogar ganz bestritten.

[47] Vgl. z. B. 2,489 ff.; 4,681 ff. (Europa-Sage); 4,514 ff.; 5,32 ff. (Widder) u. pass.

[48] 540–618; vgl. dazu jetzt B. R. Voss, Hermes 100, 1972, 413 ff., bes. 420 ff. (Funktionslosigkeit der Episode im Rahmen der Lehr-Intention und Widerspruch zu den Darstellungsprinzipien des Autors).

Verhältnis zum Stoff, wie es auch aus der Sachargumentation selbst deutlich wird, unterstreicht und während der ‚sachbezogene' Typ der Lukrezischen Didaktik konsequent auf thematisch funktionslose Einlagen verzichtet, macht der rein ornamentale Charakter des Andromeda-Exkurses bei Manilius zusätzlich deutlich, was schon seine übrigen sachlich überflüssigen Digressionen offenbar werden ließen: Die vom Dichter selbst geforderte und weithin auch tatsächlich befolgte strikte Sachbezogenheit, die Unterordnung des *dulce* unter das *verum:* diese für den ‚sachbezogenen' Typ der Lehrdichtung konstitutiven Darstellungsprinzipien werden gelegentlich außer acht gelassen. Ob dieses Zugeständnis an ein breiteres Publikum, das der Autor an prononcierter Stelle so weit von sich weist (s. o. S. 111 f.), mehr oder weniger unbewußt zustande kommt, indem traditionelle Elemente der Gattung gewissermaßen automatisch in die Sachdarstellung mit einfließen, oder ob die poetischen Glanzlichter im Sinne einer psychagogischen Strategie dem Leser gegenüber dem Lehrstoff mit voller Berechnung aufgesetzt sind, ist schwer zu entscheiden. Jedenfalls erhält die Dichtung dadurch ein uneinheitliches Gesicht. Die Tendenz, die strikte Orientierung an der themabezogenen und sachgerechten Entfaltung des Lehrgegenstandes zugunsten einer stärker auf das *dulce* zielenden, ästhetisch ansprechenden Ausbreitung des Stoffes zurücktreten zu lassen, macht sich gerade in dem Buch bemerkbar, das auch den großen mythologischen Exkurs enthält. Man hat in diesem Zusammenhang mit Recht das „dichterische Spiel von heiterster Fülle und schönster Anschaulichkeit" hervorgehoben, das sich in den mit reicher Phantasie ausgemalten Lebensbildern des fünften Buches zeigt.[49] Hier dringen in verstärktem Maße Elemente eines gewissen artistischen Spiels in die bisher so nüchterne Darstellung ein, eines Spiels, welches seinen Höhepunkt in der Andromeda-Episode erreicht.[50]

Wie immer auch der gerade gegen Ende des uns vorliegenden Werkes festzustellende Wechsel in der Darstellungsweise zu erklären sein mag – über vage Spekulationen wird man dabei nicht hinausgelangen –, so bleibt doch davon und von den übrigen oben (S. 123 ff.) gekennzeichneten Nebenaspekten der Grundcharakter der *Astronomica* im wesentlichen unberührt. Jedenfalls bedeutet es eine völlige Verkennung der Intention des Autors und der Struktur des Gedichts, wenn man diese Gesichtspunkte unangemessen stark gewichtet und daraufhin

---

[49] Boll 379.
[50] Vgl. Boll 380 ff. Wenn Boll allerdings behauptet, der Dichter habe um der künstlerischen Wirkung willen sogar astronomische Unmöglichkeiten in Kauf genommen, und in diesem Zusammenhang von „Poetenfreiheit" spricht, so unterschätzt er doch das auch hier selbstverständlich vorhandene Sachinteresse des Didaktikers und stellt die Möglichkeit fehlerhafter Quellen nicht genügend in Rechnung (vgl. Housman, Liber V, XXXIX f.).

den Dichter in einen scharfen Gegensatz zu Lukrez rückt und dessen leidenschaftlichem, missionarischen Eifer auf der Seite des Manilius ein im wesentlichen formal orientiertes Bemühen gegenüberstellt, einen trockenen und komplizierten Stoff in glatte Verse zu bringen und dabei sein poetisches Talent unter
Beweis zu stellen.[51] Bei dieser Sicht wird ein Nebenaspekt des Werkes zur Haupt-
sache erklärt und das Gedicht selbst in die Nähe des ‚formalen‘ Typs nach Art
der Lehrgedichte des Nikander gerückt. Es bedarf dagegen nach den obigen
Ausführungen keines weiteren Beweises, daß die *Astronomica* typologisch grundsätzlich mit dem Werk des Lukrez übereinstimmen. Beide Lehrdichter sind zutiefst von der Bedeutung ihres Gegenstandes überzeugt, beide versuchen den
Adressaten für ihre Lehre zu gewinnen, beider Darstellung ist strikt an dem
stofflichen Thema orientiert und ‚sachbezogen‘.[52] Das gelegentliche Aufscheinen
ornamentaler Elemente, wie sie kennzeichnend sind für den ‚formalen‘ Typ
didaktischer Poesie, sollte über diese grundsätzliche Nähe zu Lukrez nicht hinwegtäuschen. Der Autor, der mit seiner astrologischen Lehre das atomistische
Weltbild seines berühmten Vorgängers durch eine Weltanschauung überwinden
will, welche den Kosmos als ein von göttlicher Vernunft geleitetes Ordnungs-
gefüge versteht, gerät gerade durch sein Sachinteresse in die typologische Nähe
des Gegners – ohne allerdings die Geschlossenheit und Einheitlichkeit des Vorbildes ganz zu erreichen.

b) ‚Manethon‘

Aus der reichen antiken Produktion astrologischer Lehrgedichte sind außer den
Astronomica des Manilius nur noch zwei weitere poetische Darstellungen in
griechischer Sprache mehr oder weniger vollständig erhalten: die *Apotelesmatika*
des ‚Manethon‘ und das Buch Περὶ καταρχῶν des Maximus.[1] Eine exakte und

---

[51] So Lanson 60 ff.; vgl. auch W. Kroll, Studien zum Verständnis der römischen
Literatur, Stuttgart 1924, 197 ff.

[52] Die typologische Nähe zu Lukrez wurde selbstverständlich gelegentlich gesehen,
wenngleich auch nie im einzelnen charakterisiert oder in umfassender Argumentation
expliziert; vgl. etwa A. Rostagni, Storia della letteratura Latina, 1964, 359 f. Unbefriedigend ist in dieser Hinsicht die mehrfach genannte Dissertation von Lühr. Lühr
erörtert vielfach zutreffend die Beziehungen des Manilius zu den Lehrgedichten des
Lukrez und Vergil, sieht diese aber im wesentlichen unter dem Aspekt des Nachahmens
bzw. Übertrumpfens. Das Fehlen geeigneter Kriterien läßt es – abgesehen von überzeu-
genden Interpretationen zur poetischen Technik und zur Weltanschauung des Manilius – zu einem methodisch fundierten, typologischen Vergleich mit Lukrez und Vergil
nicht kommen.

[1] Das einflußreiche hexametrische Gedicht des Dorotheos und das in elegischen Distichen verfaßte didaktische Werk des Anubion – um nur zwei Namen zu nennen –

allgemein akzeptierte chronologische Fixierung dieser Werke ist bisher nicht gelungen. Die vorgeschlagenen Ansätze schwanken zwischen Hellenismus und Kaiserzeit. Diese Datierungsfragen können im Rahmen der hier verfolgten Fragestellung nicht erörtert werden; sie erforderten eine eigene Untersuchung. Wenn daher hier zunächst die sechs unter dem Namen des Manethon überlieferten sternkundlichen Bücher betrachtet werden, so bedeutet das keine Festlegung hinsichtlich deren chronologischer Priorität.

Wie längst gesehen worden ist, handelt es sich bei den sechs Büchern um eine Kompilation mehrerer ursprünglich selbständiger astrologischer Einzelgedichte.[2] Dabei schälen sich besonders die Bücher 2. 3. 6 als eine in sich geschlossene Einheit heraus. Diese Abhandlungen gehören inhaltlich zusammen, da sie einen fortlaufenden Argumentationsgang aufweisen, und sie unterscheiden sich auch in der Darstellungsweise deutlich von den übrigen drei Büchern (1. 4. 5), die von einem recht verständnislos vorgehenden Kompilator mit jenem Grundstock zu der unsinnigen Ordnung zusammengestellt worden sind, wie sie uns handschriftlich vorliegt.

Die folgende Darstellung beschränkt sich auf einige Bemerkungen zu der ursprünglichen Einheit 2. 3. 6.[3] Die Bücher bildeten offensichtlich vor ihrer ‚In-

---

sind uns nur mehr durch Fragmente kenntlich, was eine typologische Einordnung unmöglich macht (vgl. dazu R. Keydell, Bursian 230, 1931, 54 ff.).

[2] Vgl. A. Koechly, Manethonis Apotelesmaticorum qui feruntur libri sex, Leipzig 1858, V ff. (nach dieser Ausgabe wird zitiert); W. Kroll, RE 27. Halbbd., 1928, 1102 ff.

[3] Zur Charakterisierung der Bücher 1. 4. 5 mögen einige kurze Hinweise genügen. Buch 4 ist dadurch als eine in sich abgeschlossene Einheit gekennzeichnet, daß im Proömium die Darstellung des gesamten astrologischen Systems angekündigt und in einem Epilog am Schluß als geleistet betrachtet wird (624 ff.). Tatsächlich bietet das Buch jedoch in einem ganz und gar unsystematischen, heillosen Durcheinander nur einige wenige Ausschnitte der Lehre. Der Verfasser ist am Sachlichen so gut wie gar nicht interessiert. Sein formales Interesse gilt der sprachlich-stilistischen Prunkentfaltung, die sich in einer großen Menge gesuchter Wörter, erlesener Junkturen und in einer Häufung von bombastischen, vielfach funktionslosen Epitheta äußert (vgl. Kroll 1103 f.). Die Bücher 1 und 5, die in einem schlichteren Stil gehalten sind, werden jeweils durch ein Proömium eingeleitet, in dem sich der Verfasser als Ägypter an seinen König Ptolemaios wendet mit der Ankündigung, er werde ihm das astrologische System des Petosiris vortragen: Der Autor will offenbar als Manethon gelten. Den Inhalt beider Bücher bildet die Planetastrologie, wobei die Konstellationen ohne jede Sachkenntnis in unentwirrbarer Konfusion aneinandergereiht werden. Sie sind offensichtlich aus verschiedenen Quellen zusammengetragen. Der Kompilator des ersten Buches geht sogar so weit, Pentameter mit aufzunehmen (vielleicht aus Anubion? Vgl. dazu Keydell 55 f.). In ihm, der vielleicht identisch ist mit dem Verfasser von Buch 5, hat man wohl auch denjenigen zu erkennen, der für die Zusammenstellung des gesamten ‚Manethon‘-Gedichts verantwortlich ist (vgl. im einzelnen Kroll 1104 f.). Im Rahmen einer typologischen Fragestel-

tegrierung' in das überlieferte Ganze ein in sich geschlossenes, selbständiges astrologisches Lehrgedicht. Dessen Anfang hat allerdings der Kompilator verstümmelt. Denn der abrupte, gleich mit der Sachdarstellung beginnende Einsatz im zweiten Buch (ursprünglich Buch 1) ist als Werkanfang nicht erträglich. Der Kompilator hat zweifellos ein ursprünglich vorhandenes Proömium, das er an der von ihm für dieses Buch vorgesehenen Stelle nicht mehr brauchen konnte, gestrichen.[4]

Ein Blick auf den stofflich-gedanklichen Aufbau der Bücher läßt das an der Sache orientierte, systematische Vorgehen des Verfassers deutlich werden. Nach einer einleitenden und grundlegenden Himmelsbeschreibung, die besonderen Wert auf die Darstellung der Himmelskreise legt (vgl. das entsprechende Verfahren des Manilius, o. S. 116), folgt die Lehre von der Wirkung der Planeten in eigenen und fremden Häusern (141 ff.). Zunächst werden in fester und strenger Systematik die gegenseitigen Beeinflussungen der fünf Planeten erörtert.[5] Es folgen – wieder in systematischer Reihenfolge – die Wirkungen der Planeten in dem Haus der Sonne und des Mondes (342 ff.) und diejenigen von Sonne und Mond in ihren eigenen Häusern. Damit ist dieses Sachgebiet abgeschlossen, und ein neuer Abschnitt kann beginnen, der die Konstellationen der Planeten mit Sonne und Mond behandelt (399 ff.). Wieder hält sich der Autor bei seiner Darstellung strikt an die sachgemäße Reihenfolge der Planeten.

Das dritte Buch (ursprünglich das zweite), dessen einleitende Verse den Inhalt des vorangehenden pedantisch genau rekapitulieren, setzt die Entfaltung des Lehrstoffes fort. Als neues Lehrstück wird angekündigt die Kombinationen der Planeten miteinander und ihre jeweilige Stellung in den κέντρα, den Kardinal-

---

lung erübrigt sich ein genaueres Eingehen auf diese dürftigen Kompilationen einer zu eigenständiger Stoffdurchdringung und -verarbeitung offensichtlich nicht mehr fähigen Spätzeit.

[4] Die redaktionellen Eingriffe des Kompilators sind darüber hinaus offenbar noch weiter gegangen. Der Verfasser des ursprünglichen Gedichts dürfte zu Beginn seiner Darstellung wichtige astrologische Grundbegriffe erläutert haben. Darauf weist jedenfalls der in unserer Überlieferung leere Rückverweis 2,349, und dafür kann auch die Tatsache geltend gemacht werden, daß 2,141 ohne jede Vorbemerkung die Lehre von den „Häusern" vorgetragen wird. So ließe sich eine Erklärung finden für die Anstöße, auf die Kroll (1102 f.) mit Recht hinweist. Aus der Möglichkeit weitgehender redaktioneller Eingriffe in den ursprünglichen Text ergibt sich für die folgende Charakterisierung ein nicht zu eliminierender Unsicherheitsfaktor.

[5] Die Reihenfolge der Planeten (Saturn, Juppiter, Mars, Venus, Merkur) wird so durchgespielt, daß zunächst die Wirkungen des Saturn im Hause des Juppiter, Mars usw. vorgeführt werden (wobei der Autor jeweils sogleich das umgekehrte Verhältnis anschließt: Juppiter im Hause des Saturn usw.) und daran anschließend diejenigen des Juppiter, Mars usw.

punkten (5 ff.). Der zweite Gegenstand wird als erster abgehandelt (8–131: Kräfte der Planeten je nach Kardinalstellung; 132–226: Stellung in κέντρον-Opposition). Dabei wird wieder, wie im ersten Buch, eine systematische Ordnung befolgt.[6] 227 ff. schließt sich die Erörterung der Planetenkonstellationen an, wobei der Dichter einleitend die Notwendigkeit einer Auswahl betont: Es sei unmöglich, die unendliche Vielfalt der Kombinationen im einzelnen vorzuführen; er werde sich auf das Wichtigste beschränken und dies mit durchsichtiger Klarheit vortragen.[7] Das Ordnungsprinzip dieser Aufzählung ist dasselbe wie in dem vorangegangenen Abschnitt. Ausführungen über Konstellationen von Sonne und Mond und über die Lebenszeit beenden das Buch.

Das nächste Buch (in der Überlieferung das sechste) ist deutlich als Abschluß des Gesamtwerks markiert. Im Proömium wendet sich der Autor an die konventionellen Gottheiten der Dichtung mit der Bitte, ihn auch bei diesem letzten Teil seiner poetischen Lehre zu unterstützen. Er wolle in seiner Anstrengung nicht nachlassen, bis er das Ziel des Weges erreicht habe (4–6): Der Verfasser strebt also Vollständigkeit in der Sachdarstellung an. Anschließend werden mit penibler Exaktheit die Themen des folgenden Buches genannt: die Wirkung der Planeten auf zehn Bereiche menschlicher Tätigkeit. Diese Bereiche werden dann der Reihe nach in nüchterner Sachlichkeit und Systematik ausführlich abgehandelt. Das Vollständigkeitsstreben, das sich auch in den beiden übrigen Büchern äußerte, wird hier besonders deutlich angesichts der wiederholten Entschuldigung des Dichters, daß absolute Vollständigkeit nicht möglich sei.[8] Die ganz an dem Lehrgegenstand orientierte Nüchternheit der Darstellung wird exemplarisch dokumentiert durch den Abschnitt über den Einfluß der Sterne auf die Berufe der Menschen (339–540). Hier hätte sich dem Dichter die Möglichkeit eröffnet, die Ausbreitung des Lehrstoffes durch eine detaillierte Ausmalung der Lebens-

---

[6] 8–131 werden die Planeten der Reihe nach vorgeführt, und 132 ff. herrscht dasselbe Anordnungsprinzip wie zu Beginn des ersten Buches (s. vorstehende Anm.): Um der Klarheit der Darstellung willen erlaubt sich der Autor keine die starre Systematik durchbrechende, auflockernde Variation.

[7] 230 ff.; 233: ὅσσα δ' ἐπιλέξωσι θεοί, τάδ' ἐγὼ σάφα λέξω. Wenn ἐπιλέξωσι θεοί richtig überliefert ist, beruft sich der Didaktiker für seine Auswahl auf die göttlichen Inspiratoren seines Gedichts: die Musen, Apollon und Hermes, die er 6, 1 ff. anruft.

[8] Vgl. 6,222 f.: Keiner vermag alle Einflüsse der Sterne auf die Ehe zu nennen (vgl. auch 541 ff.). Deshalb beschränkt sich der Autor auf die Angaben, die für einen „klugen Mann" ausreichen, um darauf selbst das vom Dichter Übergangene aufzubauen: 6, 260 f. 630 f. Das mehrfach betonte Prinzip παῦρα ἐκ πολέων (6, 112. 546. 683) erklärt sich also einerseits aus der objektiven Unmöglichkeit, den unendlichen Stoff ganz und gar erschöpfend vorzuführen, zum anderen aber auch daraus, daß der Adressat anhand des ihm Gebotenen in der Lage ist, von sich aus das Fehlende zu ergänzen.

bilder aufzulockern und ihr damit einen stärkeren ästhetischen Reiz zu verleihen – eine Gelegenheit, die sich Manilius in seinem fünften Buch nicht hat entgehen lassen (s. o. S. 125). Statt dessen bietet der Autor hier wie auch sonst nichts
weiter als eine trockene Aneinanderreihung der Konstellationen, gefolgt jeweils
von dem entsprechenden, kurz skizzierten Berufsbild. Er beschließt sein Werk
mit der Angabe seines eigenen Horoskops, was, wie er selbst betont, die Glaubwürdigkeit seiner Lehre „noch in spätester Zeit" sichern soll (738 ff.).

Es bedurfte nicht erst dieser persönlichen Schlußbemerkung, um die Intention
des Verfassers zu erkennen. Seine ganz an der adäquaten Entfaltung der sachlichen Lehre orientierte, systematische und nach Möglichkeit vollständige Versifizierung des Gegenstandes zeigt das Bestreben, diesen selbst dem Adressaten
nahezubringen. Stoff und Thema fallen fugenlos zusammen. Das dominierende
Sachinteresse des Autors hat das Bemühen um eine klare und durchsichtige
Stoffgliederung zur Folge. Geradezu pedantisch genau werden die einzelnen
Abschnitte durch dispositionelle Bemerkungen eingeleitet und abgeschlossen.[9]
So wird dem Adressaten, der im übrigen ungenannt bleibt und der auch nicht
– wie sonst in der Lehrgedichttradition üblich – durch imperativische Wendungen als Partner der Lehre angesprochen wird, die Orientierung in der Stoffmasse erleichtert. Die poetische Darstellung selbst bedient sich der durch die
Tradition der epischen Sprache gegebenen Mittel sehr sparsam. Auch sie ist
‚sachbezogen' und nüchtern. Der Dichter erlaubt sich allenfalls die Beifügung
von Epitheta, und ganz selten erscheint einmal eine über die Sache hinausge-
hende Anspielung wie z. B. 2,135, wo an die Parthenos-Episode des Arat erinnert wird – ein sehr zurückhaltender Verweis auf die Gattungskontinuität.
Ansonsten zeigt der Autor keine Tendenz zu eigentlich poetischer Ausgestaltung.
Die handbuchartige Entfaltung des Lehrstoffes wird durch keinerlei auch noch
so kleine Abschweifungen aufgelockert, geschweige denn durch größere Exkurse unterbrochen. Die am Schluß des letzten Buches vom Dichter geäußerte
Bitte um ewigen Ruhm für sein Werk (6,753 f.) läßt gewiß auch seinen Stolz
deutlich werden, daß ihm die literarische Aufgabe der Umsetzung des Gegenstandes in ein Gedicht gelungen sei; die Tatsache jedoch, daß sich der Autor bei
der Erfüllung dieser Aufgabe nicht von künstlerischen Gesichtspunkten, sondern von dem Prinzip nüchterner Sachgemäßheit hat leiten lassen und daß nicht
die Erzeugung ästhetischen Genusses, sondern sachliche Belehrung sein Ziel ist,

---

[9] Vgl. etwa 2,148 f.: 397 f. 402: 436 (Ankündigung und Rekapitulation). 438 ff.
(Ank.); 3,1–4 (Rekap. von Buch 2). 5–7 (Ank.). 131 (Rekap.). 132 ff.: 217 f. (Ank. und
Rekap.). 219 f. (Ank.) 227 ff. (Ank.). 399 ff. (Ank.); 6,7 ff. (genaue Themenangabe).
112 f. (Rekap.). 113 f.: 222 f. 224 ff.: 260 f. 262 ff.: 305 f. 307 ff.: 338 f. 339 f.: 541 ff.
544 ff.: 630 f. 632 f.: 683 f. 684 f.: 730 f. (jeweils Ank. und Rekap.).

zeigt, daß die Bitte um ewigen Ruhm sich in erster Linie auf das Bewußtsein des Verfassers von seiner sachlich-inhaltlichen Leistung gründet.

c) Maximus

Als letztes der astrologischen Lehrgedichte ist das Buch des Maximus Περὶ καταρχῶν zu betrachten. Das Buch hat die Frage zum Gegenstand, ob man bei einer bestimmten Konstellation des Mondes mit den Tierkreiszeichen bzw. Planeten mit dieser oder jener Handlung beginnen soll oder nicht. Wie aus einer noch vorhandenen Prosaparaphrase ersichtlich ist, bestand das Gedicht ursprünglich aus zwölf Abschnitten, die jeweils einem bestimmten Handlungsbereich gewidmet waren. Das Werk ist am Anfang verstümmelt. Unser Text setzt mitten im vierten Abschnitt (Reisen) ein.[1]

Das Anordnungsprinzip des von dem Verfasser seiner Versifizierung zugrunde gelegten Prosatraktats ist aufgrund der im Gedicht selbst befolgten unterschiedlichen Verfahrensweise nicht mit Sicherheit auszumachen. Es ist jedoch zu vermuten, daß das praktische Handbuch um der bequemen Benutzbarkeit willen nach einer einheitlichen Systematik verfahren ist. Dabei konnte der Verfasser entweder die einzelnen Konstellationen im Hinblick auf deren Einfluß zusammenfassen, den Stoff also nach dem Gesichtspunkt positiver oder negativer Wirkung der jeweiligen Konstellationen ordnen, oder er konnte die einzelnen Verbindungen des Mondes mit den Zodiakalzeichen und den Planeten in systematischer Folge unter jeweiliger Beifügung ihrer Wirkung der Reihe nach durchgehen (so etwa das Verfahren bei ‚Manethon‘). Beide Weisen der Stoffanordnung finden sich bei dem Dichter. Es ist unwahrscheinlich, daß er sie in diesem Nebeneinander bereits in seiner Quelle angetroffen hat. Offenbar hat der Lehrdichter Wert darauf gelegt, die für seine Vorlage zu postulierende einheitliche Anordnung zu variieren – ein Vorgehen, das sogleich näher charakterisiert werden wird und das die spezifische Intention des Autors bereits hervortreten läßt.

Nach Auskunft der Prosaparaphrase standen in dem ersten Kapitel die nach Sachgruppen geordneten Planeten im Mittelpunkt. Diese spielten dagegen im zweiten Kapitel offenbar keine Rolle; statt dessen wurden nunmehr die Tierkreiszeichen zu Wirkungsgruppen zusammengefaßt. Der nächste Abschnitt erörterte dann Planeten und Tierkreis gemeinsam. Mit dem vierten Kapitel tritt ein neues Darstellungsprinzip in den Vordergrund: Die Zodiakalzeichen werden

---

[1] Es gingen ursprünglich Ausführungen über Geburt, Sklavenerwerb und Handelsschiffahrt voraus. Text und Prosaparaphrase sind abgedruckt bei A. Ludwich, Maximi et Ammonis carminum de actionum auspiciis reliquiae, Leipzig 1877.

der Reihe nach, d. h. anfangend mit dem Widder und endend mit den Fischen, unter jeweiligem Anschluß ihrer Wirkung auf die πρᾶξις vorgeführt; die Planeten erfahren daran anschließend nur eine kurze, summarische Behandlung. Diese Anordnung des Stoffes wird von nun an durchgehalten, jedoch so, daß Abschnitte dieser Art (Kap. 4. 6. 8. 10. 12) alternieren mit solchen, in denen die Zeichen zu Wirkungsgruppen zusammengefaßt werden (Kap. 5. 7. 9. 11). Das Streben des Dichters nach Variation ist deutlich. Es zeigt sich auch im Hinblick auf das Verhältnis von Tierkreiszeichen- und Planetendarstellung. Während die Planeten zunächst im Anschluß an die Zodiakalzeichen verhältnismäßig kurz abgetan werden (Kap. 4. 5. 6), übertrifft deren Aneinanderreihung im siebenten Kapitel umfangmäßig die Erörterung des Tierkreises, und das achte Kapitel zeigt ein nahezu ausgewogenes Verhältnis beider Teile. Im neunten Abschnitt werden die beiden Sachgebiete miteinander verwoben, und in den letzten Kapiteln nähert sich das Verhältnis wieder dem des Anfangs. Ein gewisser, vom Autor zweifellos intendierter Bewegungsverlauf ist also deutlich erkennbar. Mit dem Streben nach Variation geht die Tendenz Hand in Hand, den Stoff nach bestimmten formalen Prinzipien zu arrangieren. Diese Tendenz zeigt sich auch in der Abstimmung des Umfangs der einzelnen Abschnitte. Es dürfte kein Zufall sein, daß einerseits die den Stoff in Wirkungsgruppen zusammenfassenden Kapitel stets erheblich kürzer sind als diejenigen, welche die Zeichen in systematischer Ordnung aneinanderreihen, und daß andererseits innerhalb beider Gruppen von der uns kenntlichen Stelle des Werkes an der Umfang der einzelnen Abschnitte bis zum Schluß immer kleiner wird.[2]

Diese Beobachtungen machen deutlich, daß Maximus bemüht ist, der Stoffentfaltung durch ständige Variation und eine bestimmte äußerlich-formale Ponderierung der einzelnen Lehrabschnitte einen ansprechenden ästhetischen Reiz zu verleihen. Die Berücksichtigung derartiger formaler Aspekte bedeutet zugleich einen Verzicht auf eine möglichst klare und adäquate Darstellung der Sache selbst. Die Variation in der Anordnung der Konstellationen erschwert für den Adressaten die praktische Benutzung des Buches, und die Bemühung um eine ausgewogene Ponderierung der Abschnitte macht eine nicht an der Sache selbst orientierte Stoffauswahl notwendig.[3] Für den Dichter sind offenbar ästhetische Gesichtspunkte von größerem Gewicht als die eigentliche Lehre.

---

[2] Kap. 5. 7. 9. 11: 82,44,17,23 Verse; Kap. 6. 8. 10. 12: 135,119,88,44 Verse. Es ist noch erkenntlich, daß das vierte Kapitel sehr wahrscheinlich geringeren Umfang besaß als das sechste. Offenbar entsprach in dem Gedicht der absteigenden Linie des zweiten Teils eine aufsteigende im ersten.

[3] Schon die vielfach summarischen Bemerkungen über die Wirkung der Planeten zeigen, daß es Maximus nicht auf sachliche Vollständigkeit ankommt. Dasselbe geht aus

Dieser Eindruck läßt sich zusätzlich erhärten anhand einiger symptomatischer Beispiele dafür, mit welchen künstlerischen Mitteln der Autor die Stoffülle innerhalb der einzelnen Kapitel zu bewältigen sucht. Der verstümmelte Beginn des uns vorliegenden Werkes, das Kapitel über die Auswirkungen der Mond-konstellationen auf Reiseunternehmungen, gibt sogleich guten Aufschluß über das Vorgehen des Lehrdichters. Im Hinblick auf die im Text fehlenden vier ersten Tierkreiszeichen vermittelt die Prosaparaphrase wenigstens so viel Klar-heit, daß mit ganz und gar positiven Prognosen begonnen wurde (Widder, Stier), daß sodann längere Abwesenheit, aber doch sichere Rückkehr prophezeit wur-de (Zwillinge, Krebs). Beim Zeichen des Löwen schließlich überwiegt das Nega-tive, und der Autor sieht sich zu einer Warnung veranlaßt (5 ff.). Weniger ge-fährlich ist der Aufbruch unter dem Zeichen der Jungfrau, indifferent für moralisch unanfechtbare Unternehmungen ist das nächste Zeichen, der Skorpion endlich verheißt gutes Gelingen. Nach dieser Bewegung zum Positiven hin setzt erneut die Gegenbewegung ein. Der Schütze eröffnet schon nicht mehr so gute Aussichten: Lange Zeit wird der Reisende von der Heimat ferngehalten. Beim Steinbock rät Maximus wieder dringend von einer Reise ab. Die letzten beiden Zeichen führen schließlich wieder zum Positiven zurück, womit an den Anfang der Reihe erinnert wird: Der Wassermann gibt noch Anlaß zur Vorsicht, die Fische dagegen verheißen für eine ganze Anzahl von Unternehmungen nur Gutes.

Hinter der scheinbar so sachorientierten Darstellung wird so das Bestreben des Dichters sichtbar, eine den Stoff durchziehende, innere Bewegungslinie durchzuführen. Diese Ästhetisierung des Lehrgegenstandes geht selbstverständ-lich auf Kosten der sachlichen Adäquatheit, denn es ist klar, daß es einiger Manipulationen bedarf, damit sich der Stoff solchen künstlerischen Ambitionen fügt. Der Gestaltungswille des Autors äußert sich auch in dem Versuch, den Gedankengang der einzelnen Abschnitte durch eine entsprechende Ponderierung der Teile sinnfällig werden zu lassen. Dafür seien nur zwei Beispiele genannt. Das Kapitel über die Eheschließung ist in seinem Hauptteil so aufgebaut, daß zunächst je eine Gruppe von Tierkreiszeichen genannt wird, die eine glückliche bzw. unglückliche Ehe verheißen. Jeder dieser beiden scharf kontrastierenden Gruppen sind zehn Verse gewidmet (61 Ende–71. 72–81). Nach einem weiteren Abschnitt, welcher den Einfluß der Umgebung des Stieres auf die Treulosigkeit der Frau schildert, schließt Maximus ein neues kontrastierendes Paar an, diesmal mit je drei Versen (96–98. 99–101): Wieder werden Glück und Unglück der Ehe gegenübergestellt. Darauf folgt erneut ein größerer Abschnitt, der die un-

---

dem siebenten und neunten Kapitel hervor, wo auch die Tierkreiszeichen in einer kleinen Auswahl behandelt werden.

günstige Wirkung des Löwen an einem extremen Beispiel in besonders krassen Farben ausmalt (102–112). Zweimal hintereinander mündet also die durch gleiche Ausdehnung der Partien noch unterstrichene Gegenüberstellung von Glück und Unglück in einen Abschnitt, der die negativen Auswirkungen einer bestimmten Konstellation auf den Charakter der Ehefrau warnend vor Augen führt. Die überlegte Gestaltung setzt sich auch im folgenden fort. Wieder werden zwei Versgruppen von je fünf Versen nebeneinandergestellt, diesmal aber nicht als Kontrast, sondern als betonte Parallele: Jeweils wird zu einer bestimmten Form geschlechtlicher Verbindung geraten, von einer anderen abgeraten. Den Abschluß bilden zwei annähernd gleich große Partien (6 bzw. 4 Verse), die jeweils Positives und Negatives mischen. Ein ähnliches, ästhetischen Gesichtspunkten Rechnung tragendes Arrangement des Stoffes ist in dem letzten Kapitel des Buches (Diebstahl) zu beobachten. Die ersten vier Zodiakalzeichen sind so behandelt, daß jeweils auf ein Zeichen mit durchweg positiver Auswirkung (Widder, Zwillinge: je 2 Verse) eines folgt, das sowohl positiven wie negativen Einfluß ausübt (Stier, Krebs: 8 bzw. 4 Verse). Zwei gegeneinander kontrastierende Paare schließen sich an; das erste Paar (je 2 ½ Verse) ist ungünstig für die Rückkunft des gestohlenen Gutes, das zweite (je 1 Vers) dagegen günstig.[4] Mit dem Schützen beginnt wieder eine Reihe negativer Zeichen. Steinbock und Wassermann (wieder je 2 ½ Verse) lassen die Auffindung des Entwendeten langwierig bzw. zweifelhaft werden; und ähnliches gilt von den Fischen, deren abschließende Behandlung mit fünf Versen so viel Raum beansprucht wie die der beiden vorangehenden Zeichen zusammen. Über die aufgezeigten Entsprechungen und Kontraste hinaus ist das Kapitel auch insofern in bestimmter Weise strukturiert, als dem im ganzen mehr positiven Anfang (die ersten vier Zeichen) ein negativer Schluß entgegensteht.

Die vorgeführten Beobachtungen lassen erkennen, daß der Dichter in vielfacher Weise bestrebt ist, seinen Stoff ästhetischen Prinzipien zu unterwerfen. Es ist selbstverständlich, daß er ihn zu diesem Zweck in einer sachlich nicht zu rechtfertigenden Weise arrangieren und manipulieren muß. Aber Maximus ist eben nicht an einer sachgemäßen Darstellung des Lehrgegenstandes interessiert, ihm geht es nicht um eine ernsthafte astrologische Belehrung des Adressaten,[5]

---

[4] Daß der Dichter bemüht ist, die künstlerische Bewegungslinie auch sprachlich deutlich werden zu lassen, ist hier besonders klar zu erkennen. Das negative Paar wird bewußt mit ähnlichen Formulierungen eingeleitet (584 f.: εἰ δὲ Λέοντος ἔχῃσι μένος πολυωπέτις αἴγλη / Μήνης ἠυκόμοιο ... 586 f.: εἰ δέ τε κούρην / Ἀστραίην διίῃσι κερασφόρος ἀργέτα Μήνη ...), und das positive Paar beginnt unverkennbar korrespondierend mit δήεις τ', εἰ ... bzw. εὕροις τ', εἰ ... (589/90).

[5] Der Leser wird zwar wiederholt als Partner des Lehrvorgangs angesprochen (An-

sondern vielmehr darum, den spröden Stoff in einer künstlerisch ansprechenden Weise zu bewältigen. Sein Ziel ist nicht Belehrung, sondern Unterhaltung des Adressaten im Sinne eines spezifischen literarischen Vergnügens, das aus dem durchschauten Widerspiel von scheinbar vorherrschender nüchterner Systematik und deren formal-ästhetischer Durchbrechung resultiert. Das Gedicht – das dürfte bereits deutlich geworden sein – befindet sich in größter typologischer Nähe zu den Werken des Nikander. Maximus bedient sich derselben Mittel der Ästhetisierung des Stoffes (s. o. S. 62) und wendet sich wie Nikander an ein Publikum, dessen ästhetische Rezeptionsfähigkeit genügend geschärft ist, um dieses Spiel zu bemerken und zu genießen. Es liegt nahe, dieses Publikum als unter denselben historischen und gesellschaftlichen Bedingungen stehend zu betrachten wie das des Nikander, d. h. den astrologischen Lehrdichter in den Umkreis gelehrt-artistischer hellenistischer Literatur zu setzen.[6]

Ein kurzer Blick auf die sprachliche Form der Darstellung ist geeignet, diese Vermutung zu unterstreichen und die typologische Nähe des Gedichts zu Nikander noch deutlicher werden zu lassen. Zwar zeigt Maximus keinerlei Streben nach glossematischer Dunkelheit (s. o. S. 61 f.), aber sein Interesse an der sprachlichen Form als solcher tritt in vielerlei Hinsicht hervor. Zunächst ist hinzuweisen auf die Fülle sachlich entbehrlicher, rein ornamentaler Epitheta. Hier wie auch sonst begegnet eine Vielzahl von seltenen, gesuchten Wörtern und sprachlichen Neubildungen. Dabei orientiert sich der Autor gern an Homerischen Spezialitäten und an der sprachlichen Gelehrsamkeit hellenistischer Dichter.[7] Ein solcher Stil wendet sich an ein literarisch, ja, philologisch gebildetes

---

reden an den Adressaten wechseln ab mit beschreibenden Partien), darin folgt der Autor jedoch nur der Konvention der Gattung; es handelt sich um nichts weiter als eine stilistische, der Sache nach fiktive Geste. Die Fiktivität der didaktischen Haltung und das mangelnde Sachinteresse des Verfassers werden zusätzlich deutlich durch sachliche Ungenauigkeiten und Fehler, die W. Kroll, RE 28. Halbbd., 1930, 2573 f., erörtert.

[6] Wie oben erwähnt (S. 127), können Datierungsfragen in dieser Arbeit nicht im Detail erörtert werden. Die hier vorgeschlagene Einordnung des Maximus in den Umkreis hellenistischer Literatur, die gelegentlich bereits aufgrund anderer Indizien vertreten worden ist (vgl. Kroll 2575), versteht sich als eine vorläufige Vermutung.

[7] Als Beleg für die Vorliebe zu sprachlicher Erlesenheit diene die folgende Zusammenstellung nur bei Maximus vorkommender Wörter aus dem Anfang des uns vorliegenden Gedichts (nach dem Ausweis des Lexikons von Liddell / Scott / Jones): ὁδοιπλανίη (55); ἠπιόμυθος, ἀγλαοεργός (68); μονίη (71); μινυανθής (76). Die philologische Gelehrsamkeit des Autors dokumentieren besonders eindringlich die Stellen, an denen er auf sprachliche Kostbarkeiten von Vorgängern zurückgreift. Dabei stehen neben anderen Autoren (vgl. z. B. παλίμποινος [17] nach Aesch., Choeph. 793) Homer (vgl. z. B. ἐρύγμηλος [84]: Hom. Σ 580; ἐν δοιῇ σῶσίς τοι ἀπολλυμένου κτεάνοιο [597]: Hom. I 230) und die berühmten Dichter des Hellenismus im Mittelpunkt. So übernimmt Maximus von

Publikum – nicht anders als derjenige eines Arat und Nikander. Da der Dichter
wie der Verfasser der pharmakologischen Lehrgedichte kein eigentlich thema-
tisches Interesse an seinem Gegenstand hat, sondern diesen in erster Linie als
Material zu formal-sprachlicher Kunstentfaltung betrachtet, stehen auch die in
die Stoffentfaltung eingefügten Digressionen mythologischer Art in keinerlei
Beziehung zur Sache. Es handelt sich wie bei Nikander um reine Ornamente,
die – im Gegensatz zu Nikander – bei Maximus jedoch keinerlei gliedernde
Funktion zu besitzen scheinen.[8]

Der typologische Standort des Gedichts läßt sich danach eindeutig fixieren.
Der Autor ergreift seinen Stoff nicht aus sachlichem Interesse und nicht in der
Absicht, ihn als solchen einem Adressaten nahezubringen. Der Gegenstand wird
vielmehr aufgrund seiner großen Distanz und Widerspenstigkeit dichterischer
Gestaltung gegenüber und gerade wegen der in seinem Wesen begründeten poetischen Unergiebigkeit gewählt. Wie bei Nikander ist es die dichterischen Ambitionen zunächst so entgegenstehende systematische Einförmigkeit in der Aneinanderreihung prinzipiell gleich strukturierter Einheiten, welche den Autor an
diesem Stoff reizt, kann sich doch an einem solchen Widerstand in besonderem
Maße seine Fähigkeit bewähren, künstlerische Gesichtspunkte inmitten einer
derartigen trockenen Systematik zur Geltung zu bringen. Das Gedicht des Maximus, das insofern eine Ausnahme unter den astrologischen Lehrgedichten der
Antike darstellt (s. auch o. S. 106 f.), ist wie die Werke des Nikander eine Realisation des ‚formalen‘ Typs und dürfte auch am ehesten unter denselben historischen und gesellschaftlichen Bedingungen entstanden sein wie diese.

Arat z. B. γλήνεα (Phaen. 318) in der Bedeutung ‚Sterne‘ (11. 102); von Apollonios
(Arg. 1, 746; vgl. auch Lycophr., Al. 1179) bzw. anderen Autoren dieser Zeit ausgehend
verwendet er δείκηλον in der Bedeutung ‚Sternbild‘ (22 u. pass.), und auch zu Nikander
bestehen Berührungen: Vgl. z. B. 212 (κακηπελίη βαρύθοιτο) mit Nic., Th. 319
(κακηπελίη βαρύθοντες). Diese wenigen Beispiele mögen hier genügen; vgl. im übrigen
Kroll 2574 f., dessen Urteil über den Stil dieses Didaktikers jedoch genauso voreinge-
nommen ist wie das zu den übrigen hellenistischen Autoren (s. o. S. 42 mit Anm. 15).

[8] Vgl. z. B. 90 ff.: Aufzählung notorisch treuer Frauen aus dem Mythos, teilweise
gelehrt umschrieben; 412 ff.: breite Entfaltung von drei mythologischen Beispielen für
außerordentliche Schnelligkeit; die Beispiele selbst sind von erlesener Seltenheit; 491 ff.:
ätiologischer Mythos aus der Ikarios-Erigone-Sage, vielleicht mit Anspielung auf die
Erigone des Eratosthenes; zu dem gesuchten ᾽Ακταῖοι für ‚Einwohner Attikas‘ (494)
vgl. Lycophr., Al. 504.

3. Lehrgedichte über Fischfang und Jagd

a) Die „Halieutika" des Oppian

Das fünf Bücher umfassende Lehrgedicht des Oppian [1] behandelt ein Teilgebiet des Jagdwesens: den Fischfang. Es stellt für uns das einzige vollständig erhaltene Gedicht der Antike über dieses Thema dar. Das unter dem Namen des Ovid überlieferte gleichnamige Bruchstück ist zu kurz, als daß sich im Rahmen dieser Fragestellung dessen Interpretation lohnte. Der Autor des griechischen Werkes stammt aus Kilikien. Er richtet sein Gedicht, wie besonders aus den Proömien der einzelnen Bücher und dem Epilog hervorgeht, an den römischen Kaiser Marcus Aurelius und dessen Sohn Commodus.[2] Die *Halieutika* bestehen in Übereinstimmung mit dem Aufbau anderer Jagdgedichte und wohl auch mit dem der als Quelle vorauszusetzenden fachwissenschaftlichen Prosavorlage [3] aus zwei Hauptteilen, einem die beiden ersten Bücher einnehmenden fischkundlichen und

---

[1] Der Text wird zitiert nach der zwar kritisch unzulänglichen, aber heute einzig greifbaren Ausgabe von A. W. Mair, Oppian – Colluthus – Tryphiodorus, London/Cambridge 1928.

[2] 1,3. 66 ff. 77 ff.; 2,41. 675 ff.; 3,1 ff.; 4,4 ff.; 5,1. 44 f. 675 ff. Die fälschliche Identifizierung des Dichters mit dem Verfasser der *Kynegetika* (s. u. S. 173 ff.) hat in der Antike dazu geführt, die *Halieutika* in die Zeit des Caracalla, an den sich die *Kynegetika* wenden, zu datieren; vgl. dazu Mair XIII ff. und R. Keydell, RE 35. Halbbd., 1939, 698 f. Die Nicht-Identität der beiden Verfasser ist durch metrische und stilistische Untersuchungen sicher erwiesen; vgl. U. v. Wilamowitz-Moellendorff, Marcellus von Side (1928), in: Kleine Schriften 2, Berlin 1971, 220 ff., und besonders A. Wifstrand, Von Kallimachos zu Nonnos, Lund 1933, 41 ff. 57 ff. 68 f. 91: Der Dichter der *Halieutika* ist in seiner Verstechnik sehr viel strenger an den Prinzipien des Kallimachos orientiert als derjenige der *Kynegetika;* vgl. ferner A. W. James, Studies in the language of Oppian of Cilicia, Amsterdam 1970: Der Stil der *Halieutika* ist gewählt, fällt aber nicht aus dem Rahmen des in dieser Zeit Üblichen und sticht insofern scharf ab von der bis zum Exzeß getriebenen Rhetorisierung der Darstellung bei dem Kynegetiker. Die typologische Interpretation wird den fundamentalen Unterschied der beiden Lehrgedichte noch markanter hervortreten lassen.

[3] Ähnlich ist die Gliederung eines nur mehr durch eine Prosaparaphrase kenntlichen didaktischen Gedichts über Vogelfang, dessen Verfasserschaft schon in der Antike unsicher war (Oppian? Dionysios? Textausgabe: Dionysii Ixeuticon seu De aucupio libri tres in epitomen metro solutam redacti, ed. A. Garzya, Leipzig 1963; zur Verfasserfrage: Garzya, GiornItFil 10, 1957, 156 ff.); vgl. Keydell 701. Als Vorlage des Oppian glaubte M. Wellmann, Hermes 30, 1895, 161 ff., eine ichthyologische Schrift des Leonidas von Tarent erschließen zu können; vgl. aber die berechtigten Einschränkungen bei Keydell, Hermes 72, 1937, 411 ff. Die verwickelten Quellenprobleme der ichthyologischen Literatur sind jetzt erneut erörtert bei J. Richmond, Chapters on Greek fish-lore (Hermes Einzelschr. 28), Wiesbaden 1973.

einem im eigentlichen Sinne jagdtechnischen, der die restlichen drei Bücher umfaßt.

Die ersten Verse des Proömiums unterrichten den Adressaten grob über den
Inhalt des Werkes: die einzelnen „Stämme" der Fische, ihre Wohngebiete, ihre
„Ehen" und ihre „Geburt" (Buch 1), das Leben der Fische mit deren „Feindschaften", „Freundschaften" und gegenseitigen „Nachstellungen" (Buch 2),
schließlich die vielerlei Listen der Fischer (Bücher 3–5).[4] Die dabei verwendeten
Ausdrücke sind bereits auffällig und bemerkenswert. Es handelt sich bei ihnen
durchweg um Wörter, die üblicherweise im Hinblick auf menschliches Verhalten
gebraucht werden.[5] Die massierte Häufung solcher Ausdrücke im Zusammenhang mit der Verhaltensweise der Fische läßt den Leser aufhorchen und bereitet
ihn schon am Anfang des Gedichts auf dessen thematischen Grundgedanken vor.
Das Verhalten der Tiere wird durchweg in Analogie und Parallele gesetzt zu
dem Leben der Menschen, das Dasein der Fische ist in allen seinen Aspekten ein
Spiegel – im Positiven wie im Negativen – menschlicher Verhaltensweise. Anhand einer die wesentlichen Punkte heraushebenden Nachzeichnung des Aufbaus und der Gedankenführung der einzelnen Bücher ist im folgenden aufzuzeigen, in welcher Weise der Lehrdichter diesen schon im Proömium anklingen-
den Grundgedanken im Laufe der Stoffentfaltung in den Vordergrund rückt
und wie der Stoff selbst als Gegenstand sachlicher Unterweisung in dem Maße
an Bedeutung verliert, als er Träger durch ihn repräsentierter, über ihn hinaus-
weisender Sinngehalte wird.[6]

---

[4] Zwar ist im zweiten Buch im wesentlichen von den „Feindschaften" der Fische die
Rede, so daß die φιλότητες dem Autor wohl als konträrer Begriff zu ἔχθεα (6) un-
reflektiert aus der Feder geflossen sind, aber die Ankündigung ist doch durch den Son-
derfall des κεστρεύς (2,642 ff.) in gewissem Maße abgedeckt. Was den Hinweis auf die
βουλαί (7) angeht, so dürfte sich dieser im Proömium trotz einer Stelle wie 3,12, wo von
den βουλαί der Fischer gesprochen wird, auf das Verhalten der Meerestiere beziehen,
wie es im zweiten Buch geschildert wird: Vgl. 2,54: die βουλαί der Fische als eine der
ihnen von der Natur verliehenen „Waffen"; das Folgende schildert die Anwendung
dieser „Waffe" im Kampf der Fische gegeneinander.

[5] ἔθνεα, φάλαγγες, γάμοι, γενέθλαι, βίος, ἔχθεα, φιλότητες, βουλαί. Diese Übertragung von Ausdrücken, die eigentlich auf den menschlichen Bereich fixiert sind, auf den
der Meerestiere und – damit zusammenhängend – die Kennzeichnung der Fische durch
Adjektive wie „gerecht", „dreist", „unverschämt", „listig", „dumm" usw. sind von Anfang bis Ende charakteristisch für die Darstellung des Dichters.

[6] Die weitgehende Vernachlässigung der *Halieutika* (wie auch anderer kaiserzeitlicher
Lehrgedichte) durch die Forschung (übrigens schon von Wilamowitz 221 beklagt: „Jetzt
liest kaum jemand diese Gedichte, so sehr sie es verdienen ...") hat es mit sich gebracht,
daß zu einer solchen Interpretation keinerlei Vorarbeiten vorliegen (die Aufbauanalyse
von Keydell, RE 35. Halbbd., 1939, 700 f., beschränkt sich auf die Kennzeichnung der

Das Proömium stellt im Anschluß an die Inhaltsangabe zunächst einen anderen Gesichtspunkt heraus. Anhand eines Vergleiches der Fischerei mit den beiden anderen Weisen der Jagd, der Jagd auf Landtiere und dem Vogelfang, gelingt es dem Autor, die besonderen mit seinem Lehrgegenstand verbundenen Gefahren hervortreten zu lassen und so seinem Stoff ein spezifisches Gewicht zu verleihen. Gleichzeitig weisen diese Bemerkungen voraus auf das fünfte Buch, das die Gefährdung des Fischers exemplarisch und sinnbildlich vor Augen führen wird. Der Fischer ist in seinem Kampf gegen das Meer und dessen Bewohner Sinnbild für Macht und Ohnmacht, Überlegenheit und Abhängigkeit des Menschen überhaupt. Dieser Gedanke klingt in dem Proömium leise an, er wird später thematisch werden. Es ist bemerkenswert, daß Oppian den handfesten und unmittelbar einleuchtenden Nutzen des Fischfangs mit keinem Wort erwähnt. Gerade in einem didaktischen Gedicht wäre ein solcher Hinweis gut angebracht, wäre er doch geeignet, die Wahl dieses Stoffes durch den Autor plausibel zu machen und Interesse für den Gegenstand zu wecken, soweit es bei dem Adressaten noch nicht vorhanden sein sollte. Statt dessen wird im Anschluß an den Vergleich der Jagdarten mit Nachdruck das spezifische Vergnügen hervorgehoben, das die Fischerei dem kaiserlichen Adressaten zu bereiten vermag (56 ff.). Der damit von Oppian mit seinem Stoff in Verbindung gebrachte sportliche Gesichtspunkt, der in dem Werk ansonsten keine weitere Rolle spielt, ist gewiß im Hinblick auf das angesprochene Herrscherhaus, das natürlich – wenn überhaupt – eher ein sportliches als ein materielles Interesse an dem Gegenstand besitzt, im Proömium so stark in den Vordergrund gestellt. Aber das gänzliche Zurücktreten der praktisch-materiellen Funktion der Fischerei[7] ist doch auch ein Zeichen dafür, daß den Dichter dieser Aspekt seines Stoffes allenfalls am Rande interessiert.

Die Sachdarstellung beginnt mit der Aufzählung der einzelnen Fischarten und ihrer jeweiligen Wohngebiete. Diese gliedert sich wieder in drei ichthyologische Differenzierungen berücksichtigende Unterabschnitte (95 ff. 259 ff. 360 ff.). Der erste Abschnitt beginnt ganz systematisch mit einer Gruppe sachlich-nüchterner Kataloge, welche die einem bestimmten Wohngebiet zuzuordnenden Arten pedantisch nacheinander aufzählen. Von Vers 145 an durchbricht der Dichter die handbuchartige Aneinanderreihung von Namen. Den einzelnen

---

Oberflächenstruktur). Deshalb ist im folgenden eine gewisse Breite im Nachvollzug des Gedankengangs unerläßlich.

[7] Vgl. noch 3,3. 7, wo Oppian wieder die τερπωλή in den Vordergrund rückt, und 4,9, wo das *prodesse* gänzlich hinter dem *delectare* zurücktritt. Die Lehre des Dichters – wenn von ihr überhaupt die Rede sein kann – ist offenbar auf einer anderen Ebene als der des Stoffes zu suchen.

Fischen wird eine kürzere Beschreibung gewidmet, bis schließlich 155 ff. eine
längere Einzelschilderung erscheint. Auf zwei weitere Kataloge (168 ff. 179 ff.)
folgen zwei jeweils durch ein Gleichnis erweiterte ausführliche Darstellungen
zweier Staunen erregender Fische: πομπίλος (186–211) und ἐχενηίς (212–
243). Deren Beschreibung, an die sich als Abschluß des ersten Unterabschnitts
nur mehr eine kurze Partie über Fische ohne festen Wohnsitz anschließt (244–
258), bildet den Höhepunkt und das gedankliche Zentrum der bisherigen Ausführungen. Hier begegnen zum ersten Mal die im folgenden so überaus reich
verwendeten Gleichnisse, auf die unten (S. 151 mit Anm. 28) zurückzukommen
sein wird. Das wunderbare Verhalten der beiden Fische wird von Oppian gebührend hervorgehoben und detailliert beschrieben. Der Dichter macht damit
deutlich, daß für ihn die Welt der Fische nicht Gegenstand nüchterner, am konkreten Nutzen orientierter Betrachtung ist, sondern eine tiefere, geheimnisvolle
Bedeutung besitzt. Darüber hinaus lassen die beiden Beschreibungen – zumal die
Gleichnisse – einen bereits im Proömium angeschlagenen und später besonders
im fünften Buch thematisch werdenden Gedanken ins Bewußtsein des Lesers treten: die ambivalente Stellung des Fischers. Er steht den Meerestieren einerseits als machtvoller, königlicher Herrscher gegenüber, dem seine Untertanen
ihre Dienste erweisen (197 ff.); andererseits muß er bisweilen betroffen seine
gänzliche Machtlosigkeit erkennen, der Jäger wird zum Gejagten (237 ff.).

Den Beginn des nächsten Unterabschnitts bildet die Beschreibung des ἀστακός
(263 ff.). Oppian stellt stark dessen Beharrlichkeit heraus, an dem angestammten Wohnsitz festzuhalten und nach zwangsweiser Entfernung um jeden Preis
in seine „Heimat" zurückzukehren. Die ,Heimatliebe' des Fisches, die in das
Zentrum der Schilderung gerückt wird, drängt die Parallele zum menschlichen
Verhalten geradezu auf, und der Dichter läßt die Gelegenheit nicht vorüber-
gehen, den Leser auf diese Parallele durch eine entsprechende Reflexion ausdrücklich hinzuweisen: Das Beispiel des Meerestieres zeigt, daß nicht nur im
menschlichen Bereich die Heimat das Süßeste von allem ist und daß es nicht
nur für den Menschen nichts Schlimmeres gibt als ein Dasein fern der Heimat
(273 ff.). Im folgenden häufen sich die anthropomorphen, spiegelbildlichen Züge
in der Welt der Fische. Das kluge Verhalten der πάγουροι erinnert ebenso an
das der Menschen (285 ff.) wie die Suche der καρκινάδες nach einem μέλαθρον
und ihr gegenseitiger Kampf um eine Unterkunft, wobei – wie bei den Menschen – der Stärkere die Oberhand behält (320 ff.). Die ausgeklügelte Fortbewe-
gungsart des ναυτίλος veranlaßt den Autor zu dem bewundernden Ausruf, an
der Kunstfertigkeit dieses Fisches habe sich gewiß der Erfinder der Schiffahrt
orientiert (354 ff.). Im dritten Teil des ersten Buchabschnitts, der den κήτεα gewidmet ist (360 ff.), tritt die anthropomorphe Sicht zurück. In einem längeren

Katalog gewinnt der Stoff wieder einmal sein anfängliches Eigengewicht zurück (367 ff.). Aber die Ausführungen über die Delphine in der Mitte dieses Abschnitts (383 ff.) verlassen diese sachliche Ebene, und die durch einen Mythos unterstrichene besondere Beziehung der Tiere zu der Gottheit bereitet einen thematisch wichtigen Gedanken vor, welcher im fünften Buch in den Vordergrund treten wird (s. u. S. 149).

Der Autor benutzt den Einschnitt nach Abschluß des ersten Lehrstücks dazu, reflektierend die stoisch-weltanschauliche Grundüberzeugung zu entwickeln, welche der im Hinblick auf das menschliche Verhalten spiegelbildlichen Sicht der Fischwelt zugrunde liegt. In einem unverkennbar an das Proömium des Arat erinnernden [8] Anruf an Zeus wird dargetan, daß Gott in seiner väterlichen Liebe zu den Geschöpfen alle Bereiche der Welt „unter ein festes, gemeinsames Joch" gestellt habe (409 ff.). Diese von Gott verfügte innere Einheit der Welt äußert sich nicht zuletzt in der Parallelität zwischen dem Leben der Fische und dem der Menschen.

Der Gedanke des alle Lebensbereiche umfassenden, gemeinsamen göttlichen Gesetzes erscheint erneut zu Beginn des nächsten Hauptteils, der das Paarungs- und Geburtsverhalten der Meerestiere schildert. Wie alle anderen Lebewesen auf der Erde werden im Frühling auch die Fische vom Liebestrieb ergriffen (473 ff.). Der Autor vergleicht die „Wehen" der Fische mit denen der Frau (479 ff.) und schließt eine ähnliche Reflexion an, wie er es bereits im Hinblick auf die ‚Heimatliebe' des ἀστακός getan hatte (485 ff.; vgl. 273 ff.). Nach einigen allgemeinen Bemerkungen über das Paarungsverhalten, die zum Teil wieder stark anthropomorph gefärbt sind,[9] folgt eine Reihe bemerkenswerter Sonderformen. Die sich anschließenden Ausführungen über das Geburtsverhalten der Fische stehen unter einem zentralen Leitgedanken: das vorbildliche Verhalten einer großen Zahl von Meerestieren ihren Jungen gegenüber. Dabei ragen die Delphine in besonderer Weise hervor (646 ff.). Sie waren, bevor sie durch den Willen des Dionysos ihre Gestalt und Lebensweise wechselten, ursprünglich Menschen und haben von diesem Ursprung her noch ihre spezifische Gesinnung bewahrt, was sich zumal in der Liebe der Eltern zu den Kindern äußert. Dasselbe zeigt sich bei den Robben, deren vorbildliche Kinderliebe der Autor durch ein Gleichnis unterstreicht (686 ff.). Die geschilderten Beispiele veranlassen Oppian erneut zu

---

[8] Außer der hymnischen Form des Anrufs und dem Gedanken der göttlichen Liebe erinnert auch der Begriff des διακρίνειν (412) an das Proömium der *Phainomena* (11; s. auch u. S. 144 mit Anm. 12).

[9] Vgl. 497 ff.: Ein Teil der Meerestiere kennt εὐναί, θάλαμοι und besitzt getrennte ἄλοχοι. Viele kämpfen um die Partnerin, μνηστῆρσιν ἐοικότες; nur ist bei ihnen nicht Reichtum und Ansehen entscheidend, sondern allein die Stärke.

einer mit einem emphatischen Ausruf ansetzenden Reflexion: Nicht nur bei den
Menschen sind die Kinder das Liebste und den Eltern süßer als ihr eigenes Leben,
sondern die liebevolle Sorge um das Geborene kennzeichnet alle Bereiche tierischen Lebens (702 ff.). Einige weitere Bemerkungen über Schutzmaßnahmen der
Fische ihren Jungen gegenüber schließen sich an, bis endlich in scharfem Kontrast
das ruchlose und brutale Verhalten der θύννη ihrer eigenen Brut gegenüber mit
teilnehmender Entrüstung des Dichters dargestellt wird (756 ff.). Die mit starkem
moralischen Engagement vorgetragene Kontrastierung positiver und negativer
Verhaltensweisen macht die von Oppian mit seinem Stoff verfolgte Absicht
deutlich. Ihm geht es nicht um die lehrhafte Beschreibung des Verhaltens der
Fische als solchen, ihm geht es vielmehr um die daraus zu ziehende moralische
Belehrung. Die Welt der Meerestiere als Spiegel menschlichen Daseins dient der
moralischen Erbauung des Lesers. In diesem Lichte ist auch der Schluß des Buches zu sehen. Als ausgeführtes Beispiel für die Gruppe der „Selbstentstehenden"
beschließen die ἀφύαι das Buch, die harmloseste Art von allen Fischen. Sie ist so
schwach, daß sie allen anderen Meeresbewohnern unterlegen und deren leichte
Beute ist. Das Beispiel ist gut geeignet, den Leser nachdenklich über den ungleichen Kampf ums Dasein im Reich des Meeres – und auch der Menschen – aus
dem ersten Buch zu entlassen.

Die Fischkunde des zweiten Buches ist genauso wenig an den praktischen Be-
dürfnissen des Fischers orientiert wie die des vorangehenden. Das Buch beginnt
mit einer Reflexion über die Abhängigkeit des Menschen vom göttlichen Ratschluß. Der Mensch vermag nichts ohne den Beistand Gottes und gegen dessen
Willen. Ihm bleibt nur, sich der unerschütterlichen Notwendigkeit zu fügen.
Sein Wissen ist beschränkt, und die Kenntnis der τέχναι wie auch des Fischfangs verdankt der Mensch allein den Göttern. Im Anschluß an die Reflexion,
die im Rahmen der beiden ichthyologischen Bücher recht isoliert steht und deren
gedanklicher Gehalt erst später thematisch werden wird (s. u. S. 148 ff.), wird
die Sachdarstellung des Buches beherrschende Aspekt klar herausgestellt (43 ff.):
Die Fische leben untereinander in ständiger Feindschaft; einer ist der Feind des
anderen. Es ist eine Welt ohne δίκη und αἰδώς. Jeder Fisch ist in diesem Kampf
aller gegen alle mit spezifischen Waffen ausgerüstet. Oppian wendet sich zunächst denjenigen zu, die mit listiger Klugheit (54: βουλὴ κερδαλέη) zu Werke
gehen. Diese erweist sich an einer Reihe von Beispielen als physischer Kraft überlegen, und der Autor versäumt nicht, die Parallele im menschlichen Bereich ausdrücklich ins Bewußtsein zu rufen (196 ff.): Unter den Meerestieren gibt es –
wie unter den Menschen – kluge und dumme. Der Leser denkt im Sinne des
Dichters diese Reflexion von selbst zu Ende und erkennt, daß auch in der Auseinandersetzung der Menschen Klugheit den Sieg über rohe Kraft davonträgt.

Anhand des ἡμεροκοίτης wird eindringlich demonstriert, wie verhängnisvoll Dummheit gepaart mit unersättlicher Gefräßigkeit sein kann (199 ff.). Die erbauliche Nutzanwendung schließt sich sofort an (213 ff.): Die Menschen sollen sich dieses Beispiel eine Warnung sein lassen. Der Abschnitt kulminiert in drei breit ausgestalteten Kampfesschilderungen, die den erbarmungslosen Kampf ums Dasein in dieser recht- und gesetzlosen Welt, in dem letztlich keiner endgültiger Sieger bleibt, anschaulich vor Augen führen.[10] Im folgenden beschreibt der Dichter andere Arten, die mit Gift oder auf andere Weise für den Lebenskampf gerüstet sind. Selbst die Delphine, die königlichen Herrscher des Meeres, vor denen sich alle Fische wie vor ihren Herren ducken, sind nicht ohne Feinde, denen sie schließlich sogar erliegen (533 ff.). In diesem Kampf aller gegen alle gibt es nur eine einzige Ausnahme, die in der Welt der Gesetzlosigkeit und Gewalt den Glanz von δίκη und αἰδώς aufleuchten läßt: der κεστρεύς.[11] Dieser Fisch bleibt frei von fremdem Blut. Deshalb halten sich auch die anderen Meerestiere von ihm fern und greifen ihn nicht an: So gilt überall das Ansehen der Dike, überall wird ihr die gebührende Achtung zuteil (654 f.).

Gerade durch die Kontrastierung am Schluß des Buches wird die erbauliche Intention des Autors wieder überdeutlich. In dem Bereich der Fische wird dem Leser eine Welt der Gesetzlosigkeit als Spiegel einer Welt des ,homo homini lupus' vor Augen geführt. Das Gegenbild beschwört demgegenüber das Ideal eines gewaltlosen, von Recht und Gesetz geleiteten, friedlichen Lebens. Beide Formen des Verhaltens der Fische versinnbildlichen zwei mögliche Zustände menschlicher Gesellschaft: ein Leben in ,tierischer' Gewalt und ein solches in αἰδώς und δίκη. Diese Übertragung des Dargestellten auf den menschlichen Bereich wird von dem Dichter anschließend in einer epilogartigen Reflexion – zugleich einer Huldigung an den Herrscher – ausdrücklich vollzogen (664 ff.): Es ist kein Wunder, daß Dike fern vom Meere weilt, ist es doch erst seit kurzem, daß sie wieder unter den Menschen wohnt. Lange Zeit unterschied sich das

---

[10] 253 ff.: Dem Polypen nützt all seine Wendigkeit und Klugheit (268 ff. 296. 305) nichts gegen den erbarmungslosen Angriff der Muräne, die als hämisch lachender Sieger (303 ff.) ihr Opfer nicht aus dem Griff läßt. Aber der Sieger kann sich seines Erfolges nicht freuen; denn die Muräne findet in dem Krebs ihren Meister und geht im Kampf mit ihm an ihrer eigenen Unbedachtsamkeit (349. 357) zugrunde (321 ff.). Der Krebs endlich – und damit schließt sich der Kreis – wird das Opfer des Polypen (389 ff.). Das abschließende Gleichnis läßt den Leitgedanken noch einmal deutlich werden (408 ff.): Das Vorgehen des Polypen wird verglichen mit dem eines Straßenräubers, der einem Passanten auflauert, δίκης σέβας οὔποτ' ἀέξων (409).

[11] 642 ff. Mit den Ausdrücken δικαιότατον νόημα (643), αἰδώς (651) verweist der Autor unverkennbar auf die Verse zurück, mit denen er die Sachdarstellung dieses Buches einleitete und in denen dessen thematischer Grundgedanke formuliert wurde (43 ff.).

Leben der Menschen in seiner Gewalttätigkeit in nichts von dem der wilden Tiere. Erst als Zeus aus Mitleid mit den Menschen die Herrschaft den Aeneaden überantwortete, wurde Dike allmählich wieder auf der Erde heimisch, bis sie unter den gegenwärtigen Herrschern endgültig auf ihr Fuß gefaßt hat.[12] Es bedürfte nicht erst dieser Reflexion, um zu erkennen, daß den Autor nicht das Verhalten der Fische als solches interessiert, geschweige denn im Hinblick auf dessen praktische Ausnutzung seitens des Fischers, daß es vielmehr die Transparenz der tierischen Verhaltensweise für die der Menschen ist, welche die Darstellung bestimmt. Die Beobachtung der Fische gewährt so Einblick in die Mechanismen menschlichen Zusammenlebens und ist geeignet als Grundlage einer erbaulich-moralischen Lehre.

Mit dem dritten Buch beginnt der jagdtechnische Teil des Gedichts. Nach einer Huldigung an den Herrscher und einem Anruf an den Gott Hermes, den ‚Erfinder' der Listen der Fischer, setzt die Sachdarstellung zunächst ganz lehrhaft-systematisch ein (Fischer, Jagdzeiten, Fangarten). Die Systematik wird aber bald aufgegeben. Anstelle einer praktischen Anleitung zum Fang, in der ausgeführt würde, mit welchen Mitteln die einzelnen Fische am besten zu fangen seien, bietet der Autor wieder eine erbauliche Schilderung. Der Kampf zwischen Fischer und Fisch wird gesehen als eine Auseinandersetzung zwischen menschlicher und tierischer List bzw. Dummheit. Dieser Gedanke beherrscht das ganze Buch. Demgegenüber treten jagdtechnische Gesichtspunkte zurück. Der Autor beginnt mit einer Aufzählung verschiedener listiger Verhaltensweisen der Meerestiere, mit denen diese vielfach die Bemühungen der Fischer zunichte machen.[13]

---

[12] Oppian knüpft – abgesehen von den hier wie in dem ganzen Buch deutlich greifbaren Beziehungen zu Hesiods *Erga* – gedanklich und sprachlich an die Parthenos-Episode der *Phainomena* an. Kriegsgetümmel (zu κυδοιμοί [666] vgl. Phaen. 109) und tierische Gewalttätigkeit hatten Dike von der Erde vertrieben. Die Aeneaden, zumal der gegenwärtige Herrscher, haben die verlorene Goldene Zeit des Rechts zurückgebracht. Nunmehr weilt Dike wieder unter den Menschen (681: μερόπεσσι συνέστιον ἠδὲ σύνοικον), so wie es nach der Darstellung des Arat in der Goldenen Zeit der Fall war (vgl. Phaen. 101 ff.). Es ist bemerkenswert, daß Oppian gerade während der Entfaltung seines eigentlichen, den Stoff überlagernden Themas auf eine funktionsmäßig entsprechende Kernstelle der *Phainomena* verweist. Sollte er sich der typologischen Verwandtschaft bewußt gewesen sein (s. auch o. S, 141 mit Anm. 8)?

[13] 92 ff. Keydell, Hermes 72, 1937, 420, macht plausibel, daß die von den Fischen zu ihrer Verteidigung dem Menschen gegenüber angewandten Techniken sachlich zu den im zweiten Buch geschilderten Angriffslisten gehören und auch in der Prosavorlage des Dichters dort behandelt waren. Im dritten Buch sei der Abschnitt störend eingefügt zwischen Fang- und Köderarten. Keydell weist selbst auf einen Grund dafür hin: „Möglich, daß Oppian diesen Teil der *sollertiae* hierher versetzt hat, weil er ihn im 2. Buch, das die Herrschaft des Unrechts im Reich des Meeres zeigen sollte, nicht brau-

Aber dennoch bleibt der Mensch in der Regel Sieger, denn er setzt gegen die Klugheit der Fische eine ihnen überlegene List: den Köder (169 ff.). Der Mensch macht sich die unersättliche Freßgier der Tiere zunutze und läßt diese zu deren Verderben werden.[14] Wieder – wie schon mehrfach im Voraufgehenden – schließt Oppian eine erbauliche Betrachtung an, welche die moralische Nutzanwendung aus dem Dargestellten zieht: So ist auch im menschlichen Bereich nichts verhängnisvoller als die Herrschaft eines hungrigen und unersättlichen Magens.[15] Wie bei den Fischen, deren Klugheit durch ihre Freßgier zunichte gemacht und in ihr Gegenteil verkehrt wird, führt maßlose Eßgier auch den Menschen fort von vernünftigem Handeln (200: παρασφήλασα νόοιο) und verstrickt ihn in schmachvolles Unheil. Dies ist der thematische Leitgedanke des Folgenden. Die Schilderungen des dritten Buches sind unter diesem Aspekt als warnender Spiegel für das menschliche Verhalten zu sehen.

Als ein zentrales Beispiel für den Kampf zwischen menschlicher und tierischer List und für die verderblichen Folgen der Gefräßigkeit, welche den Fisch dem Menschen von vornherein unterlegen macht, schildert Oppian sogleich anschließend mit großer Ausführlichkeit den Kampf des Fischers mit dem ἀνθίας.[16] Auch die folgenden, weniger breit ausgestalteten Fangbeschreibungen lassen den leitenden Gesichtspunkt präsent bleiben.[17] Allerdings übernimmt der Autor doch auch aus seiner fachwissenschaftlichen Vorlage eine ganze Reihe praktischer, technischer Anweisungen, die im Hinblick auf sein eigentliches Thema entbehrlich wären. Bei der Schilderung des Netzfanges schließlich kann die Freßlust keine Rolle mehr spielen. Hier ist es die Unbedachtsamkeit und Dummheit, mit

---

chen konnte." Der andere Grund ist der, daß dieser Abschnitt im dritten Buch mit seinem Thema des Kampfes von List gegen List eine sinnvolle und notwendige Funktion besitzt.

[14] Vgl. 182 f.: δείπνοις γὰρ γελόωντες ἐπισπεύδουσιν ὄλεθρον· / ἦ γὰρ ἀεὶ πλωτῶν σιφλὸν γένος ὑγρὰ θεόντων.

[15] 197 ff. Vgl. bes. die oben (S. 143) erwähnte sehr ähnliche Stelle des zweiten Buches (213 ff.), wo ebenfalls das tierische Beispiel den Menschen als Warnung vor unersättlicher Eßgier vorgehalten wurde.

[16] 205–337. Dieser Fisch eignet sich als Beispiel sehr gut, ist er doch durch eine besonders ausgeprägte Gefräßigkeit charakterisiert (vgl. 1,248 ff.).

[17] 353 f.: τοὺς δ' αἶψα δυσώνυμος ἐντὸς ἀγείρει / γαστήρ ... (κάνθαρος); 396 f.: τοῖα καὶ ἄδμωες δειλοὶ πάθον, ἀντὶ δὲ φορβῆς / πότμον ἐφωρμήσαντο καὶ "Αιδος ἕρκος ἄφυκτον. 472 f.: οἱ δ' ὁρόωντες / αὐτίκ' ἐπιθρώσκουσι καὶ ἁρπάζουσιν ὄλεθρον (μελάνουροι). Das Hin und Her zwischen innerer Warnung vor einem möglichen verderblichen Hinterhalt und der Gier nach dem Köder, welche letztlich doch obsiegt, kommt besonders anschaulich beim κεστρεύς zum Ausdruck (483 ff.). Dabei unterstreicht das Gleichnis 512 ff. eindringlich die vom Dichter intendierte Parallelisierung mit dem menschlichen Verhalten.

der die Fische ihr eigenes Verhängnis beschleunigen, welche dem Leser als Gegenstand erbaulichen Nachdenkens vorgeführt wird.[18]

Das vierte Buch setzt die Darstellung der verschiedenen Techniken des Fischers, der mannigfachen Weisen, mit denen die Beute überlistet wird, fort. War es im vorangehenden Buch die Freßgier, die sich die Menschen zum Verderben ihrer Opfer zunutze machten, so wird zu Beginn des vierten Buches die verhängnisvolle Wirkung einer anderen Elementarbegierde, des Sexualtriebes, herausgestrichen: ἔρως treibt die Fische in ihr Verderben;

> ὀλοῶν δὲ γάμων, ὀλοῆς τ' 'Αφροδίτης
> ἠντίασαν, σπεύδοντες ἑὴν φιλοτήσιον ἄτην (1–3).

Damit ist der Leitgedanke des Folgenden genannt. Er wird zusätzlich durch einen Anruf des Dichters an Eros selbst in den Vordergrund gerückt (11 ff.). Eros, der Herrscher über alle Bereiche des Lebens, der selbst in den Tiefen des Meeres waltet (30 ff.), führt alle die ins Unglück, denen er sich stürmisch und wild naht und deren vernünftige Überlegung er in Wahnsinn verkehrt (20 ff.). Glücklich derjenige, der diesen Trieb zu zügeln weiß und einen ἔρως εὐκραής in seiner Brust bewahrt (32 f.)! Der moralisch-erbauliche Zweck der folgenden Darstellung wird damit bereits genügend deutlich. Wieder dient die Welt der Fische dazu, dem Adressaten nach Art populär-philosophischer Diatribe ein warnendes Beispiel vor Augen zu führen.

Die Wirkung des Sexualtriebes wird sogleich im Positiven wie im Negativen an einem breit ausgeführten Beispiel dargestellt (40–126): Die Liebe des σκάρος zu seinen Artgenossen vermag diese einerseits aus dem Verderben zu retten; andererseits treibt der οἶστρος θηλυμανής (90) die Fische ins Verhängnis (119 f.: στυγερὴν δὲ πόθων εὕροντο / τελευτήν). Weitere, warnende Beispiele schließen sich an.[19] Sie sind so angeordnet, daß die Vehemenz des Liebestriebes immer stärker und entsprechend das Verhängnis immer größer wird. Den (negativen) Höhepunkt auf dieser Linie bildet der κόσσυφος (172 ff.). In bewußt anthropomorpher Weise wird dessen sexuelle Unersättlichkeit geschildert. Er begnügt sich nicht mit einer „Ehefrau", sondern er besitzt davon eine ganze Anzahl, die er in ständiger Eifersucht ununterbrochen bewacht. Oppian weist ausdrücklich auf einen entsprechenden Brauch unter den Orientalen hin (203 ff.) und reflektiert über die verhängnisvollen Folgen der Eifersucht (211 ff.). Nichts bringe schlimmeres Leid über die Menschen als diese. Das läßt sich exemplarisch am Schicksal

---

[18] Vgl. 568 (ἀφροσύνῃσιν); desgleichen 576. 597. 604. Der Vergleich mit den kleinen Kindern, die sich aus Unverstand zum Feuer hingezogen fühlen und erst durch Schaden klug werden (581 ff.), läßt die Intention des Autors wieder deutlich werden.

[19] Dabei unterstreichen immer wieder Gleichnisse die Parallelität zu menschlicher Verhaltensweise: 136 ff. 153 ff. 179 ff. 195 ff.

des κόσσυφος ablesen (216 ff.). Mit unverkennbarer moralischer Genugtuung registriert der Autor die Bestrafung derartiger sexueller Maßlosigkeit. Er läßt seine Befriedigung in den Worten des Fischers zum Ausdruck kommen (233 ff.). Ein Beispiel helfender Liebe, wieder durch ein entsprechendes Gleichnis transparent gemacht für den menschlichen Bereich (242 ff.), und Schilderungen seltsamer Formen eines ξεινός τε καὶ οὐκ ἐνδήμιος ἅλμης / ... ἔρως (264 ff.) münden in die Darstellung des Liebeskampfes der σαργοί (374 ff.). Wie der κόσσυφος werden auch sie das Opfer ihrer geschlechtlichen Gier nach einer Vielzahl von „Frauen": Der Sieger, der das Recht des „Gatten" über die „Frauen" errungen hat, treibt diese in die Falle des Fischers und schlüpft hinter ihnen als letzter hinein (400 f.):

ὃ δ' ὕστερος ἔνθορ' ἀκοίτης,
δειλαίης ἅμα δειλὸς ἐπισπεύδων ἀλόχοισι.

Bis hierher stand der Sexualtrieb in seiner verhängnisvollen Wirkung als Leitgedanke und eigentliches Thema über der Stoffentfaltung. Im folgenden fehlt ein solcher den Stoff überlagernder Aspekt. Der Autor schildert eine Reihe weiterer Listen der Fischer und beschließt die Darstellung der Fangweisen mit dem Tauchen (593–634). Als Nachtrag, der zum Abschluß die Überlegenheit menschlicher Klugheit noch einmal extrem zum Ausdruck bringt, wird am Ende des Buches der Fischfang mit Hilfe von φάρμακα geschildert (647 ff.). Das Buch endet mit dem eindrucksvollen Schauspiel unwiderstehlicher menschlicher Macht über die Kreatur, mit einem Bild nicht mehr zu steigernder Überlegenheit des Menschen im Wettkampf zwischen menschlicher und tierischer List. Auch hier geht es dem Dichter nicht um die konkret-praktische Belehrung des Adressaten, in welcher Weise man mit Giften gegen Fische vorzugehen habe. Eigentliches Anliegen ist die Herausarbeitung der extremen Ungleichheit des Kampfes. Die Überlegenheit des Fischers ist Sinnbild für die Stellung des Menschen in der Welt überhaupt. Hier ist es nicht die Welt der Fische, die über sich hinausweist auf das Verhalten der Menschen; hier ist es der Fischer selbst, in dem ein Aspekt menschlichen Daseins sinnfällig wird: die nahezu unbegrenzte, fast göttliche Macht den übrigen Lebewesen gegenüber. Aber – und dies darf nicht übersehen werden – die Art des Vorgehens wird doch von dem Dichter in einem unverkennbar ambivalenten Licht geschildert,[20] und der Leser bleibt mit dem Bedenken zurück, ob nicht der Mensch gerade aufgrund seiner Macht zugleich in der

---

[20] Vgl. bes. das Gleichnis 685 ff.: Die Maßnahme der Fischer wird verglichen mit einer Stadtbelagerung, bei der die Belagerer schließlich sogar die Brunnen vergiften, was zur Folge hat, daß die Belagerten eines „abscheulichen und unziemlichen Todes" (690) sterben. Das bedenkliche Vorgehen der Belagerer wirft ein bezeichnendes Licht auf die Maßnahme der Fischer.

Gefahr schwebt, diese Überlegenheit zu mißbrauchen, in Hybris zu verfallen – eine Erwägung, deren Berechtigung sich im nächsten Buch erweisen soll.

Dort wird zunächst der Gedanke der auf Erden von keinem anderen Lebewesen erreichten Machtstellung des Menschen fortgeführt. Das Proömium legt dar, daß zu Wasser und zu Lande dem Menschen nichts zu widerstehen vermag; er nimmt es sogar mit den κήτεα, den Untieren des Meeres, auf. Allein die Götter sind mächtiger als er. Mit diesen Bemerkungen umreißt der Autor diejenige Seite menschlichen Daseins, die besonders gegen Ende des vierten Buches zum Vorschein gekommen ist und die auch den ersten Teil dieses Buches bestimmen wird. Der Leser erinnert sich jedoch der Vorrede zum zweiten Buch, in der gerade die Nichtigkeit des Menschen, seine schlechthinnige Abhängigkeit von den Göttern herausgestrichen wurde.[21] Offensichtlich ist das eine nicht ohne das andere denkbar; beide Aspekte gehören zum Wesen des Menschen, und beide werden im folgenden Buch zur Sprache kommen. Was die Machtstellung des Menschen angeht, so zeigt die Reflexion über den Ursprung des Menschengeschlechts zu Beginn des fünften Buches recht deutlich die Fragwürdigkeit und Gefährdung dieser Macht durch sich selbst.[22]

Zunächst veranschaulicht der Dichter anhand eines breit ausgeführten Exempels die überlegene Stellung des Menschen (46 ff.). Die κήτεα, Meeresungeheuer mit gewaltiger Kraft, aber nur geringer geistiger Beweglichkeit, bedürfen eines anderen Fisches, um sich überhaupt zurechtzufinden. Dieser ἡγητήρ ist ihnen Ohr, Auge und Verstand zugleich (62 ff.). Wieder einmal nimmt der Autor diesen Sachverhalt zum Anlaß einer den Stoff auf das eigentliche Thema hin überschreitenden erbaulichen Reflexion (94 ff.): An dem Beispiel sehe man, in welchem Maße der Geist körperlicher Stärke überlegen ist; ἀλκὴ δ' ἀνεμώλιος ἄφρων (95). Dies Gesetz gelte ebenso für den menschlichen Bereich. Damit ist zugleich angedeutet, unter welchem Aspekt die folgende, alles bisher Dagewesene an Ausführlichkeit weit übertreffende Schilderung des Kampfes zwischen dem körperlich schwachen, aber klugen Fischer und dem Riesentier zu verstehen ist. Sie ist nicht nur Sinnbild für die Macht des Menschen aller übrigen irdischen Kreatur

---

[21] S. o. S. 142. Vgl. auch 1,80 ff.: Kein Mensch vermag mit seiner Erkenntnis in die Tiefe des Meeres einzudringen; vieles bleibt dem Menschen verborgen, ὀλίγος δὲ νόος μερόπεσσι καὶ ἀλκή (87). Der Mensch hat sich zu beschränken und sich seiner Grenzen bewußt zu sein. Vgl. schließlich auch die exemplarische Gegenüberstellung des πομπίλος und der ἐχενηίς im ersten Buch (186 ff.; s. o. S. 140).

[22] 5 ff.: Der Mensch ist entweder Geschöpf des Prometheus oder Sproß aus dem Blut der Titanen. Beide Genealogien sind für den Menschen nicht gerade schmeichelhaft, denn beiden haftet der Beigeschmack sich gegen das Göttliche vergehender Hybris an – was denn auch tatsächlich im folgenden Buch thematisch wird.

gegenüber, sondern zugleich Spiegel für das Verhältnis von Geist und Kraft.[23] Dasselbe gilt im Hinblick auf die folgenden Fangschilderungen (358–415). Aber der Fischer begnügt sich nicht mit dieser Beute. Er jagt auch den Delphinen nach und verstößt dabei gegen göttliche Gesetze. Denn der Delphin, dessen besonders enge und herausgehobene Beziehung zu Gott und Mensch im voraufgehenden bereits zum Ausdruck gekommen ist, steht unter göttlichem Schutz.[24] Doch den Fischer kümmert weder dies noch die Tatsache, daß ihm der Delphin oftmals freundlicher Helfer bei seiner Arbeit ist (425 ff.). Oppian schiebt in seine Darstellung eine Reihe von Mythen ein, die das wunderbare Verhalten der Delphine und deren menschliche Gesinnung vor Augen führen (448 ff.), um anschließend in um so schärferem Kontrast das verbrecherische und brutale Vorgehen der Fischer zu brandmarken, die sich nicht scheuen, dieses dem Menschen so verbundene Tier mit „eisernem Sinn" (522) zu verfolgen (519 ff.). Diese Unmenschen würden ihre Hände auch nicht von ihren Blutsverwandten fernhalten, so ruft der Dichter empört aus (523 ff.). Er schildert anschließend in krassen Farben die ganze Härte und unmenschliche Brutalität der Jagd auf den Delphin, der sich dabei als menschlicher erweist als der Jäger.[25] Die Funktion des Abschnitts ist deutlich. Er zeigt – über den vorgegebenen Stoff hinausgreifend – die Ambivalenz menschlicher Machtstellung auf, er weist hin auf die in dieser Machtstellung liegende Gefahr, die dem Menschen von Gott gesetzten Grenzen in hybrider Verblendung zu überschreiten, und erfüllt somit die im Proömium des Buches versteckte Andeutung (s. o. S. 148).

Wird dem Leser durch die Schilderung der Jagd auf den Delphin die Gefährdung menschlicher Größe ins Bewußtsein gerufen, so rückt der Schluß des Bu-

---

[23] Bei aller Ausführlichkeit der Schilderung bleiben doch jagdtechnische und zoologische Details im Hintergrund. Den Autor interessiert der Kampf in seiner exemplarischen, ,transparenten' Bedeutung, die für die Praxis bedeutsamen technischen Einzelheiten spielen demgegenüber keine Rolle. Die eigentliche Intention des Dichters wird besonders gegen Ende des Abschnitts deutlich, wenn er die Landbewohner nach Erlegung des Riesentieres nur zögernd und voller Furcht sich dem toten Ungeheuer nähern, die Zeichen von dessen gewaltiger Stärke bestaunen (319 ff.) und abschließend einen von ihnen die Genugtuung darüber aussprechen läßt, auf der festen Erde zu leben und sich nicht in solche Gefahren begeben zu müssen (333 ff.): An der Reaktion des ,normalen' Menschen wird deutlich, zu welchen Taten menschlicher Mut und Geist fähig sind.
[24] 416 ff. Vgl. auch 1,385 ff. (die Delphine als Lieblinge des Poseidon). 648 ff. (die Delphine waren ursprünglich Menschen und bewahren noch jetzt deren Sinnesart).
[25] 526 ff. Vgl. bes. die Gleichnisse 553 ff. (das Muttertier wird mit einer Mutter verglichen) und 579 ff. (der Fischer erscheint als Schlange, die ein Nest junger Schwalben überfällt) und die ,Rede' des Muttertieres an das gefangene Junge (560 ff.): Die Fischer vergehen sich gegen göttliches Gesetz. Vgl. ferner auch die empörten Bemerkungen des Dichters 572 ff.

ches und des ganzen Gedichts die bereits mehrfach angesprochene andere Seite menschlichen Daseins in den Blick (s. o. S. 148 mit Anm. 21): anhand der Beschreibung der gefährlichen Arbeit der Schwammtaucher (612 ff.). Oft geschieht es, daß die Gefährten bedrückt und trauernd über den Tod ihres Kameraden an Land gehen. Der Dichter beschließt seine Darstellung, die in diesem Buch mit dem Preis der unwiderstehlichen Macht des Menschen begonnen hat, bewußt mit diesem Kontrapunkt. Der Mensch ist ein zwiespältiges Wesen; Macht (verbunden mit der Gefahr ihres hybriden Mißbrauchs) und Ohnmacht sind in ihm untrennbar miteinander verschränkt.[26]

Die interpretierende Nachzeichnung des Gedankengangs der *Halieutika* hat deutlich werden lassen, daß für Oppian der Stoff nicht Gegenstand konkreter und praktischer Belehrung ist, daß er vielmehr Ausgangspunkt erbaulicher, populärphilosophischer Betrachtungen über das Verhalten der Menschen und deren Stellung in der Welt ist. Die eigentliche Lehre des Dichters vollzieht sich auf einer den Stoff überlagernden, höheren Ebene, sie ist moralisch-,philosophischer' Art. Mit dieser Lehre wendet sich der Autor – über den mehrfach angesprochenen, unmittelbaren Adressaten hinaus – an alle Menschen, wie etwa aus einer Stelle wie 2,217 (κλῦτε, γοναὶ μερόπων) deutlich hervorgeht. Die anthropomorphe Sicht der Tierwelt, welche die Parallelisierung tierischen und menschlichen Verhaltens im Sinne des eigentlichen Themas ermöglicht, ist zwar auch bei den anderen Tierschriftstellern dieser Zeit vertreten; aber Oppian benutzt diese sicherlich auch in seiner Vorlage bereits vorhandene analogisierende Sehweise konsequent, um über dem Stoff seine moralische Lehre zu etablieren.[27]

---

[26] Es ist gerade das Ziel des fünften Buches, anhand der drei Höhepunkte der Darstellung (Kampf mit dem Riesenfisch, Jagd auf den Delphin, Schwammtaucher) diese Verschränkung deutlich zu machen. Das verkennt G. Bürner, Oppian und sein Lehrgedicht vom Fischfang, Progr. Bamberg 1912, 18 f., der nur auf den vermeintlichen Widerspruch der Aussagen Oppians über die Stellung des Menschen hinweist. Auch die übrigen Beobachtungen dieser Arbeit bleiben an der Oberfläche und erfassen nicht das Wesentliche des Gedichts.

[27] Dieser wesentliche Unterschied zu den anderen Tierschriftstellern (wie Aelian und Plutarch) wird von Keydell, RE 35. Halbbd., 1939, 701, übersehen. Wie auch immer das Verhältnis zwischen Oppian und Aelian zu beurteilen sein mag (Wellmann [161 ff.] läßt beide auf eine gemeinsame Vorlage zurückgehen; Keydell, Hermes 72, 1937, 411 ff., führt dagegen starke Gründe für die Abhängigkeit Aelians von Oppian ins Feld), so zeigt doch gerade ein Vergleich dieser Autoren, in welchem Maße bei Oppian das, was bei Aelian nur gelegentlich aufscheint, thematisch ausgebaut ist. Gewiß läßt auch Aelian die Spiegelbildlichkeit tierischen Verhaltens gelegentlich hervortreten (vgl. etwa seine Vorrede und 1,18), aber die Fülle anthropomorphisierender Gleichnisse und erbaulicher Reflexionen im Gedicht des Oppian besitzt bei jenem keine Entsprechung, wodurch die spezifische Intention des Lehrdichters genügend deutlich wird: Vgl. etwa Hal. 1,263 ff.

Er unterstreicht diese seine Intention zudem durch eine Fülle von Gleichnissen, die sich in der Regel nicht auf eine Veranschaulichung und Belebung der Darstellung beschränken, sondern die Funktion haben, dem Leser die angestrebte Parallelisierung des Tierischen mit dem Menschlichen immer wieder ins Bewußtsein zu rufen.[28] Neben den Gleichnissen sind es besonders die die Stoffentfaltung unterbrechenden moralisierenden Reflexionen des Autors, die durch Verallgemeinerung des im Leben der Meerestiere Beobachteten das erbauliche Thema in den Vordergrund rücken.

Das Desinteresse des Dichters an sachlicher Belehrung zeigt sich in mehrfacher Hinsicht. Der Stil der Darstellung ist auch in den eigentlich jagdtechnischen Büchern nur ganz selten imperativisch-lehrhaft. Oppian verfährt größtenteils beschreibend als Betrachter – nicht aber Lehrer – des Stoffes, der daraus seine moralischen Folgerungen zieht. Er ist an seinem Gegenstand nicht sachlich interessiert, sondern steht ihm aufgrund von dessen Spiegelbildlichkeit emotional betroffen und moralisch engagiert gegenüber. Das moralische Engagement führt dazu, daß er das Schicksal der Fische nicht – wie es der Fischer oder der an der Sache orientierte Lehrdichter täte – nüchtern als solches registriert, sondern vielmehr zu deren Verhalten urteilend Stellung nimmt.[29] Angesichts des emotionalen, ‚unsachlichen‘ Verhältnisses des Dichters seinem Stoff gegenüber ist es nicht verwunderlich, daß er keinen Wert auf dessen klare, einem Lehrbuch an

mit Ael. 8,23; ferner Hal. 1,338 ff.: Ael. 9,34; Hal. 1,477 ff.: Ael. 9,63; Hal. 2,186 ff.: Ael. 3,29; Hal. 4,172 ff. (211 ff.): Ael. 1,14; Hal. 5,62 ff. (94 ff.): Ael. 2,13; an allen verglichenen Stellen fehlt jeweils bei Aelian die moralisierende Reflexion. G. Munno, RivFil 50, 1922, 307 ff., erkennt zutreffend in der „umanizzazione" das Darstellungsprinzip Oppians. Der Didaktiker überwinde „la severa logicità della scienza, vide una responsione tra i fatti umani e animali ..." (313); Munno arbeitet jedoch nicht heraus, in welcher Weise diese Tendenz thematisch wird.

[28] Auf diese Funktion der Gleichnisse wurde oben bereits wiederholt hingewiesen. Hier seien aus der Fülle des Materials nur wenige besonders signifikante Beispiele herausgegriffen. 1,503 ff.: Die Fische kämpfen miteinander um die „Frau" wie die Freier; 1,680 ff.: Das Verhältnis zwischen Eltern und Jungen bei den Delphinen wird verglichen mit demjenigen zwischen Pädagogen und ihren Zöglingen; 2,99 ff. 156 ff.: Die Listen der Fische entsprechen denen der Menschen; 3,358 ff.: Unbedachtsamkeit treibt den Fisch ins Unglück wie die Menschen (vgl. auch 3,501 ff. 512 ff. 581 ff.) usw. Bürner (20 ff.) erörtert die bunte Vielfalt der Gleichnisse und sieht in ihnen mit Recht Glanzlichter der poetischen Kunst des Didaktikers. Er verkennt jedoch ihre thematische Funktion völlig, wenn er in ihnen nur der Veranschaulichung dienende Schmuckstücke erblickt.

[29] Vgl. etwa 1,756 ff. und 2,642 ff. (Verurteilung bzw. Lob eines bestimmten Verhaltens); vgl. ferner 2,301; 4,345 (σαϱγὲ τάλαν ...). 362. 486. 549 f.: Der Autor hat Mitleid mit dem Schicksal der Fische; er zeigt sich ferner zutiefst berührt von dem verhängnisvollen Wirken des ἔϱως, wie etwa sein Ausruf σχέτλι' ἔϱως (4,11) erkennen läßt.

sich angemessene Gliederung legt. Die in der Prosavorlage herrschende Gliederung ist zwar beibehalten und im Nachvollzug des Aufbaus noch sichtbar. Aber
sie bleibt doch im einzelnen oft unklar, denn der Autor vernachlässigt die scharfe
Markierung durch den Stoff gegebener Einschnitte oft zugunsten seines übergreifenden thematischen Interesses.[30] Bezeichnend ist auch die weitgehende Ver-
meidung nüchtern-lehrhafter Systematik. Die Sachdarstellung des ersten Buches
beginnt zwar systematisch geordnet nach Wohngebieten der Fische mit trockenen Aufzählungsreihen, aber sehr bald macht sich der Dichter davon frei,
durchbricht die Systematik und Starrheit der Kataloge, läßt Einzelbeschreibun-
gen und damit auch thematisch bedeutsame Gesichtspunkte in den Vordergrund
treten.[31] Dasselbe Bestreben, sich nicht von der sachorientierten Ordnung der
Vorlage bestimmen zu lassen, ist gut am dritten Buch abzulesen. Auch hier beginnt Oppian ganz systematisch mit Ausführungen über den Fischer (29 ff.), die
Jagdzeiten (50 ff.) und die vier (in sich wieder vielfach differenzierten) Haupt-
fangweisen (72 ff.). Die dadurch für die folgende Darstellung an die Hand gegebene Möglichkeit durchsichtiger Systematik wird jedoch verschmäht, und die
detaillierten Darlegungen des Buchanfangs kontrastieren scharf mit dem Folgenden, das von den eigentlich thematischen Interessen des Dichters bestimmt ist.

---

[30] So wird z. B. im ersten Buch der Beginn des neuen Lehrstückes über das Paarungsverhalten (446 ff.) und über das Geburtsverhalten (584 ff.) nicht markiert. Der
Darstellung des zweiten Buches liegt als Gliederungsprinzip offenbar die 2,48 ff. gegebene Aufzählung der „Waffen" der Fische zugrunde, was aber im Verlauf der Stoffentfaltung nicht deutlich wird: Der übergeordnete, eigentlich thematische Gesichtspunkt (die Welt der Fische als Spiegel einer Welt von Gewalt und Gesetzlosigkeit) ist
dem Dichter wichtiger als eine klare, systematische Disposition. Ähnliches gilt für die
jagdtechnischen Bücher 3 und 4. Auch hier wird die Gliederung nach den vier Jagdtechniken (vgl. 3,72 ff.; 4,635 ff.) überlagert von anderen Gestaltungsprinzipien, die
der Sache selbst nicht dienlich, für den Autor aber von entscheidender Bedeutung sind,
wie etwa die Verderblichkeit der Freßgier und des Geschlechtstriebes. Die Charakterisierung der Disposition durch Keydell als „sehr sorgfältig" und „sachlich klar" (RE
35. Halbbd., 1939, 700 f.) ist angesichts dieses Befundes mindestens mißverständlich.
Sie trifft nur insoweit zu, als der Aufbau des ganzen Gedichts im großen gemeint ist,
d. h. als der Dichter die Anordnung des Stoffes aus seiner Quelle übernimmt. Gerade in
der Einzelausführung bewegt sich Oppian dagegen sehr selbständig und orientiert sich
an eigenen thematischen Interessen.

[31] Bis Vers 258 orientiert sich der Dichter konsequent an dem sicherlich auch in seiner Vorlage befolgten Prinzip, die Fischarten nach topographischen Kriterien aufzuzäh-
len (dieses Darstellungsprinzip herrscht auch in den Ovid zugeschriebenen lateinischen
Halieutica vor: Vgl. 92 ff.; Keydell 700). Allerdings versucht er auch hier bereits, die
Kataloge gelegentlich aufzulockern und durch anthropomorphe Epitheta sein eigentliches Anliegen erkennbar werden zu lassen. Von Vers 259 an tritt diese sachgemäße
Systematik in den Hintergrund, und die Kataloge werden immer seltener.

Allerdings muß doch auch betont werden, daß sich der Autor nicht gänzlich von dem Eigengewicht seines Gegenstandes freimacht. Der Lehrstoff als solcher drängt nicht nur an den beiden soeben erörterten Buchanfängen in den Vordergrund; die Stoffülle der Vorlage wird von dem Dichter auch sonst vielfach reproduziert, ohne daß er sie durchweg seinen leitenden thematischen Gesichtspunkten unterzuordnen oder in diese zu integrieren vermöchte. Wenn die moralisch-erbaulichen Aspekte auch, wie oben aufgezeigt wurde, als das den Lehrgegenstand überlagernde eigentliche Thema im Verlauf der Darstellung dem Leser immer wieder ins Bewußtsein gerückt werden, so ist es dem Dichter doch nicht gelungen, sie den gesamten Stoff durchdringen zu lassen. Dieser gewinnt vielmehr, wie ebenfalls die obige Nachzeichnung des Gedankengangs hat deutlich werden lassen, des öfteren sein sachliches Gewicht zurück und scheint dabei das erbauliche Thema zu verdrängen. Wenn auch das Gedicht insofern ein zwiespältiges Gesicht [32] aufweist, als die vom Autor intendierte Transparenz des Stoffes nicht überall in gleichem Maße sichtbar wird, so wird man doch angesichts der spezifischen Haltung des Dichters zu seinem Stoff als einem über sich hinausweisenden Sinnbild für das Dasein und die Stellung des Menschen nicht zögern, die *Halieutika* als eine Realisation des ‚transparenten‘ Typs – wenn auch in gebührendem Abstand – neben die Lehrgedichte des Arat und Vergil zu stellen. [33] Gewiß erreicht das kaiserzeitliche Gedicht nicht die kunstvolle Geschlossenheit dieser Vorgänger. Aber es stellt doch einen bemerkenswerten Versuch dar, an die für den griechischen Sprachbereich durch die *Phainomena* des Arat repräsentierte Hochblüte didaktischer Dichtung anzuknüpfen und der besonders anspruchsvollen und schwer zu bewältigenden arateischen Form ‚transparenter‘ Lehrdichtung ein von dem geistigen wie literarischen Horizont des zweiten nachchristlichen Jahrhunderts bestimmtes Pendant an die Seite zu stellen, welches wie sein Vorbild das Sachgedicht zum Träger und Vermittler erbaulicher Paränese macht. [34]

---

[32] Zu dem zwiespältigen Eindruck tragen auch die Mythen bei, mit denen Oppian seine Ausführungen belebt. Nur ganz selten besitzen sie eine Funktion im Hinblick auf das übergeordnete Thema (vgl. die Sagen in Verbindung mit dem Delphin: 5,448 ff.; s. o. S. 149). In der Regel werden sie – wie es scheint – recht planlos in die Darstellung eingeflochten und stellen nichts weiter dar als ein thematisch überflüssiges, dichterisches Ornament (vgl. 2,497 ff.; 3,402 ff. 486 ff.).

[33] Wenn die Präsenz des eigentlichen Themas bei Oppian im wesentlichen durch Reflexionen und eine entsprechende Funktionalisierung des traditionellen epischen Kunstmittels des Gleichnisses (s. o. S. 151), bei Arat und Vergil dagegen vor allem durch mythologische und sonstige Digressionen garantiert wird, so vermag diese als solche zu notierende Differenz die grundsätzliche typologische Übereinstimmung nicht zu verdecken.

[34] Oppian scheint sich der besonderen Nähe zu dem Typ der Arateischen Lehrdich-

b) Grattius

An erster Stelle der drei zu betrachtenden Lehrgedichte über die Jagd auf Landtiere ist das früheste von ihnen, das gegen Ende verstümmelte Buch des Grattius,
eines Zeitgenossen des Ovid, zu interpretieren.[1] Der Dichter umreißt in dem
Proömium grob das Thema seines Werkes: *carmine et arma dabo et venandi
persequar artes* (23). Er unterstreicht mit besonderem Nachdruck die Bedeutung
seines Gegenstandes und das daraus resultierende Gewicht seiner poetischen
Darstellung durch zwei im Proömium stark herausgestellte Gedanken. Dem
Anspruch, im Auftrage der für den Gegenstandsbereich ,zuständigen' Gottheit
(hier: Diana) zu handeln,[2] würde man zunächst nicht allzu viel Gewicht beimes-

tung bewußt zu sein und scheint gerade an die *Phainomena* anzuknüpfen. Das erhellt
mit großer Wahrscheinlichkeit aus den jeweils an prononcierter Stelle eingefügten, offenbar programmatischen Arat-Bezugnahmen (s. o. S. 141 mit Anm. 8 und 144 mit
Anm. 12). Das besonders enge Verhältnis des kaiserzeitlichen Didaktikers zu dem hellenistischen Wegbereiter der Gattung mag auch durch die Tatsache begründet sein, daß
Oppian wie sein berühmter Vorgänger aus Kilikien stammt. Den modernen Interpreten
der *Halieutika* ist die Einsicht in deren spezifische, ,transparente' Struktur entgangen
(was seinerseits undifferenziert negative Gesamturteile zur Folge hat: Vgl. etwa A. Les-
ky, Gesch. der griech. Lit., Bern 1971³, 909 f., und J. Latacz, Gnomon 47, 1975, 443;
vgl. dagegen das sehr viel positivere Urteil bei Wilamowitz 221). Keydell (698 ff.) hat
solche Fragen überhaupt nicht im Blick, und Bürner (36) verkennt die Intention des
Dichters sogar so vollständig, daß er ihm „rein praktische Zwecke" zuschreibt und das
Gedicht einen „antiken Katechismus der Fischkunde und des Fischfangs" nennt, bestimmt zum praktischen Gebrauch durch den Fischer.
    [1] Der Text wird zitiert nach der kommentierten Ausgabe von P. J. Enk, Gratti Cyne-
geticon quae supersunt, Zutphen 1918; vgl. ferner auch R. Verdière, Gratti Cynegeticon
libri I quae supersunt, Wetteren o. J. (1963) (mit ausführlichem Kommentar). Das Buch
behandelt nur die Voraussetzungen zur Jagd (Ausrüstung mit Gerät und Waffen, Lehre
von den Hunden und Pferden), und es ist ganz unwahrscheinlich, daß der Autor, dessen
starkes Interesse an seinem Gegenstand im folgenden herausgearbeitet werden wird, auf
die Lehre der Jagd selbst verzichtet haben sollte (so G. Curcio, RivFil 26, 1898, 59 f.).
Es ist allerdings auch zweifelhaft, ob er – wie F. Vollmer, RE 14. Halbbd., 1912, 1843,
meint – dem Aufbau der griechischen *Kynegetika* (s. u. S. 173 ff.) entsprechend der Jagddarstellung eine eigene, in sich geschlossene Tierbeschreibung vorausgeschickt hat.
Denn dieses Verfahren des griechischen Lehrdichters kann sehr wohl auf den das Gedicht auch sonst bestimmenden Einfluß der *Halieutika* des Oppian zurückzuführen
sein. Die Prosavorlage des Grattius (bei dem Versuch ihrer Bestimmung ist man über
Hypothesen nicht hinausgekommen: Vgl. Enk 1,31 f. und Verdière 1,59 ff.) kann – wie
etwa auch der *Kynegetikos* des Xenophon – auf eine solche geschlossene Tierbeschreibung verzichtet haben.
    [2] Vgl. 2 *(auspicio, Diana, tuo)*. 22 *(iussus;* von Enk, ad loc., mit Recht an Stelle des
überlieferten *lusus* befürwortet); vgl. auch 99: *dic age Pierio (fas est) Diana mi-
nistro*.

sen wollen, handelt es sich doch dabei um einen durchaus konventionellen Topos. Dieser Gedanke tritt bei Grattius jedoch nicht isoliert hervor, sondern er ist eingebettet in eine dem Werk vorangestellte Reflexion über Ursprung und Sinn der Jagd und deren Funktion im Rahmen menschlicher Zivilisation: Die Jagd ist ein Geschenk der Götter (1). Sie haben den Menschen, deren Dasein sich zunächst nur auf Gewalt und rohe Kraft gründete (2 f. 9), die Ansätze zur Entwicklung der *artes* und zur allmählichen Entfaltung der *ratio* gegeben. Dabei war es – mythologisch gesprochen – die Leistung der Diana, das Leben der Menschen in seiner Gefährdung durch den ständigen Kampf mit den wilden Tieren zu schützen und den Erdkreis durch das Geschenk der Jagdkunst von dieser Plage zu erlösen (13 ff.). Diese kulturgeschichtlich-zivilisatorische Funktion der Jagd war jedoch nach der Auffassung des Dichters nicht nur eine Sache der fernen Vergangenheit. Sie gilt genauso auch noch für die Gegenwart.[3] So sieht sich der Autor in Übereinstimmung mit der göttlichen Intention, wenn er in seinem Gedicht darangeht, *nostram defendere sortem / contra mille feras* (21 f.). Der Anspruch, in göttlichem Auftrag zu handeln, verliert in diesem Kontext die Unverbindlichkeit eines konventionellen literarischen Topos und gewinnt das Gewicht einer ernsten Aussage. Es besteht jedenfalls – und dies wird durch die folgende Interpretation bestätigt – kein Anlaß, die Aussagen des Proömiums nicht in ihrem vollen, sachlichen Ernst zu verstehen.

Der Hervorkehrung der Bedeutung des Lehrgegenstandes dienen auch die folgenden Ausführungen des Proömiums.[4] Dabei wird zugleich die Notwendigkeit betont, an dieses *magnum opus* (61) mit entsprechender *cura* heranzugehen, d. h., sich die nötige Sachkunde für das Jagdwesen anzueignen. Mythologische Exempla lassen einerseits deutlich werden, in welchem Maße derjenige gefährdet ist, der die Lehre des Dichters vernachlässigen zu können meint (62–68); andererseits zeigt das Beispiel des Herakles, dessen Heldentaten ja die Menschheit von der Plage mancher wilder Tiere befreit haben und der sich insofern als *cultor feri orbis* (69) hervorragend als Zeuge für die den Autor bestimmende Sicht der Jagd eignet, daß mit der erfolgreichen Ausübung dieser Tätigkeit als einem Dienst an der menschlichen Zivilisation ein Höchstmaß an Ansehen und Ruhm

---

[3] Grattius wendet sich gegen die sicherlich verbreitete, z. B. bei Cicero (Tusc. 1,25, 62) zum Ausdruck kommende Ansicht, die kulturgeschichtliche Leistung der Jagd gehöre der Vergangenheit an, die Gegenwart bedürfe ihrer nicht mehr (vgl. H. Herter, RhM 78, 1929, 366 f.).

[4] Die Umstellung der Verse 61–74 hinter Vers 23 scheint trotz Herter (368 f.) erforderlich. Der Leser bezöge sonst *magnum opus* (61) unweigerlich auf die zuvor behandelten Netze, was absurd wäre. Für die Umstellung der Verse spricht auch die unten (S. 156) erörterte enge Beziehung des Proömiums auf das des Lukrezischen Lehrgedichts.

verbunden sein kann. Die Person des Herakles läßt am Ende des Proömiums den
Lehrgegenstand noch einmal in seiner ganzen Erhabenheit erstrahlen.[5]

Das Proömium macht deutlich, welch große Bedeutung der Dichter seinem
Stoff beimißt. Dabei rücken der materielle Aspekt des Nutzens und der sportliche Gesichtspunkt – in *laetas venantibus artes* (1) immerhin angedeutet – ganz
in den Hintergrund. Die Bedeutsamkeit des Gegenstandes ergibt sich für den
Autor in erster Linie aus dessen Stellenwert im Rahmen zivilisatorischen Fort-
schritts. Dem modernen Leser wird diese Sicht der Jagd sicherlich als unangemessen oder zumindest übertrieben erscheinen, und er mag geneigt sein, sie als
nicht ganz ernst zu nehmende Übersteigerung eines Liebhaber-Engagements
herunterzuspielen. Man hat sie aber als charakteristisch für das Verhältnis des
Dichters zu seinem Stoff ernsthaft zur Kenntnis zu nehmen, denn nur unter
dieser Voraussetzung wird vieles, was sich aus einer solchen Sicht für die Darstellung des Autors ergibt und was als Entgleisung oder Übertreibung das Kopf-
schütteln der Interpreten hervorgerufen hat, erst verständlich. Der römische
Dichter hat Grund, den Zeitgenossen seine hohe Einschätzung des Jagdwesens
eindringlich vor Augen zu führen, gilt doch die Jagd in Rom im Unterschied
zum griechischen Bereich als eine dem freien Mann nicht angemessene Beschäftigung.[6] Von dem Bewußtsein der (weithin verkannten) Relevanz seines Themas
durchdrungen, ist der Dichter bestrebt, auch seine Landsleute davon zu überzeugen – in dieser werbenden Haltung durchaus vergleichbar dem Lukrez und
dessen missionarischem Eifer. Grattius scheint sich dieser im Verhältnis zum
Stoff begründeten Verwandtschaft mit seinem berühmten Vorgänger bewußt zu
sein. Damit könnte jedenfalls am besten das bisher merkwürdigerweise über-
sehene Faktum erklärt werden, daß der Jagddichter im Proömium deutlich auf
den Eingang des Lukrezischen Lehrgedichts Bezug nimmt, daß sein Proömium
im Aufbau betont dem des Lukrez folgt. So wie Lukrez auf den Spuren des
quasigöttlichen Heilbringers Epikur die Menschheit von der sie bedrückenden
Last der *religio* erlöst und den Adressaten von der heilenden und befreienden
Kraft seiner Lehre zu überzeugen trachtet, setzt Grattius das Werk der Gottheit
und des Herakles fort, verteidigt mit seiner Lehre Leben und Kultur der Menschen gegen die aus der Welt der wilden Tiere drohenden Gefahren und versucht
die Zweifel des Adressaten an der Bedeutsamkeit dieser seiner ‚Heilslehre‘ zu
beseitigen.[7]

---

[5] 69–74. Enks Umstellung der Verse 73 f. ist unnötig: Vgl. Herter 368 f.

[6] Vgl. etwa Sall., Cat. 4,1: *officium servile;* dazu B. A. Müller, WSt 30, 1908,
165 ff.; Orth, RE 17. Halbbd., 1914, 558 ff.

[7] Für die Berührungen mit Lukrez im einzelnen – besonders in dem kulturgeschichtlichen Abriß – sei auf die Kommentare verwiesen. Hier sind die Entsprechungen der

Angesichts des im Proömium sichtbar werdenden engagierten Verhältnisses des Dichters zu seinem Stoff ist es verständlich, daß sich die folgende Sachdarstellung ganz an der konkreten Praxis orientiert. Grattius kommt es auf eine sachlich adäquate und bis in technische Details genaue und zutreffende Entfaltung seines Lehrgegenstandes an. Das Prinzip strikter Sachbezogenheit gilt auch dort, wo es sich um die Behandlung von Präliminarien wie Ausrüstung, Waffentechnik und dergleichen handelt. Der Autor strebt tatsächlich praktische Belehrung an, und er versäumt nicht, wiederholt auf den konkreten Nutzen seiner Ausführungen hinzuweisen.[8] Technische Details sind ihm so wichtig, daß er sich polemisch mit bestimmten Praktiken auseinandersetzt; vgl. etwa 114 ff. hinsichtlich der Waffentechnik. Grattius beginnt mit der eingehenden Beschreibung der Ausrüstungsgegenstände, wobei selbst die Materialien eine wichtige Rolle spielen: Netze, Blendzeug, Schlingen, Fallen (24–94). Hier, wie auch im folgenden Abschnitt, der den eigentlichen Waffen gewidmet ist (95–149), ist der Dich-

---

Proömien herauszuarbeiten (vgl. o. S. 67 f.). Die kurze Nennung des Themas (1: *dona cano divom, laetas venantibus artes*) entspricht der Inhaltsangabe bei Lukrez (54 ff.). Daran schließt sich bei Grattius wie bei Lukrez eine Ausführung über Ursprung und Sinn des Lehrgegenstandes: Die Stelle des Heilbringers Epikur nimmt bei Grattius die Gottheit ein. Sie führt die Menschen aus dem *error* heraus auf den Weg der *ratio;* und wie schließlich bei Lukrez das anschließende Beispiel der Opferung der Iphigenie dazu dient, den Zustand des *error*, der Unbelehrtheit, zu demonstrieren, so besitzen bei Grattius die mythologischen Exempla der unheilvollen Jagdausgänge eine entsprechende Funktion (ein weiteres Argument für die Umstellung der Verse 61 ff.; s. o. Anm. 4). Der abschließende Hinweis auf Herakles ist in Beziehung zu setzen zu dem Proömium des Lukrezischen fünften Buches. Dort wurde ja die Leistung des Herakles als des ruhmbedeckten Befreiers der Erde von wilden Ungeheuern abwertend gemessen an derjenigen des wahren Heilbringers Epikur (22 ff.): Wenn auch die Erde voll wilder Tiere sei, so sei dieses Übel doch leicht dadurch zu bewältigen, daß man ihm aus dem Wege gehe (39 ff.). Was bedeute also schon die Tätigkeit des Herakles: *cetera de genere hoc quae sunt portenta perempta, / si non victa forent, quid tandem viva nocerent* (37 f.)? Diesem Verdikt stellt sich Grattius entgegen. Er spricht der Jagd die von Lukrez bestrittene Funktion ausdrücklich zu und setzt in deutlicher Polemik gegen den Epikureer Herakles in seine alten Rechte wieder ein (zur Rolle des Herakles im Rahmen der Auseinandersetzung um den von seiten der Epikureer für ihren Schulgründer beanspruchten „Triumph des Geistes" vgl. V. Buchheit, Hermes 99, 1971, 303 ff., bes. 314 f.). – Während diese Bezüge zu Lukrez – gerade auch die polemischen – unmittelbar durch die Sache selbst, d. h. durch den Ernst, mit dem der Dichter seinem Stoff gegenübersteht, gegeben sind, verfolgen die Anklänge an die *Georgica* Vergils (vgl. bes. 16 ff. mit Georg. 1,16 ff.) das Ziel, die literarische Tradition, in der das Lehrgedicht steht, bewußt werden zu lassen.

[8] Vgl. den Schluß des Proömiums: *exige si qua meis respondet ab artibus ergo / gratia quae vires fallat conlata ferinas* (73 f.; s. o. Anm. 4 und 5); ferner 380 *(et nostra quidam redit usus ab arte)* und 33. 60. 309. 334 ff.

ter zwar bemüht, den einzelnen Unterabschnitten eine jeweils unterschiedliche
Ponderierung zu geben, so daß nicht alle Gegenstände mit gleicher Ausführlichkeit behandelt werden,[9] aber die gelegentliche Raffung des Stoffes ist ein notwendiges Zugeständnis an die durch die augusteische Literatur, zumal die *Georgica*, geprägten ästhetischen Ansprüche des Publikums und resultiert keineswegs aus mangelndem Interesse an sachlichen Einzelheiten. Das grundsätzliche
Streben des Autors nach Vollständigkeit und praktischer Benutzbarkeit seiner
Darstellung wird dadurch nicht berührt. Die Fülle technischer Angaben, der
Reichtum praktischer Hinweise, die Aufmerksamkeit, die den jeweiligen Materialien gewidmet wird (z. B. bei den Netzen: 34 ff.; bei den Wurfspeeren: 128 ff.):
all das läßt das praktische Interesse des Dichters überdeutlich werden. Die Ausführlichkeit und Breite bei der Beschreibung der Ausrüstungsgegenstände sind
um so bezeichnender, als Grattius beim Übergang zur Erörterung der Jagdhunde
die bisher behandelten Gegenstände als vergleichsweise *partes exiguae* charakterisiert (150).

Die Lehre von den Jagdhunden wird vom Autor ausdrücklich als der wichtigste Lehrgegenstand überhaupt gekennzeichnet (150 ff.). Sie wird entsprechend
ausführlich vorgetragen. Der einleitende Katalog der Hunderassen läßt sogleich
wieder die praxisbezogene Intention des Dichters erkennen. Grattius begnügt
sich nicht mit einer reinen Aufzählung von Namen,[10] sondern fügt jeweils eine
Charakterisierung der Mentalität, der Vor- und Nachteile der einzelnen Rassen
bei. Dadurch erhält der Benutzer die nötigen Anhaltspunkte für das Verständnis
der folgenden Kreuzungsvorschriften (193 ff.). Auch hier gibt der Autor eine
Fülle praktischer Ratschläge. Anschließend belehrt er den Adressaten über alles,
was bei der Aufzucht der Jungen zu beachten ist (263 ff.). Wieder ist die Darstellung ganz an der Praxis des Züchters orientiert. Auf Einzelheiten braucht
hier nicht eingegangen zu werden. Statt dessen lohnt es sich, einen vielbehandelten Abschnitt zu betrachten, der geeignet ist, die spezifische Haltung des Dichters seinem Gegenstand gegenüber noch einmal nachdrücklich zu unterstreichen.
Grattius warnt als Sachkenner 307 ff. eindringlich davor, die jungen Hunde
durch besondere Leckerbissen zu verwöhnen. Die Tiere dürfen keinen Luxus
kennenlernen. Eine solche unangemessene Zärtlichkeit würde später großen
Schaden bringen (309: *haec magno redit indulgentia damno*). Man sehe die

---

[9] Vgl. etwa die Kürze bei der Behandlung der Schlingen und Fallen (89–94) und – im
Waffenteil – hinsichtlich der Pfeile (124–126).

[10] So verfahren bezeichnenderweise sowohl Nemesianus (224 ff.; s. u. S. 171) wie auch
der Verfasser der griechischen *Kynegetika* (1,369 ff.; s. u. S. 177), bei denen ein eventuell
vorhandenes sachliches Interesse an dem Lehrstoff durch andere Aspekte in den Hintergrund gedrängt wird.

verderbliche Wirkung der *luxuria* ja zur Genüge im menschlichen Bereich. Der Dichter führt für diese Behauptung eine Reihe von Beispielen ins Feld und schließt den ,Exkurs' mit einem Gedanken, der seiner Argumentation den nationalen Stolz des Adressaten nutzbar machen soll: Die Größe Roms werde in erster Linie der einfachen Bedürfnislosigkeit der Vorfahren verdankt (321 ff.). Grattius ist sich sehr wohl bewußt, daß das von ihm miteinander in Beziehung Gesetzte von unterschiedlichem Gewicht ist (326 f.); aber allein die Tatsache, daß er seine technische Vorschrift durch historische Analogien stützt, die auf einer sehr viel höheren Ebene liegen, zeigt, welche Bedeutung er dem richtigen Verhalten des Hundezüchters beimißt. Gerade das von den Interpreten als störend empfundene Mißverhältnis zwischen praktischer Anweisung und allgemeiner *luxuria*-Reflexion läßt das außerordentliche Interesse des Dichters an der Sache überdeutlich werden: Sie ist ihm so wichtig, daß er zur Erhärtung einer zuchttechnischen Maxime Beweismaterial aus dem Bereich der römischen Geschichte beibringt.[11]

Der nächste große Abschnitt, zugleich der letzte innerhalb des Lehrstücks über die Hunde, erörtert die Behandlung von deren Wunden und Krankheiten. Hier berührt sich der Dichter besonders eng mit entsprechenden Schilderungen in den Lehrgedichten des Lukrez und Vergil. Aber gerade die in den Kommentaren verzeichneten zahlreichen Anklänge an die Vergilische Beschreibung der norischen Viehseuche am Ende des dritten Buches der *Georgica* lassen den fun-

---

[11] Es handelt sich also bei der *luxuria*-Reflexion gar nicht um einen eigentlichen ,Exkurs' (im Sinne einer thematisch überflüssigen Einlage), sondern um eine im Dienst der Lehre stehende Reihe von Beweisen, um ein Element der sachlichen Argumentation nach Art der Lukrezischen Didaktik. Man mag die Partie als einen „Mißgriff" (Vollmer 1844) oder als eine „Entgleisung" (Schanz/Hosius, Geschichte der röm. Literatur 2, München 1935⁴, 265) betrachten, hat dabei aber ihre vom Autor intendierte sachdienliche Funktion im Auge zu behalten. Insofern gehen auch die Versuche von Enk (2,92 f.) und Verdière (2,334 f.), den Abschnitt zu verteidigen, am Wesentlichen vorbei, als ihr Verweis auf ähnliche Partien innerhalb der didaktischen Poesie die entscheidende Frage nach der jeweiligen Funktion solcher ,Exkurse' ganz außer acht läßt. Gerade der von Enk vorgebrachte Vergleich mit Opp., Hal. 2,217 ff. (s. o. S. 143) zeigt exemplarisch die unterschiedliche, für die Grundstruktur der Gedichte jeweils charakteristische Funktion, die derartige ,Digressionen' haben können: Oppian benutzt das tierische Verhalten als Spiegel für das Leben der Menschen, zieht – seinem spezifischen Verhältnis zum Stoff entsprechend – aus dem Dargestellten eine moralisch-erbauliche Nutzanwendung, auf die es ihm vor allem ankommt. Grattius geht es dagegen um die konkrete, praktische Anweisung, d. h. um den Stoff selbst, bei ihm steht die Analogie aus dem menschlichen Bereich als ein zusätzlicher Beweis im Dienst der stofflichen Lehre. Die typologische Differenz der beiden Gedichte wird hier so scharf wie nur möglich faßbar – allerdings erst dann, wenn man nicht mehr ,Exkurs' gleich ,Exkurs' setzt.

damentalen Unterschied der beiden Darstellungen um so schärfer hervortreten. Im Gegensatz zu Vergil, der so gut wie keine praktischen Ratschläge erteilt, sondern als emotional beteiligter, mitfühlender Betrachter das Bild der gepeinigten Kreatur im Sinne seiner den Stoff überschreitenden, nicht an der Praxis selbst interessierten Intention ausmalt, ist die Erörterung des Grattius gerade durch konkrete, praktische Anweisungen gekennzeichnet. Dem Jagddichter geht es nicht darum, ein mitleiderregendes Bild der dem Tod verfallenen Kreatur zu malen, er sieht die Krankheiten vielmehr mit dem nüchternen Interesse des sachlich Betroffenen und legt entsprechenden Wert auf eine adäquate Beschreibung. Der Autor erörtert eingehend die einzelnen Krankheiten, reflektiert über deren natürliche und übernatürliche Ursachen, soweit deren Kenntnis der Beseitigung des Übels dienlich sein kann,[12] und erteilt jeweils konkrete Belehrungen hinsichtlich der Heilungsmöglichkeiten. Dabei tritt wiederholt der Gedanke in den Vordergrund, der zu Beginn dieses Abschnitts formuliert wird und der ja seit dem Proömium im Bewußtsein des Lesers verankert ist: Die Gottheit, mit deren Unterstützung und in deren Auftrag sich der Mensch der zivilisatorischen Aufgabe der Jagd unterzieht, steht dem Jäger auch in diesem Teilbereich helfend zur Seite (349 ff.). Dieser Gesichtspunkt gewinnt zweimal Gestalt; einmal in der in literarischem Anschluß an das Aristaeus-Epyllion der *Georgica* breit ausgestalteten Volcanus-Episode,[13] sodann in der den Abschnitt wirkungsvoll beschließenden Schilderung des Opfers für die Göttin Diana (483 ff.). In beiden Fällen handelt es sich nicht um sachlich entbehrliche Ornamente. Die Beschreibungen stehen vielmehr in engem Konnex mit dem stofflichen Thema, denn einerseits stellen die in ihnen dargestellten Praktiken eine Möglichkeit dar, mit der Krankheit durch göttliche Hilfe fertig zu werden, andererseits sind sie geeignet, die vom Dichter so stark verfochtene Würde der Jagd zu unterstreichen: An dieser Aufgabe sind Gott und Mensch gleichermaßen beteiligt.[14]

---

[12] Vgl. 384 ff. (Nennung der *primae causae*, damit man rechtzeitig Gegenmaßnahmen ergreifen kann). 399 ff. (der Autor kalkuliert magische Einwirkungen mit ein und nennt entsprechende Gegenpraktiken). Die Ursachenerklärung ist nie Selbstzweck, sondern geschieht immer im Blick auf die Praxis: Das Interesse des Dichters ist kein theoretisches, sondern ein praktisches.

[13] Die verhältnismäßige Breite der Schilderung erklärt sich aus dem Bestreben, mit dem berühmten Beispiel Vergilischer Kunst literarisch zu wetteifern. Das zeigt schon der Einsatz der Höhlenbeschreibung (430: *est in Trinacria specus ingens . . .*), der betont an den Beginn der Schilderung der Proteus-Höhle in den *Georgica* (4,418: *est specus ingens . . .*) erinnert; vgl. ferner Gratt. 443 *(dictu mirum atque alias ignobile monstrum)* mit Georg. 4,554 *(dictu mirabile monstrum)*.

[14] Die Volcanus-Episode fügt diesem Gedanken noch einen weiteren Aspekt hinzu: Der Ernst und die große Bedeutsamkeit dieser gottgewollten Tätigkeit erfordern von

Den Abschluß des Buches bildete die Behandlung der Pferde, wie aus der einleitenden Bemerkung (497: *restat equos finire notis*) hervorgeht. Wie zu Beginn des Lehrstücks über die Hunde steht auch hier am Anfang ein Katalog der Rassen, der wiederum sogleich auf die Jagdpraxis Rücksicht nimmt, indem – wie bei den Hunden – Vor- und Nachteile der einzelnen Rassen gegeneinander abgewogen werden. Die nüchtern-praktische Tendenz der Darstellung kommt unter anderem auch darin zum Ausdruck, daß für den Autor – ebenso wie bei der Musterung der Hunderassen (176 ff. 258 ff.) – die tatsächliche Verwendbarkeit und der konkrete Nutzen der Tiere im Hinblick auf die Jagd Vorrang hat vor eventuellen ästhetischen Qualitäten, die nur das Auge erfreuen (525 f.). Mitten in der Aufzählung bricht der Text ab.

Die erhaltenen Abschnitte zeigen deutlich das Streben des Dichters nach einer möglichst vollständigen und sachlich zutreffenden Stoffdarstellung.[15] Der Stoff ist identisch mit dem Thema. Er wird in klarer, durchsichtiger Disposition Schritt für Schritt entfaltet. Dabei ist der Stil durchweg lehrhaft-anordnend. Der Lehrdichter spricht als Sachkenner und beruft sich wiederholt auf eigene Erfahrung (vgl. etwa 193. 267. 435); er wendet sich ständig mit imperativischen Formulierungen an den anonymen Adressaten. Diesem wird bereits im Proömium der Umfang und die Schwierigkeit des Gegenstandes eingeschärft (61 ff.), damit er es ja an eigener Anstrengung nicht fehlen lasse – wieder ein Aspekt, der das Gedicht in die Nähe des Lukrezischen Werkes stellt (s. o. S. 70). Grattius ist wie Lukrez bestrebt, den Leser von dem großen Nutzen seiner Lehre zu überzeugen (73 f.). Er versichert ausdrücklich, daß sich der Adressat auf seine Darstellung verlassen kann, daß es ihm auf sachliche Richtigkeit ankommt (300). Wenn die Darstellung auch immer an den nüchternen Notwendigkeiten der Jagdpraxis orientiert bleibt, so hat doch das sachliche Engagement des Autors dessen innere Beteiligung an dem Gegenstand zur Folge. Dieses persönliche Verhältnis, ja, die Liebe des Dichters zu seinem Stoff kommt immer wieder zum Ausdruck, besonders in emotionalen Ausrufen und Apostrophen.[16]

---

seiten des Menschen neben sachlicher Kompetenz vor allem auch eine untadelige moralische Haltung. Nur unter dieser Voraussetzung erhält der Mensch die Unterstützung der Gottheit (vgl. 447 ff.; s. auch u. S. 162 f.).

[15] Das Bemühen um Vollständigkeit gewinnt expliziten Ausdruck etwa in Vers 127: *disce agedum et validis dilectum hastilibus omnem.* Natürlich läßt sich Vollständigkeit der Darstellung nicht immer verwirklichen, da sonst der Rahmen des Gedichts gesprengt würde. Die Berücksichtigung ästhetischer Gesichtspunkte erfordert gelegentlich eine Straffung des Stoffes (vgl. etwa 477 ff.; s. außerdem o. S. 158).

[16] Vgl. etwa (bei der Aufzählung der Hunderassen) 172 f. 176 und (bei der der Pferderassen) 524. 528 ff.; zur reichen Verwendung der Apostrophe vgl. z. B. die Partie 209 ff.

Wurde im vorangehenden die strikte Sachbezogenheit und die von Anfang bis Ende durchgehaltene Orientierung an praktischen Gesichtspunkten als das Grundkennzeichen des Werkes herausgearbeitet, so ist doch nunmehr auf einige Elemente hinzuweisen, die dazu in einer gewissen Spannung stehen. Diese Darstellungselemente entstammen durchweg der Tradition gelehrt-artistischer hellenistischer Dichtung und dürften in das Gedicht des Grattius in erster Linie aufgrund des Einflusses eines entscheidenden literarischen Vorbildes: der Vergilischen *Georgica,* die ja ganz in dieser Tradition stehen (s. o. S. 80 ff.), eingedrungen sein. Die große Fülle sprachlicher Anklänge an das Lehrgedicht Vergils zeigt zur Genüge, welche Bedeutung dieses für die Dichtung des Grattius besaß.[17] Die Vielfalt literarischer Anspielungen (neben Vergil besonders an das Lehrgedicht des Lukrez) und die – hier nicht näher zu untersuchende – stilistische Sorgfalt lassen erkennen, daß der Jagddichter, abgesehen von dem Engagement für die Sache, auch von dem Moment literarischer *aemulatio* getragen ist, daß er für ein gebildetes Publikum schreibt, das nicht zuletzt durch ästhetische Reize für die Sache, die dem Verfasser am Herzen liegt, gewonnen werden soll. In Übereinstimmung damit stehen gelegentliche Versuche des Autors, mit ,hellenistischer' Gelehrsamkeit zu prunken. Diese dokumentiert sich nicht nur in der Entfaltung geographischer Kenntnisse,[18] sondern äußert sich vor allem in der Ausbreitung seltener und abgelegener Mythen. Beides steht in einem gewissen Widerspruch zu der sonst vorherrschenden Sachbezogenheit. Aber bei aller Seltenheit und Erlesenheit sind doch gerade die beiden großen mythologischen ,Einlagen' über die beiden ,Erfinder' Derkylos und Hagnon nicht etwa reine gelehrt-ornamentale Verzierungen. Sie sind zwar für eine streng sachorientierte Entfaltung des Lehrgegenstandes entbehrlich, dienen aber doch den thematischen Intentionen des Dichters: Die literarischen Intentionen ordnen sich letztlich doch dem Sachengagement unter.

Grattius fügt in jeden der beiden erhaltenen Hauptteile des Buches eine mythologische Erzählung ein, welche jeweils den πρῶτος εὑρετής einer bestimmten Technik vor Augen führt. Der Arkader Derkylos hat die Jagd als erster kunstmäßig ausgeübt und dieses sein Wissen, verbunden mit einer speziellen waffentechnischen Erfindung, unter den Menschen verbreitet (95 ff.). Der Böoter Hagnon ist der ,Erfinder' des kunstreichen Aufspürens der Jagdbeute (213 ff.). Derkylos ist aufgrund seiner Religiosität und moralischen Integrität von Diana dazu ausersehen worden, das Wissen um die Jagdkunst zu erwerben und weiterzugeben (103 ff.). Der Mythos gibt dem Autor die Gelegenheit, den Gedanken

---

[17] Vgl. die Zusammenstellung bei Enk (1,10 ff.). Einiges ist auch oben (Anm. 7; S. 159 f.) bereits zur Sprache gekommen.
[18] Vgl. etwa 34 ff. 127 ff. 227 f. 509 f.

vorzutragen, der vom Proömium an sein Werk beherrscht: Die Jagdkunst ist für den zivilisatorischen Fortschritt der Menschheit von größter Bedeutung; der Jäger handelt in göttlichem Auftrag und mit göttlicher Unterstützung – die allerdings auf seiner Seite moralische Lauterkeit voraussetzt. Zugleich dient der Mythos aber auch dazu, die das Proömium durchziehende Auseinandersetzung mit den Vorgängern in der didaktischen Gattung, zumal Lukrez, fortzuführen. Mit dem Eingang der Erzählung (95 f.)

> O *felix, tantis quem primum industria rebus*
> *prodidit auctorem!*

wird über Georg. 2,490 unübersehbar auf den dort angesprochenen Lukrez und dessen Preis der Leistung Epikurs hingedeutet, und das Folgende spielt unverkennbar auf berühmte Verse des epikureischen Lehrdichters selbst an:[19]

> *deus ille an proxuma divos*
> *mens fuit, in caecas aciem quae magna tenebras*
> *egit et ignarum perfudit lumine volgus?*

Lukrez hatte mit ähnlichen Worten Epikurs Heilstat gefeiert (5,8 ff.). Wie Grattius im Proömium in deutlicher Polemik gegen Lukrez den kulturgeschichtlich-zivilisatorischen Anspruch der Jagd verteidigt und deren berühmten Ahnherrn Herakles im Gegensatz zu dem von Lukrez im Proömium seines fünften Buches ausgesprochenen Verdikt wieder in seine alten Rechte eingesetzt hatte (s. o. S. 154 ff.), so usurpiert er hier diejenigen Verse desselben Proömiums, in denen die das Heil der Menschheit enthaltenden Entdeckungen Epikurs gepriesen werden, für seinen ‚Heilbringer‘, der das Licht der Jagdkunst in die Finsternis menschlicher Unwissenheit gebracht hat. Man wird diese Übertragung Lukrezischer Gedanken und diese Gewichtung der Jagd als einen Mißgriff und als kaum erträgliche Übertreibung betrachten – ähnlich wie jenen für das Verständnis des heutigen wie wohl auch des zeitgenössischen Rezipienten unangemessenen Vergleich im *luxuria*-‚Exkurs‘, der oben erörtert wurde (S. 158 f.). Aber hier wie dort kommt das Bewußtsein des Dichters von der Würde seines Lehrgegenstandes eindringlich zum Ausdruck. Gerade die Auseinandersetzung mit Lukrez in dem Derkylos-Mythos macht deutlich, wie sehr der Autor bemüht ist, den Leser von der Bedeutung des in seiner Zeit und Umwelt so gering eingeschätzten Themas zu überzeugen.

Ähnlich ist die Funktion der Hagnon-Erzählung. Auch dieser ‚Erfinder‘ hilft – wie Derkylos – den Menschen durch die Entdeckung einer neuen Jagdtechnik, auch er handelt dabei in göttlichem Auftrag (250). Ihm gebührt für seine Ent-

---

[19] Die Kommentare von Enk und Verdière notieren die Parallelen, ohne daraus allerdings die notwendigen interpretatorischen Schlüsse hinsichtlich der Intention des Grattius zu ziehen; vgl. auch Verdière 1,62 f.

deckung auf ewig unser höchster Dank (215 f.). Sein *ingens meritum* (249)
sichert ihm ehrendes Andenken, solange die Menschen sich der Jagd zuwenden.
Wieder wird mit Vers 249 *(hoc ingens meritum, haec ultima palma tropaei)* auf
das Proömium des fünften Lukrezischen Buches verwiesen, wo der Dichter angesichts der Bedeutung von Epikurs *reperta* ausruft (3 ff.):

> *quisve valet verbis tantum, qui fingere laudes*
> *pro meritis eius possit, qui talia nobis*
> *pectore parta suo quaesitaque praemia liquit?*

Wieder setzt der Jagddichter an die Stelle Epikurs einen Ahnherrn der Jagd,
wieder tritt er mit seinem Thema in Konkurrenz zu Lukrez.

Gerade an diesen beiden Erzählungen erkennt man das Bestreben des Grattius,
auch die aus der hellenistischen Tradition übernommenen Elemente thematisch
zu integrieren. Die beiden Mythen tragen zwar nicht unmittelbar zur konkreten
sachlichen Lehre bei, sie stellen aber auch keine äußerlich aufgesetzten Schmuckstücke dar,[20] sondern dienen der Unterstreichung derjenigen Gesichtspunkte,
denen der Autor im Hinblick auf sein Thema fundamentales Gewicht beimißt.
Nicht zuletzt die wiederholte Auseinandersetzung mit Lukrez läßt die typologische Nähe des Grattius zu dem Werk seines Vorgängers deutlich werden,
resultiert doch die Auseinandersetzung aus der Überzeugung, einen Gegenstand
von großer – wenn auch verkannter – Bedeutsamkeit vorzutragen, und aus dem
Bestreben, den Adressaten entgegen dem Verdikt des Lukrez von dem Gewicht
dieses Themas zu überzeugen. Beide Autoren verbindet das Bewußtsein von der
herausragenden Relevanz ihres jeweiligen Lehrgegenstandes, beide stehen ihrem
Stoff mit demselben Ernst und mit ähnlicher persönlicher Beteiligung gegenüber, für beide fallen Stoff und Thema zusammen, beider Darstellung ist ,sach-
bezogen'. Der starke literarische Einfluß der *Georgica* auf das Jagdgedicht[21]

---

[20] Aufschlußreich ist der Vergleich mit dem Erfinderkatalog zu Beginn des zweiten
Buches der griechischen *Kynegetika* (Kyn. 2,5 ff.; s. u. S. 179). Der griechische Lehrdichter vermag das mythologische Material nicht thematisch zu integrieren; er benutzt
es – hier wie auch sonst – als Ornament seiner Darstellung.

[21] Der typologischen Nähe zu Lukrez ungeachtet ist das Gedicht im Sprachlich-Stilistischen in erster Linie den *Georgica* verpflichtet, was bei dem Augusteer Grattius
nicht weiter erstaunlich ist. Programmatische Anspielungen an beide berühmten lateinischen Vorgänger finden sich wiederholt. Besonders bezeichnend ist – neben dem Proömium (s. o. S. 154 ff.) – die Stelle 373 ff., wo die Nebeneinanderstellung der beiden möglichen Ursachen der Seuche primär das Ziel verfolgt, die entsprechenden Darstellungen
in den Lehrgedichten des Lukrez (vgl. Gratt. 375 f. mit Lucr. 6,1090 ff.) und Vergil
(vgl. Gratt. 373 f. mit Georg. 3,551 f.) dem Leser ins Bewußtsein zu rufen. An solchen
Stellen wird deutlich, daß Grattius sich als Fortsetzer der großen lateinischen Lehrgedichttradition betrachtet und als solcher anerkannt werden will.

hat zwar zur Folge, daß das Werk neben diesen Grundzügen auch solche Elemente enthält, die (als literarischer *aemulatio* entspringend) nicht voll in die sachlich-thematische Intention integriert sind und ein ästhetisches Eigengewicht besitzen; diese typologisch fremdartigen Darstellungselemente vermögen jedoch die ‚sachbezogene' Grundstruktur des Gedichts nicht zu verdunkeln: Der literarisch-formale Ehrgeiz tritt letzten Endes hinter dem Sachengagement zurück.

c) Nemesianus

Um der scharfen Markierung des typologischen Kontrasts willen empfiehlt es sich, im Anschluß an Grattius das Bruchstück des gegen Ende des dritten nachchristlichen Jahrhunderts, also unter ganz anderen historischen Bedingungen, entstandenen Jagdgedichts des Nemesianus zu betrachten.[1] Gerade im Zuge einer solchen Gegenüberstellung wird der fundamentale Unterschied in den Intentionen der beiden Verfasser deutlich. Die Identität des Stoffes erleichtert den Vergleich und läßt mit besonderer Schärfe erkennen, wie sich das jeweils spezifische Verhältnis des Dichters zu seinem Gegenstand auf die Darstellung auswirkt. Zugleich wird hier einmal mehr die ganze Breite an Entfaltungsmöglichkeiten sichtbar, welche die Form des Lehrgedichts dem antiken Autor bot. Der Vergleich ist um so aufschlußreicher, als das Gedicht des Grattius, falls es dem Nemesianus überhaupt bekannt war, jedenfalls keinen Einfluß auf dessen Werk ausgeübt hat, der Spätere also – abgesehen von seiner Prosavorlage und sonstigen literarischen Vorbildern – das Thema selbständig behandelt hat.[2]

---

[1] Auch von den *Cynegetica* des Nemesianus ist nur die Darstellung der Voraussetzungen zur Jagd erhalten. Aus der nicht eingelösten Ankündigung 237 f. geht deutlich der fragmentarische Zustand des Werkes hervor. – Die Datierung wird ermöglicht durch die Huldigung des Autors an die beiden Söhne des Kaisers Carus (63 ff.). – Der Text wird zitiert nach der Ausgabe von J. W. und A. M. Duff, Minor Latin poets, London/Cambridge 1935².

[2] Die Frage, ob Nemesianus das Gedicht des Grattius gekannt hat, ist umstritten und dürfte kaum mit Sicherheit in der einen oder anderen Richtung entschieden werden können. Zwar braucht man den vom Autor erhobenen Anspruch, sich einem dichterisch noch nicht behandelten Thema zuzuwenden (5 ff.), als einen konventionellen Topos nicht unbedingt ernst zu nehmen; aber andererseits fehlen unzweifelhafte Anhaltspunkte für die Annahme, Nemesianus habe das Werk des Augusteers gekannt. Sachliche Berührungen besitzen in diesem Zusammenhang selbstverständlich nur einen sehr geringen Aussagewert, und was etwa von P. J. Enk, Mnemosyne 45, 1917, 53 ff., zum Nachweis der Benutzung des Grattius durch Nemesianus vorgebracht wird, reduziert sich auf die Annahme, Nem. 138 f. beziehe sich auf Gratt. 298 f. Das ist selbstverständlich möglich, aber auch nicht zwingend. Diese eine enge Berührung hat jedenfalls ein sehr geringes Gewicht, wenn man bedenkt, daß der Dichter weder im Pro-

Wesentlichen Aufschluß über die Haltung des Dichters seinem Stoff gegenüber gibt bereits das Proömium. Das Thema, mit den ersten Worten des Gedichts summarisch umrissen *(Venandi cano mille vias)*, wird sogleich in bezeichnender Weise näher charakterisiert: Nemesianus will *hilares labores, securi proelia ruris* (1 f.) vor den Augen des Lesers ausbreiten. In dieser Kennzeichnung der Jagd kommt der auch im folgenden wiederholt hervortretende Aspekt zum Ausdruck, der nach der Auffassung des Dichters das Wesen der Jagd ausmacht und der auch für seine Sicht des Gegenstandes maßgebend ist. Bei Nemesianus spielen materielle Gesichtspunkte genauso wenig eine Rolle wie bei Grattius. Aber von der bei dem Augusteer herausgestellten kulturgeschichtlichen Funktion der Jagd und der daraus resultierenden Würde des Lehrgegenstandes ist hier keine Rede. Vielmehr werden die Freude und Erquickung in den Mittelpunkt gerückt, welche die Jagd gewährt, ein Aspekt also, der bei Grattius nur ganz am Rande auftaucht und dort nicht weiter verfolgt wird (s. o. S. 156). Bei Nemesianus tritt die Jagd als eine Tätigkeit *securi ruris* in Kontrast zu den Umtrieben städtischen Lebens, sie wird im Lichte eines bukolisch-idyllischen Friedens gesehen. Dieser Gesichtspunkt erscheint in dem Proömium besonders an zwei weiteren Stellen (48 ff. 99 ff.), von denen die letztere, die den Abschluß der Einleitung bildet, ausgeschrieben sei:

> *huc igitur mecum, quisquis percussus amore*
> *venandi damnas lites pavidosque tumultus*
> *civilesque fugis strepitus bellique fragores*
> *nec praedas avido sectaris gurgite ponti.*

Das Interesse des Autors gilt nicht der durch den Stoff repräsentierten Sache selbst; es gilt der Jagd nicht als solcher, sondern als einer Möglichkeit, sich den Wirren und der Unruhe des städtischen, politischen Lebens in eine Oase der Ruhe und des Friedens zu entziehen; es betrifft die sentimental-bukolische Seite des Gegenstandes. Wieweit diese Sicht durch entsprechende Erfahrungen des Dichters geprägt und als ernst gemeinter Versuch zu betrachten ist, den Zeitgenossen einen Weg aus einer sie bedrängenden Wirklichkeit zu eröffnen, ob hier vielleicht gar so etwas wie ein ‚Zeitgeist‘, eine weitere Kreise der Zeitgenossen erfassende Stimmung Ausdruck gewinnt: all das ist hier nicht zu entscheiden.

ömium, wo es doch am ehesten angebracht wäre, noch sonst den geringsten deutlichen Hinweis auf seinen thematischen Vorgänger gibt, was angesichts der vielfältigen, sogleich näher zu betrachtenden Anspielungen an die ‚Klassiker‘ Lukrez und Vergil um so mehr zu denken gibt. Dieser Sachverhalt legt doch den Schluß nahe, daß dem Nemesianus das Gedicht des Grattius nicht bekannt war (vgl. G. Curcio, RivFil 27, 1899, 450 ff.). Mit Sicherheit ist jedenfalls zu sagen, daß seine Darstellung von dem Werk des Vorgängers unbeeinflußt ist.

Bedenklich stimmt den Interpreten allerdings hinsichtlich solcher Erwägungen die Tatsache, daß die vom Dichter vorgetragenen Gedanken in der literarischen Tradition vorgegeben sind, daß gerade der Gegensatz ‚Stadt (= Unruhe und Hektik) – Land (= erholsamer Frieden)' längst zu einem literarischen Topos geworden war und daß besonders zu den *Georgica* Vergils in dieser Hinsicht engste Berührungen bestehen. Wenn man nun gebührend den Umstand in Rechnung stellt, daß der Einfluß des Vergilischen Lehrgedichts konstitutiv für das Werk des Nemesianus gewesen ist – was sogleich herauszuarbeiten sein wird –, so wird man es für wahrscheinlich halten, daß auch die bukolische Sicht des Gegenstandes in erster Linie literarisch motiviert, d. h. durch ein entsprechendes Verständnis der *Georgica* angeregt, ist,[3] und man wird weitergehenden Vermutungen hinsichtlich der persönlichen Stellung des Autors zu seinem Stoff – oder gar weiterer Kreise der Bevölkerung – skeptisch gegenüberstehen.

Die *Georgica* haben nicht nur den spezifischen Aspekt geprägt, unter dem das Jagdwesen bei Nemesianus erscheint, sie haben auch die übrigen Ausführungen des Proömiums sprachlich und gedanklich entscheidend beeinflußt. Dabei fallen besonders die Anklänge an das Proömium des dritten *Georgica*-Buches ins Auge.[4]

---

[3] Dieses Verständnis kann sich auf die von Vergil selbst angedeutete Einheit von den bukolischen Dichtungen und den *Georgica* (Georg. 4,559 ff.) berufen, verfehlt aber die oben herausgearbeitete entscheidende Intention des Vergilischen Lehrgedichts. Nemesianus knüpft mit seiner bukolischen Sicht der Jagd an entsprechende Aussagen der *Georgica* an (vgl. R. Kettemann, Vergils Georgika und die Bukolik, Diss. Heidelberg 1972), besonders an das Finale des zweiten Buches mit seiner Kontrastierung von glücklichem Landleben und der Unruhe der Stadt; vgl. zu *securi proelia ruris* (Nem. 2) Georg. 2,458 ff.; an diese Partie und an Georg. 2,475 ff. erinnert Nemesianus betont in den oben ausgeschriebenen Schlußversen des Proömiums: Vgl. zum Versschluß *lustra ferarum* (Nem. 98) Georg. 2,471, zu *percussus amore* (Nem. 99) Georg. 2,476, zu Nem. 100 f. Georg. 2,493 ff.

[4] Vgl. B. Luiselli, StudIt 30, 1958, 73 ff. Neben der grundsätzlichen Orientierung an Vergil verweist der Autor auch auf den anderen ‚Klassiker' lateinischer Lehrdichtung: Lukrez; vgl. etwa Nem. 3 f. 8 f. mit Lucr. 1,922 ff. (dazu F. Lenz, RE 32. Halbbd., 1935, 2331). In dieser Ausrichtung auf Lukrez und Vergil wird seine klassizistische Tendenz deutlich. Es ist fraglich, ob daneben auch auf das Lehrgedicht des Manilius angespielt wird. Das Bild des Wagens, auf dem sich der Dichter erhebt (Nem. 9 f.), ist zwar charakteristisch für die Selbstaussagen des astrologischen Didaktikers (2,58 f. 138 f.; 5,10), geht aber dort bereits auf Lucr. 6,47 zurück. An diese Stelle dürfte auch Nemesianus anknüpfen, der unmittelbar anschließend mit *virides . . . per herbas* (10) sofort wieder an die *Georgica* erinnert (3,162). Der Dichter ist ganz an den lateinischen ‚Klassikern' orientiert, er ignoriert die didaktische Poesie des Manilius ebenso wie die des Grattius – wenn deren Gedichte ihm überhaupt noch zugänglich waren. In dieses Bild fügen sich gut die deutlichen Anspielungen an das *Aetna*-Gedicht, das Nemesianus offensichtlich für ein Werk des Vergil hält. Erinnert schon die Berufung auf Apollon

Der als solcher bereits konventionelle Neuigkeitsanspruch (5 ff.) und die damit
in Zusammenhang stehende, alles Vergleichbare in zeitlich früheren Lehrgedichten umfangmäßig weit in den Schatten stellende Aufzählung nur allzu oft be-
handelter, sattsam bekannter mythologischer Stoffe (15 ff.) sind – neben anderen Mustern wie Lukrez und dem *Aetna*-Gedicht – ebenso den *Georgica* verpflichtet [5] wie die nachfolgende Reflexion über das eigene poetische Schaffen
(48 ff.).

Gerade diese Reflexion ist geeignet, das besondere Verhältnis des Dichters zu
seinem Stoff deutlich zu machen. Zunächst entfaltet Nemesianus noch einmal
unter Zuhilfenahme der traditionellen bukolischen Farbpalette und im Anschluß
an Georg. 3,40 ff. sein Thema. Mit dieser Dichtung wagt sich sein poetisches
Schiff – um im Bilde des Dichters zu bleiben (58 ff.) –, das sich bisher in sicherer
Nähe zum Ufer bewegt hatte, zum ersten Mal weiter ins offene Meer hinaus.
Das Bild erinnert an Georg. 1,40 und 2,41 ff. und spielt bewußt auf Georg.
3,40 ff. an: Nemesianus geht im Anschluß an seinen Versuch, die Vergilische
Eklogendichtung fortzusetzen, wie der Augusteer zu einer bedeutenderen und
größeren Form über, dem Lehrgedicht.[6] Die Vergil-Imitation des spätantiken
Autors führt dazu, daß der Imitator bewußt denselben Weg beschreitet, den der
verehrte Meister Jahrhunderte früher vorangegangen war. Auf die bukolische
Dichtung der Eklogen läßt der auf den Spuren Vergils gehende Dichter ein größeres Werk, ebenfalls bukolischer Art wie vermeintlich das ländliche Lehrgedicht Vergils, folgen. Doch damit nicht genug. Der Wunsch, dem großen Vorbild nachzueifern, treibt noch weitere Blüten. So wie Vergil in demselben Proömium vorausdeutet auf die künftige Krönung seines poetischen Weges, das na-

---

(5 ff.) an den Eingang des *Aetna*-Gedichts (4 ff.), so ist zumal die breite Aufzählung
bekannter und abgedroschener Stoffe (15 ff.) durch die ähnliche Partie Aetna 9 ff. angeregt, was durch den wörtlichen Bezug des Schlußverses (47: *omnis et antiqui vulgata est
fabula saecli*) auf den Abschluß des entsprechenden *Aetna*-Abschnitts (23: *quicquid et
antiquum iactata est fabula carmen*) unterstrichen wird.

[5] Georg. 3,1 ff. Zur Konventionalität des Neuigkeitsanspruches vgl. Luiselli 91 ff.
(s. auch o. Anm. 2). Die Gegenüberstellung des eigenen didaktischen Themas und der
allbekannten mythologisch-historischen Stoffe ist seit der *Georgica*-Stelle ein Topos der
Lehrdichtung (vgl. Man. 3,1 ff.; *Aetna* 9 ff.; s. vorstehende Anm.).

[6] Die Zweifel von Lenz (2330), ob man mit den kleineren Dichtungen, die der Autor
zugunsten der größeren Form aufgibt, die bukolischen Gedichte identifizieren dürfe,
werden hinfällig, wenn man die von Nemesianus deutlich intendierte Parallele zu dem
dichterischen Weg des Vergil in den Blick faßt; richtig Luiselli 80 ff. Wenn neuerdings
A. E. Radke, Hermes 100, 1972, 615 ff., die vier seit M. Haupt (Opuscula 1, Leipzig
1875, 358 ff.) dem Nemesianus zugeschriebenen Eklogen diesem abzuerkennen und dem
Calpurnius zuzusprechen versucht, so dürfte dies nicht zuletzt an dem hier entwickelten
(von Radke nicht berücksichtigten) Sachverhalt scheitern.

tionale Epos als Verherrlichung der Leistung des Augustus, ein Werk, dessen Erhabenheit und Würde auch das gegenwärtige Lehrgedicht hinter sich lassen wird (s. o. S. 81 mit Anm. 4), so kündigt Nemesianus anschließend auch seinerseits ein nationales Epos auf die triumphalen Erfolge der Söhne des Carus an (63 ff.). Wieder wird die Vergilische Parallele durch unübersehbare sprachliche Signale ins Bewußtsein gerufen,[7] wieder projektiert der Autor seinen dichterischen Weg ganz nach dem Vorbild des berühmten Vorgängers.[8]

Die Ausführungen des Proömiums haben die Beweggründe des Dichters für die Wahl gerade dieses Stoffes und das damit verfolgte Ziel genügend deutlich werden lassen. Der entscheidende Impuls für die didaktische Poesie des Nemesianus ist nicht ein sachlicher, sondern ein literarischer: die Vergil-Imitation. Diese bestimmt bei dem Nachahmer die Wahl der Stoffe und Gattungen. Nach dem Vorgang Vergils hatte auf die kleinen bukolischen Gedichte ein größeres, didaktisches Werk zu folgen, dessen Grundcharakter aber – wie vermeintlich derjenige der *Georgica* – ebenfalls bukolisch zu sein hatte. Was oben zunächst vermutet wurde, gewinnt somit an Wahrscheinlichkeit: Selbst der von Nemesianus so stark herausgestellte bukolische Aspekt der Jagd scheint nicht eigener Überzeugung und persönlicher Erfahrung zu entspringen, sondern ist offenbar Resultat literarischer Imitation. Wenn man auch nicht unbedingt so weit zu gehen braucht, dem Dichter jegliches sachliche Interesse an seinem Gegenstand abzusprechen, und wenn die im Proömium betonten Aspekte der Jagd womöglich in gewissem Grade auch die Person des Autors selbst betreffen, so bleibt doch grundsätzlich festzuhalten, daß die eigentliche Motivation für die Lehrdichtung des Nemesianus dessen durchgängiges Streben nach Vergil-Imitation war, d. h. daß die Stoffwahl in erster Linie aus literarischen Gründen, nicht aber aus eigentlichem Sachinteresse heraus erfolgte.[9]

---

[7] Vgl. Nem. 63 f.: *mox vestros meliore lyra memorare triumphos / accingar . . .* und Georg. 3,46 f.: *mox tamen ardentes accingar dicere pugnas / Caesaris . . .*

[8] Ob diese Projektion wirklich ernst gemeint ist oder ob es sich vielleicht nur um eine literarische Geste nach dem Muster des verehrten Vorläufers handelt, eine Geste, die zudem den Machthabern durch die Ankündigung ihrer künftigen dichterischen Verherrlichung zu schmeicheln vermag, ist schwer zu entscheiden. Ebenso unsicher ist, ob der Plan, wenn er denn tatsächlich bestand, zur Ausführung gelangte. Jedenfalls ist von diesem Kriegsepos keine Spur kenntlich.

[9] Die rein literarischen Ambitionen des Nemesianus lassen sich augenfällig gerade im Vergleich mit Grattius an zwei Motiven des Proömiums demonstrieren. Die Berufung des Dichters auf den delphischen Gott und dessen Auftrag, abseits der begangenen Straßen neue, einsame Wege einzuschlagen (5 ff.), ist ein seit hellenistischer Zeit verbreiteter literarischer Topos. Der Topos läßt allenfalls das künstlerische Interesse des Autors erkennen, einen noch nicht abgegriffenen Stoff zu bearbeiten, ist ansonsten aber leere Konvention. Ganz anders bei Grattius (s. o. S. 154 f.). Dort erhält das zum Proömientopos

Dieses sich aus dem Proömium ergebende Bild wird durch den uns noch erhaltenen Rest der Sachdarstellung bestätigt. Zwar geht der Dichter – wieder im
Anschluß an die *Georgica* – lehrhaft und anordnend vor, aber dieser Stil ist
nichts weiter als eine gattungsbedingte literarische Geste, die didaktische Haltung ist fiktiv. Ein Autor, dessen Intention in erster Linie eine solche literarischer *aemulatio* ist und der allenfalls an einem Nebenaspekt seines Gegenstandes
interessiert ist, insofern die Jagd eine Oase erholsamen Friedens inmitten der
unruhigen Welt städtisch-politischen Lebens darstellt: ein solcher Autor kann
gar kein echtes Interesse an der Sache selbst, geschweige denn an deren konkreten technischen Details haben – ebenso wenig wie der Adressat, an den sich der
Dichter wendet: derjenige, der wie der Autor die Jagd als bukolischen Kontrast
zur aufreibenden Unruhe des Stadtlebens liebt.[10] Es versteht sich, daß das Gedicht entsprechend seiner hauptsächlich literarischen Ambition an ein für literarische Phänomene empfängliches, also gebildetes Publikum gerichtet ist. Dieses
Publikum soll ästhetisch unterhalten, nicht aber sachlich unterrichtet werden.
Das Moment der literarischen *aemulatio*, das bei Grattius als ein Nebenaspekt
der sachlichen Didaktik untergeordnet war, tritt hier dominierend in den Vordergrund.[11]

Schon der Aufbau der Sachdarstellung läßt das Überwiegen des ästhetischen
Interesses erkennen. Im Gegensatz zu der sachorientierten Stoffentfaltung des

---

erstarrte Motiv des göttlichen Auftrags durch den Kontext der ernsten Reflexion über
den Sinn der Jagd sein ursprüngliches Gewicht zurück und steht im Dienst der vom
Dichter geforderten angemessenen Würdigung seines sachlichen Anliegens. Sodann betonen beide Didaktiker die Schwierigkeit ihres dichterischen Vorhabens. Während dies
jedoch bei dem Augusteer geschieht, um die Bedeutung des Lehrgegenstandes zu unterstreichen und der Sachdarstellung eine entsprechende Aufmerksamkeit von seiten des
Adressaten zu sichern (61: *magnum opus et tangi, nisi cura vincitur, impar; s. o. S. 155*),
erscheint der Gedanke bei Nemesianus im Kontext der Neuigkeitsreflexion (12 f.) und
dient der Unterstreichung der literarischen Leistung des Dichters, der mit seiner Kunst
die in der Neuigkeit und Geringfügigkeit des Stoffes begründete Schwierigkeit seiner
poetischen Darstellung meistert, der – um mit den Versen der *Georgica* zu sprechen,
auf die auch diese Partie gedanklich zurückweist: 3,289 f. – das Kunststück fertigbringt,
„geringfügigen Gegenständen diesen [poetischen] Glanz zu verleihen".

[10] 99 ff. Die 63 ff. angeredeten Söhne des Carus sind die Adressaten des künftigen
Epos, nicht aber des gegenwärtigen Lehrgedichts.

[11] Richtig ist die Charakteristik Enks (60): Die Fülle des Materials bei Grattius
zeige, daß er auf das *docere* aus sei; die sehr viel straffere, auf vollständige Stoffentfaltung weitgehend verzichtende Darstellung des Nemesianus mache deutlich, daß es ihm
um das *delectare* gehe. Enk führt weiter zutreffend aus (64), daß dies bei einem Autor,
der auf der Suche nach einem noch nicht abgedroschenen Thema erst sekundär zu seinem
Stoff gekommen ist, nicht weiter überrascht: „A tali poeta versus venustos, non doctri-
nam ... expectaveris." Vgl. auch Curcio 456 ff.

Grattius und des Verfassers der griechischen *Kynegetika* beginnt Nemesianus nicht mit den Präliminarien (Ausrüstung usw.), sondern er setzt unmittelbar mit der Behandlung der Hunde ein (103–239), schließt die der Pferde an (240–298) und setzt die Beschreibung der Ausrüstungsgegenstände ans Ende (299–320). Maßgebend für diese sachfremde Anordnung ist offenbar das Bestreben, die überkommene Gliederung zu variieren. Ferner gelingt es dem Dichter auf diese Weise, die einzelnen Abschnitte in ein bestimmtes äußerliches Verhältnis zueinander zu bringen: Mit 137, 59 und 22 Versen nehmen die Teile ihrem Umfang nach gegen Ende hin etwa gleichmäßig ab.

Ästhetische Gesichtspunkte sind auch innerhalb der einzelnen Abschnitte maßgebend. Im Hunde-Teil fällt zunächst auf, daß der Dichter wiederum von der sachlich angemessenen, in seiner Vorlage sicherlich gegebenen und auch von den übrigen Jagddichtern befolgten Anordnung abweicht und die Aufzählung der Rassen vom Anfang ans Ende versetzt (224 ff.). Wieder dürfte dafür das Streben nach Variation verantwortlich sein, zugleich aber auch die Absicht, sich der von Vergil in den *Georgica* befolgten Praxis anzuschließen: Auch dort beginnt z. B. der Pferde-Abschnitt des dritten Buches mit der Schilderung des idealen Zuchtpferdes und der Aufzucht der Jungen; entsprechend verfährt Nemesianus.[12] Wahrt dessen Darstellung zunächst noch eine ziemliche Ausführlichkeit, so wird die Beschreibung bei der Erörterung der Krankheiten praktisch unbrauchbar (195 ff.). Zwar wird auf die *rabies* genauer eingegangen, aber die Ausführungen zur *scabies* (195 ff.) zeigen – zumal im Vergleich zur detaillierten Schilderung des Grattius (408 ff.) – das geringe Interesse des Dichters an praxisbezogenen, nützlichen Hinweisen. Dies wird in besonderem Maße an dem abschließenden Rassenkatalog deutlich (224 ff.). Der Autor bietet nur eine geringe Auswahl aus der Vielzahl der Rassen und verzichtet seiner primär literarischen Intention entsprechend auf eine jeweilige Angabe von Vor- und Nachteilen – in bezeichnendem Unterschied zu der ‚sachbezogenen‘ Darstellung des Grattius (s. o. S. 158. 161).

Hat der Hunde-Teil mit der Aufzählung der Rassen geschlossen, so steht dieser Abschnitt bei der Erörterung der Pferde am Anfang (240 ff.): Wieder wird

---

[12] Vgl. Georg. 3,72 ff. (vgl. auch 3,49 ff.). Es versteht sich, daß der Vergil-Imitator in seine Schilderung Reminiszenzen aus dieser Partie (vgl. etwa 134: *abdaturve domo,* mit Georg. 3,96: *abde domo;* 177 f.: *libera ... consuescant colla ligari / concordes et ferre gradus,* mit Georg. 3,167 ff.: *ubi libera colla / servitio adsuerint... / ... coge gradum conferre iuvencos),* aus dem Rinder-Abschnitt (vgl. z. B. 117: *graves morbi subeunt segnisque senectus,* mit Georg. 3,67: *subeunt morbi tristisque senectus*) und natürlich aus der Hunde-Darstellung (vgl. z. B. 103 mit Georg. 3,404: im jeweiligen Eingangsvers steht *cura canum;* ferner 107: *seu Lacedaemonio natam seu rure Molosso,* mit Georg. 3,405: *velocis Spartae catulos acremque Molossum*) reichlich einfügt.

das Streben nach Auflockerung verfestigter Darstellungsschemata deutlich. Nemesianus will offenbar einen reinen Katalog von Namen vermeiden. Um den Leser nicht zu lange aufzuhalten und zu langweilen, beschränkt er die Zahl der genannten Rassen. Die eingefügten Beschreibungen sind bezeichnenderweise nicht allein an dem konkreten jagdtechnischen Nutzen der Tiere für den Jäger orientiert, der Autor läßt vielmehr unbekümmert andere Gesichtspunkte mit eindringen.[13] Es zeigt sich erneut, daß das ästhetische Interesse das sachliche überwiegt. So ist es denn nur konsequent, daß die Aufzählung wirkungsvoll durch ein langes, sachlich völlig entbehrliches Gleichnis abgeschlossen wird, welches unverkennbar durch ein entsprechendes Gleichnis der *Georgica* angeregt ist.[14] Den 39 Versen, die den Rassen gewidmet sind, stehen nur 20 Verse über die Aufzucht der Jungtiere gegenüber (279–298) – der Sache nach selbstverständlich ganz unzureichend. Das Verhältnis, das innerhalb der Behandlung der Hunde geherrscht hatte, wird hier also umgekehrt: wieder um der ästhetischen Abwechslung willen. Die Schilderung der Aufzucht und die Beschreibung der Rassen wird jeweils nur einmal ausführlich gestaltet. Der Dichter versucht die dem Gegenstand innewohnende Gleichförmigkeit und Eintönigkeit auf ein Minimum zu reduzieren und ein Höchstmaß an Variation und Auflockerung zu erreichen.

Ganz summarisch ist schließlich die Erörterung der Ausrüstungsgegenstände (299–320). Hier sticht der Kontrast zu dem entsprechenden Abschnitt des Grattius besonders scharf ins Auge (s. o. S. 157 f.). Nemesianus widmet nur dem Blendzeug eine etwas ausführlichere Schilderung – offenbar weil dieses ‚Lehrstück‘ Gelegenheit gibt zu einem reizvollen Katalog von Vögeln (312 ff.). Mit Vers 321 scheint die eigentliche Beschreibung der Jagd zu beginnen, die aber nach fünf Versen abbricht.

Die Betrachtung der Sachdarstellung hat bestätigt, was bereits das Proömium hatte deutlich werden lassen. Der Dichter ist nicht sachlich an seinem Stoff interessiert. Er wählt seinen Gegenstand aus sachfremden literarischen Motiven. Nemesianus benötigt im Zuge seiner Vergil-Nachahmung einerseits einen für ein Lehrgedicht geeigneten Stoff, und er hat andererseits darauf zu achten, daß dieser Stoff im Rahmen der lateinischen Literatur einen gewissen Neuigkeitscharakter besitzt. Es geht ihm um die literarisch-ästhetische Bewältigung dieses Gegenstandes, um so den Vergilischen *Georgica* ein ansprechendes Pendant an die Seite zu stellen. Die Verkennung der eigentlichen Intention der *Georgica* und die klassizistische Haltung des Autors, d. h. das rein literarische Moment der

---

[13] Irrelevant unter praktischen Gesichtspunkten sind z. B. die Ausführungen 243 ff. und 254 ff. Bezeichnend ist auch die Erwähnung des lauten Wieherns (257) – nach Grattius (500) gerade ein zu vermeidender Nachteil.

[14] 272 ff.; vgl. Georg, 3,196 ff.

Vergil-Imitation, haben dazu geführt, daß thematische Interessen ganz zurücktreten. Insofern dürfen die *Cynegetica* des Nemesianus dem ‚formalen' Typ zugeordnet werden.[15]

d) Die „Kynegetika" des Pseudo-Oppian

Zu Beginn des dritten nachchristlichen Jahrhunderts, während der Regierungszeit des Caracalla, verfaßte ein in der Überlieferung Oppian genannter Grieche aus dem syrischen Apamea ein vier Bücher umfassendes Lehrgedicht über die Jagd und widmete es mit überschwenglichen Huldigungen dem Kaiser.[1] Dieses neben Grattius und Nemesianus dritte Werk über denselben Gegenstand fordert jedoch – ungeachtet der Stoffgleichheit – weniger zum Vergleich mit deren Darstellungen auf als zum Vergleich mit den *Halieutika* des Oppian. Denn dieses Gedicht über den Fischfang hat die poetische Lehre des griechischen Jagddichters zutiefst beeinflußt, ja, die Bekanntschaft mit den *Halieutika* hat den Verfasser vielleicht überhaupt erst zu seinem Werk angeregt. Diese Vermutung wird jedenfalls durch die beherrschende Rolle nahegelegt, welche die Oppian-Imitation in den *Kynegetika* spielt.

Das Proömium bietet im Anschluß an die Huldigung gegenüber dem Herrscher die bereits vertrauten konventionellen Motive. Der Befehl der Gottheit (hier sind es die beiden ‚zuständigen' Göttinnen Kalliope und Artemis), der

---

[15] Die Willkür in der Wahl des Stoffes und die rein literarische Ambition, einen schwierigen Gegenstand in poetische Form umzusetzen, lassen zunächst die Nachricht glaubhaft erscheinen, daß der Autor wie sein typologischer Vorgänger Nikander auch andere Lehrgegenstände dichterisch dargestellt hat: In der Numerian-Vita der *Hist. Aug.* heißt es (11,2): *nam et cum Olympio Nemesiano contendit* [sc.: Numerianus], *qui* ἁλιευτικά, κυνηγετικά *et* ναυτικά *scripsit*. Allerdings haben wir keine Möglichkeit, diese Nachricht zu kontrollieren, und es bleiben im Hinblick auf sie ebenso Zweifel wie hinsichtlich der Authentizität der dem Dichter seit der Renaissance zugeschriebenen zwei Fragmente *De aucupio* (vgl. Lenz 2334). Diese Fragmente selbst sind zu kurz, als daß sich im Rahmen einer typologischen Fragestellung ein Eingehen lohnte.

[1] Vgl. 1,1 ff. 43 ff.; 4,20 ff. Der Verfasser wurde bereits sehr früh mit dem etwa eine Generation älteren Autor der *Halieutica*, Oppian aus Kilikien, identifiziert. Daß es sich jedoch um zwei verschiedene Dichter handelt, steht zweifelsfrei fest (s. o. S. 137 mit Anm. 2). Wenn auch die Möglichkeit nicht auszuschließen ist, daß Namensgleichheit der beiden Autoren zu der fälschlichen Identifizierung beigetragen haben kann (so P. Hamblenne, AntCl 37, 1968, 589 ff., der bei seinem Versuch, die Genese der Kontamination der beiden Verfasser nachzuzeichnen, allzu leichtgläubig der handschriftlichen Tradition folgt, wonach der Autor der *Kynegetika* Oppian geheißen habe), so wird der Verfasser des Jagdgedichts hier doch um der Unterscheidung willen Ps.-Oppian genannt. – Der Text wird zitiert nach der Ausgabe von P. Boudreaux, Paris 1908.

Neuigkeitsanspruch, die Absetzung des vom Autor gewählten, neuen Themas von den bekannten, vielbehandelten Stoffen: alle diese Topoi tauchen wieder auf, diesmal eingekleidet in ein Gespräch des Lehrdichters mit der Göttin (17 ff.). Der Neuigkeitsanspruch[2] wird wie bei Nemesianus im Rahmen der Überlegung erhoben, daß andere Stoffe abgegriffen sind (s. o. S. 167 f.); wieder wird die Schwierigkeit des Unternehmens im Vergleich zur leichteren poetischen Darstellung anderer Gegenstände betont (20 f.):

> ἔγρεο καὶ τρηχεῖαν ἐπιστείβωμεν ἀταρπόν,
> τὴν μερόπων οὔπω τις ἐῆς ἐπάτησεν ἀοιδαῖς.

Es scheint, als sei auch dieser Autor durch bestimmte literarische Erwägungen erst sekundär zu seinem Thema gekommen. Jedenfalls finden sich in den Aussagen des Dichters keine Anhaltspunkte dafür, daß für die Wahl gerade dieses Stoffes außer dem Streben nach einem noch nicht – oder doch zumindest sehr selten – poetisch behandelten Gegenstand noch andere, im eigentlichen Sinne sachliche Motive maßgebend gewesen seien. Zwar scheint der Autor die Bedeutung seines Themas durch die starke Hervorkehrung der göttlichen Aufforderung und auch durch die Synkrisis der drei Jagdarten, bei der sich die von ihm als Objekt seiner Darstellung gewählte als die anstrengendste und gefährlichste erweist (1,47 ff.), herausstreichen zu wollen, was auf ein engeres, persönliches Verhältnis des Dichters zu seinem Stoff weisen könnte; aber die Konventionalität des einen Motivs und die Tatsache, daß der Vergleich der drei Jagdarten hinsichtlich des Ausmaßes der mit einer jeden von ihnen verbundenen Erquickung bzw. Gefahr in deutlicher Anlehnung an die entsprechende Partie in den *Halieutika* gestaltet ist, also in erster Linie literarischer *aemulatio* entspringt,[3] lassen es doch als geraten erscheinen, diesen Gedanken nicht allzu viel Gewicht beizumessen. Jedenfalls nennt Ps.-Oppian keinen Gesichtspunkt, der die Bedeutsamkeit seines Themas zu begründen trachtete. Außerdem relativiert er selbst die in der Synkrisis herausgestellten Momente der Gefahr und Anstrengung, wenn er an anderer Stelle die glücklichen Freuden und die Erquickung, welche die ἄγρη ἐρατεινή dem Jäger zu bieten habe, in hellsten Farben schildert und darauf hinweist, daß niemand, wenn er einmal von der Liebe zu dieser Tätigkeit ergrif-

---

[2] Dieser Anspruch ist hier genauso zu relativieren wie im Fall des Nemesianus; vgl. F. Vollmer, RE 14. Halbbd., 1912, 1844; H. Herter, RhM 78, 1929, 364.

[3] Vgl. Hal. 1,9 ff. Oppian hatte dort betont, im Vergleich zur Fischerei übertreffe bei der Jagd zu Lande die τερπωλή die Anstrengung. Der Verfasser der *Kynegetika* kehrt den Spieß um und hebt die τέρψις beim Fischfang hervor (54 ff.). Diese Übernahme eines ganzen Oppianischen Gedankengangs – wenn auch mit umgekehrten Vorzeichen – läßt bereits im Proömium den Einfluß der *Halieutika* deutlich werden und zugleich erkennen, wie wenig selbständig der Verfasser bei seinem literarischen Agon mit dem Vorgänger verfährt.

fen sei, davon je wieder loskomme (2,31 ff.). An dieser Stelle sind die Ausführungen des Proömiums zum ersten Buch über das vergleichsweise geringe Maß der Freude, welche die Jagd auf Landtiere gewähren könne, vergessen. Es scheint, als spreche der Dichter hier wirklich seine persönliche Meinung aus, als habe er tatsächlich eine gewisse innere Beziehung zu seinem Gegenstand.[4] In diesem Fall wäre sein Interesse an dem Stoff nicht nur ein literarisches. Ob allerdings mit dem Bekenntnis zu den Freuden der Jagd auch ein Interesse an technischen Einzelheiten verknüpft ist, ist fraglich. Die Interpretation wird zu zeigen haben, wie ernst es dem Autor mit der Sache selbst ist.

Das Thema seines Werkes umreißt der Dichter zunächst mit θήρης κλυτὰ δήνεα (1,16), was 34 ff. näher spezifiziert wird: Mit μόθους θηρῶν τε καὶ ἀνδρῶν ἀγρευτήρων wird auf die Jagdschilderungen des vierten Buches verwiesen; γένη σκυλάκων τε καὶ ἵππων αἰόλα φῦλα und στιβίης εὐκερδέα ἔργα umschreiben den Inhalt des ersten Buches, das – wie bei Grattius und Nemesianus – die Voraussetzungen zur Jagd behandelt.[5] Zwischen diese an sich zusammengehörigen Bücher ist in den mittleren Büchern 2 und 3 eine in sich geschlossene Tierbeschreibung geschoben, die ohne thematisch-sachliche Verbindung mit den Jagdbüchern einen eigenen, selbständigen Block bildet. Zu diesem sachfremden Verfahren wurde der Autor zweifellos durch das vergleichbare Vorgehen Oppians angeregt,[6] was sich bereits darin äußert, daß die Umschreibung des Inhalts der beiden Bücher (1,38–40) unverkennbar an die Themanennung Hal. 1,5 ff. erinnert. Wenn Oppian in diesem Zusammenhang jedoch von γάμοι, ἔχθεα und φιλότητες spricht, so stellt er diejenigen zentralen Aspekte heraus, die für seine Schilderung des βίος ἰχθυόεις maßgebend sein werden. Der Imitator übernimmt zwar diese Begriffe (ἔχθεα, φιλότητες, θάλαμοι); sie bleiben bei ihm jedoch leer, da seine Tierbeschreibung nicht unter übergeordnete thematische Leitgedanken gestellt wird. Der Halieutiker konnte sinnvoll die Beschreibung der Fische neben die eigentliche Fangschilderung stellen, da bei ihm beide Teile durch das sie übergreifende ‚transparente' Thema zusammengehalten werden. Die *Kynegetika* besitzen dagegen kein solches integrierendes Thema. Die im Äußerlichen stecken bleibende Oppian-Imitation führt hier zu einem Auseinanderfallen des Gedichts in zwei innerlich nicht verbundene Teile. Diese Gesamtcharakteristik des Aufbaus sei hier vorweggenommen; sie wird unten im einzelnen belegt werden.

---

[4] Allerdings ist auch die idyllische Ausmalung der Jagdfreuden durch Oppian beeinflußt, und zwar durch dieselbe Synkrisis, gegen die sich Ps.-Oppian eingangs gewendet hat: Hal. 1,20 ff. sind sämtliche Motive vorgegeben, die der Kynegetiker anführt.

[5] Auf das erste Buch scheint auch βουλὰς ὠκυνόους (37) zu verweisen, wenngleich dieser Punkt eine nur untergeordnete Rolle spielt: 330 ff. 481 ff.

[6] Vgl. R. Keydell, RE 35. Halbbd., 1939, 705. Oppian läßt allerdings die Beschreibung der Fische vorausgehen.

Die Sachdarstellung des ersten Buches bestätigt den zwiespältigen Eindruck, den das Proömium im Hinblick auf das Verhältnis des Autors zu seinem Stoff hinterlassen hat. Der Dichter beginnt ganz systematisch mit der ausführlichen Beschreibung des Jägers und seiner Ausrüstung (81 ff.). Die Bemerkungen über die Jagdzeiten (110 ff.) lassen aber bereits ein Durchbrechen der sachgemäßen Darstellungsweise erkennen. Die zumal in ihrer Breite sachlich unangemessenen Ausmalungen der einzelnen Jahreszeiten mit ihrer starken Rhetorisierung und dem Streben nach seltenen, erlesenen und neugebildeten Wörtern verdrängen den technischen Inhalt ganz und zeigen überdeutlich die literarischen Ambitionen des Verfassers. Diese gehen, wie an dieser Partie exemplarisch zu erkennen ist, auf dem Gebiet des Stils vor allem in zwei Richtungen: möglichst auffällige und umfassende Rhetorisierung einerseits und Entfaltung sprachlicher Gelehrsamkeit andererseits.[7] Bezeichnend ist auch der folgende Abschnitt über die Waffenausrüstung des Jägers (147 ff.). Die einzelnen Waffen werden nicht etwa beschrieben und in ihren Vor- und Nachteilen gegeneinander abgewogen – so war Grattius entsprechend seinem sachlichen Anliegen verfahren (s. o. S. 157 f.) –, sondern der Dichter benutzt die Gelegenheit zu einem formal brillanten Katalog von Fachwörtern, der dem etwaigen praktischen Benutzer des Gedichts zwar wenig hilft, der aber geeignet ist, die Gelehrsamkeit des Autors und dessen Kunst, den ungefügen Stoff formal zu bändigen, aufscheinen zu lassen. Im Gegensatz zu Oppian, der katalogartige Aufzählungen dieser Art in erster Linie am Anfang seines Werkes bringt, sich dann aber bald davon löst (s. o. S. 139 f. 152), liebt der Kynegetiker, wie noch deutlich werden wird, solche Kataloge, und er dürfte hier in der Tradition des Nikander stehen, der ja auch stilistisch für ihn Vorbild war.

Ein ähnlicher Katalog steht am Anfang des Pferde-Abschnitts (170 ff.: schmucklose Aneinanderreihung der Namen der besten Pferderassen), katalogartig ist auch die Beschreibung des Idealpferdes (173 ff.). Im Anschluß daran unterbricht der Dichter zum ersten Mal die Sachdarstellung durch eine lange Einlage. Der mit allen Mitteln der Rhetorik aufgeputzte Preis der Pferde und

---

[7] Auf diese Grundeigenschaften des Stils der *Kynegetika* sei bereits hier hingewiesen. Sie fallen bei der Lektüre sofort so stark ins Auge, daß sich Einzelnachweise erübrigen. Die überreichliche Benutzung rhetorischer Mittel wie Parallelismen, Chiasmen, Polyptota, Reime, Anaphern usw. steht in keinem funktionalen Verhältnis zur sachlichen Aussage; die rhetorische Form wird zum Selbstzweck (vgl. das Urteil von E. Norden, Die antike Kunstprosa 2, Darmstadt 1958[5], 834 ff.). In der Entfaltung sprachlicher Gelehrsamkeit, die sich vor allem an entsprechenden hellenistischen Autoren wie in erster Linie Nikander orientiert, setzt der Verfasser die Ansätze der *Halieutika* übersteigernd fort; vgl. O. Rebmann, Die sprachlichen Neuerungen in den Kynegetika Oppians von Apamea, Diss. Basel 1918; Keydell 706 f.

der ihnen von der Natur in besonderem Maße verliehenen Klugheit (206–270) steht in keinem Zusammenhang mit dem konkreten Lehrgegenstand, und die den Exkurs abschließende rührende Erzählung von dem Muttertier und dem Fohlen, die ein σχέτλιος ἀνήρ gegen ihren Willen mit List zu geschlechtlichem Verkehr zwang (239 ff.), erinnert in dem Bestreben, die ‚Menschlichkeit‘ der Tiere in Kontrast zur gottlosen Brutalität der Menschen zu setzen, an entsprechende Passagen bei Oppian (s. o. S. 149) – und ihre Einfügung dürfte auch von dort beeinflußt worden sein –, ohne allerdings deren thematische Funktion zu gewinnen. Die gesamte Einlage steht weder in unmittelbarer Beziehung zum Lehrstoff, noch dient sie der Etablierung oder Profilierung eines diesem übergeordneten, ‚transparenten‘ Themas. Sie ist nichts weiter als ein ästhetisch-formalen Erfordernissen Rechnung tragendes Ornament, ein Mittel, die Stoffentfaltung aufzulockern.

In scharfem Gegensatz hierzu steht die folgende recht ausführliche Besprechung der einzelnen Rassen (271 ff.). Der Autor bringt eine ganze Reihe praktischer Gesichtspunkte ins Spiel und scheint hier wieder ganz an einer sachgemäßen Darstellung orientiert zu sein. Aber bereits anläßlich der Beschreibung einer besonderen Rasse (316 ff.) benutzt er die Gelegenheit zu einer erneuten Digression. Diesmal ist es der Preis der menschlichen Klugheit, an dem sich die Tendenz zu stilistischem Prunk so recht entzünden kann.[8] Auch dieser Exkurs ist ohne thematische Funktion, er hat die Aufgabe, den Abschluß des Pferde-Abschnittes ästhetisch ansprechend zu markieren.

Ähnlich wie die Lehre über die Jagdpferde beginnt auch die Behandlung der Hunde mit einem Katalog der besten Tiere (369 ff.). Anschließend widmet sich der Autor Fragen der Zucht. Das Frühjahr ist dafür die geeignetste Zeit, das Frühjahr, das ja in allen Bereichen der Natur den Liebestrieb weckt (376 ff.). Dies wird an einer Fülle von Beispielen demonstriert. Wieder ergreift der Dichter die Gelegenheit zu einer Abschweifung, die wieder durch die *Halieutika* angeregt[9] und in diesem Kontext wenig passend ist. Denn während Oppian im Anschluß an die Reflexion über den Frühling als die alle Lebewesen erfassende Zeit des Liebestriebes tatsächlich das entsprechende Verhalten der Meerestiere

---

[8] 330 ff. Die beiden Einlagen besitzen eine gewisse inhaltliche Berührung und beginnen jeweils mit pathetischen Ausrufen des Autors; sie sind so auch formal zueinander in Beziehung gesetzt. Es ist jedoch nicht zu sehen, daß der in ihnen angesprochene Aspekt tierischer und menschlicher Klugheit für das erste Buch oder gar für das ganze Werk von größerer Bedeutung wäre.

[9] Vgl. Hal. 1,473 ff. Auf dieses Vorbild gehen auch die Ausführungen des Kynegetikers über den Liebestrieb der Fische (Kyn. 1,383 f.: Hal. 1,477 f.) und das Liebesverhalten der Schlange (Kyn. 1,381 f.: Hal. 1,554 ff.) zurück.

schildert, fährt der Kynegetiker in seiner systematischen Lehre fort. Ein Katalog der für Kreuzungen geeigneten Rassen, die katalogartige Beschreibung des idealen Jagdhundes schließen sich an. Weitere sachliche Bemerkungen folgen: Aufzucht der Jungen, Namengebung usw. Der Lehrdichter entfaltet den ihm vorliegenden Stoff Schritt für Schritt in durchaus sachgemäßer Systematik. Das gilt auch für den letzten Abschnitt des ersten Buches. 451 ff. erörtert der Dichter die zwei Weisen des Aufspürens, führt eine dafür besonders geeignete Hunderasse vor Augen und beschließt das Buch mit der künstlerisch ergiebigeren und sich deshalb gut für das Buchende eignenden Beschreibung der Dressur und eines konkreten Spürvorgangs. Auch hier ist die Sache durchaus noch im Blick, aber die in die Schlußpartie eingestreute Fülle von Gleichnissen zeigt, daß der Dichter vor allem bestrebt ist, gegen Ende des Buches sein sprachlich-stilistisches Können noch einmal aufleuchten zu lassen.

Die vorangehenden Bemerkungen verfolgten das Ziel, das unvermittelte Nebeneinander verschiedener Darstellungsweisen innerhalb des ersten Buches sichtbar werden zu lassen. Ps.-Oppian scheint einerseits den Stoff sachgemäß und systematisch vortragen zu wollen, sei es nun aus echtem Interesse an dem Gegenstand oder, wie es wahrscheinlicher ist, um durch die ästhetische Bewältigung dieser Stoffülle und Systematik seine poetische Kunst zu demonstrieren – was ja das zentrale Charakteristikum des ‚formalen‘ Typs der Lehrdichtung nach Art des Nikander ist. Jedenfalls erklärt sich am ehesten von dieser Richtung her die Art und Weise, in der der Dichter seinen Stoff sprachlich-stilistisch zu ästhetisieren sucht. Dies ist aber nur der eine Grundzug des Werkes. Andererseits fügt der Verfasser eine Reihe von Digressionen in die Sachdarstellung ein, die zwar ebenfalls eine ästhetisierende Funktion besitzen, was gut zu der formal-literarischen Grundintention des Autors paßt, die aber darüber hinaus offenbar versuchen, bestimmte Gedanken auf einer Ebene über dem stofflichen Thema anzusiedeln, und anscheinend den konkreten Lehrgegenstand thematisch zu transzendieren trachten. Hier macht sich vor allem der bestimmende Einfluß der *Halieutika* bemerkbar. Indem sich in den *Kynegetika* die beiden für das Werk konstitutiven, kaum zu vereinbarenden Zielsetzungen des ‚formalen‘ Nikandrischen und des ‚transparenten‘ Typs der *Halieutika* begegnen und kreuzen, muß notwendigerweise eine in sich widersprüchliche Zwischenform entstehen.

Wie oben (S. 175) ausgeführt wurde, wird die Jagddarstellung durch eine in sich geschlossene Tierbeschreibung unterbrochen. Diese verselbständigt sich und hat so gut wie keine Beziehung zu dem jagdtechnischen Thema. Denn weder spielen Momente der Jagd bei der Beschreibung eine entscheidende Rolle, noch werden etwa nur solche Tiere vorgeführt, die für die Jagdschilderungen des vierten Buches von Bedeutung sind. Anstelle sachlich-praktischer Gesichtspunkte treten andere Aspekte in den Vordergrund, ohne allerdings eigentlich thematisch zu werden und der ausgebreiteten Stoffülle einen integrierenden Sinn zu verleihen. Es handelt sich im wesentlichen um solche Aspekte, welche die Beschreibung der Meerestiere in den *Halieutika* des Oppian als Leitgedanken im Hinblick auf deren moralisch-erbauliches Thema beherrschten. Die Imitation der *Halieutika*, die ja überhaupt erst zur Einschaltung der Tierbücher in die Jagdlehre geführt hat, hat auch die Übernahme der in dem Vorbild maßgebenden Gedanken zur Folge, ohne daß diese allerdings sinnvoll in den neuen Kontext eingefügt würden.

Diese Gesamtcharakteristik von Ps.-Oppians Vorgehen läßt sich anhand der Interpretation des zweiten Buches im einzelnen belegen. Der Autor beginnt das Buch anstelle eines Proömiums mit einem Katalog der auf dem Gebiet des Jagdwesens namhaft zu machenden Erfinderpersönlichkeiten – gerade eingangs dieses Buches, das ja mit der Jagd selbst so gut wie nichts zu tun hat, wenig passend; aber der Dichter sieht darin eine willkommene Möglichkeit, seine auf den Spuren Nikandrischer Lehrdichtung wandelnde mythologische Gelehrsamkeit zu demonstrieren und das Buch prachtvoll-erhaben und damit literarisch ansprechend einsetzen zu lassen. Der Stier eröffnet die lange Reihe der Tiere (43 ff.). Eine ausführliche Kampfschilderung steht als wirkungsvoller Anfang an der Spitze. Darauf folgt eine nüchterne Aufzählung verschiedener Arten (83 ff.). Aber dem Verfasser geht es im Grunde nicht um die Sache. Das erhellt nicht nur aus der Tatsache, daß – ähnlich wie bei Nikander (s. o. S. 62) – ästhetische Prinzipien in einer harmonischen Ponderierung der einzelnen Abschnitte in den Vordergrund treten (vgl. 84–89 und 90–95; 96 f. und 98 f.); es zeigt sich vor allem in der in die Aufzählung der Arten eingeschalteten gelehrten mythologischen Digression (112–158). Sie bietet als erlesene Seltenheit einen lokalen Mythos und Kult aus der Heimat des Dichters und hat mit dem Stier überhaupt nichts zu tun, ist, wie der Autor selbst sieht (156 ff.), eine echte Abschweifung und verfolgt ein gelehrt-literarisches Interesse. Die Beschreibung der Hirsche beginnt katalogartig (176 ff.), geht dann aber sogleich über zur breiten Schilderung von deren Liebesverhalten und sonstiger Lebensweise. Der Dichter häuft ohne irgendeinen sachlichen oder thematischen Zielpunkt das stoffliche Material und übernimmt dabei reichlich Elemente aus den *Halieutika*.[10] Besonders bezeichnend ist das Vorgehen bei der Beschreibung der Antilope (300 ff.). Der Autor stellt bei diesem Tier eine Verhaltensweise ganz in den Mittelpunkt: seine Liebe zur angestammten ‚Heimat‘. Die ‚Menschlichkeit‘ dieses Verhaltens wird

---

[10] 233 ff. wird der Kampf zwischen Hirsch und Schlange geschildert mit überdeutlichen Reminiszenzen an Hal. 2,289 ff.: Vgl. z. B. Kyn. 248 f. mit Hal. 292 f.; das Motiv des lachenden Siegers (Kyn. 246) ist vorgebildet Hal. 2,303.

ausdrücklich durch eine entsprechende Reflexion hervorgehoben – ganz in Übereinstimmung mit dem literarischen und gedanklichen Vorbild dieser Partie:
Hal. 1,263 ff.; vgl. besonders Kyn. 313 f. mit Hal. 1,273 ff. Während Oppian
jedoch mit der Reflexion das eigentliche Thema betont in den Blick rückt, das
während der Stoffentfaltung selbst durch die anthropomorphe, spiegelbildliche
Sicht der Tierwelt immer schon präsent ist (s. o. S. 140), bildet die Reminiszenz in
den *Kynegetika* einen thematisch nicht integrierten Fremdkörper. Ähnliches
läßt sich an dem Abschnitt über Ziegen und Schafe beobachten (326 ff.). Hier
stellt der Verfasser einen anderen Gesichtspunkt heraus, der in den *Halieutika*
von zentraler Bedeutung war: die beispielhafte Liebe zwischen dem Muttertier
und den Jungen (343 ff.). Ps.-Oppian greift dabei das Motiv auf, das in den
Halieutika besonders im ersten Buch thematisch maßgebend war und das dort
im fünften Buch noch einmal verwendet wurde, um von dem ‚menschlichen‘
Verhalten der Tiere die verbrecherische Hybris der Menschen abzusetzen (s. o. S.
149). Auf diese eindrucksvolle Partie des fünften Buches geht der Abschnitt des
Jagdgedichtes zurück. Aber wieder wird der gedankliche Gehalt, der in den
Halieutika thematisch integriert war, übernommen, ohne in dem neuen Zusammenhang mehr als ein wenig passendes poetisches Glanzlicht zu sein.[11] Das
gleiche gilt von dem Hymnus auf die alle Bereiche der Welt durchdringende
Macht des Eros, der in die Darstellung des σοῦβος und des bemerkenswerten
Liebesverhaltens anderer Tiere eingefügt ist.[12] An diesen Beispielen ist offensichtlich geworden, daß der Autor weder an einer nüchtern-sachlichen Beschreibung der Tiere interessiert ist noch die Stoffmasse unter einen übergreifenden
thematischen Aspekt zu stellen vermag. Er greift sich aus der Fülle der Tiere
diejenigen heraus, die ihm Gelegenheit zu poetisch ergiebigen Schilderungen
bzw. Digressionen geben; andere, diesen Gesichtspunkten nicht genügende Tiere
übergeht er.[13] Sein literarisches Interesse läßt ihn in besonderem Maße mit den

---

[11] Vgl. Kyn. 2, 343 ff. mit Hal. 5,519 ff. Das gefangene Muttertier spricht in den
Kynegetika mit ähnlichen Worten zu den Jungen wie bei Oppian der Delphin (vgl. Kyn.
358 ff. mit Hal. 558 ff.). Der künstlerische Einfall des Oppian, die Fische sprechen zu
lassen, gefällt dem Kynegetiker so gut, daß er anschließend auch die Jungen sprechend
auftreten läßt. Diese fordern den Jäger auf, die „Satzung der Götter“ zu scheuen (371) –
ein Gedanke, der für den Kontext der *Halieutika* wesentlich ist, hier dagegen wenig
am Platze ist. Zum Motiv der redenden Tiere, bei Oppian entsprechend seiner Tendenz
der Parallelisierung tierischen und menschlichen Verhaltens eine bewußt und sinnvoll
gewählte Form der Darstellung, vgl. noch Kyn. 3,218 ff.
[12] Kyn. 2,410 ff. Der Hymnus ist angeregt durch das Proömium zum vierten Buch
der *Halieutika* (s. o. S. 146). Dort entfaltet der Eros-Hymnus die für die Sachdarstellung des folgenden Buches entscheidenden Aspekte, hier stellt er eine weitere, mit rheto-
rischem Pathos geladene Abschweifung, ein weiteres Ornament dar.
[13] So etwa die Reihe kleiner Tiere, die am Schluß ausdrücklich aus der Darstellung

Halieutika wetteifern. Von dort übernommene Motive werden aber ihrer ursprünglichen thematischen Valenz entleert und werden so in dem neuen Kontext zu funktionslosen, rein ornamentalen Darstellungselementen.

Die für das zweite Buch herausgearbeitete Charakteristik trifft auch auf die Tierbeschreibung des dritten Buches zu. Auch hier gelingt es dem Autor nicht, die Stoffülle einem leitenden Gedanken unterzuordnen,[14] auch hier wird allenfalls eine ästhetisch gefällige, durch stilistische Glanzlichter aufgelockerte, formale Bewältigung des Stoffes erreicht.[15] Der Einfluß der *Halieutika*, so konstitutiv er auch für die Tierbeschreibung im ganzen und für die Darstellung im einzelnen ist, bleibt ein rein äußerlicher.

Das vierte Buch, das der Sache nach an die Darstellung des ersten anschließt, beginnt wie dieses recht systematisch. Der Dichter dispensiert sich zwar angesichts der Unmasse an Jagdtechniken von einer, wie er meint, gar nicht möglichen Vollständigkeit (10 ff.), entwickelt aber selbst anschließend zwei Möglich-

---

ausgeschlossen werden: 570 ff. Das ästhetische Interesse dokumentiert sich nicht nur darin, daß den Schluß des Buches eine mythologische Erzählung bildet (614 ff.; der Dichter läßt sich diesen Mythos nicht entgehen, obwohl er ihn selbst für „unglaubwürdiges Gerede" hält), sondern es scheint auch für die Anordnung der Tiere maßgebend zu sein: Die Bewegung geht zunächst vom Großen zum Kleinen (Stier – Rehwild – Ziegen, Schafe), steigt dann wieder zum ganz Großen (Elefant) hinauf, um schließlich beim ganz Kleinen zu enden.

[14] Die Versuche, dies zu tun, sind wieder an den *Halieutika* orientiert. Im Zusammenhang der Beschreibung des Luchses reflektiert der Dichter über die Kinderliebe dieses Tieres und anderer Raubtiere (96 ff.). Die Parallelisierung mit dem menschlichen Verhalten (108 ff.) geschieht im Anschluß an Hal. 1,702 ff., gewinnt aber in den *Kynegetika* genauso wenig thematische Funktion wie die anläßlich des Verhaltens der Wildesel eingefügte pathetische Reflexion über die verderbliche Macht der Eifersucht (237 ff.). Der Kynegetiker ist dazu angeregt durch die Reflexion Hal. 4,211 ff., wo der Gedanke sich gut in den Rahmen der warnenden Beispiele für die Verderblichkeit unmäßigen Liebestriebes einfügt (s. o. S. 146 f.). Ein solcher Kontext ist in den *Kynegetika* nicht gegeben. Für den Dichter ist die Reflexion Anlaß zur Entfaltung seiner rhetorischen Kunst und zur Ausbreitung mythologischen Wissens (244 ff.). Die Einleitung des Abschnitts (Ζεῦ πάτερ) klingt außerdem bewußt an eine andere ‚Glanzstelle' der *Halieutika* an: 1,409 ff. (s. o. S. 141).

[15] Ästhetische Funktion haben vor allem die ätiologischen Mythen am Anfang (Löwe: 7 ff.; Leopard: 78 ff.) ‚die Gleichnisse (dazu s. u. S. 183 mit Anm. 21) und die Anordnung der Tiere: Zunächst fällt auf, daß der Autor insofern einen gewissen Parallelismus im Aufbau der beiden Tierbücher anstrebt, als jeweils gegen Ende mit ähnlichem Neuansatz eine neue Gruppe von Tieren angeschlossen wird (2,570 ff.: 3,461 ff.); sodann ist deutlich, daß sich die einzelnen Tiere in eine bestimmte Bewegungslinie fügen: Der Dichter hat mit dem Beginn beim Löwen und dem Ende beim Hasen eine Antiklimax im Auge, die sich ziemlich konstant vom Großen und Gefährlichen zum Kleinen und Harmlosen hinbewegt.

keiten, den Stoff systematisch zu ordnen: a) die spezifischen ‚Waffen‘ der einzelnen Tiere (25 ff.: Stärke, Klugheit, Schnelligkeit), b) die vier Grundweisen der Jagd (39 ff.). Jede der beiden Aufzählungen hätte Kriterien für eine systematische Stoffentfaltung an die Hand geben können. Von dieser Möglichkeit macht Ps.-Oppian jedoch keinen Gebrauch. Seine Darstellung, die den Stoff hier in besonders starkem Maße kürzt,[16] ist nicht sachlichen, sondern ästhetischen Interessen verpflichtet. Den Hauptteil des Buches bilden die Fangschilderungen dreier großer und gefährlicher Tiere: Löwe, Leopard, Bär. Dabei nimmt die Ausführlichkeit der Beschreibung konstant ab. Im Hinblick auf die Löwenjagd[17] werden drei Fangweisen vorgeführt (77–211); dem Leoparden (212–229. 320–353) werden nur mehr zwei Fangdarstellungen gewidmet; beim Bären beschränkt sich der Autor auf eine, allerdings sehr ausführliche, Schilderung (354 –424). Inmitten des Leoparden-Abschnitts ist eine fast 100 Verse lange, sich völlig verselbständigende mythologische Digression eingeschaltet, ein literarisches Prunkstück, auf das der Dichter 3,82 f. bereits vorausgewiesen hat: Man sieht, wie wichtig ihm diese sachlich entbehrliche Einlage ist.[18] Den drei großen, gefährlichen Tieren werden am Schluß des Buches[19] drei kleine, harmlose an die Seite gestellt. Der Kontrast wird äußerlich auch dadurch betont, daß die Jagddarstellung bei ihnen sehr viel kürzer ist, auch hier durch abnehmende Ausführlichkeit gekennzeichnet: Hase (425–438), Gazelle (439–447), Fuchs (448–453). Die drei abschließenden Fangschilderungen bieten in ihrer extremen Knappheit so gut wie keine sachliche Belehrung mehr. Der Dichter legt aus ästhetischen Gründen das Schwergewicht auf die künstlerisch ergiebigere Darstellung der Großwildjagd. In der unter dem Gesichtspunkt der Antiklimax erfolgten Stoffauswahl, in der Kontrastierung und Parallelisierung der jeweils drei Tiere und ihrer Fangweisen dokumentieren sich der Verzicht des Autors auf eine syste-

---

[16] Von den vier Fangweisen wird nur der Netzfang einigermaßen ausführlich vorgeführt (56 ff.), die übrigen drei bleiben beiseite. Im ganzen wird nur auf sechs Tiere eingegangen, wobei als einziges Beispiel der im zweiten Buch genannten Tiere die Gazelle erscheint.

[17] Nach dem Vorbild der *Halieutika* (5,46 ff.; s. o. S. 148) setzt der Verfasser an den Anfang seiner Jagdschilderungen ein Beispiel, das Gelegenheit zu eindrucksvollen Kampfschilderungen und zur Herausstellung des menschlichen Wagemuts bietet (vgl. das pathetische Resümee 210 f.).

[18] Ein solcher Vorverweis auf eine Digression vom stofflichen Thema ist im Rahmen der Lehrdichtung eine Singularität. Hierin zeigt sich besonders markant, wie stark das literarische Interesse des Dichters das sachliche überwiegt.

[19] Das Buch bricht mit der Darstellung der Fuchsjagd unvermittelt ab. Es mag sein, daß der Verfasser gerade darin einen Effekt erblickt hat; wahrscheinlicher ist jedoch, daß am Schluß – wie in den *Halieutika* (5,675 ff.) – ein Epilog gestanden hat, der verlorengegangen ist (vgl. Keydell 704).

matisch-sachgemäße Darstellung und seine Tendenz, den Stoff ästhetischen Prinzipien zu unterwerfen.

Nicht zuletzt durch die Analyse des vierten Buches ist deutlich geworden, daß der Anspruch des Dichters, den Adressaten zu belehren (4,20 ff.), rein fiktiv ist. Der Autor hält es auch nicht für notwendig, diesen didaktischen Anspruch durch einen entsprechenden Stil zu unterstreichen. Nur an wenigen Stellen spricht er als anordnender, sachkundiger Lehrer, große Partien sind dagegen beschreibend.[20] Ps.-Oppians Intention ist grundsätzlich vergleichbar mit derjenigen des Nikander. Es geht ihm darum, den poetischer Darstellung so widerstrebenden Gegenstand in eine ästhetisch gefällige Form zu bringen. Während sich aber Nikander dabei auf sprachlich-stilistische Mittel und solche der Ponderierung und Gliederung beschränkt und nur gelegentlich auch andere Elemente (wie etwa mythologische Digressionen) einbezieht, liegt bei Ps.-Oppian das Schwergewicht der Ästhetisierung – neben den stilistischen Mitteln – gerade auf solchen sachfremden Erweiterungen. Neben den großen, sich verselbständigenden mythologischen Exkursen bedient sich der Autor besonders reichlich des durch die epische Tradition vorgegebenen und vornehmlich durch Oppian für seine Zwecke ausgestalteten Mittels der Gleichnisse. Wie in vielem anderen ist der Kynegetiker auch hier durch sein Vorbild angeregt worden; wie auch sonst wird das bei dem Vorgänger im Hinblick auf sein übergeordnetes Thema verwendete Darstellungselement seiner dortigen Funktion entleert und zu einem reinen Ornament.[21] Die Unbedenklichkeit, mit der in den in besonderem Maße an den *Halieutika* orientierten mittleren Büchern Motive und Gedanken, die bei Oppian der Herausarbeitung der Spiegelbildlichkeit des Tierischen für das Leben der Menschen dienen, übernommen werden, führt zu einer äußerlichen Ähnlichkeit dieser Bücher mit der Darstellung des Oppian. Aber bei näherem Hinsehen zeigt sich, daß die für die *Halieutika* und deren ,transparentes' Thema konstitutive anthropomorphe Sicht der Tierwelt in den *Kynegetika* – ebenso wie andere Ele-

---

[20] Im ersten Buch herrscht zunächst der lehrhafte Stil vor (81 ff. 110 ff. 147 ff. 158 ff. 368 ff.); die beiden mittleren Bücher verfahren ihrem Gegenstand entsprechend beschreibend, und diese Darstellungsweise beherrscht weithin auch das vierte Buch.

[21] Die ornamentale Funktion der Gleichnisse wird besonders deutlich am Ende des ersten Buches, wo ihre Häufung dem Buchschluß einen hervorstechenden dichterischen Glanz verschaffen soll (494 ff. 507 ff. 517 f. 520 ff. 527 ff.). Das Gleichnis 1,494 ff., deutlich gestaltet nach dem Vorbild Hal. 4,195 ff., ist zugleich geeignet, die Funktionsentleerung Oppianischer Muster zu demonstrieren. Bei Oppian dient das Gleichnis dazu, das quasimenschliche Verhalten des κόσσυφος zu unterstreichen, die Parallele von Tierischem und Menschlichem, die der Dichter anschließend ausdrücklich betont (203 ff.), sinnfällig werden zu lassen (s. o. S. 146); bei dem Imitator beschränkt sich die Funktion des Gleichnisses auf rein äußerliche Veranschaulichung des beschriebenen Vorgangs.

mente – nichts weiter als ein Mittel äußerlicher Ästhetisierung des Stoffes ist.[22] Die Fülle der Übernahmen aus den *Halieutika* und die dadurch bewirkten Ansätze einer gedanklichen Überhöhung der Stoffdarstellung geben dem Gedicht ein zwiespältiges Gesicht: Nikandrische Tradition und *Halieutika*-Imitation, d. h. ‚formale‘ und ‚transparente‘ Tendenzen, vertragen sich nur schlecht; ihr Nebeneinander hat eine innere Widersprüchlichkeit zur Folge, die als solche kennzeichnend für das Produkt eines Epigonen ist.

4. Geographische Lehrgedichte

a) ‚Lehrgedichte‘ in jambischen Trimetern

Im Umkreis der geographischen Lehrdichtung stoßen wir im Verlauf dieser Untersuchungen zum ersten Mal auf eine von allen bisher behandelten Ausformungen poetischer Didaktik scharf zu trennende Sonderform: Lehrschriften, deren Versmaß nicht der daktylische Hexameter, sondern der jambische Trimeter ist. Schon die Wahl dieses von der ehrwürdigen Erhabenheit des epischen Hexameters weit entfernten, sich prosaischer Darstellung am engsten nähernden Versmaßes [1] zeigt, daß sich die Autoren, die sich dieser Sonderform bedienen, nicht in die Tradition der an Hesiod oder den hellenistischen Lehrdichtern orientierten didaktischen Poesie stellen wollen, daß sie ein grundsätzlich anderes Ziel verfolgen. Ist für die gesamte hexametrische Didaktik seit Arat die Polarität von Lehre und Dichtung, das Spannungsverhältnis von sachlichem Gegenstand und poetischer Form – in welcher spezifischen Weise auch immer die einzelnen Autoren diese Spannung bewältigen – konstitutiv (s. o. S. 25 f. 35), so gilt dieses Grundkennzeichen des Lehrgedichts als einer besonderen literarischen Gattung nicht für die jambischen ‚Gedichte‘. Bei ihnen kann man überhaupt nur in einem sehr äußerlichen Sinne von Dichtung sprechen, nur insofern nämlich, als ihre Autoren nicht Prosa schreiben, sondern sich einer metrisch gebundenen Darstellungsweise bedienen. Das Moment des Poetischen beschränkt sich allein auf diese Äußerlichkeit. Die Verfasser betrachten sich denn auch selbst nicht als Dichter, sondern als Fachschriftsteller – und bringen das bereits

---

[22] W. Schmitt, Kommentar zum ersten Buch von Pseudo-Oppians Kynegetika, Diss. Münster 1969, betont zwar zutreffend die epigonale Abhängigkeit des Gedichts von den *Halieutika* und leitet auch richtig die anthropomorphe Schilderung der Tiere, wo sie bei Ps.-Oppian auftaucht, von dem Vorbild ab; er erfaßt aber nicht den fundamentalen Unterschied in der jeweiligen Funktion dieser Elemente.

[1] Vgl. Arist., Poet. 4,1449 a 24 ff.

durch die Wahl des Metrums zum Ausdruck. Sie verfolgen mit dem Vortrag ihres Lehrgegenstandes in metrisch gebundener Form keinerlei ästhetisch-literarische Intentionen. Sie haben ein rein sachliches Interesse an ihrem Stoff und schreiben nur deshalb keine Fachprosa, sondern bedienen sich der Versform, weil sie in dem Versmaß ein geeignetes Mittel hinsichtlich der besseren Einprägsamkeit des Lehrstoffes erblicken, ein Mittel, welches das Auswendiglernen der Lehre erleichtert. Die metrische Form verfolgt also einen ganz praktischen Zweck; sie ist nichts weiter als ein mnemotechnisches Hilfsmittel. Die Verse sind konzipiert als Merkverse. Kann man bei derlei Werken also auch nach der Intention der Autoren gar nicht von Dichtung sprechen, so ist auch der Begriff der Lehrdichtung auf sie – wenn überhaupt – in einem nur sehr eingeschränkten Sinne anzuwenden.[2] Zumal für die hier verfolgte typologische Fragestellung, die ja von der fruchtbaren Spannung der beiden Pole Lehre und Dichtung ausgeht, sind die jambischen Lehrschriften ohne eigentliches Interesse: Der Typ dieser ‚Gedichte‘, die ja nichts weiter anstreben als die Vermittlung sachlicher Lehre in mnemotechnisch optimaler Form, ist von vornherein festgelegt. Die folgenden Bemerkungen werden sich daher auf eine entsprechend kurze Charakterisierung der beiden einschlägigen geographischen ‚Lehrgedichte‘ beschränken.

An erster Stelle ist die gegen 100 v. Chr. entstandene, an den König Nikomedes von Bithynien gerichtete, unvollständig erhaltene *Perihegese* eines anonymen Verfassers zu nennen.[3] Der Autor beruft sich in seinem ἀπολογισμὸς τῆς ὅλης συντάξεως (12) hinsichtlich seiner Darstellungsweise auf das entsprechende Verfahren „eines der wahren attischen Philologen“, der eine χρονογραφία vom Untergang Trojas bis zur Gegenwart verfaßt habe (16 ff.) – womit zweifellos eben jener Apollodor gemeint ist, der sich in seiner *Chronik* des jambischen Trimeters bedient hat.[4] Auf diese metrische Form kommt der Verfasser sogleich zu sprechen, wobei er offenbar methodologische Erwägungen des Apollodor repro-

---

[2] Die früheste uns kenntliche Lehrschrift, auf die diese Charakteristik zutrifft, ist die in jambischen Trimetern, aber ohne jede sonstige poetische Ambition abgefaßte *Chronik* des Apollodor: ein wissenschaftliches Handbuch, von einem Fachgelehrten verfaßt und zum Nachschlagen und Auswendiglernen bestimmt. Der jambische Trimeter als ein von dem Autor leicht zu bewältigendes Versmaß eignet sich für diese Zwecke besonders gut. Vgl. die zutreffende Beurteilung dieser Form der ‚Lehrdichtung‘ durch F. Jacoby, Apollodors Chronik (Philol. Untersuchungen 16), Berlin 1902, 61 ff.; dort auch ein Überblick über spätere Vertreter dieser Sonderform (70 ff.).
[3] Text: Geographi Graeci minores, ed. C. Müller, Paris 1855/61, 1,196 ff. Der Autor wurde früher fälschlich mit dem Geographen Skymnos identifiziert; man hat sich gewöhnt, ihn Pseudo-Skymnos zu nennen. Zur Datierung vgl. Jacoby 15 Anm. 15. Außer an den König (vgl. 2 u. pass.) richtet sich die Schrift an „alle Lernbegierigen“ (9 f.).
[4] Vgl. Jacoby 1 ff.; s. o. Anm. 2.

duziert (33 ff.): Apollodor habe das μέτρον κωμικόν (d. h. den jambischen Trimeter) gewählt „um der Klarheit willen", da er sah, daß seine Darstellung auf
diese Weise „gut in der Erinnerung haften werde" (εὐμνημόνευτον ἐσομένην);
denn eine λέξις ἔμμετρος präge sich besser ein als eine λέξις λελυμένη.

Der Autor trägt hier mit dankenswerter Klarheit und Ausführlichkeit genau
die Gesichtspunkte vor, die nach den obigen Bemerkungen konstitutiv für den
‚mnemotechnischen' Typ der Lehrdichtung sind. Ps.-Skymnos verfolgt mit seiner Umsetzung der geographischen Fachschrift in eine metrische Form genauso
wenig dichterische Ziele wie Apollodor, er hat wie dieser ein rein sachliches
Interesse. Um der besseren Einprägsamkeit seiner Lehre willen bedient er sich
der dafür am besten geeigneten metrischen Form: des jambischen Trimeters.
Seine Darstellung ist nüchtern und sachbezogen; sie verzichtet auf poetischen
Schmuck und strebt keinerlei ästhetische Wirkung an. Es handelt sich um versifizierte Fachprosa.[5]

Seiner sachlichen Intention entsprechend gibt der Autor eine ausführliche Inhaltsangabe (65 ff.). Er trägt einen Auszug aus den verstreuten Forschungen
anderer vor, beschränkt sich aus didaktischen Gründen (1 ff.) auf eine das Wesentliche berücksichtigende Zusammenfassung (69 f.):

> ὅσα μὲν εὔσημά τ' ἐστὶ καὶ σαφῆ
> ἐπὶ κεφαλαίου συντεμὼν ἐκθήσομαι.

Wie es sich für ein Sachbuch gehört, nennt der Verfasser zu Beginn seiner Abhandlung seine wissenschaftlichen Quellen (109 ff.) – ein Vorgehen, das in einem
Lehrgedicht im eigentlichen Sinne keine Parallele findet. Er betont allerdings
auch, daß eigene Forschungen und Erfahrungen Eingang in seine Schrift gefunden haben (128 ff.): Wir haben es eben mit einem Fachschriftsteller und nicht
mit einem Lehrdichter zu tun.

Die *Perihegese* beginnt mit der Beschreibung Europas (139 ff.). Nüchtern und
sachgemäß wird, beginnend bei Spanien im äußersten Westen, eine geographische Gegebenheit an die andere gereiht; Name folgt auf Name, wobei der Verfasser seiner Ankündigung entsprechend (78) besonderen Wert auf Gründungsgeschichten legt. Auch während der Sachdarstellung werden wiederholt die Gewährsmänner genannt. Ein genaueres Eingehen auf die geographischen Darle-

---

[5] Wenn der Verfasser von der τέρψις spricht, die seine Schilderung dem Leser ge-
währe, so bezieht sich das auf den Reiz des Inhalts, auf die Buntheit und Fülle des
Stoffes, nicht aber auf die Form der Darstellung, auf etwaige ästhetische Qualitäten des
Werkes. Außerdem betont der Autor im gleichen Atemzuge deutlich, daß es ihm mehr
um den Nutzen des vermittelten Wissens, also um sachliche Unterweisung, als um literarische Unterhaltung geht: ἧς [sc.: τῆς ὅλης περιόδου] ὁ κατακούσας οὐ μόνον
τερφθήσεται, / ἅμα δ' ὠφελίαν ἀποίσετ' εὔχρηστον μαθών (92 f.); vgl. auch 7 ff.

gungen im einzelnen erübrigt sich im Rahmen dieses Überblicks. Es genügt zu sehen, daß der Autor keinerlei literarischen Ehrgeiz entfaltet, daß er das einzige Ziel verfolgt, den Lehrgegenstand so darzustellen, daß er sich dem Gedächtnis des Adressaten leicht und dauerhaft einprägt.

Dasselbe Bild wie die Lehrschrift des Ps.-Skymnos bieten die erhaltenen 150 Trimeter einer Ἀναγραφὴ τῆς Ἑλλάδος.[6] Der Verfasser dieser Darstellung ist, wie aus dem Akrostichon der ersten Verse hervorgeht, ein gewisser Dionysios, Sohn des Kalliphon. Er richtet seine Schrift an einen Theophrast (1). Der Adressat wird aufgefordert, sich Mühe zu geben und Lerneifer zu zeigen (21 ff.): Auch diesem Verfasser geht es um die Vermittlung konkreten geographischen Wissens. Die metrische Form dient auch hier allein mnemotechnischen Zwecken, und wie Ps.-Skymnos bemüht sich auch Dionysios um eine das Wesentliche herausstreichende Kürze, wieder im Sinne einer besseren Einprägsamkeit seiner schulbuchartigen Unterweisung.[7] Überhaupt scheint der Autor in der Wahl der Darstellungsweise den von Ps.-Skymnos im Anschluß an Apollodor vertretenen Prinzipien zu folgen, er scheint an diesen anzuknüpfen, sich aber auch zugleich von ihm absetzen zu wollen.[8] Die geographischen Ausführungen sind genauso nüchtern und schmucklos wie die des Ps.-Skymnos. Dionysios verzichtet wie sein Vorgänger auf jeglichen Versuch einer Ästhetisierung. Der durchweg schulbuchartige Charakter der Schrift kommt inhaltlich auch darin zum Ausdruck, daß Dionysios im Unterschied zu dem Autor der *Perihegese* kein Interesse an Gründungsgeschichten hat – obwohl auch dies durchaus zum Stoff gehört –, daß er statt dessen auf eine exakte Angabe der Entfernungen, also auf ein Moment von konkret-praktischer Relevanz, großen Wert legt.

b) Die „Perihegese" des Dionysios

Mit der zur Zeit des Hadrian entstandenen hexametrischen *Perihegese* des Dionysios – dieser Dichter ist nicht mit dem Verfasser der jambischen Ἀναγραφή zu

---

[6] Text: Geogr. Gr. min. 1,238 ff.

[7] Vgl. 8 ff.: τὰ γὰρ ἐν πλείοσιν / ὑπὸ τῶν παλαιῶν συγγραφέων εἰρημένα / ταῦτ' ἐμμέτρως ῥηθήσετ' ἐν βραχεῖ χρόνῳ, / ὅπερ ἐστὶν ἱκανῶς δύναμιν ἰσχυρὰν ἔχον. Mit δύναμις ἰσχυρά meint der Verfasser die durch die metrische Form und die Kürze erzielte mnemotechnische Wirkung; vgl. auch 19: ὥστ' ἀναλαβόντα καὶ διὰ μνήμης ἔχειν.

[8] Es ist sehr wahrscheinlich, daß der Verfasser, wenn er in den ersten Versen betont, er trage Eigenes vor und gebe nicht – ὅπερ ἔνιοι ποιοῦσι – die Mühe anderer für seine eigene aus, mit ἔνιοι den unbekannten Autor der *Perihegese* meint; wenn dem so ist, hätte er allerdings übersehen, daß dieser seine Quellen klar genannt hat. Vgl. auch Jacoby 70 f., der die Ansicht vertritt, Dionysios habe in „offenbarem Anschluß an Ps.-Skymnos" geschrieben.

verwechseln – tritt wieder der Bereich der eigentlichen Lehrdichtung in den Blick. Autor und Zeit der Entstehung werden durch zwei Akrosticha gesichert.[1] Der Dichter ordnet sich bewußt – im Unterschied zu den beiden zuvor behandelten Verfassern – in die Tradition der Lehrdichtung ein, was nicht nur aus der Wahl des Versmaßes hervorgeht (s. u. S. 189 ff.). Er beginnt ohne ein eigentliches Proömium sogleich mit der klaren Angabe seines Themas: Erde, Meer, Flüsse, Städte, Völker, und setzt unmittelbar mit der Sachdarstellung ein: mit der Beschreibung des Ozeans und der von ihm umfaßten drei Erdteile (1–57). Auf diese fundamentale Grundlegung des geographischen Weltbildes folgt sachgemäß die Beschreibung des Mittelmeers (58–169). Der Dichter betont, er wolle „der Reihe nach" (63: στοιχηδόν) vorgehen, und er gibt tatsächlich einen nüchternen, sachorientierten Abriß der Geographie des Mittelmeers, beginnend im äußersten Westen. Die Behandlung des Festlandes schließt sich an in der Reihenfolge Libyen (174–269), Europa (270–446), Inseln (447–619), Asien (620–1165). Dabei hält sich Dionysios durchweg an die Schritt für Schritt und der Reihe nach vorgehende Stoffanordnung seiner prosaischen Vorlage.[2] Die ernsthafte Absicht geographischer Wissensvermittlung ist durchgehend erkennbar. Die aus dem Sachinteresse resultierende Intention konkreter Lehre zeigt sich nicht nur darin, daß der Autor die Gliederung seines Stoffes fast pedantisch genau durch dispositionelle Bemerkungen wie Ankündigungen eines neuen Gegenstandes und abschließende Rekapitulationen deutlich macht,[3] um vermittels einer solchen Berück-

---

[1] 109 ff.: ἔπη (?) Διονυσίου τῶν ἐντὸς Φάρου (110 wäre um des Akrostichons willen anstelle von μακρόν ein mit π anlautendes Wort, etwa πολλόν, gefordert); 513 ff.: θεὸς Ἑρμῆς ἐπὶ Ἀδριανοῦ; s. u. S. 190 mit Anm. 7. Text: Geogr. Gr. min. 2, 103 ff.

[2] Warum der Didaktiker seiner Darstellung eine veraltete, nicht auf der wissenschaftlichen Höhe seiner Zeit stehende Vorlage zugrunde gelegt hat (vgl. Knaack, RE 9. Halbbd., 1903, 919; F. Gisinger, RE Suppl. 4,1924,671), dürfte nicht auszumachen sein. Jedenfalls sollte man aus dieser Tatsache nicht voreilig den Schluß ziehen, er sei an seinem Gegenstand nicht eigentlich interessiert gewesen. Nur so viel ist sicher, daß Dionysios kein Angehöriger der geographischen Fachwissenschaft war, und in diesem Moment der Externität trifft er sich mit den meisten übrigen Lehrdichtern. Als interessierter Laie war er auf die ihm erreichbaren Quellen angewiesen, und das waren offenbar nicht die neuesten und besten.

[3] Vgl. die jeweils am Beginn eines neuen Abschnitts stehenden, den Leser klar orientierenden Ankündigungen (1 ff.: Ozean; 58: Mittelmeer; 170: Festland; 270: Europa; 331: Rest von Europa; 345: Völker am Apennin; 447 ff.: Inseln; 555 ff.: weitere Inseln; 650 f.: Völker Asiens; 726: Völker am Kaspischen Meer; 762 ff.: Völker am Schwarzen Meer; 799 ff.: asiatische Völker an der Ägäis; 881 ff.: südliches Asien; 933: Völker Arabiens; 1053 ff.: Persien; 1080: restlicher, südöstlicher Teil Asiens; 1128 f.: Indien) und die abschließenden Rekapitulationen (26. 41 f. 56 f. 169. 269. 320. 330. 383. 554. 612 ff. 679. 761. 797. 960. 1166). Bezeichnend für die didaktische Grundeinstellung des Dichters ist auch ein sachlicher Rückverweis auf bereits früher Behandeltes: 889 f.

sichtigung didaktischer Notwendigkeiten dem Adressaten die Orientierung in der Stoffmasse zu erleichtern; die lehrhafte Haltung des Dichters äußert sich auch in direkten Wendungen an den Leser. Neben den für die Lehrdichtung ja charakteristischen imperativischen Aufforderungen an den Partner des Lehrvorgangs – ein Darstellungsstil, der von dem Autor durchweg gewahrt wird, der aber allein noch nicht viel zu besagen braucht, da es sich um eine fiktive, literarische Geste handeln kann – sind es besonders zwei Stellen, welche die Ernsthaftigkeit der didaktischen Haltung deutlich werden lassen. 170 ff. bezeichnet es Dionysios als Ziel seiner Bemühung, daß der Leser auch ohne Autopsie eine klare Vorstellung von dem geographischen Bild der Erde erhält, und er versucht dessen Lernmotivation durch den Hinweis zu verstärken, dieses Wissen werde ihm großes Ansehen verschaffen, wenn er es später einmal einem Unkundigen weitergebe. Ähnlich wird der Adressat 882 ff. aufgefordert, sich das Vorgetragene einzuprägen, damit die Mühe des Dichters nicht umsonst sei. Wieder versucht der Autor die Aufmerksamkeit des Lesers mit dem Hinweis darauf wach zu halten, daß dieser seinerseits später selbst in der Rolle des kundigen Lehrers auftreten könne.

Dionysios verfaßt sein Lehrgedicht also aus echtem sachlichen Engagement [4] und mit ernsthaft didaktischer Absicht. Aber er ist nicht – wie die Autoren der jambischen ‚Gedichte‘ – nur Lehrer, er ist auch Dichter, d. h., er hat neben dem sachlichen Interesse auch künstlerische Ambitionen. Das kommt schon durch das betonte ἀείδειν im ersten Vers zum Ausdruck, zeigt sich in der Übernahme des traditionellen Musenanrufs (62 u. pass.) und findet programmatischen Ausdruck in dem Selbstbekenntnis des Dichters als eines Jüngers der Musen (709 ff.). Durch Inanspruchnahme der durch die Tradition der epischen Sprache gegebenen Kunstmittel, durch eine an der Praxis hellenistischer Autoren orientierte sprachlich-stilistische Gestaltung,[5] durch Anwendung rhetorischer Figuren [6] ist der

---

[4] Die innere Beziehung des Didaktikers zu seinem Stoff wird besonders deutlich in dem Epilog: in der Wärme, mit der der Autor von seinem Gegenstand Abschied nimmt (1181 ff.). Die persönliche Beteiligung geht aber nicht auf Kosten der sachlichen Richtigkeit. Diese beansprucht Dionysios ganz ausdrücklich: οὐδ᾽ ἂν ἔμοιγε / μύθου ἅτε ψευσθέντος ἀνὴρ ἐπιμωμήσαιτο (895 f.).

[5] Zur sprachlichen Anlehnung an die Alexandriner vgl. die für die hier verfolgte Fragestellung ansonsten nicht ergiebige, weil im wesentlichen an Quellenfragen orientierte Arbeit von U. Bernays, Studien zu Dionysios Periegetes, Heidelberg 1905, 32 ff.; vgl. ferner Knaack 918 f., und U. v. Wilamowitz-Moellendorff, Marcellus von Side (1928), in: Kleine Schriften 2, Berlin 1971, 219 f.

[6] Besonders gern verwendet der Dichter die pathetisch-steigernde Figur der Anapher. Vgl. die Anaphern bei geographischen Eigennamen 195 ff. 298 f. 352 ff. 358 f. 794 ff. 815 ff.

Dichter bestrebt, seiner Darstellung poetischen Reiz zu verleihen. Die Ästhetisierung bleibt jedoch immer im Dienst der Sache, schiebt sich nicht als Selbstzweck in den Vordergrund.

In diesem Zusammenhang verdient besondere Erwähnung der Versuch, der
Stoffmasse durch eine bestimmte Ponderierung der Abschnitte und durch bewußte Placierung gliedernder und auflockernder Elemente eine gefällige künstlerische Form zu geben. Deutlich erkennbar ist zunächst das Bestreben, die einzelnen Hauptabschnitte in ein bestimmtes Größenverhältnis zu bringen. Sieht
man von der einleitenden Ozeanbeschreibung (58 Verse) und dem Epilog (21
Verse) ab, so stehen mit der Darstellung des Mittelmeers (112 Verse) und Libyens
(96 Verse) zwei annähernd gleich große Abschnitte nebeneinander, gefolgt von
wiederum zwei gleich großen Teilen: Europa (177 Verse); Inseln (173 Verse).
In der Mitte des ersten und letzten Abschnitts dieser Vierergruppe ist je ein
Akrostichon placiert, jeweils durch ein Gleichnis aus der Sachdarstellung her-
ausgehoben.[7] Durch einen jeweils am Anfang stehenden Musenanruf (62.447)
sind diese beiden Teile darüber hinaus zueinander in Beziehung gesetzt. Angesichts einer so bewußten Gestaltung des Aufbaus ist es gewiß auch kein Zufall,
daß die erwähnten vier Großabschnitte zusammen etwa den gleichen Umfang
besitzen wie die Beschreibung Asiens (562 bzw. 546 Verse), welche die gesamte
zweite Hälfte des Gedichts einnimmt.

Aber Dionysios beschränkt sich nicht auf solche äußerlich-formalen Mittel der
Poetisierung. Der Abschnitt über Libyen enthält gegen Anfang die Beschreibung
des primitiven Lebens der Νομάδες, die ohne jede Kenntnis landwirtschaftlicher
Kultur ein Dasein fern jeder Zivilisation wie die Tiere führen (186 ff.). Dem
steht gegen Ende des Abschnitts der Preis des Nillandes gegenüber, der Wiege
menschlicher Zivilisation und Kultur (232 ff.). Der Europa-Teil enthält etwa in
der Mitte (350 ff.) den pathetischen Preis des Tiber, des „königlichsten aller
Flüsse", und des erhabenen Rom, „der Mutter aller Städte", „des großen Wohn-
sitzes meiner Herrscher": Das machtpolitische Zentrum der bewohnten Welt hat
auch in der Beschreibung eine zentrale Stelle inne. Das Ende des Abschnitts wird
wirkungsvoll markiert durch die Ausführungen über das delphische Heiligtum
(441 ff.).

---

[7] 109 ff. und 513 ff. (s. o. Anm. 1). Die Gleichnisse (123 ff. 531 f.) sind bemerkenswerterweise die einzigen weiter ausgeführten Vergleiche in dem ganzen Gedicht; sie dienen ganz offensichtlich der zusätzlichen Markierung der Akrosticha. Die bewußte Anordnung der Akrosticha und deren formale Hervorhebung erinnert unverkennbar an die
entsprechende Praxis des Nikander (s. o. S. 62). Insofern sind die Ausführungen von
E. Vogt, Ant & Abendl 13, 1967, 89 f., der das Verfahren des Dionysios von der hellenistischen Lehrgedichttradition absondern will, zu korrigieren.

Es ist angesichts des zutage getretenen Bemühens des Lehrdichters um eine ästhetische Formung des Stoffes von vornherein zu erwarten, daß auch der große Komplex über Asien eine bestimmte künstlerische Struktur aufweist. Diese Erwartung wird bei genauerem Hinsehen bestätigt. Der gesamte Abschnitt gliedert sich zunächst in zwei mit 261 bzw. 285 Versen etwa gleich große Teile, die dem nördlichen (620–880) bzw. dem südlichen Asien (881–1165) gewidmet sind.[8] Beide Teile beginnen jeweils mit einer allgemeinen Beschreibung, der erste schließt daran zunächst die Darstellung des nördlichsten Asien (Maiotis, Kaspisches Meer, Pontos) an (650–798), der zweite diejenige der südlichen Regionen von Syrien bis Persien (894–1079). Mit 179 bzw. 199 Versen sind die beiden Unterabschnitte wieder etwa gleich groß. Während am Beginn der Darstellung der nördlichen Gebiete die für Mensch und Tier gleichermaßen feindliche Unwirtlichkeit und Kälte des skythischen Landes geschildert wird (666 ff.), stehen am Anfang der Beschreibung der südlichen Hälfte die Kultur, der Reichtum und die Fruchtbarkeit Syriens und Arabiens (902 ff. 921 ff. 927 ff.) im Mittelpunkt. Es ist deutlich, wie der Dichter die sachlichen Gegebenheiten im Sinne einer künstlerischen Strukturierung des Stoffes zu nutzen versucht.[9] Das zeigt sich auch bei der Betrachtung der beiden sich jeweils anschließenden Abschnitte in der Beschreibung der nördlichen (799–880: die ägäischen Regionen) und der südlichen Kontinentalhälfte (1080–1165: die Regionen östlich von Persien), die wieder etwa die gleiche Ausdehnung besitzen. Die beiden Abschnitte sind zudem dadurch parallelisiert, daß der Autor sich in beiden eine Abschweifung über den Dionysos-Kult erlaubt: Einmal steht diese Digression etwa in der Mitte (839 ff.), in der anderen Partie am Ende (1152 ff.) – dort zugleich einen mar-

---

[8] Der starke Einschnitt 881, wo der Autor mit λοιπὸν πόρον γαιάων ᾿Ασίης die zweite Hälfte seiner Asien-Beschreibung ankündigt, wird unterstrichen durch die an dieser Stelle eingefügte Wendung an den Adressaten (s. o. S. 189). Den geographischen Grund für diese Zweiteilung seiner Darstellung nennt der Autor selbst jeweils zu Beginn der beiden Teile (638 ff.; auf diese Stelle zurückweisend 889 f.): Von Westen nach Osten zieht sich quer durch Asien eine Gebirgslinie, die den Kontinent in zwei Hälften teilt.

[9] Das ließe sich in einer detaillierten Einzelinterpretation noch weiter verfolgen. Hier sei nur darauf hingewiesen, daß in der Mitte des ersten Unterabschnitts die Selbstaussage des Dichters placiert ist (709 ff.; s. o. S. 189, u. S. 192) und daß das Ende des Abschnitts durch die dreifache Anapher des Rhebas-Flusses markiert wird (794 ff.). Ähnliches läßt sich auch bei der Beschreibung der südlichen Region beobachten. Dem Beginn mit der Schilderung des glücklichen Reichtums Syriens und Arabiens steht am Schluß der begeisterte, wieder durch dreifache Anapher hervorgehobene Preis der Goldschätze Persiens gegenüber (1053 ff.). Einen scharfen Kontrast dazu bildet in der Mitte des Abschnitts die Erwähnung des ärmlichen, tierisch-primitiven Lebens der Eremboi (963 ff.).

kanten Abschluß der gesamten Sachdarstellung bildend und auf den Beginn der
Beschreibung Asiens zurückverweisend (623 ff.).

Neben den hier nur grob skizzierten Mitteln der künstlerischen Gliederung
des Stoffes bedient sich Dionysios auch weiterer poetisierender Elemente. Er
lockert die Entfaltung des Lehrgegenstandes durch kleinere Beschreibungen von
mit bestimmten geographischen Gegenden verbundenen Gegebenheiten[10] und
durch kürzere mythologische Anspielungen[11] auf. Als sachfremd kann man
davon allenfalls die mythologischen Andeutungen bezeichnen, aber diese bleiben ganz vereinzelt und gefährden nie die Priorität der stofflichen Wissensvermittlung. Sie dienen – wie alle anderen Elemente der Ästhetisierung – dem Ziel,
die Stoffdarstellung lesbar und reizvoll zu gestalten und sie so dem Adressaten
nahe zu bringen; sie stehen im Dienst der didaktischen Intention.

Es geht dem Dichter offensichtlich darum, den Stoff, den Autoren wie Ps.-
Skymnos nur äußerlich poetisiert hatten, indem sie ihn aus mnemotechnischen
Gründen in die metrische Form des jambischen Trimeters gegossen hatten, für
die eigentliche Lehrdichtung zu gewinnen, ihn dementsprechend künstlerisch zu
gestalten und ihm dadurch auch eine angemessene Würde zu verleihen. Dionysios knüpft dabei zunächst an Hesiod als den Archegeten der Gattung an; jedenfalls erinnert die Selbstaussage 709 ff. betont und programmatisch an die entsprechende Partie der *Erga*.[12] Der wesentliche Ansatzpunkt seiner didaktischen
Poesie sind aber die *Phainomena* des Arat. Diese Orientierung an dem Ausgangspunkt aller nachhesiodeischen ‚modernen‘ Lehrdichtung ist angesichts der
bereits festgestellten Anlehnung an die Autoren des Hellenismus nicht erstaunlich. Sie geht über vereinzelte sprachliche Anspielungen weit hinaus.[13] Wenn
Dionysios im Epilog seines Gedichts (1166 ff.) die Unvollständigkeit seiner Ausführungen damit begründet, daß kein Sterblicher alle Völkerschaften auf der
Erde zu nennen vermöge, daß dazu nur die Götter imstande wären, die selbst

---

[10] Vgl. etwa außer den bereits genannten Stellen noch 390 ff. (Grabmal des Kadmos
und der Harmonia); 473 ff. (schwierige Schiffahrt bei Sizilien); 545 ff. (Fortleben der
Seelen); 596 ff. (Meeresuntiere bei Taprobane); 700 ff. (Kamariter und Bakchos);
1040 ff. (kriegerische Mentalität der Parther).

[11] 140 f. 144 f. 197. 290 f. 425. 484 ff. 489 f. 775 ff. 788 ff. 807 f. 869 ff. Etwas breiter
ausgeführt sind nur zwei Erzählungen: die Medea-Sage (1021 ff.) und der die sachliche
Lehre abschließende Dionysos-Mythos (1152 ff.).

[12] 646 ff. 660 ff. Beide Autoren betonen ihre Abneigung gegenüber der Seefahrt. Dionysios beruft sich wie Hesiod darauf, ohne eigene Erfahrung sein Wissen von den Musen
zu haben.

[13] Vgl. die von E. Maaß, Aratea (Philol. Untersuchungen 12), Berlin 1892, 257 f.,
notierten Anklänge, zu denen die Bezugnahme von Dion. 341 f. auf Phaen. 529 ff. als
sichere Arat-Reminiszenz noch hinzuzufügen ist.

die Fundamente der Welt gelegt, alles für das Leben fest geordnet (ἔμπεδα πάντα βίῳ διετεκμήραντο), die Sterne geschieden hätten (ἄστρα διακρίναντες) usw., so erinnert er damit ebenso bewußt an das Proömium des Arat (vgl. besonders Phaen. 11. 13) wie mit der Bemerkung, die Einrichtung der Welt entspringe dem Plan des Zeus (1179). Die Bezugnahme auf Arat ist um so auffälliger, als diese für die *Phainomena* so wichtigen Gedanken in der *Perihegese* keine thematische Rolle spielen. Ist man erst einmal auf die Beziehungen zwischen den beiden Gedichten aufmerksam geworden, so wird man auch in dem Eingang der *Perihegese* einen Anschluß an den des Sterngedichts erkennen: Beginnt Arat mit Zeus (Ἐκ Διὸς ἀρχώμεσθα ...), so heißt es zu Beginn der Erdbeschreibung: Ἀρχόμενος ... μνήσομαι Ὠκεανοῖο βαθυρρόου; dieser Ozean ist einer und hat doch viele Namen (28: εἷς μὲν ἐών, πολλῇσι δ’ ἐπωνυμίῃσιν ἀρηρώς) – so wie Zeus, der von den Menschen in vielerlei Funktion angerufen wird (Phaen. 1 ff.). Der Musenanruf erfolgt erst zu Beginn der Beschreibung des Mittelmeers, nach Abschluß der einleitenden Ozean-Darstellung (62) – entsprechend dem Vorgange des Arat (Phaen. 16 ff.).[14] Im Lichte dieser Orientierung des Perihegeten an den *Phainomena* ist es gewiß auch kein Zufall, daß die *Perihegese* etwa gleich lang ist wie ihr Vorbild und daß sie sich wie dieses an keinen bestimmten, mit Namen genannten Adressaten wendet.

Es ist offenbar das Bestreben des Autors, dem Sterngedicht des berühmten hellenistischen Lehrdichters ein Gedicht über die Erde an die Seite zu stellen, dem ihn interessierenden Stoff die gleiche poetische Würde zu verleihen, die Arat der Sternenwelt gesichert hatte. Die durchweg erkennbaren ästhetischen Ambitionen des Perihegeten sind im Zusammenhang seiner literarischen *aemulatio* in Richtung des Arateischen Vorbildes zu sehen. Diese wiederum entspringt dem Interesse an der Sache; denn deren auf Breitenwirkung angelegte Darstellung kann gerade nach Arat auf ein bestimmtes Maß an ästhetischer Formgebung und Poetisierung nicht verzichten. Im Gegensatz zu der Himmelsbeschreibung des Arat, die ja den Stoff überschreitende thematische Intentionen verfolgte, bleibt die Erdbeschreibung des Dionysios auf der Ebene stofflicher Wissensvermittlung.[15]

---

[14] Bezeichnenderweise verlegt der lateinische Übersetzer des Dionysios, Avienus, der den Bezug auf Arat nicht erkennt, den Musenanruf an den Anfang: 8 ff.

[15] Vgl. das zutreffende Urteil von Knaack 918: „Dionysios hat zur Belehrung seiner Leser geschrieben..., ohne auf Vollständigkeit Anspruch zu erheben (646 ff. 1167 ff.)." – Ob dem Verfasser noch weitere der in der Überlieferung mit diesem Namen verbundenen Lehrgedichte (z. B. Λιθιακά, Ὀρνιθιακά) zugeschrieben werden dürfen, ist fraglich (das Material bei Müller, Geogr. Gr. min., XV ff.; zu den Ὀρνιθιακά s. auch o. S. 137 mit Anm. 3). Das sachliche Interesse des Autors an seinem Stoff und die Tatsache, daß der Didaktiker mit der Erdbeschreibung in Konkurrenz zur Himmelsdarstellung des Arat treten will, lassen es als wenig glaubwürdig erscheinen, daß er wahllos auch

Die Stoffülle und deren ästhetisch ansprechende Bewältigung sicherten dem Werk des Dionysios aber eine ähnlich starke Wirkung, wie sie den *Phainomena* beschieden war.[16] Beide Lehrgedichte wurden als sachlich unterweisende Handbücher gelesen – das eine der Intention des Verfassers gemäß, das andere in Verkennung seiner eigentlichen Zielsetzung.

5. Medizinisch-pharmakologische Lehrgedichte

So wie die *Phainomena* des Arat das bewunderte Vorbild späterer Sterndichter bildeten, hat auch die pharmakologische Lehrdichtung des Nikander in der Folge wiederholt zu der poetischen Darstellung medizinischer Gegenstände angeregt. In beiden Fällen scheint die spezifische, ‚artistische' Intention der hellenistischen Autoren, die – so unterschiedlich sie jeweils auch ist – doch das bezeichnende Ergebnis derselben historisch-literarischen Situation darstellt, von den Nachfolgern nicht recht erkannt worden zu sein. Diese betrachteten die Werke unter ihrem stofflichen Gesichtspunkt und sahen in ihren Autoren Vermittler eines bestimmten Lehrstoffes. Die griechischen Verfasser pharmakologischer Lehrgedichte orientieren sich unverkennbar an ihrem hellenistischen Vorgänger – ohne allerdings dessen ‚formale', nicht ‚sachbezogene' Einstellung genügend zu erfassen. Die drei in diesem Zusammenhang kurz zu betrachtenden Gedichte bzw. Gedichtfragmente[1] sind also Zeugnisse aktiver Nikander-Rezeption und beanspruchen schon insofern das Interesse des Interpreten. Sie lassen andererseits gerade im Vergleich mit der spezifischen Struktur des Nikandrischen Lehrgedichts wieder einmal den Spielraum sichtbar werden, den diese Gattung ihren Bearbeitern bot.

---

andere Lehrgegenstände versifiziert haben sollte. Allenfalls die Αἰθιακά können ihm womöglich gehören, denn zu diesem Stoff scheint der Periheget eine Affinität zu besitzen (vgl. 318 f. 328 f. 724 f. 781 f. 1011 ff. 1118 ff.).

[16] Die *Perihegese* wurde durch Avienus und Priscian ins Lateinische übersetzt. Die alles Heidnische ausmerzende Bearbeitung Priscians eröffnete dem Gedicht eine Fortexistenz in der Schule des lateinisch sprechenden Mittelalters; aber auch im Osten stand das Werk in hohem Ansehen, wie der Kommentar des Eustathios zeigt.

[1] Andromachos; Marcellus von Side; Anonymus de viribus herbarum. Alle sind ediert bei E. Heitsch, Die griechischen Dichterfragmente der römischen Kaiserzeit 2, AbhGött, Philol.-hist. Kl., 3, 58, 1964. Vgl. außerdem neuerdings F. Kudlien, RhM 117, 1974, 280 ff. (zu einem medizinischen Lehrdichter Heliodor aus dem ersten Jhdt. n. Chr.).

a) Andromachos

An erster Stelle ist die 87 elegische Distichen umfassende Beschreibung eines Heilmittels zu betrachten, die ein gewisser Andromachos, Leibarzt des Kaisers Nero, verfaßt hat. Es handelt sich also bei dem Autor um einen praktizierenden Mediziner, den die Entdeckung eines Medikaments, das den bezeichnenden Namen γαλήνη trägt (3), zu seinem poetischen Versuch veranlaßt hat. Wir stehen hier vor dem in der didaktischen Poesie der Antike seltenen Sachverhalt, daß ein Fachgelehrter selbst sein Fachwissen dichterisch darstellt. Der Ausgangspunkt hat sich gegenüber Nikander fundamental verschoben: dort ein Dichter, der sich einen seinen künstlerischen Intentionen gemäßen Stoff sucht, hier ein Arzt, der sich auch einmal in der Poesie versucht. Andromachos hat nicht die Absicht, ein Lehrgedicht strengen Stils zu schreiben. Das zeigt schon der Verzicht auf die umfassende Darstellung eines ganzen Sachgebiets, die Beschränkung auf die Beschreibung eines einzigen Mittels, und es dokumentiert sich überdies in der Wahl des gattungsfremden Versmaßes. Dennoch ist auch im Zusammenhang dieser Untersuchungen ein kürzeres Eingehen auf das Gedicht gerechtfertigt, stellt es doch ein bemerkenswertes Beispiel für die Fortwirkung des Nikander gerade auch im Bereich der engeren Fachwissenschaft dar.

Dem Vorgehen des hellenistischen Autors entsprechend (s. o. S. 58) wendet sich Andromachos zunächst an seinen kaiserlichen Adressaten. Er fordert ihn auf, der Darstellung des βριαρὸν σθένος ἀντιδότοιο sein Ohr zu leihen (1–4). Sodann wird im einzelnen ausgeführt, daß das Mittel sowohl gegen Gifte als auch gegen Schlangen und andere Gifttiere wirksame Hilfe leistet (5–28). Bei der Aufzählung der Gifte und Gifttiere orientiert sich Andromachos unübersehbar an den beiden Lehrgedichten des Nikander.[2] In den Versen 29–60 folgt eine weitere Aufzählung. Nunmehr werden die körperlichen Leiden genannt, zu deren Bekämpfung das Mittel geeignet ist. Der nächste Abschnitt (61–168) enthält eingangs Anweisungen, zu welcher Zeit das Mittel zu verabreichen ist, und schildert sodann detailliert dessen Herstellung unter genauer Angabe der Zusammensetzung und der jeweiligen Mengen. Ein Hymnus an den Gott Paion, verbunden mit der Bitte, dem Kaiser stets Gesundheit zu gewähren, schließt das Gedicht ab (169–174). Der Übernahme der von Nikander befolgten Praxis, jedes Gedicht

---

[2] 5–10: Gifte aus den *Alexipharmaka;* 11–24: Gifttiere aus den *Theriaka.* Nach einer zweiten Wendung an den Adressaten folgt zum Abschluß dieses Abschnitts in einem Distichon noch einmal die Erwähnung einer Schlange (27: ἀμφίσβαινα; vgl. Nic., Th. 372 ff.) und eines Giftes (28: φρυνός; vgl. Nic., Al. 567 ff.). Der Anschluß an die pharmakologischen Gedichte des Nikander gewinnt so programmatischen Ausdruck. Vgl. im übrigen zum ersten Teil des Gedichts die Erläuterungen von C. Salemme, Vichiana 1, 1972, 332 ff.

mit einer Autor-Sphragis zu beenden, steht die Notwendigkeit einer Huldigung vor dem Herrscher entgegen.

Der Schwerpunkt des Gedichts liegt in der Beschreibung der einzelnen Ingredienzien des Medikaments. Das Sachinteresse des Autors zeigt sich in dem Bestreben, die Gewinnung des Heilmittels so darzustellen, daß das Rezept tatsächlich für einen praktischen Benutzer brauchbar ist.[3] Hierin liegt der bezeichnende Unterschied zu der praktischen Unanwendbarkeit der Nikandrischen Rezepte (s. o. S. 60 f.). Bei aller nur allzu deutlichen Nikander-Imitation, die sich besonders auch im Sprachlich-Stilistischen äußert,[4] kann der typologische Kontrast nicht schärfer sein: Andromachos versucht sich aus Begeisterung über die umfassende Wirkung des Medikaments an der poetischen Darstellung von dessen Herstellung und Heilkraft und ist als Arzt selbstverständlich von konkret-lehrhafter Intention geleitet.[5] Dabei greift er auf das anerkannte Muster medizinischer Lehrdichtung zurück, zu dem der in der Poesie dilettierende Fachgelehrte sicherlich schon immer ein besonderes Verhältnis besessen hat. Daß sich der Arzt der diametral entgegengesetzten Absicht seines literarischen Vorgängers bewußt gewesen wäre, ist wenig wahrscheinlich.

b) Marcellus von Side

Auch bei dem zweiten hier zu charakterisierenden Vertreter medizinischer Lehrdichtung handelt es sich um einen fachwissenschaftlich ausgebildeten Arzt: wieder ein für die Gattung untypischer Sachverhalt. Marcellus von Side lebte in der ersten Hälfte des zweiten nachchristlichen Jahrhunderts. Er bedient sich im Unterschied zu Andromachos wieder des Hexameters, lenkt also zum obligatorischen Versmaß poetischer Didaktik zurück. Die 42 Bücher der *Iatrika* – offenbar der ehrgeizige Versuch einer wissenschaftlich-enzyklopädischen Komplettierung der Nikandrischen Gedichte – sind verloren. Erhalten ist dagegen ein

---

[3] Es ist in diesem Zusammenhang erwähnenswert, daß das versifizierte Rezept tatsächlich in Antike und Neuzeit eine große Autorität besessen hat und als praktische Anleitung benutzt wurde; vgl. Heitsch, Überlieferungsgeschichtliche Untersuchungen zu Andromachos, Markellos von Side und zum Carmen de viribus herbarum, NachrGött, Philol.-hist. Kl., 1963, 2,26 ff.

[4] Vgl. O. Schneider, Philologus 13, 1858, 25 ff.; Heitsch, im App. crit.

[5] Galen, der uns das Gedicht erhalten hat, erklärt die Wahl der metrischen Darstellungsweise als eine Vorsichtsmaßregel seitens des Autors, der auf diese Weise böswillige Änderungen der Angaben im vorhinein zu verhindern suche (14,32 Kühn; vgl. auch 14,115, wo außerdem auch mnemotechnische Gesichtspunkte ins Spiel gebracht werden). Dieses Moment mag bei Andromachos mitgespielt haben; der an Nikander orientierte literarische Ehrgeiz ist jedoch zu stark, als daß die Wahl der metrischen Form allein auf derlei praktische Beweggründe zurückgeführt werden könnte.

101 Verse umfassendes Bruchstück eines Lehrgedichts über die Fische, d. h. soweit diese für die Gewinnung von Heilmitteln in Frage kommen. Das Bruchstück ist umfangreich genug, um einen Einblick in das Vorgehen dieses Lehrdichters zu geben.

Die ersten vier Verse umreißen das Thema: die „heilende Natur" der Fische. Der Dichter will zunächst die ganze Fülle ihrer Namen (4: πληθὺν ἠδ' οὔνομα πᾶν) nennen. Es folgt eine trockene und ermüdende Aneinanderreihung von Namen (5–40). Der Katalog wird nur gelegentlich durch ein Epitheton aufgelockert; er leistet tatsächlich nichts weiter als eine sachlich-nüchterne Einlösung der anfänglichen Ankündigung. Alle diese Fische, so fährt Marcellus fort (41–43), stellen Heilmittel bereit. Das Folgende ist nun der Aufzählung der aus den Fischen für jeweilige Heilzwecke gewonnenen Medikamente gewidmet. Auch hier dominiert nüchterne Sachlichkeit. Der Lehrdichter gestattet sich keinerlei Abschweifung vom stofflichen Thema. Die Poetisierung des Gegenstandes beschränkt sich auf die gelegentliche Beifügung von Epitheta. Diese sind allerdings durchaus gesucht und preziös;[1] hier scheint der Einfluß des Nikander wirksam zu sein. Aber während der hellenistische Didaktiker darüber hinaus weitere Mittel formaler Ästhetisierung benutzt, begnügt sich der Arzt mit diesen sprachlichen Poetisierungselementen, die bei ihm jedoch im übrigen nie zu glossematischer Dunkelheit führen, wie dies bei Nikander der Fall war. Marcellus ist durchweg auf Verständlichkeit seiner Darstellung bedacht.[2] Das Sachinteresse dominiert ungeachtet der gelegentlichen Suche nach seltenen oder neuen Wörtern, was bei diesem Arzt genauso wenig zu überraschen vermag wie bei Andromachos.[3] Bei beiden Autoren verbindet sich das Engagement an dem Fachgegenstand mit dem Wunsch, sich einmal als Dichter in den Spuren der didaktischen Poesie des Nikander zu versuchen.

Vielleicht spielt auch die Überlegung eine Rolle, durch die poetische Darstellung breitere Schichten für den Gegenstand zu interessieren, d. h., vielleicht dilettieren die beiden Ärzte gerade deshalb in der Dichtung, weil sie in der poetischen Form eine Möglichkeit erblicken, ihre medizinischen Kenntnisse einem größeren Publikum zugänglich zu machen. Möglicherweise sehen auch sie – wie Lukrez – in der dichterischen Darstellungsweise den Honig, der einem der Wissenschaft fernstehenden Publikum den bitteren Trank des Lehrstoffes erst genießbar macht (s. o. S. 70 f.).

---

[1] Vgl. etwa πολυσκόπελος (5); ὀξυέθειρες (35); πελιδνήεις (47); μελανῶπις (64) u. a. m.

[2] Vgl. U. von Wilamowitz-Moellendorff, Marcellus von Side (1928), in: Kleine Schriften 2, Berlin 1971, 215.

[3] Vgl. W. Kroll, RE 28. Halbbd., 1930, 1497.

c) Das „Carmen de viribus herbarum"

Mit dem Fragment eines anonymen Gedichts über die Heilkräfte der Pflanzen
tritt ein Werk in den Blick, welches auf der Grenze zwischen Medizin und Ma-
gie angesiedelt ist. Der Verfasser, von dem nicht mit Sicherheit gesagt werden
kann, ob er wie die beiden anderen medizinischen Lehrdichter Fachgelehrter
war oder ob er nicht eher sein poetisches Talent an einem ihn nur als Laien
interessierenden Stoff erprobte,[1] reiht in dem erhaltenen Stück 15 Pflanzen aneinander und schildert jeweils deren medizinische bzw. magische Wirkung. Bestimmte Aufbau- und Gliederungsprinzipien ästhetischer Art werden dabei nicht
sichtbar. Der Autor scheint sich ganz von seinem Stoff leiten zu lassen und sich
um dessen künstlerische Strukturierung nicht zu bemühen. Dieser Verzicht auf
die Berücksichtigung ästhetischer Gesichtspunkte äußert sich auch in der sprachlichen Gestaltung. Der Verfasser bedient sich der traditionellen epischen Sprache; er scheut weder die Übernahme längst konventioneller Wendungen noch die
fast formelhafte Wiederholung bestimmter Kola. Wort- und Verswiederholun-
gen lassen sein geringes sprachlich-stilistisches Interesse erkennen.[2] In diesem
Punkte unterscheidet er sich scharf sowohl von den beiden soeben betrachteten
Medizinern als auch von dem hellenistischen Muster.

Andererseits ist der Anonymus nun aber sehr stark um eine Auflockerung des
Lehrstoffes bemüht. Das äußert sich vor allem in den zahlreichen mythologischen Einlagen.[3] Damit versucht der Verfasser zweifellos das Nikandrische Vorbild zu imitieren, denn im Verlauf einer mythologischen Anspielung wird geradezu programmatisch auf eine entsprechende Partie der *Theriaka* verwiesen.[4]
Die Imitation bleibt aber auf halbem Wege stehen. Denn während die Digressionen bei Nikander nicht so sehr um ihrer selbst oder um der Auflockerung der

---

[1] Der Gesamteindruck des Gedichts und die Tatsache, daß der Autor von den Ärzten
in der dritten Person spricht (82), machen es allerdings wahrscheinlich, daß er ein Laie
war. Vgl. die kurze Gesamtcharakteristik bei Heitsch (o. S. 196 Anm. 3) 48 f.

[2] Vgl. die Versschlüsse 99. 110. 113. Die Verse 66 und 87 verwenden dieselbe Formel
πόνος ἐν ταύτῃ παράχρημα μειοῦται. Ein Vergleich zwischen den Stellen 12 f. 164 f.
180. 215 f. zeigt, daß sich der Dichter nicht scheut, einen gleichen Sachverhalt durch
wörtlich gleiche Formulierung wiederzugeben (vgl. auch 37 f. mit 122 f. und 51 mit 131).
Solche Wiederholungen begegnen selbst dort, wo der Autor seiner Darstellung poetische
Lichter aufzusetzen versucht: Vgl. die Umschreibung der Zeit 53 f. und 124 f. Gelegentliche Bemühungen, im Anschluß an Nikander seltene Wörter auszugraben bzw. neu zu
bilden (24: ἐπιφώσκω; 65: ἀμβλυντήρ; 141: σκυλακόδρομος; 147: ἀκεσίμβροτος), können über die grundsätzliche sprachliche Nachlässigkeit nicht hinwegtäuschen.

[3] 14 ff. 111 ff. 114 ff. 144 ff. 181 ff.

[4] 114 ff. wird eine „Erfindung" des Cheiron erwähnt. Die Verse 115–117 entsprechen
Nic., Th. 501 f., wobei 117 wörtlich mit Th. 502 übereinstimmt.

Sachdarstellung willen als zum Zweck der Profilierung der künstlerischen Strukturierung des Stoffes eingefügt sind (s. o. S. 62 f.), erfaßt der Imitator diese Funktion der Mythen in seinem Vorbild nicht, und so bleibt seine Nachahmung im Äußerlichen stecken.

Das anonyme Gedicht nimmt typologisch eine Zwischenstellung ein. Einerseits geht es dem Verfasser um die Vermittlung sachlichen Wissens. Hierin stimmt seine Intention mit derjenigen der beiden dichtenden Mediziner überein. Im Zuge seiner konkret-didaktischen Absicht trägt er seinen Stoff – soweit das noch zu beurteilen ist – sachgemäß und vollständig vor. Die Dominanz des Sachinteresses dokumentiert sich ebenfalls in einer gewissen sprachlichen Nachlässigkeit. Aber andererseits führt der Wunsch, an das hellenistische Vorbild anzuknüpfen und mit ihm zu konkurrieren, zu der Durchsetzung der Darstellung mit sachlich funktionslosen, ornamentalen Elementen.[5] Die Ästhetisierung des Stoffes – bei Nikander mit Konsequenz verfolgtes, einziges Ziel – tritt so als konkurrierende Tendenz neben die Intention sachlicher Belehrung und verleiht dem Gedicht ein widersprüchliches Gepräge.[6]

d) Serenus

Das einzige vollständig erhaltene, umfassende medizinische Lehrgedicht der Antike nach Nikander ist der *Liber medicinalis* des Quintus Serenus. Das mit 1107 Versen verhältnismäßig umfangreiche lateinische Gedicht, dessen Abfassungszeit bisher noch nicht genau bestimmt werden konnte,[1] steht nicht wie die zuvor betrachteten pharmakologischen Dichtungen griechischer Sprache in der Tradition des Nikander. Es ist sogar fraglich, ob dieser Verfasser, dessen Bele-

---

[5] Außer den mythologischen Einlagen sind die ‚poetischen' Umschreibungen der Zeitangaben sowie häufig auftretendes gelehrtes Beiwerk zu nennen. Gerade in dem letzteren Punkt wirkt sich offensichtlich wieder der Einfluß des Nikander aus; vgl. etwa die Ausführungen über die unterschiedlichen Bezeichnungen der Pflanzen (z. B. 26 ff. 56 ff. 148 ff.) und einer Krankheit (174 ff.). Zur Nikander-Imitation des Autors vgl. im übrigen G. Kaibel, Hermes 25, 1890, 103 ff.

[6] Die vorstehenden Bemerkungen beschränkten sich auf die Beschreibung und Erklärung der Grundzüge des anonymen Lehrgedichts. Das vernichtende Urteil über den Verfasser, welches R. Keydell ausgesprochen hat (Bursian 230, 1931, 52 f.: Das Gedicht „steht auf viel tieferem Niveau" als das des Marcellus. „Der kümmerliche Poet beherrscht die Metrik ebensowenig wie die Prosodie . . .") soll aber wenigstens erwähnt werden. Aufgrund der typologischen Betrachtung wird man zu einem ähnlichen Urteil kommen, wie es Keydell, von einem anderen Ausgangspunkt ausgehend, aussprechen zu müssen meint.

[1] Die Ansätze variieren zwischen dem zweiten und dem vierten Jahrhundert; vgl. R. Pépin, Quintus Serenus: Liber medicinalis, Paris 1950, Vff. (nach dieser Ausgabe wird zitiert).

senheit in der lateinischen Literatur nicht gering ist, die Werke des Nikander gekannt hat. Es findet sich jedenfalls kein entsprechender Anhaltspunkt; und man sollte erwarten, daß der Lehrdichter im Falle der Kenntnis der Nikandrischen Lehrgedichte in irgendeiner Weise auf diese angespielt hätte. Serenus hat sein poetisches Unternehmen offenbar im wesentlichen aus einer eigenständigen, sogleich näher zu charakterisierenden Erwägung heraus in Angriff genommen, ohne dazu eines literarischen Anstoßes von seiten eines stofflich und formal vergleichbaren Vorgängers (Nikander, Aemilius Macer) zu bedürfen oder gar mit einem solchen in einen poetischen Wettstreit treten zu wollen.

Der Autor, von dessen Lebensumständen außer denjenigen Daten, die aus dem Werk selbst zu gewinnen sind, nichts weiter bekannt ist und dessen (gelegentlich versuchte) Identifizierung mit anderswo erwähnten Persönlichkeiten gleichen Namens fraglich bleiben muß, gehört nicht der medizinischen Fachwissenschaft an. Das geht genügend deutlich aus einem vehementen Ausfall gegen die Zunft der Ärzte hervor, der hier – nicht zuletzt wegen seiner kulturhistorischen Bedeutsamkeit – im Wortlaut zitiert sei (518 ff.):

> *Multos praeterea medici componere sucos*
> *adsuerunt; pretiosa tamen cum veneris emptum,*
> *falleris frustraque immensa nomismata fundes.*
> *quin age et in tenui certam cognosce salutem.*

Der Verfasser vertritt die Position der Vulgärmedizin gegenüber den zweifelhaften Machenschaften der etablierten Fachwissenschaft, deren professionelle Vertreter im Zwielicht eines die Not der Patienten ausnutzenden Profitstrebens erscheinen. Der Lehrdichter erhebt demgegenüber den Anspruch, gerade die weniger wohlhabenden Schichten der Bevölkerung der Gefahr zu entziehen, derartigen Hyänen in die Hände zu fallen und trotz hoher Aufwendungen keinerlei wirksame Hilfe zu erhalten. Er stellt mit seinem Gedicht einem breiten Publikum ein medizinisches Handbuch zur Verfügung, das in Notfällen eine weniger kostspielige, aber dennoch sichere Hilfe leistet. Wie berechtigt diese Animosität den Ärzten gegenüber gewesen sein mag, ist kaum mehr festzustellen. Auch wird niemand das Vertrauen des Verfassers in seine eigenen, vielfach magischen und abstrusen Vorschriften teilen. Aber nichtsdestoweniger hat man diese Haltung des Autors ernsthaft in Rechnung zu stellen, will man seine Intention erfassen.

Der ‚soziale‘ Impetus des Dichters kommt besonders deutlich an einer anderen Stelle zum Ausdruck (392 ff.):

> *Quid referam multis conposta Philonia rebus,*
> *quid loquar antidotos varias? dis ista requirat,*
> *at nos pauperibus praecepta dicamus amica.*

Serenus wendet sich betont an die ärmeren Bevölkerungskreise. Das Lehrgedicht, die elitär-artifizielle Neuschöpfung der hellenistischen Literaten, wird
so zum Vehikel ganz konkreter, die spezifischen Bedürfnisse bestimmter Schichten berücksichtigender Unterweisung. Hier geht es nicht darum, ein materiell
gesichertes, literarisch gebildetes Publikum ästhetisch zu unterhalten, sondern
darum, ein gerade der breiten Masse nützliches Sachwissen zu vermitteln.
Dabei muß der Autor selbstverständlich eine Auswahl aus der großen Menge
pharmakologischer *praecepta* treffen. Entsprechend seiner sachlichen, ‚sozialen‘
Intention ist das Kriterium der Auswahl nicht etwa ein ästhetisches im Sinne
einer künstlerisch notwendigen Straffung und Formung des Stoffes, sondern ein
rein praktisches: Der Lehrdichter bringt nur solche Rezepte, die erschwinglich
sind bzw. ihren Preis lohnen.[2] Ob die empfohlenen Rezepte ohne eigene Sachkenntnis aus fachwissenschaftlichen Quellen zusammengetragen sind[3] oder ob sie
in gewissem Umfang vom Autor selbst an sich oder an anderen praktisch er-
probt sind, läßt sich nicht mit Sicherheit sagen. Die mehrfachen Berufungen auf
eigene Erfahrung erlauben in diesem Punkt keine klare Entscheidung.[4] Sie können in Anlehnung an die entsprechende Praxis anderer Lehrdichter den Zweck
verfolgen, der Darstellung durch Vorspiegelung eines tatsächlich nicht vorhandenen Sachwissens des Autors Überzeugungskraft und Autorität zu verleihen;
sie können aber auch ernst gemeint sein und auf einen realen Sachverhalt weisen.[5]

---

[2] Vgl. noch 238: *ambitiosa putas? sunt ista salubria cunctis.* Schon die Zahl der über
das ganze Werk verstreuten Stellen, an denen die ‚soziale‘ Absicht des Didaktikers zum
Ausdruck kommt, sollte davor warnen, diese Äußerungen als unverbindliche Übernahmen aus den prosaischen Quellen und die durch ständige Wendungen an den Adressaten
unterstrichene lehrhafte Haltung als eine literarische Fiktion zu betrachten. Die Struktur
des ganzen Gedichts ist nicht dazu angetan, die Auffassung zu stützen, der Autor verfolge im wesentlichen ästhetisch-literarische Ziele, es gehe ihm um die formale Bewältigung eines poetisch unergiebigen Stoffes. (So etwa Pépin XVI: „C'est ainsi que le
poème de Sérènus ne représente ... qu' un exercise de dilettante s' efforçant d' adapter
aux disciplines poétiques un sujet dépourvu de tout lyrisme." Dieses eklatante Fehlurteil
dürfte seinen Grund in einem undifferenzierten, eine bestimmte Ausprägung didaktischer Poesie unzulässig verallgemeinernden Vorverständnis des Phänomens ‚Lehrdichtung‘ haben.)
[3] Die literarische Hauptquelle ist Plinius, entweder direkt oder vermittelt durch die
Medicina Plinii; vgl. zur Quellenfrage Pépin XVI ff.
[4] Vgl. 366 *(experto crede).* 401 *(quae mihi cura satis casu monstrante probata est).*
472 *(deus haec mihi certa probavit).* 486 *(quod iam nobis documenta probarunt).* 621
(cuius opem veram casus mihi saepe probarunt).
[5] Pépin (XV) läßt diese Frage offen, obwohl sein Gesamturteil (s. o. Anm. 2) eigentlich eine Entscheidung im Sinne der Fiktivität derartiger Bekundungen voraussetzt, denn

Will man das Gedicht des Serenus angemessen beurteilen, so hat man jedenfalls davon auszugehen, daß der Didaktiker mit seinem Werk ein sachliches Anliegen verfolgt, daß es ihm darum geht, sein Wissen, sei es nun sekundär aus
anderen Fachschriftstellern geschöpft oder beruhe es auch auf eigener Sacher-
fahrung, einem breiteren Publikum nutzbar zu machen. In Anbetracht dieser
Zielsetzung ist es denn auch nicht verwunderlich, daß die Entfaltung ästhetisch-
literarischer Ambitionen sehr beschränkt bleibt. Im Anschluß an den üblichen
Aufbau derartiger Traktate reiht der Verfasser zunächst in systematischer Folge,
vom Kopf allmählich abwärts gehend, eine Krankheit bzw. Anomalität
an die andere, wobei den einzelnen Leiden die entsprechenden Heilmittel – in
der Regel gleich mehrere – beigefügt werden. Dabei werden auch magische
Praktiken nicht vernachlässigt (11–788). Die Verse 789 f. leiten über zum zweiten Hauptteil (791–1107). In ihm wird in gleicher Weise verfahren im Hinblick
auf von außen zugefügte Wunden bzw. Leiden, die nicht auf bestimmte Körper-
teile fixierbar sind. So ergibt sich im ganzen ein ‚Hausbuch der Gesundheit‘, das
dem Benutzer für alle wesentlichen Notfälle ‚medizinischen‘ Rat erteilt. Der
Dichter unternimmt keinen Versuch, die Stoffmasse künstlerisch zu bewältigen,
sie formal zu strukturieren. Er versucht weder die einzelnen Abschnitte rein
äußerlich in ein bestimmtes, ästhetisch ansprechendes Verhältnis zu bringen,
noch zeigen sich Ansätze einer Ästhetisierung des Lehrstoffes durch andere Mittel künstlerischer Gliederung: Sachgemäße Wissensvermittlung ist dem Autor
wichtiger als die Befriedigung ästhetischer Ansprüche. Der bequemen Orientierung des Adressaten kommt Serenus dadurch zu Hilfe, daß jeweils zu Beginn
eines Abschnitts – ohne jede künstlerische Verschleierung der Übergänge und
ohne Streben nach Variation – deutlich das im folgenden erörterte Leiden ein-
geführt wird.[6] Um der besseren Benutzbarkeit seiner Darstellung willen übernimmt der Dichter das nüchterne und eintönige Verfahren der Fachschriftsteller.

Die poetische Form steht ganz im Dienst der sachlichen Lehre; sie drängt sich
nie als Selbstzweck in den Vordergrund. Der Dichter ruft in einem einleitenden
Hymnus als göttlichen Beistand für sein *salutiferum carmen* (1) bezeichnender-

---

ein Autor mit Sachkenntnis, d. h. also auch: mit Sachinteresse, dürfte mit der poetischen
Darstellung dieses Sachgebiets nicht nur ein ästhetisches Ziel verfolgen.

[6] Es ist angesichts der vom Verfasser angestrebten Klarheit gut möglich, daß die
handschriftlich überlieferten Kapitelüberschriften auf ihn selbst zurückgehen (vgl. Kind,
RE 2. Reihe, 4. Halbbd., 1923, 1676). In diesem Fall würde sich die Ausrichtung des
Gedichts auf die praktischen Bedürfnisse des Benutzers in einer für die Gattung singulä-
ren Weise zusätzlich dokumentieren; vgl. jedoch die Diskussion dieses Problems bei
Pépin XX ff.

weise nicht Gottheiten der musischen Kunst an, etwa mit der Bitte um Unterstützung bei der poetischen Bewältigung der Aufgabe; er richtet seine Bitte vielmehr an Apollon und Asklepios als die göttlichen Ahnherren der Heilkunst. So
wird bereits einleitend die Sache selbst in den Mittelpunkt gestellt. Dementsprechend beschränkt sich der Autor bei der Versifizierung des Lehrstoffes auf
die konventionellen Mittel sprachlicher Poetisierung und benutzt diese sparsam
und unprätentiös.[7] Der Beginn und der Verlauf der einzelnen Lehrabschnitte
wahrt in der Regel den technischen Charakter solcher Traktate, nur ganz gelegentlich treten dabei einmal Reflexionen allgemeinerer Art hervor.[8] Als Kenner
der lateinischen ‚Klassiker‘ erweist sich der Lehrdichter durch sprachliche Anspielungen und durch drei prononcierte Zitate.[9] Aber während die anderen lateinischen Didaktiker sich jeweils betont in die Tradition dieser Gattung stellen
und sich mit den berühmten Vorgängern auseinandersetzen, zeigt Serenus keinen
Ehrgeiz dieser Art. Er kennt die großen Vorgänger, wie aus Anspielungen erhellt; aber er hat nicht die Absicht, sich mit ihnen literarisch zu messen.

Besonders charakteristisch für das Sachinteresse und die lehrhafte Intention
des Autors ist die große Zurückhaltung demjenigen Kunstmittel gegenüber, das
schon immer ein von den Lehrdichtern gern benutztes Element künstlerischer
Auflockerung bzw. thematischer Überhöhung des Stoffes darstellte: die mythologische Einlage. Das ganze Gedicht enthält keine einzige derartige Abschweifung größeren Umfangs. Serenus beschränkt sich auf zwei kurze mythologische Anspielungen (830. 864 f.). Er gestattet sich auch sonst keine sachfremden
Exkurse.

Der Dichter beruft sich im Hinblick auf einzelne Rezepte wiederholt auf
bestimmte Gewährsleute, die gewissermaßen als Garanten der vorgetragenen
Lehre in Anspruch genommen werden und deren Namensnennung den Ausführungen zusätzliche Autorität verleihen soll:[10] Es geht dem Verfasser – das
zeigt sich hier wieder sehr deutlich – in erster Linie um die Vermittlung nützlichen Wissens. Damit der Leser überhaupt geneigt ist, sich dieses Wissen anzu-

---

[7] Epitheta, Metonymien (z. B. *Lyaeus* für ‚Wein‘, *sucus Palladis* für ‚Öl‘, ganz selten
auch gesuchtere wie *Progne* für ‚Schwalbe‘), Metaphern (z. B. 42: *gravis crebrae porri-
ginis imber;* 70: *silva capilli*), Umschreibungen, Kurzvergleiche usw. Der Dichter greift
hier gern auf das poetische Material zurück, das ihm die lateinischen ‚Klassiker‘ bieten.

[8] Vgl. z. B. 534: *tam varii casus mortalia saecla fatigant ...; 558: quid non adversum
miseris mortalibus addit / natura ...; 806: quam magna humanae mala pondera condi-
cionis.*

[9] 606: Der Verweis auf das vierte Buch des Lukrez hat zugleich sachliche Relevanz;
das gleiche gilt für 528 f., wo unter ausdrücklicher Quellenangabe ein ganzer Vers aus
Horaz (Sat. 2, 4, 28) mit einer Rezeptanweisung zitiert wird. 1094: Ennius-Zitat.

[10] 52 f. 425. 568. 721 ff. 844 f. 1037 f.

eignen, ist es notwendig, daß er Vertrauen in die Kompetenz des Lehrers gewinnt. Der Lehrer seinerseits sucht dieses Vertrauen durch namentliche Nennung von Autoritäten zu erwerben, so wie er seine Kompetenz ja auch durch die Berufung auf die Gottheiten der Heilkunst und seine eigene Erfahrung unterstreicht.[11] Eine ähnliche Funktion besitzen die historischen Beispiele für bestimmte Krankheiten, die gelegentlich in die Darstellung eingefügt werden. Es handelt sich bei ihnen nicht etwa um ornamentale Zutaten; sie sollen dem Adressaten vielmehr die Notwendigkeit vor Augen führen, sich der Lehre des Dichters anzuvertrauen, seinen Vorschriften zu folgen – sonst ergeht es ihm wie den bedauernswerten Größen der Vergangenheit.[12]

Fragt man sich abschließend, warum Serenus sein sachliches Anliegen überhaupt in eine poetische Form gekleidet, warum er die nicht geringe Mühe der Herstellung eines poetischen ‚medizinischen Hausbuchs‘ auf sich genommen hat, so wird man wieder auf das Lukrezische Prinzip der Versüßung eines wichtigen, aber wenig anziehenden Gegenstandes durch den Honig der dichterischen Gestaltung verwiesen (s. o. S. 70 f. 197). Auch der engagierte Verfechter einer vulgärmedizinischen Richtung dürfte sich der poetischen Form in dem Wunsche bedient haben, seiner Darstellung dadurch eine breitere Resonanz und ein stärkeres Interesse zu sichern, als er es mit einer Prosaschrift vermocht hätte.

6. Das *Aetna*-Gedicht

Das Gedicht eines anonymen Verfassers über die vulkanischen Phänomene des Aetna steht in der Tradition der naturphilosophischen Lehrdichtung des Lukrez, der ja ebenfalls derartigen Erscheinungen seine Aufmerksamkeit zugewandt hatte (6,639 ff.). Das Werk ist im Rahmen der kleineren Vergilischen Gedichte überliefert und wurde wie die Mehrzahl von ihnen fälschlich dem Augusteer zugeschrieben. Abgesehen von einigen wenigen Gelehrten, die an der Verfasserschaft des Vergil festhalten,[1] setzt die moderne Forschung den Dichter im all-

---

[11] Vgl. das Proömium, bes. 9 f.: *huc ades et quicquid cupido mihi saepe locutus / firmasti . . .*; s. o. Anm. 4.

[12] 59 ff. 257 ff. (jeweils folgt auf das Beispiel die Aufforderung, daraus die Lehre zu ziehen). 706 f.

[1] Etwa E. K. Rand, The magical art of Virgil, Cambridge (Mass.) 1931, 51 ff.; F. Dornseiff, Verschmähtes zu Vergil, Horaz und Properz, BerVerhLeipz, Phil.-hist. Kl., 97, 6, Berlin 1951, 26 ff.; A. Rostagni, Virgilio minore, Rom 1961², 283 ff. Alle drei Gelehrten stützen ihre Auffassung von der Verfasserschaft des jungen Vergil nicht zuletzt auf die vermeintlich epikureische Ausrichtung des Gedichts. Dagegen wird die folgende Interpretation den stoischen Grundcharakter des Werkes jedem Zweifel entziehen. Ganz un-

gemeinen in das erste nachchristliche Jahrhundert. Dabei bleibt allerdings bis zu dem sicheren Terminus ante quem des Jahres 79, welcher sich aus der Tatsache ergibt, daß der Dichter den verheerenden Vesuvausbruch dieses Jahres nicht erwähnt, d. h. nicht kennt, ein großer Spielraum. Die lebhafte wissenschaftliche Diskussion über die Abfassungszeit, die sich auf nur wenige, in ihrer Aussagekraft zudem umstrittene Anhaltspunkte stützen konnte, hat zu den verschiedensten Ansätzen geführt. Dabei spielte vor allem das Verhältnis zu den *Naturales quaestiones* des Seneca und dem astrologischen Lehrgedicht des Manilius eine Rolle. Als von überzeugender Durchschlagskraft hat sich keiner der vorgeschlagenen Ansätze erwiesen, und so wird man gut daran tun, die Frage vorerst offenzulassen. Auf eine detaillierte Erörterung der einzelnen Diskussionsbeiträge zum Verfasser- und Chronologieproblem kann um so eher verzichtet werden, als die exakte zeitliche Fixierung für die hier verfolgte Fragestellung ohnehin nicht von wesentlicher Bedeutung ist.[2] Das Verhältnis des Autors zu Manilius bedarf allerdings einiger klärender Ausführungen (s. u. S. 214 ff.); denn die richtige Einschätzung dieses Verhältnisses ist geeignet, die spezifische Intention des *Aetna*-Dichters besonders klar hervortreten zu lassen.

Der Dichter stellt dem Leser mit dem ersten Wort betont sein Thema vor Augen: Der Aetna ist Gegenstand des Gedichts, und zwar, wie sogleich erläuternd hinzugefügt wird, die Ursachen, die für die Tätigkeit des Vulkans verantwortlich sind. Dabei kommt in der Formulierung

et quae tam fortes volvant incendia causae (2)

bereits die Haltung zum Ausdruck, die für das Verhältnis des Autors zu seinem

---

zulänglich ist die Argumentation von R. B. Steele, Authorship of the Aetna, Nashville 1930. Die von Steele gebotene oberflächliche Sammlung von Parallelen kann der Vergil-These keine Stütze verleihen.

[2] Die Versuche, aufgrund der oft herangezogenen Äußerung Senecas (Ep. 79,5) auf Lucilius als den Verfasser des Gedichts zu schließen (vgl. z. B. E. Köstermann, Gnomon 11, 1935, 31 ff.; J. H. Waszink, Mnemosyne 4, 2, 1949, 224 ff.), sind ebenso fragwürdig (vgl. W. Richter, Philologus 96, 1944, 234 ff.) wie Argumentationen, die über das Jahr 79 hinaus weitere Fixpunkte zu gewinnen suchen (vgl. z. B. E. Bickel, RhM 79, 1930, 288 ff.). Bezeichnend für die geringe Tragfähigkeit der Argumentationsgrundlage ist die Meinungsänderung von W. Richter. Während er in dem genannten Aufsatz aufgrund inhaltlicher und sprachlicher Berührungen die Ansicht vertritt, Seneca benutze die Darstellung des *Aetna*-Dichters (238 ff.), neigt er in der Vorrede zu seiner Ausgabe (Berlin 1963, 6) eher dazu, das Verhältnis umzukehren. Vgl. im übrigen die zusammenfassenden Erörterungen der Problematik bei K. Büchner, P. Vergilius Maro, RE Sonderdruck, Stuttgart 1961, 132 ff., und F. R. D. Goodyear, Incerti auctoris Aetna, Cambridge 1965, 56 ff. – Zitiert wird im folgenden nach der Ausgabe von Goodyear. Dessen Diskussion der textkritischen Probleme wird vorausgesetzt; sie kann im Rahmen dieser typologischen Fragestellung nicht fortgeführt werden.

Gegenstand charakteristisch ist. Er steht den vulkanischen Phänomenen nicht mit der nüchternen, emotionslosen Sachlichkeit des Wissenschaftlers gegenüber, sondern er ist von dem Schauspiel der Natur im Innersten betroffen und betrachtet und erörtert es aus einer Haltung ehrfürchtiger Bewunderung heraus. Bei aller sprachlich nur allzu auffälligen und deshalb hier auch nicht weiter zu verfolgenden Anlehnung des Gedichts an das Werk des Lukrez kann der Kontrast zwischen den beiden Sehweisen natürlichen Geschehens nicht schärfer sein: dort die überlegene Gelassenheit des Epikureers, der im Blick auf Naturvorgänge mit Bedacht jede Emotion vermeidet, um ja keinen Anlaß zu übernatürlichen, religiösen Erklärungsversuchen zu geben; hier die staunende Betroffenheit des Betrachters, dem sich die vulkanischen Erscheinungen als ergreifendes Wunder darstellen. Das pathetische Verhältnis zum Stoff zeigt sich sogleich an einer weiteren Stelle des Proömiums. Im Anschluß an die Betonung der Neuigkeit und Exzeptionalität seines Gegenstandes und dessen Absetzung von den sattsam bekannten und zum Überfluß behandelten poetischen Stoffen[3] kommt der Dichter erneut auf sein Vorhaben zu sprechen, das von seiner Seite größeren Mut erfordere (24: *fortius*) als eine erneute Behandlung der abgegriffenen dichterischen Sujets. Wieder drückt sich die bewundernde Haltung aus: *qui tanto motus operi . . .* (25).[4] Diese Haltung führt zu der personifizierenden Darstellung der Ursachen und der von ihnen ausgeübten „Herrschaft", wie sie sich bereits 2 f. ankündigt:

> *et quae tam fortes volvant incendia causae,*
> *quid fremat imperium . . .*

und wie sie das ganze Gedicht durchzieht.[5]

Es wird unten (S. 210 ff.) noch einmal auf dieses besondere Verhältnis des Lehrdichters seinem Stoff gegenüber zurückzukommen sein. Die spezifische Haltung

---

[3] 7 f. erinnert betont an Lucr. 1,926 ff. Zur Partie 9 ff. und deren Verhältnis zu Manilius s. u. S. 215 ff.

[4] Ursachenerklärung wird in dem Proömium noch ein weiteres, drittes Mal als Thema herausgestellt: 92 f.; vgl. auch 188 (zu Beginn der eigentlichen Erörterung der Ursachen): *nunc opus artificem incendi causamque reposcit; opus* meint hier nicht den vulkanischen Vorgang (so z. B. S. Sudhaus, Aetna, Leipzig 1898, 15), sondern ‚meine Aufgabe' (so richtig Goodyear 145): Der Dichter erblickt seine Aufgabe in der natürlichen Erklärung des Vorgangs.

[5] Vgl. etwa 198: *quis mirandus tantae faber imperet arti;* 209 ff.: Ursache der Tätigkeit sind die Winde; sie erteilen dem Berg den Befehl, der Berg gehorcht als Soldat (217 f.: *qua spiritus imperat, audit; / hic princeps magnoque sub hoc duce militat ignis*). Besonders eindrucksvoll ist die Schilderung des Molarsteins als der *maxima causa incendi* (399 ff.). Seine *miranda, vivax animosaque virtus* (417) erweist sich als unwiderstehlicher Sieger (470 ff.).

ist Ausdruck einer bestimmten philosophisch-religiösen Weltsicht und steht in
engster Beziehung zu dem tieferen Anliegen des Autors, der Propagierung dieser
Weltsicht. Zunächst ist jedoch der Gang des Gedichts im Hinblick auf die als
Thema herausgestellte Erörterung der Ursachen zu verfolgen. Der Verfasser
führt im Anschluß an die Abweisung mythisch-religiöser Erklärungsversuche
(29 ff.; s. u. S. 209 f.) dem Adressaten vor Augen, daß die Erde nicht eine feste,
kompakte Masse darstelle, sondern im Inneren eine Vielzahl von Hohlräumen
enthalte (94 ff.). Diese Theorie, die Grundlage für die anschließend vorgetragene Ursachenerklärung, wird in einer an dem Vorgehen des Lukrez orientierten Weise (s. o. S. 68 f.) durch eine ausgiebige Argumentation gestützt. Der
Lehrdichter, dem es darauf ankommt, den Partner von der Richtigkeit der entwickelten Theorie zu überzeugen, und der dementsprechend dessen geistige Mitarbeit fordert (144 f.), bedient sich der verschiedensten Mittel, um seinen Darlegungen Überzeugungskraft zu verleihen. Er verwendet – in diesem Abschnitt
wie auch im folgenden – Vergleiche, die den Sachverhalt veranschaulichen sollen (98 ff. 105 ff. 293 ff. 320 ff. u. a. m.), beruft sich auf den Augenschein, den
der Adressat selbst nachvollziehen könne,[6] beweist die Theorie in den Fällen, wo
die Möglichkeit unmittelbarer Sinneswahrnehmung nicht gegeben ist, nach dem
bekannten Prinzip ὄψις ἀδήλων τὰ φαινόμενα, das ja auch in der Argumentation
des Lukrez eine wesentliche Rolle spielt.[7] Lukrezisch ist auch der Gedankengang,
daß die beobachtbaren Phänomene nur unter der Voraussetzung der vom Autor
vertretenen Position verstehbar seien (155 ff.); lukrezisch sind ferner die Berufung auf Autoritäten[8] und die Abweisung unzutreffender Erklärungen seitens
des Adressaten: Der Lehrdichter nimmt mögliche Einwände vorweg und erledigt
sie so (158 ff. 329 ff. 366 ff. 510 ff. 536 ff.).

Diese kurz skizzierende Charakterisierung des Argumentationsverfahrens hat
das leidenschaftliche Bemühen des *Aetna*-Dichters, den Adressaten von seiner

---

[6] 135 ff. 178 f. 191 ff. 329 ff. 425 ff. 448 f. u. pass. Der Dichter fordert den Adressaten auch zum Experiment auf (401 ff. 548 ff.): Der Augenschein wird ihn von der
Wahrheit der Theorie überzeugen. Die Berufung auf die Sinneswahrnehmung ist nicht
etwa ein Beweis für die Zugehörigkeit des Autors zur epikureischen Richtung (so Rostagni 287 ff.). Dieses sensualistische Prinzip hat ebenso auch für die Stoa Gültigkeit
(vgl. Sudhaus 73).

[7] Vgl. 117 ff. Das Prinzip wird ausgesprochen 144 f.: *tu modo subtiles animo duce
percipe causas / occultamque fidem manifestis abstrahe rebus.* 510 ff. beruft sich eine
vom Autor bekämpfte Position auf dieses Prinzip, aber der Dichter setzt an die Stelle
einer unsicheren Analogie eine sichere (vgl. Sudhaus 193 ff.).

[8] Vgl. 537 f.: (Wenn sich jemand über die Schmelzkraft der Lava wundert,) *cogitet
obscuri verissima dicta libelli, / Heraclite, tui.* Der Stoiker wendet sich an dieser Stelle
unverkennbar gegen die Kritik des Lukrez an Heraklit: *clarus ob obscuram linguam
magis inter inanis / quamde gravis inter Graios, qui vera requirunt* (1,639 f.; s. o. S. 71).

Lehre zu überzeugen, seine typologische Nähe zu Lukrez genügend deutlich werden lassen. Im Anschluß an den Nachweis von Hohlräumen im Inneren der Erde kann die Frage nach der *causa incendi* (188), nach dem *mirandus faber* (198) beantwortet werden. Als Ursache werden die Winde genannt. Dem Ursachenforscher stellt sich nunmehr die Frage (220 f.):

> *unde ipsi venti? quae res incendia pascit?*
> *cum subito cohibent vires, quae causa silenti?*

An dieser Stelle – etwa in der Mitte des Gedichts – unterbricht der Autor die Darstellung durch einen langen Exkurs, in dem er über die Funktion seines Werkes reflektiert. Er äußert sich über den Nutzen seiner Bemühung; der Nutzen entspreche dem großen Aufwand an *labor* (222 f.). Auf die Zielrichtung des gesamten Gedankengangs ist unten (S. 217 ff.) noch genauer einzugehen. Hier sei vorerst nur festgehalten, worin nach der Ansicht des Verfassers der Nutzen des Gedichts besteht: Das Wissen um die Ursachen der vulkanischen Phänomene dient der Eliminierung mythischer Erklärungsweisen und führt so zu der Befreiung der Menschen von abergläubischer Furcht (273 ff.).[9] Die Ursachenforschung des Lehrdichters ist also wie bei Lukrez nicht Selbstzweck, sie dient als notwendige Voraussetzung einem übergeordneten Ziel. Daß es dem *Aetna*-Dichter aber nicht allein um die Bekämpfung des Aberglaubens geht, daß diese Polemik vielmehr zugleich ein positives Ziel verfolgt, wird sich noch herausstellen (s. u. S. 209 ff.). Zunächst genügt diese Klarstellung. Aufgrund der Relativierung des Stellenwertes der Ursachenerkenntnis im Hinblick auf deren Hilfsfunktion für die Beseitigung abergläubischer Angst kann der Autor – ebenso wie Lukrez (s. o. S. 74 f.) – gelegentlich mehrere Erläuterungsmöglichkeiten aneinanderreihen, ohne sich auf eine von ihnen festzulegen.[10] Entscheidend ist nur, daß sich der Adressat eine der zur Auswahl angebotenen Erklärungen zu eigen macht.

Im Anschluß an den Exkurs wird die Disposition des Folgenden im Rückgriff auf 220 f. noch einmal wiederholt (280 f.; zum Text vgl. Goodyear):

> *nosse quid intendat ventos, quid nutriat ignes,*
> *unde repente quies et nullo foedere pax sit.*

---

[9] Trotz der Übereinstimmung mit der Zielsetzung des Lukrez darf dieser Gedankengang nicht als Argument für die vermeintliche epikureische Ausrichtung des Autors in Anspruch genommen werden. Derartige Erwägungen sind selbstverständlich auch bei den Stoikern anzutreffen, wie etwa Sen., Nat. quaest. 6,3 zeigt: Schreckliche Naturerscheinungen haben nichts mit dem Zorn der Götter zu tun, sie haben ihre natürliche Ursache. Nur unsere Unkenntnis dieser Ursachen führt zu abergläubischen Schreckensvisionen: *nihil horum sine timore miramur. et cum timendi sit causa nescire, non est tanti scire, ne timeas* (§ 4)?

[10] 102 ff.: verschiedene Erklärungsmöglichkeiten für die Hohlräume in der Erde; 282 ff.: Entstehung der Winde (358 f.).

Zunächst erörtert der Autor die Entstehung der Winde (282–365). Sodann geht er auf das Problem der zeitweiligen Unterbrechung von deren Wirksamkeit ein (366–384). Schließlich bleibt noch übrig (385: *nunc superant*) die Erörterung des Brennmaterials (385 ff.). Dabei wird naturgemäß der *maxima causa incendi* (399 f.), dem Molarstein, breiter Raum gewidmet. In den Versen 565–567 wird der Gang der Untersuchung abschließend noch einmal kurz rekapituliert. Die eingangs genannte Aufgabe, die Darstellung der Ursachen der vulkanischen Tätigkeit des Aetna, ist erschöpfend bewältigt. Die Frage nach den Ursachen beherrscht tatsächlich die Ausführungen; diese bieten dem Adressaten Schritt für Schritt unter genauer Angabe der Disposition eine mit allen Mitteln ‚sachbezogener‘ Argumentation und Beweisführung gestützte natürliche Erklärung der Phänomene.[11] Aber es hat sich bereits gezeigt, daß die Intention des Dichters weiter geht. Die Ursachenerklärung erfolgt im Rahmen einer umfassenden Zielsetzung, sie ist deren notwendiges Fundament. Diese Zielsetzung gilt es nunmehr schärfer zu erfassen.

Der Autor wendet sich im Proömium in Übereinstimmung mit Lukrez gegen die *fallacia vatum*, die natürliche Vorgänge mit mythologischen Erzählungen über die Götter in Zusammenhang bringen (29 ff.). Aber bei aller Nähe zu dem Vorgänger darf der bezeichnende Unterschied nicht übersehen werden. Geht es Lukrez bei seinem Kampf gegen den Mythos in erster Linie um die Beseitigung der *religio* – so wie er sie versteht – als der Quelle der Angst der Menschheit, so hat sich die Zielsetzung bei dem *Aetna*-Dichter verschoben. Zwar stellt auch er der *libertas* der Poeten die Wahrheit seiner Ausführungen gegenüber,[12] zwar strebt auch er die Befreiung der Menschen von abergläubischer Furcht an (s. o. S. 208); aber darüber hinaus geht es ihm um etwas anderes. Die mythologischen Geschichten der Dichter werden vor allem deswegen bekämpft, weil sie die Würde und Erhabenheit des Göttlichen verletzen. Der Autor verfolgt mit seiner Mythenkritik neben der Abwehr des Aberglaubens ein positives Ziel: die Etablierung eines gereinigten, angemessenen Gottesverständnisses, die Propagierung einer wahren *religio*. Der Mythos von dem Wirken des Vulcanus im Inneren des Berges schreibt den Himmlischen die *sordida cura* eines *artifex* zu

---

[11] Extremes Gegenstück zu der Ursachenerklärung, wie sie in dem *Aetna*-Gedicht geboten wird, sind die 66 Verse eines stofflich vergleichbaren, anonymen Gedichts *Über Erdbeben*, dessen Verfasser sich als Orpheus ausgibt (Text: O. Kern, Orphicorum Fragmenta, Berlin 1922, Nr. 285). Der Autor des orphischen Gedichts zeigt keinerlei Interesse an den Ursachen. Er erörtert die Vorzeichenbedeutung der Naturphänomene; Aberglauben und Zauberei stehen im Mittelpunkt (vgl. K. Ziegler, RE 36. Halbbd., 1942, 1405).

[12] *Debita carminibus libertas ista* [d. h.: lügnerische und gotteslästerliche Mythen], *sed omnis / in vero mihi cura* (91 f.).

(32 ff.). Die Geschichte von den Kyklopen, die im Schlund des Vulkans die Blitze des Juppiter schmieden, ist ein *turpe et sine pignore carmen* (36 ff.), weil auch sie dem erhabenen Wesen der Gottheit unangemessen ist. Und was schließlich den Mythos der Gigantomachie angeht (41 ff.), so ist dies gar eine *impia fabula* (42). Die Vorstellung eines Götterkampfes ist Ausgeburt der lügnerischen Phantasie der Dichter, die eine Vielzahl weiterer Märchen auftischen (74 ff.) und sich auch nicht scheuen, mit ihren Geschichten von Götterzank und Götterliebe die Reinheit des Himmels zu besudeln (85 ff.).[13] Der Unterschied zwischen den Intentionen des *Aetna*-Dichters und des Lukrez ist deutlich. Während der römische Epikureer mit Hilfe der Mythenkritik den Aberglauben bekämpft, wird hier der Mythos angegriffen, sofern er ein inadäquates Bild des Göttlichen zeichnet. Die Kritik geschieht zum Zwecke der Läuterung des Gottesverständnisses im Sinne einer gereinigten, wahren Religion. Die im Proömium zum Ausdruck kommende kritische Haltung impliziert also keineswegs, daß der Autor einen jeden Mythos grundsätzlich ablehnen müßte. Soweit ein Mythos das angemessene Verständnis des Göttlichen nicht beeinträchtigt oder es sogar fördert, ist er auch nicht problematisch – eine Folgerung, die im Hinblick auf den Schlußmythos und dessen Interpretation bedeutsam ist (s. u. S. 213 f.).

Nun mag man sich fragen, in welcher Beziehung die Mythenkritik mit ihrer religiösen Zielsetzung zu dem Thema des Gedichts steht. Handelt es sich hierbei um einen nicht recht integrierten Fremdkörper? Was hat das Streben nach einem geläuterten Gottesverständnis mit der Darstellung der vulkanischen Phänomene und deren Ursachen zu tun? Um diese Frage zu beantworten, hat man sich der eingangs charakterisierten Haltung des Dichters seinem Gegenstand gegenüber zu erinnern (s. o. S. 205 f.). Sie wurde gekennzeichnet als das Staunen desjenigen, der ergriffen das wunderbare Schauspiel der Natur betrachtet. Während Lukrez alles unternimmt, um zu zeigen, daß die Tätigkeit des Aetna keinen Anlaß zum Staunen – und damit: zur *religio* – gibt, sondern wie alle anderen Naturvorgänge rational erklärbar ist (6,653 ff.), kann der *Aetna*-Dichter gar nicht genug auf die *miranda spectacula* der Erde (156) und insbesondere die *plurima miracula* des Aetna (180) hinweisen. Wie Seneca (z. B. Nat. quaest. 6,4) und wie der etwa gleichzeitige griechische Anonymus Περὶ ὕψους, dessen pathetisch-enthusiastische Bewunderung alles Außerordentlichen in der Natur, zumal des Aetna,

---

[13] Der Autor bewegt sich mit seiner Dichter- und Mythenkritik auf der Bahn stoischer Vorstellungen (vgl. etwa Cic., De nat. deor. 2, 28, 70: Alle Auswüchse menschlicher Schwäche hat man den Göttern zugeschrieben, u. a. auch Liebschaften und Kriege wie die Gigantomachie: *haec et dicuntur et creduntur stultissime et plena sunt futtilitatis summaeque levitatis*). Die Stoa konnte bekanntlich ihrerseits an Platon (vgl. Resp. 2,378 Bff.) und letztlich an Xenophanes (VS 21B 11) anknüpfen.

der Haltung des lateinischen Lehrdichters bemerkenswert nahe kommt (35,2 ff.), hebt der Autor die Wunder der Natur hervor. Denn die Natur – und besonders ein so exzeptionelles Phänomen wie der Aetna – wird von göttlichen Kräften durchwaltet, ist selbst göttlich. Dieser stoische Grundgedanke des Gedichts – epikureischer Sicht der Natur konträr entgegengesetzt – enthält die Antwort auf die oben gestellte Frage nach dem Zusammenhang von Ursachenerklärung und Mythenkritik. In der Beschäftigung mit den Wundern der Natur hat es der Mensch zugleich auch mit der Gottheit zu tun. Die rechte Sicht der Natur ist zugleich rechte, reine *religio*. Das ehrfürchtige Staunen des Dichters vor den vulkanischen Erscheinungen entspringt dem Bewußtsein, hier mit dem Wirken der Gottheit selbst konfrontiert zu sein.[14]

Daß in dem gewaltigen Vorgang, den der Autor beschreibt, göttliche Kräfte wirksam sind, wird zu Beginn der Ursachenerörterung nachdrücklich betont (193 ff.). Das Flammenmeer sperrt den Zugang zum Krater, denn das göttliche Wirken bleibt ohne Zeugen (194 f.: *divinaque rerum/cura sine arbitrio est*). Aber trotz dieser Unzugänglichkeit und Ferne, welche die Gottheit auszeichnet,[15] ist die Ursache dennoch nicht zweifelhaft (197 ff.). Der *mirandus faber* setzt ein so großartiges und gewaltiges Schauspiel ins Werk, daß selbst Juppiter in der Ferne von Staunen ergriffen wird und fürchtet, es möchten sich erneut die Giganten gegen ihn erheben (203 ff.). Der Dichter spielt hier ironisch mit der im Proömium

---

[14] W. Richter, Philologus 107, 1963, 115, spricht mit Recht „von einer ganz echt empfundenen philosophischen Frömmigkeit, die den eigentlichen Wert aller Beschäftigung mit den Naturerscheinungen darin sieht, daß sie den Menschen dem Göttlichen näher bringt. Darin steht er [der *Aetna*-Dichter] Seneca sehr nahe." Gerade angesichts dieser Haltung der Natur gegenüber ist es unverständlich, wie man die Zugehörigkeit des Verfassers zur epikureischen Schule hat verfechten wollen, was außer den oben (Anm. 1) genannten Gelehrten besonders P. De Lacy, TAPA 74, 1943, 169 ff. versucht. De Lacy bezieht bezeichnenderweise diesen charakteristischen und die Frage der weltanschaulich-philosophischen Ausrichtung entscheidenden Grundzug des Gedichts nicht angemessen in seine Untersuchung ein. Auf die Erörterung von Einzelfragen braucht hier nicht eingegangen zu werden. Möglicherweise mag im Detail manches letzten Endes aus dem Epikureismus stammen. Das wäre nicht weiter erstaunlich, denn De Lacy weist selbst mit Recht auf die wechselseitigen Einflüsse der Schulen aufeinander hin. Nur ein Punkt sei kurz erwähnt. De Lacy betrachtet u. a. die Ablehnung poetisch-mythologischer Naturerklärungen als Beweis für den Epikureismus des Verfassers. Aber der Schlußmythos, den De Lacy unberücksichtigt läßt, zeigt, daß das, was ausdrücklich als Grundsatz der Stoa bezeichnet wird (der Mythos wird akzeptiert, wenn er mit der Lehre in Einklang zu bringen ist: De Lacy 171), gerade auf den *Aetna*-Dichter zutrifft.

[15] Der Dichter berührt sich wieder eng mit Seneca; vgl. Nat. quaest. 7,30,4: *multa praeterea cognata numini summo et vicinam sortita potentiam obscura sunt. aut fortasse, quod magis mireris, oculos nostros et inplent et effugiunt ... sive in sanctiore secessu maiestas tanta deliuit et regnum suum, id est se regit nec ulli aditum dat nisi animo.*

bekämpften mythologischen Vorstellung (s. o. S. 210) und will zugleich andeuten, daß angesichts eines so überwältigenden Eindrucks die Entstehung eines
derartigen Mythos durchaus verständlich ist:[16] Das göttliche Geschehen, welches
im Aetna sichtbar wird, ist eindrucksvoll genug, um die mythenbildende Phantasie anzuregen. Diese erfaßt allerdings den Naturvorgang und das Wesen des
Göttlichen mit dem Bild der Gigantomachie ganz unzureichend. Die sich in den
betrachteten Versen äußernde Sicht der vulkanischen Phänomene als des Bereiches der Wirksamkeit göttlicher Naturkräfte bestimmt auch die folgenden
Ausführungen. Es ist keine pathetisch-leere Formel, sondern ernst gemeinte,
treffende Charakterisierung des Sachverhalts, wenn der Dichter von dem „heiligen Grollen des Aetna-Berges", von dessen „heiligem Feuer" [17] spricht. Überzeugt von der tätigen Gegenwart der Gottheit im Inneren des Vulkans, weist der
Autor die Vorstellung, die Ursache für die gelegentliche Unterbrechung von
dessen Aktivität liege darin, daß der Berg in der Pause neue Kräfte sammeln
müsse, als *stolidi mendacia vulgi* zurück (366 ff.). Diese *mendax fama* bedeutet
zugleich ein *nefas* gegenüber der Gottheit, denn (370 f.):

>   *non est divinis tam sordida rebus egestas,*
>   *nec parvas mendicat opes nec conrogat auras.*[18]

---

[16] Es besteht also kein Widerspruch zu den grundsätzlichen Ausführungen des Proömiums. Ebenso wenig darf man selbstverständlich einen Widerspruch darin erblicken,
wenn sich der Dichter gelegentlich einer konventionell-mythologischen Ausdrucksweise
bedient wie etwa 608 (*saevo Iove*, in einem Gewitter-Vergleich).

[17] 273 f.: *sacros / Aetnaei montis fremitus; 557: (Aetna) sacro numquam non fertilis
igni* (der Text ist allerdings unsicher; vgl. Goodyear, ad loc.). Im folgenden wird das
Feuer des Aetna in Beziehung gesetzt zu dem himmlischen Feuer des Juppiter – wobei
sich der Autor wieder einer konventionellen mythologischen Wendung bedient (s. vorstehende Anm.). Zu dieser stoischen Unterscheidung des irdischen und des himmlischen,
göttlichen Feuers vgl. die Argumentation des Kleanthes (Cic., De nat. deor. 2,15,40 f. =
SVF 1,504) und dessen Zeus-Hymnus (SVF 1,537), in dem die mythische Redeweise von
den Blitzen des Zeus im stoischen Sinn gedeutet wird. Möglich, daß der *Aetna*-Dichter
darauf mit seiner Formulierung (559 f.: *vel quali Iuppiter ipse / armatus flamma est)*
anspielt. Aufgrund der Verwandtschaft der Feuersubstanz besitzt der *nobilis Aetna* (565)
ebenso göttliche Erhabenheit wie die Sterne (32 ff. 43 ff.). Die Vorgänge in seinem Inneren sind *sacrae res* (464).

[18] Wie im Proömium (32 ff.) geht es dem Autor auch hier darum, vom Göttlichen unziemliche Vorstellungen fernzuhalten. Dieselbe Tendenz dürfte auch maßgebend sein für
die Zweifel des Dichters im Hinblick auf das stoische Dogma der endzeitlichen Welt-
vernichtung (173 f.). Die Kosmos-Frömmigkeit des Didaktikers muß Bedenken empfin-
den hinsichtlich einer periodischen Zerstörung des Welt-Gottes: *si fas est credere.* Der
Verfasser, der in der Theorie des Vulkanismus weitgehend dem Poseidonios folgt (vgl.
Sudhaus 72 ff.), neigt in diesem Punkt der von der stoischen Orthodoxie abweichenden,
an der peripatetischen Theorie der Ewigkeit der Welt orientierten Auffassung des Pan-
aitios zu.

Der Dichter führt dem Adressaten also mit seiner Beschreibung der vulkanischen Phänomene zugleich einen Bereich göttlichen Wirkens vor Augen, seine Lehre von den Ursachen der Erscheinungen ist zugleich Lehre von der wahren Gottheit, ist Reinigung der Gottheit von Vorstellungen, die in unangemessener Weise mit ihr verknüpft werden. Diesem im eigentlichen Sinne religiösen Ziel dient sowohl die Mythenkritik wie die Ursachenforschung. Ist man sich erst einmal dieser Intention, die, wie oben skizziert wurde, konsequent durch das ganze Gedicht hindurch verfolgt wird, bewußt geworden, so wird man es im Gegensatz zu der Mehrzahl der Interpreten nicht mehr verwunderlich finden, daß das Werk nicht mit dem Abschluß der Erörterung der Ursachen endet, sondern daß sich ein ‚Epilog' anschließt, in welchem der Autor zu guter Letzt sogar selbst einen Mythos erzählt. Es wurde oben (S. 209 f.) bereits darauf hingewiesen, daß der Dichter den Mythos nicht prinzipiell ablehnt, daß er ihm nur insofern kritisch gegenübersteht, als er vielfach eine unangemessene Gottesvorstellung vermittelt. Die Berechtigung dieser Interpretation zeigt sich bei der Betrachtung des Gedichtschlusses. Der ‚Epilog' stellt die thematischen Gedanken, um die es dem Autor vor allem geht, noch einmal eindringlich heraus, und der Schlußmythos hat neben der ästhetischen Funktion, dem Gedicht einen ansprechenden Ausklang zu verschaffen,[19] in erster Linie die Aufgabe, das Numinose, welches im Aetna gegenwärtig ist, sinnfällig werden zu lassen und zu zeigen, in welcher Weise auch der Mythos eine angemessene Darstellungsform für die Beschreibung göttlichen Wirkens sein kann.[20]

Der Dichter geißelt zunächst die Gier der Menschen, sich Prunkwerke menschlichen Reichtums, *veteris mendacia famae,* anzusehen (568 ff.). Voller Bewunderung (578.589) stehen sie vor den Resten vergangener Größe und nehmen jede Mühe auf sich, um die berühmten Werke griechischer Künstler betrachten zu können. Hält der Adressat diese Dinge wirklich für sehenswert? Was sind diese Hervorbringungen menschlicher Kunst im Vergleich zu dem *artificis naturae ingens opus* (599 ff.)?[21] Der Natur als dem von Gott geschaffenen, wahrhaft wunderbaren Kunstwerk gebührt die staunende Andacht des Menschen. Und um

---

[19] Darin erschöpft sich nach der Auffassung der Mehrzahl der Interpreten die Funktion des Mythos: äußerliche Nachahmung der Praxis der *Georgica* und des Lukrez, ein Schmuckstück, das dem Werk einen glänzenden Abschluß sichern soll (vgl. etwa Rostagni 304 f.; Richter, Ausgabe 7).

[20] Der Mythos ordnet sich also in die thematische Zielsetzung ein, entspricht völlig der Tendenz des Gedichts. Das genaue Gegenteil behauptet Büchner 126: „Dieser Prediger der Künstlerin Natur und Feind des Mythos schließt ... dennoch sein Gedicht mit einer *miranda fabula* ab ... So schließt das Gedicht ... mit einem versöhnenden Mythus, mag er auch der sonstigen Tendenz des Gedichtes genau widersprechen."

[21] Zur „Künstlerin Natur" vgl. den Ausspruch des Stoikers Zenon bei Cic., De nat.

das wirklich wunderbare Schauspiel, welches der Aetna bietet, gebührend hervortreten zu lassen, erzählt der Dichter nun seinerseits eine *miranda fabula* (603). Diese Erzählung ist tatsächlich Grund zu ehrfürchtigem Staunen, denn sie umreißt treffend das Wirken göttlicher Kräfte in dem Berg: *nec minus ille pio quam sonti est nobilis igni* (604; Text unsicher). Die Geschichte von den beiden Brüdern, die aufgrund ihrer *pietas* als einzige bei einem Ausbruch des Vulkans von den Flammen verschont wurden, ist ein erbauliches Preislied auf den Lohn der *pietas*, die angesichts einer solchen Extremsituation über die Schlechtigkeit der anderen Menschen triumphiert. Der Mythos ist aber zugleich auch Ausdruck für die Auffassung des Dichters von der Göttlichkeit der vulkanischen Kräfte, denn das Wunder der vor den sich aufopfernden Jünglingen zurückweichenden Flammen ist Sinnbild der göttlichen Gerechtigkeit. So leistet der Mythos schließlich auch eine adäquate Erfassung des Wesens der Gottheit, wie es sich in der Tätigkeit des Vulkans dokumentiert, und so findet diese Erzählung im Gegensatz zu den im Proömium kritisierten Geschichten denn auch mit Recht die Bewunderung der Dichter.[22]

Nicht zuletzt durch den ‚Epilog‘ ist das religiös-weltanschauliche Anliegen des Verfassers deutlich geworden. Es bedarf keiner weiteren Darlegungen, um die typologische Stellung des Gedichts zu fixieren. Das Sachinteresse des Autors an seinem Gegenstand ist um so größer, als er von dessen göttlicher Erhabenheit überzeugt ist. Der Dichter trägt seine Lehre mit demselben missionarischen Eifer vor wie Lukrez die seine. Dessen Streben nach der Überwindung des Aberglaubens entspricht hier die Absicht, mit der natürlichen Erklärung der vulkanischen Erscheinungen den Adressaten für ein adäquates, geläutertes Gottesverständnis, für die wahre *religio* zu gewinnen.

Im Lichte dieser Intention ist auch die Auseinandersetzung des Verfassers mit den berühmten Vorgängern in der Gattung der didaktischen Poesie zu sehen. Sie steht unter dem Zeichen der sachlichen Wahrheit. Angesichts des leiden-

---

deor. 2,22,58 (= SVF 1,172): *ipsius vero mundi ... natura non artificiosa solum, sed plane artifex ab eodem Zenone dicitur ...*

[22] Mit 642 ff. erinnert der Autor bewußt an die Mythen- und Dichterkritik des Proömiums: Sein Schlußmythos – und auch sein ganzes Gedicht – ist beispielhaft für die angemessene Weise, das Wesen des Göttlichen zu beschreiben. Wenn 643 auf den Gott der Unterwelt und dessen Belohnung für die *pietas* der beiden Jünglinge hingewiesen wird, so bedeutet das keinen Widerspruch zu der anfänglichen Mythenkritik, welche die Erzählung von der Unterwelt als eines der Dichtermärchen von der Position der eigenen Lehrdichtung aus ablehnt (77 ff.; als Widerspruch moniert z. B. von Rostagni 305). Der Dichter will vielmehr andeuten, daß erst in einem solchen Kontext, wie er ihn bietet, die Rede von der Belohnung der Gerechten nach dem Tode ihren – tieferen – Sinn erhält.

schaftlichen Engagements des Dichters an seinem Gegenstand werden die Un-
duldsamkeit anderen Themen gegenüber und die Schroffheit in der Distanzierung von deren Bearbeitern verständlich. Besonders das Verhältnis des Autors
zu den *Astronomica* des Manilius erscheint im Blick auf die herausgearbeitete
Tendenz des Gedichts unter einem neuen Aspekt. Es wird sich – wohl endgültig – im Sinne der chronologischen Priorität des astrologischen Lehrdichters
klären lassen.[23]

Zunächst ist noch einmal auf das Proömium zurückzukommen. Der Autor
grenzt die Neuigkeit seines didaktischen Vorhabens von einer Reihe von Stoffen
ab, welche nur allzu oft Gegenstand poetischer Darstellung waren. Als erster
wird die Sage vom Goldenen Zeitalter erwähnt (9 ff.) – ein Motiv, welches bekanntlich eine wesentliche Rolle in Vergils *Georgica* spielt (vgl. besonders 1,
125 ff.). Möglicherweise ist in den Versen eine Distanzierung von dem landwirtschaftlichen Lehrstoff Vergils impliziert, worauf auch der an Georg. 1,49 er-
innernde Versschluß *horrea messes* (12) deuten könnte. Mit der Möglichkeit ist
um so mehr zu rechnen, als auch in dem noch zu betrachtenden Exkurs in der
Mitte des Gedichts ein kritischer Bezug auf das Vergilische Lehrgedicht feststell-
bar ist (s. u. S. 219 mit Anm. 34). Die folgenden vier Sagenkreise, die nur mit
kurzen Stichworten angedeutet werden (17 ff.), begegnen auch in der entsprechenden Partie des Manilius (3,5 ff.). Es ist gut möglich, daß sich der *Aetna*-
Dichter hier an seinem Vorgänger orientiert und wie dieser den abgegriffenen
Gegenständen sein neues, von seiten des Autors größere Anstrengung erfordern-
des Thema gegenüberstellt (s. o. S. 112 f.). Jedenfalls entspricht die Fortführung
des Gedankengangs Aetna 24 ff. völlig derjenigen bei Manilius (31 ff.); es ist, als

---

[23] Die isolierte Betrachtung sprachlicher Berührungen konnte nicht zur Klärung des
Verhältnisses führen. Den Forschern, welche die Priorität des *Aetna*-Dichters behaup-
ten (z. B. Sudhaus 93; ferner natürlich diejenigen, die an Vergil als Verfasser festhalten; s. o. Anm. 1), stehen andere gegenüber, welche die Priorität des Manilius vertreten
(vgl. z. B. die Stellensammlung bei C. Catholy, De Aetnae aetate, Diss. Greifswald 1908,
30 ff.). Die Mehrzahl der Gelehrten neigt der letzteren Auffassung zu (vgl. etwa Waszink 230 ff.; E. Bickel, RhM 93, 1950, 309 f.; Richter, Ausgabe 5). Skeptisch hinsichtlich
der Möglichkeit einer sicheren Entscheidung in dieser oder jener Richtung äußern sich
z. B. van Wageningen, RE 27. Halbbd., 1928, 1126, und Büchner 135; vgl. auch Goodyear 59. Mit einer sachlichen Kritik des *Aetna*-Dichters an seinem Vorgänger Manilius
rechnet T. Breiter, M. Manilii Astronomica 2, Leipzig 1908, 43 f. Anm.: Die Partie
Aetna 226 ff. richte sich gegen die astrologische Dichtung des Manilius. Diesem richtigen Ansatz ist neuerdings F.-F. Lühr, Hermes 99, 1971, 141 ff., nachgegangen, der hinsichtlich der Zielrichtung der Partie zu einem Ergebnis gelangt, welches der Verfasser
dieser Arbeit unabhängig davon ebenfalls erzielt hatte. Allerdings übersieht Lühr eine
ebenso signifikante Kritik des *Aetna*-Dichters an anderer Stelle und erfaßt nicht den Zusammenhang der Kritik mit der spezifischen religiösen Intention des Gedichts.

fasse der *Aetna*-Dichter mit dem Worte *fortius* (24) die ausführliche Erwägung des Vorgängers über die Schwierigkeit seines Unternehmens zusammen. Auch das Folgende hat seine Parallele bei Manilius. Wie dieser im Proömium des zweiten Buches die Sternsagen astronomischer Dichter, *quorum carminibus nihil est nisi fabula caelum* (37), als der Erhabenheit des Göttlichen unangemessen zurückweist (25 ff.; s. o. S. 110 f.), so verfolgt auch die Mythen- und Dichterkritik des *Aetna*-Dichters das Ziel einer Reinigung des Gottesbegriffes von den Entstellungen, die ihm durch mythologische Erzählungen widerfahren sind. Wieder zeigt sich eine bemerkenswerte Übereinstimmung der beiden Didaktiker. Aber auch diese Berührung ist noch kein ausreichender Beweis für die sichere Konstatierung einer Bezugnahme des einen auf den anderen. Die Betrachtung des dritten Beispiels mythologischer Naturerklärung im *Aetna*-Gedicht ist allerdings geeignet, der Vermutung, daß sich der Verfasser an dem in seiner stoischen Intention vergleichbaren Werk des Manilius orientiert, einen sehr hohen Grad an Wahrscheinlichkeit zu verleihen.

Der Dichter gestaltet den Mythos der Gigantomachie (41 ff.) zu einer gewaltigen Schlachtbeschreibung mit Einzelzügen aus der Wirklichkeit römischer Kriegführung. Das ganze Gemälde steht unter der Überschrift *impia fabula* (42), und die ironisierende Absicht in der Schilderung dieses der Würde des Göttlichen hohnsprechenden Geschehens ist unverkennbar.[24] Besonderen Wert legt der Autor auf die Herausarbeitung der Furcht der Götter: Die Sterne fürchten sich (51: *metuentia ... astra*), ja, Juppiter selbst gerät in Furcht (54: *Iuppiter ... metuit*). Durch die Hervorkehrung dieses Motivs kommt die Absurdität der Geschichte besonders kraß zum Ausdruck. Eine derartige Redeweise von den Göttern ist Blasphemie (74):

> *haec est mendosae vulgata licentia famae.*

Zu solchen Darstellungen versteigt sich die Einbildungskraft der Dichter, die ja auch von den Liebesabenteuern der Götter zu berichten wissen (87 ff.). Damit ist der Gedankengang bei den erotischen Affären des Juppiter angelangt, die auch bei Manilius Beispiel für die unziemliche Rede über die Gottheit waren (2,31).

Der Leser fragt sich, warum gerade der Mythos der Gigantomachie so breit ausgestaltet wird, warum sich gerade hier die Ironie des Autors entfaltet. Die vielen Berührungen des Proömiums mit den *Astronomica* des Manilius lassen es geraten erscheinen, eine Antwort auf diese Frage im Blick auf den astrologischen Lehrdichter zu suchen. Da ist denn nun daran zu erinnern, daß Manilius die im Proömium des zweiten Buches programmatisch geäußerte kritische Haltung an-

---

[24] Vgl. zu den römischen Einzelzügen R. Hildebrandt, Philologus 66, 1907, 562 ff.; zur Ironisierung Sudhaus 105.

fechtbaren und unangemessenen Göttermythen gegenüber nicht konsequent durchhält, daß er im Gegenteil selbst seine Darstellung gern durch derartige Erzählungen auflockert, u. a. gerade auch durch die Schilderung des Titanenkampfes (s. o. S. 123 ff.). Neben 2,874 ff. und 5,342 ff. ist besonders auf 1,421 ff. zu verweisen, wo der Dichter gerade der Vorstellung eines Juppiter, der angesichts des Ansturms der Gegner in Furcht gerät, breiten Raum widmet.[25] Wenn nun der *Aetna*-Dichter gerade gegen diese Vorstellung seinen Hohn richtet, so dürfte es kaum mehr zweifelhaft sein, daß er damit keinen anderen als eben Manilius meint.[26] Er hat offenbar den Widerspruch bemerkt, der zwischen der programmatischen Aussage des Vorgängers und dessen Sachdarstellung selbst besteht. Gerade weil er in der theoretischen Position – was die Ablehnung unziemlicher Mythen angeht – mit dem astrologischen Didaktiker übereinstimmt, moniert er dessen diesbezügliche Entgleisungen um so schärfer.[27]

Die Auseinandersetzung mit Manilius entzündet sich also an dessen Inkonsequenz hinsichtlich der Wahrung eines adäquaten und reinen Gottesbegriffes. Sie ergibt sich aus dem zentralen thematischen Interesse des *Aetna*-Dichters. Dieses Sachengagement und das Bewußtsein von der bislang verkannten Bedeutsamkeit des eigenen Themas haben auch jene Reflexion über den Gegenstand des Gedichts und dessen Abgrenzung von anderen Stoffen didaktischer Poesie hervorgetrieben, welche den Inhalt des Exkurses etwa in der Mitte des Werkes bildet. Diese Partie ist abschließend zu interpretieren. In ihr kommt der oben herausgearbeitete weltanschauliche Grundgedanke noch einmal explizit zum Ausdruck, und zwar im Blick auf die Lehrdichtung anderer Autoren.[28]

Der Dichter betont zunächst im Anschluß an die Behauptung des großen Nutzens, der mit dem *immensus labor* verbunden sei (222 f.), der Mensch dürfe sich nicht mit staunender Bewunderung des Naturschauspiels begnügen; das

---

[25] Vgl. bes. 423 f.: *dubitavit Iuppiter ipse, / quod poterat non posse timens . . .*

[26] Diese Interpretation wird gestützt durch eine sprachliche Beobachtung Waszinks (230 f.), der überzeugend ausführt, daß der *Aetna*-Dichter aus *aggestos montes* (Man. 1, 426) die Formulierung *magnis montibus agger* (48) entwickelt habe. Die kritische Zielsetzung des Dichters erkennt Waszink allerdings nicht.

[27] In Anbetracht dieser kritischen Haltung der Inkonsequenz des Vorgängers gegenüber ist es denkbar, daß die Abweisung der Erzählungen von den Götterliebschaften, zumal derjenigen des Juppiter (87 ff.), die inhaltlich voll mit der entsprechenden Äußerung des Manilius übereinstimmt, zugleich auch diesen treffen soll, der ja seinem Grundsatz untreu genug ist, um derartige Geschichten einzuflechten.

[28] Dank der Interpretation, welche Lühr (o. Anm. 23) der Partie gewidmet hat und welche im wesentlichen mit der hier vertretenen übereinstimmt, kann sich das Folgende auf die Grundlinien der Partie bzw. notwendige Ergänzungen der Argumentation Lührs beschränken.

Staunen müsse vielmehr Anstoß zum Erwerb von Erkenntnis werden (224 ff.).
Der Mensch sei dazu berufen, nicht nach Art der Tiere der Erdenschwere nach-
zugeben, sondern die Ursachen der Phänomene zu erforschen, „seinen Geist zu
heiligen und das Haupt zum Himmel zu erheben". Die Bezugnahmen auf Manilius sind unübersehbar.[29] Der Autor skizziert anschließend eine Reihe von Wis-
sensgebieten, die sich mit der Erforschung der Wunder der Welt und mit deren
wissenschaftlicher Analyse beschäftigen: Diese Tätigkeit des Forschergeistes ist
eine *divina ... animi ac iucunda voluptas* (250). Die leitmotivische Wiederholung
der Wissensausdrücke läßt die Emphase erkennen, mit der der menschliche Erkenntnisdrang gefeiert wird – so wie das ähnlich auch bei Manilius der Fall ist
(1,13 ff.). Betrachtet man nun die vom Autor erwähnten Wissensbereiche im
einzelnen, so ergibt sich folgende Aufstellung: 1) Forschung nach den *natalia
principia* der Welt, deren Ewigkeit bzw. Vergänglichkeit, 2) Astronomie, 3)
Wetterzeichen, 4) Wechsel der Jahreszeiten, 5) astronomisch-astrologische Fragen. Es fällt auf, daß bis auf das erstgenannte Gebiet alle Gegenstände dem Umkreis der Sternkunde angehören. Wieder liegt es nahe, an Manilius zu denken.
Die Tatsache, daß dessen Lehrgedicht mit einem allgemeinen kosmologischen
Abriß und einer kurzen Erörterung der Frage nach Ewigkeit oder Vergänglichkeit der Welt beginnt (1,118 ff.) – mit der Diskussion eines Problemkomplexes
also, der auch im *Aetna*-Gedicht an erster Stelle genannt wird –, macht es sehr
wahrscheinlich, daß der Autor tatsächlich den astrologischen Lehrdichter im
Auge hat.[30] Daß dies der Fall ist, wird durch eine weitere Überlegung gestützt.
Wie Lühr zweifelsfrei erwiesen hat, setzt sich der *Aetna*-Dichter im folgenden
scharf von der astrologischen Didaktik des Manilius ab. Lühr hat nun aber übersehen, daß sich die Auseinandersetzung mit dem Vorgänger ganz deutlich orientiert an der entsprechenden – allerdings sehr viel verhalteneren und leiseren – Distanzierung Vergils von seinem Vorläufer, Lukrez, im Finale des zweiten *Georgica*-Buches.[31] Wie Vergil dort zunächst die Dichtung des Lukrez thematisch

---

[29] Vgl. zum Gedanken *immensus labor – fertilis* Man. 4,387 ff. (bes. 393: *pro pretio
labor est*). Die Absetzung des Menschen vom Tier und die Herausstellung von dessen
Geistnatur ist gestaltet im Anschluß an Man. 4,873 ff., bes. 897 ff.: Der Mensch erhebt
als einziges von allen Lebewesen „die sternhaften Augen zu den Sternen" (906 f.).

[30] Bis auf die Wetterzeichenkunde sind alle genannten Wissensgebiete in dem Werk
des Manilius vertreten. Vgl. ferner die sprachliche Berührung von Aetna 230 *(aeterno
religata est machina vinclo)* mit Man. 3,55 *(aeterno religatus foedere mundus)*. Die Lehre
von den Wetterzeichen wird von dem Dichter im Blick auf Arat und auf die *Georgica*
erwähnt: Vers 237 spielt an auf Georg. 1,431.

[31] Das erhellt nicht zuletzt aus der Anspielung von Aetna 226 *(nosse fidem rerum
dubiasque exquirere causas)* an Georg. 2,490 *(felix qui potuit rerum cognoscere causas)*.
Die Stelle, die bei Vergil Lukrez einnimmt, hat im *Aetna*-Gedicht Manilius inne.

charakterisiert, um seinen Stoff und seine Intention anschließend davon abzuheben (s. o. S. 84 f.), hat auch der *Aetna*-Dichter seinen Vorgänger bereits während der Reflexion über den Erkenntnisdrang und während der Aufzählung der Wissensbereiche im Auge. Wie Vergil läßt er seine Einstellung zunächst offen, wie Vergil erweckt er zunächst den Anschein, als strebe auch er nach solchem Wissen – um sich dann allerdings um so schärfer von dem von Manilius eingeschlagenen Weg zu distanzieren (251 ff.): Die Wunder der Erde besitzen für den menschlichen Wissensdrang Vorrang vor denen der Sternenwelt. Was Manilius gerade als höchste Aufgabe des Menschen herausgestellt hatte: die Erforschung des Himmels und damit des Göttlichen selbst – vgl. z. B. 4,906 ff.: (Der Mensch) *ad sidera mittit / sidereos oculos propiusque adspectat Olympum / inquiritque Iovem –*, das erscheint dem *Aetna*-Dichter als hybride Überschreitung der dem Menschen gesetzten Erkenntnisgrenzen. Es gibt keine größere *amentia* als:

in Iovis errantem regno perquirere velle (255).[32]

In diesem Bereich wird der Mensch keine sichere Erkenntnis erlangen können. Die Beschäftigung mit diesen Dingen ist also um so verwerflicher, als die Erkenntnismöglichkeiten, welche die Erde bietet, achtlos vernachlässigt und nicht ausgeschöpft werden. Hier bietet sich eine von Manilius und anderen übergangene, viel erfolgversprechendere Möglichkeit, in das Geheimnis göttlichen Wirkens einzudringen.[33]

Statt dessen, so fährt der Autor fort, reiben sich die Menschen in kleinlichen Sorgen und Geschäften auf (257 ff.). Alle ihre Gedanken sind auf Erwerb und Gewinn ausgerichtet und zermartern Geist und Körper. Dieses kleinliche Denken wird in unverkennbarem Anschluß an Manilius (4,396 ff.) geschildert.[34]

---

[32] Zum Text: Lühr 146; H. Fuchs, Hermes 101, 1973, 256. Vgl. auch Aetna 86: *nec metuunt oculos alieno admittere caelo* (von den Dichtern, die gotteslästerliche Mythen erfinden). Der Himmel als die eigentliche Region des Göttlichen ist dem Menschen „fremd", ist ein ihm nicht ohne weiteres zugänglicher Bezirk.

[33] Der Dichter bestreitet die Behauptung des Vorgängers, die Erde sei dem Menschen bereits genügend bekannt (4,877 ff.).

[34] Vgl. Lühr 147. Der Autor hatte ja bereits zu Beginn des Exkurses auf diese Partie des Manilius Bezug genommen (s. o. Anm. 29). Dessen kurze Andeutung über das Streben nach landwirtschaftlichem Erwerb (4,400 f.) wird von dem *Aetna*-Dichter stark ausgeweitet (260–268). Der Anlaß dafür ist sicherlich die Absicht, sich von den *Georgica* Vergils zu distanzieren (vgl. Catholy 19 f.; Büchner 124). Die *leves causae* (266), welche Geist und Körper des Bauern quälen, lassen sich auf das Gedicht Vergils beziehen (vgl. etwa Georg. 1,53 ff.). Der polemische Impetus des Autors führt zu einer bemerkenswerten Verkennung der Vergilischen Intention. Vergil erscheint bei ihm aufgrund seines Lehrstoffes als Förderer kleinlichen Gewinnstrebens, als Lehrmeister gewinnhungriger Bauern.

Während dieser jedoch davon die Hinwendung des Geistes zum Sternenhimmel als gottgewollte Berufung des Menschen abhebt (407):

> *impendendus homo est, deus esse ut possit in ipso,*

stellt der *Aetna*-Dichter dem Erwerbsstreben die *bonae artes* gegenüber, deren Lohn „die Früchte des Geistes" seien (270 ff.).[35] Naturerkenntnis befreit von Aberglauben und – so müssen wir ergänzen – ermöglicht die Einsicht in das wahre Wesen des Göttlichen und dessen Wirken. Der Angleichung des Menschen an Gott, zu der Manilius auffordert, wird die Erforschung der irdischen Phänomene, der Weg möglicher Gotteserkenntnis, als Aufgabe des Menschen gegenübergestellt – eine Aufgabe, welcher der Autor mit seinem Lehrgedicht in exemplarischer Weise nachkommt.

7. Lithika

Das unter dem Namen des mythischen Sängers Orpheus auf uns gekommene Lehrgedicht über die Kräfte der Steine läßt sich mit einiger Wahrscheinlichkeit in die zweite Hälfte des vierten nachchristlichen Jahrhunderts datieren. Der anonyme Verfasser, der zur sogenannten Orphik keinerlei engere Beziehung erkennen läßt, deutet selbst auf eine bestimmte historische Situation hin, wenn er 61 ff. zeitgenössische Verfolgungen der magischen Kunst, wie auch er sie vertritt, beklagt. Diese Äußerung erlaubt die annähernde Datierung des Gedichts.[1] Es handelt von der magischen Wirkung der Steine. Das Interesse des Autors ist also von vornherein in bestimmter Richtung fixiert. Er stützt sich bei seiner poetischen Unterweisung – wie ja nicht anders zu erwarten – auf eine Prosaschrift, welche ihrerseits vermutlich im zweiten Jahrhundert n. Chr. entstanden ist.[2]

---

[35] Die stolze Ablehnung einer niedrigen, gewinnorientierten Lebensform findet noch einmal Ausdruck in dem erbaulichen Schlußmythos: Die *pietas* der beiden sich aufopfernden Brüder wird in gebührender Weise belohnt, während die Habgier der anderen in den Flammen des Aetnaausbruchs endet (614 ff.). Zur materiellen Zweckfreiheit der Naturerkenntnis vgl. im übrigen Sen., Nat. quaest. 6,4,2; zu den *bonae artes:* Nat. quaest. 6,32.

[1] Vgl. R. Keydell, RE 36. Halbbd., 1942, 1338. Die gefährliche aktuelle Situation, die das Gedicht erst hervorgetrieben hat, hat den Autor offenbar veranlaßt, selbst in der Anonymität zu verharren. – Der Text wird zitiert nach der Ausgabe von E. Abel, Orphei Lithica, Berlin 1881.

[2] Vgl. V. Rose, Hermes 9, 1875, 476 ff.; Keydell 1340. Einen Überblick über Wesen und Ursprung des besonders in den letzten Jahrhunderten der Antike hervortretenden Glaubens an die verborgenen medizinisch-magischen Kräfte der Steine und über die entsprechende Literatur gibt T. Hopfner, RE 25. Halbbd., 1926, 747 ff.

Der Aufbau des Lehrstoffes und die Art seiner Entfaltung sind ohne jede Parallele in anderen Lehrgedichten der Antike. In – soweit wir sehen – völlig neuer und selbständiger Weise schafft sich der Autor einen bestimmten Rahmen für seinen Lehrvortrag. Er tritt zwar zunächst selbst als Autorität, als wissender Lehrer auf und folgt damit den Konventionen der Gattung, legt dann aber sofort mit Beginn der eigentlichen Sachdarstellung den Lehrgegenstand in den Mund anderer Personen. Die dadurch bewirkte szenische Gestaltung und Dialogisierung der festen Lehrgedichtsform ist nun aber, wie sich zeigen wird, weniger Resultat eines primär literarisch orientierten Strebens nach einer ästhetisch ansprechenden Auflockerung und Durchbrechung der konventionellen didaktischen Darstellungsweise als vielmehr Ausdruck eines spezifischen, auf die Sache selbst gerichteten thematischen Interesses des Verfassers.

Die Beweggründe, die den Dichter zu der Poetisierung des Gegenstandes veranlaßt haben, sein Verhältnis zu dem Lehrstoff, dessen Bedeutsamkeit und Nutzen: all das wird deutlich aus den ungewöhnlich ausladenden Ausführungen des Proömiums. Die Bedeutung des Lehrgegenstandes wird sogleich betont. Es handelt sich um ein heilbringendes Geschenk des Hermes an die Menschheit (1 ff.). Der Autor fordert seine Adressaten – die gesamte Menschheit – auf, das Gottesgeschenk freudig entgegenzunehmen (4). Der Adressatenkreis wird jedoch sofort eingeschränkt (4 ff.): Die heilsame Lehre ist nur für Verständige bestimmt und solche, die über eine ἀγαθὴ κραδίη verfügen und den Göttern gehorchen. In den Versen 22 ff. entfaltet der Dichter breit die geradezu allumfassende Wirksamkeit des göttlichen Geschenks. Er verspricht dem Leser, dessen Aufmerksamkeit für den Gegenstand durch die Charakterisierung von dessen weitreichender Bedeutsamkeit geweckt wird, ihn in dieses Geheimnis einzuweihen. Das Interesse des Adressaten wird ferner dadurch verstärkt, daß sich der Dichter auf den Auftrag des Gottes beruft: Hermes selbst hat ihn mit der poetischen Verkündigung der Lehre betraut (58 ff.). Aus dem Bemühen des Verfassers, das Gewicht und den Nutzen seines Lehrgegenstandes zu unterstreichen, geht bereits sein sachliches Engagement hervor. Gerade die spezifische Eingrenzung des ansonsten unbeschränkten Adressatenkreises macht offenbar, welche Bedeutung der Stoff für den Dichter besitzt: Nur wer bestimmte moralisch-religiöse Voraussetzungen erfüllt, ist der Teilnahme an dem im folgenden vermittelten Gottesgeschenk würdig. Die breite Entfaltung des Nutzens hat keine andere Funktion, als für die Lehre zu werben. Diese werbende Haltung des Autors kommt im folgenden besonders eindringlich zum Vorschein (61 ff.). Der Lehrdichter beklagt die Verblendung der Menschen, welche die ἀρετή meiden und nicht mehr in der Lage sind, zu den Göttern zu sprechen. Sie vergehen sich gegen den Gott Hermes und vertreiben die ihm zu verdankende Weisheit (ἐσθλὴν σοφίην) aus Stadt und

Land. Umsonst ist die Mühe Früherer, verhaßt und angefeindet ist der soge-
nannte Magier. Er leidet Verfolgung von seiten der tierischen, von Gott verlassenen Menge. Der Verfasser ist zutiefst bestürzt über diese Verkennung und Ver-
achtung der auch von ihm verehrten Weisheit.[3] Er erblickt seine Aufgabe darin,
die verblendete Menschheit auf die verkannten Schätze jenes Wissens aufmerksam zu machen (82 f.). Von der fundamentalen Bedeutsamkeit der magischen
Weisheit durchdrungen, erhebt sich der Autor zum Prediger, wird der Dichter
zum Propagandisten. Obwohl er nicht über die Funktion der poetischen Form
im Rahmen seiner Darstellung reflektiert, wird diese doch aus den betrachteten
Ausführungen genügend klar: Der Dichter hofft, seinem Bemühen mit den Mitteln der Poesie größere Durchschlagskraft zu verleihen. Er weist allerdings zum
Abschluß der Vorrede ausdrücklich darauf hin, daß seine Lehre Aufmerksamkeit und unermüdliche Anstrengung von seiten des Adressaten erfordert (84 ff.).
So gegensätzlich die weltanschaulichen Grundpositionen dieses Vertreters magi-
scher Praktiken und des Aufklärers Lukrez auch sind, so verbindet beide doch
derselbe missionarische Eifer hinsichtlich der Verbreitung ihrer Lehre und derselbe Anspruch auf Mitarbeit des Adressaten.

Statt nun aber in eigener Person mit der Lehre zu beginnen, bemerkt der
Autor, er wisse es zu schätzen, „den Zuspruch eines klugen Mannes zu finden"
(91 f.), und beschreibt anschließend seine Begegnung mit dem „weisen" Theiodamas. Der Dichter befindet sich auf dem Weg zu einer Opferhandlung. Er fordert
Theiodamas auf, ihn zu begleiten, und erzählt ihm von dem Anlaß seines Opfers,
einem gefährlichen, aber glücklich verlaufenen Jugendabenteuer mit einer
Schlange (96–164). Theiodamas erklärt sich bereit, dem Autor zu folgen, und
verspricht, ihm Ratschläge zu erteilen, wie er beim Gebet das gnädige Gehör der
Gottheit finden könne (165–171). Im folgenden beginnt nun endlich die eigentliche Sachdarstellung. Die Lehre erscheint als Anweisung eines Dritten an den
Autor. Der Lehrdichter ist so zugleich Lernender und Lehrer.

Welchen Zweck verfolgt der Autor mit dieser in der didaktischen Gattung
singulären Einkleidung? Warum tritt der Verfasser, der sich doch auf den göttlichen Auftrag des Hermes berufen hat, nicht selbst als Lehrer auf? Die Richtung, in der die Antwort auf diese Frage zu suchen ist, deutet der Dichter selbst
mit der Bemerkung an, er freue sich, wenn er die Unterweisung eines klugen
Mannes finde. Einem solchen begegnet er in Gestalt des Theiodamas. Dieser,
auf den indirekt bereits die Charakterisierung πινυτός (91) geht und der dann
ausdrücklich als περίφρων (94) bezeichnet wird, ist geeignet, als glaubwürdiger

---

[3] Die emotionale Beteiligung äußert sich zumal in dem pathetischen Ausruf ἆ δειλοί
(69).

Gewährsmann die Wahrheit der Lehre zu garantieren.[4] Wesentliche Aufgabe der Einkleidung und der Verschiebung des Lehrer-Schüler-Verhältnisses ist es also, den Ausführungen zur Sache Glaubwürdigkeit und Gewicht zu verleihen. Daneben erlaubt der Kunstgriff dem Dichter, von vornherein eine bestimmte Atmosphäre zu schaffen. Der Autor als Adressat der Unterweisung des Theiodamas ist auf dem Wege zu einem Dankopfer für eine lange Zeit zurückliegende Rettung aus großer Gefahr. Er zeigt damit jenen frommen Sinn, der ihn zur Aufnahme der Lehre erst befähigt – so wie er es im Proömium im Hinblick auf seinen Adressaten gefordert hat.[5] Schließlich bietet die vom Dichter dargestellte Situation des Dankopfers und der ehemaligen Konfrontation mit einer giftigen Schlange den passenden Rahmen für den Lehrvortrag, der sich gerade auf die entsprechenden zwei Aspekte der Wirksamkeit der Steine konzentriert. Die breite, dramatische Ausgestaltung des Jugendabenteuers ist allerdings sachlich nicht zu rechtfertigen. Es ist durchaus möglich, daß der Autor, dessen Person ja auch sonst stark hervortritt, hier ein Geschehen schildert, das ihm einst tatsächlich widerfahren ist; es ist aber auch denkbar, daß es ihm in erster Linie darum geht, aus Gründen der ästhetischen Proportion den Dialog nicht ganz und gar einseitig verlaufen zu lassen und ein gewisses Gegengewicht zum Vortrag des Theiodamas zu schaffen. Allerdings kommt auch dadurch kein eigentliches Gespräch zustande. Der Dichter ist bis auf seine einleitende Erzählung nur Hörer.[6]

Der Vortrag des Theiodamas betrifft zunächst die hilfreiche Wirkung der Steine bei Opfer und Gebet zu den Göttern (172–337). Der Lehrstoff wird in 13 unterschiedlich umfangreichen, jeweils der Kraft eines Steines gewidmeten Abschnitten entfaltet, in deren Aneinanderreihung weder eine bestimmte sachliche Gliederung bzw. Zusammenfassung noch etwa eine bewußt bauende, künstlerische Strukturierung erkennbar ist. Die Darstellung ist streng sachorientiert;

---

[4] Daß es sich bei Theiodamas um einen Sohn des Priamos handele, das Gespräch also in einer fernen, mythischen Vergangenheit spiele, ist eine durch nichts gerechtfertigte Behauptung der Hypothesis des Demetrios Moschou. Zu dieser unzutreffenden Auffassung hat offenbar die Beobachtung geführt, daß Theiodamas im zweiten Hauptteil des Gedichts die Worte des Helenos, also eines Sohnes des Priamos, an Philoktet zitiert.

[5] Vgl. 5: καὶ πείθεται ἀθανάτοισι. Vgl. ferner die Klage über das gottlose Verhalten der Menschen, welche die Weisheit vertreiben, bes. 67: οὐδέ τις οἶδε θεοῖς ὀαριζέμεν ἀθανάτοισιν.

[6] Wie Keydell (1339) treffend bemerkt, ist die Gesprächssituation offenbar durch die entsprechende Szenerie im 7. Gedicht des Theokrit *(Thalysia)* angeregt. Dieses Muster erfordert von dem Imitator, daß auch er in dem Gespräch dem Ich-Erzähler einigen Raum widmet.

sie verzichtet auf jegliche poetische Auflockerung.[7] Beschreibender und lehrhaft
anordnender Stil wechseln ab.[8] Die starke Beteiligung des Dichters (der hier in
die Figur des Theiodamas schlüpft) an dem Gegenstand kommt nachdrücklich in
der personifizierenden Apostrophe des λύχνις-Steines zum Ausdruck (271 ff.).
Die angepriesenen Wirkungen selbst sind verschiedenster Art. Der eingangs herausgestellte leitende Gesichtspunkt: Unterstützung bei Gebet und Opfer, spielt
zwar tatsächlich eine wesentliche Rolle, erfaßt aber nicht die Vielzahl und weite
Streuung der genannten Kräfte.[9] Offensichtlich handelt es sich um einen Versuch des Dichters, die Stoffmasse unter einem Aspekt zusammenzufassen, ohne
daß ihm dies wirklich gelungen wäre.[10] Der erste Abschnitt der Lehre erreicht
mit der Beschreibung der vielfältigen Wirkung des Magnetsteins seinen Abschluß. Die Gesprächssituation und der konkrete ‚Anlaß‘ des Vortrags, die be-
vorstehende Opferhandlung des Autors, werden in den Schlußworten des Theiodamas in Erinnerung gerufen (334 ff.): Der Dichter könne ja das Gesagte
sogleich selbst erproben.

Mit Vers 338 beginnt der zweite Hauptteil des Gedichts. Anknüpfend an das
Schlangenabenteuer des Weggefährten, verkündet Theiodamas nunmehr die hel-
fende Kraft der Steine gegenüber den Bissen der Gifttiere.[11] Auch hier ist ein
künstlerisches Aufbauprinzip nicht erkennbar, auch hier werden in ähnlicher
Darstellungsweise wie im vorausgehenden Abschnitt die Wirkungen der Steine
nacheinander vorgeführt.[12] Aber die Autorität des Wissenden und Lehrenden

---

[7] Das kurze Gleichnis, welches zur Veranschaulichung der besonderen Natur des
Magnetsteins (309 f.) eingefügt wird, steht ganz vereinzelt.

[8] Die didaktische Haltung äußert sich in Formulierungen wie λάζεο (172), κέκλομαι
(179), σκέπτεο (244), κελεύω (287) u. a. m.

[9] Gleich beim κρύσταλλος, dem ersten beschriebenen Stein, werden zwei Funktionen
genannt, die mit der Opfer- und Gebetssituation nichts zu tun haben: Feueranzünder
und Hilfe gegen Krankheit (177 ff.). Vgl. ferner z. B. die Ausführungen zum κέρας
ἐλάφοιο, dessen Wirkung sich auf so unterschiedliche Bereiche wie Haarwuchs und Ein-
tracht der Eheleute erstreckt (244 ff.).

[10] Für die Hervorkehrung der Wirkung der Steine bei Opfer und Gebet sind offenbar
theurgische Intentionen des Verfassers maßgebend (vgl. Keydell 1339).

[11] Auch dieser Gesichtspunkt beherrscht tatsächlich die folgenden Ausführungen.
Aber wieder werden auch andere Wirkungen genannt, und bisweilen wird auf den leitenden Aspekt gar keine Rücksicht genommen, wie z. B. im Hinblick auf den ἀντιαχάτης
(633 ff.), der als Hilfe gegen Fieber genannt wird.

[12] Wieder lassen die Apostrophen die innere Beteiligung des Dichters erkennen (346:
καὶ σέο, δαιμονίη, μεμνήσομαι αὐτίκα, πέτρη· 758 f.: ἔνθεν καὶ σέο, δῖε χαλάζιε,
πειρηθῆναι / ἐν θυμῷ βαλόμην ...). Besonders eindringlich kommt die Begeisterung für
den Gegenstand 534 ff. zum Vorschein, wo Helenos, der hier Sprachrohr des Didaktikers
ist, seine Bezauberung durch das geheimnisvolle Wesen des κουράλιον-Steins gesteht.

verlagert sich nunmehr erneut. Die Erwähnung des Philoktet, dessen wunderbare Heilung als starker Beweis für die Bedeutsamkeit der vorgetragenen Lehre in Anspruch genommen wird (348 ff.), gibt Gelegenheit, zu dem troischen Seher Helenos überzuleiten, dem Apollon einen sprechenden Stein geschenkt hatte (358 ff.). Mit Hilfe dieses Steines konnte Helenos die Zukunft voraussagen. An den Seher wandte sich Philoktet, der, wie Theiodamas in Erinnerung an die Gesprächssituation betont, noch viel größere Angst vor Schlangen hatte als der Dichter (391 ff.), mit der Bitte, ihm Abwehrkräfte gegen die Giftiere zu nennen. Helenos kam dieser Bitte nach, rief Apollon zum Zeugen für die Wahrheit seiner Worte an (398 f.) und unterwies den Philoktet. Die von Helenos an Philoktet gerichteten Darlegungen gibt Theiodamas nun im folgenden an den Dichter weiter. Das Lehrer-Schüler-Verhältnis hat sich um eine weitere Stufe verschoben.

Der Sinn dieser komplizierten Schachtelung der Gewährsmänner ist klar. In dem Seher Helenos präsentiert der Autor eine nunmehr ganz unanfechtbare Autorität. Dessen enge Beziehung zu Apollon und dessen ausdrückliche Berufung auf den Gott verleihen seinen Ausführungen eine unerschütterliche Überzeugungskraft. Der Wahrheitsanspruch wird sogleich zu Beginn des Vortrags erhoben (400 ff.): Helenos hat vor Apollon einen Eid geschworen,

ψευδέα μήποτε μῦθον ἐνισπεῖν ἀνθρώποισι (402).

Der Anspruch wird zwei weitere Male in Erinnerung gebracht.[13]

Einleitend spricht Helenos zunächst allgemein über die Heilkraft der Steine (405 ff.). Er vergleicht sie mit derjenigen der Pflanzen und billigt diesen eine weitaus geringere Wirksamkeit zu: Die Kraft der Steine übertrifft die der Pflanzen in dem Maße, als diese in höherem Grade der Vergänglichkeit unterliegen. Der Dichter versieht die Reflexion mit der Autorität des mythischen Sehers, um seine Adressaten um so sicherer von der Wahrheit der vorgetragenen Ansicht zu überzeugen. Es muß dem Propagandisten einer derartigen Weisheit natürlich daran gelegen sein, seine Lehre von konkurrierenden anderen abzugrenzen und den Leser auf seine Seite zu ziehen. Zu diesem Zweck stellt er die Heilwirkung der Steine nicht nur auf gleiche Stufe mit derjenigen der Pflanzen, die ja üblicherweise in der Heilkunde verwendet werden, sondern er versucht seine Weisheit als die überlegene zu erweisen.[14]

---

[13] Die Berufung auf Apollon kehrt wieder 513 ff., und zum Abschluß seiner Lehre weist Helenos zurück auf den eingangs erwähnten Eid – 768 stimmt wörtlich überein mit 402 – und fordert Philoktet auf, seinen von dem Wissen des Apollon getragenen Worten zu folgen (762 ff.).

[14] Ob die Verse über die Auseinandersetzung mit dem üblichen Verfahren der Pflanzenheilkunde hinaus auch eine Distanzierung des Autors von den Lehrgedichten des Nikander intendieren, welche ja im wesentlichen auf pflanzliche Rezepte rekurrieren, muß dahingestellt bleiben.

Die mythische Figur des troischen Sehers ermöglicht dem Dichter die wirkungsvolle Anwendung eines weiteren Mittels der Beglaubigung seiner Lehre: des Mythos. Sogleich während der Beschreibung der Wirkungsmacht des zuerst genannten Steines beruft sich Helenos auf dessen Erprobung in einem selbst erlebten, konkreten Fall (431 ff.). Der Mythos gewinnt als Element der Beglaubigung im Munde des Sehers besonderes Gewicht. Denn Helenos kann gewissermaßen als zeitgenössischer Augenzeuge für das in ferner Vergangenheit liegende Geschehen auftreten. So ist es nicht verwunderlich, daß der Dichter in dem Helenos-Abschnitt von dem Mittel reichen Gebrauch macht – wohlgemerkt: nicht zum Zweck ästhetisch-ornamentaler Auflockerung der Darstellung, sondern um der sachlichen Lehre ein möglichst großes Gewicht zu verleihen.[15]

Es erübrigt sich, auf die Abstrusitäten der Sachdarstellung im einzelnen einzugehen. Für die hier verfolgte Fragestellung genügt die Erkenntnis, daß der Dichter sie sehr ernst nimmt, daß sein ganzes Interesse darauf gerichtet ist, den Adressaten für seine Weisheit zu gewinnen. Nicht aus künstlerischen Absichten, sondern aus dem Bestreben, seiner Propaganda eine möglichst breite Durchschlagskraft zu sichern, greift er zu den Mitteln der Poesie.[16] Dem gleichen Ziel dient der Versuch, die in langer Tradition festgeprägte Form der Lehrdichtung umzugestalten zu einer dialogisierenden Darstellungsweise mit komplizierter Schachtelung.[17] Das leidenschaftliche Engagement des Verfassers an seinem Stoff

---

[15] Vgl. 539 ff. (Gorgo-Perseus-Mythos); 645 ff. wird im Hinblick auf den αἱματίτης-Stein zunächst als Beglaubigung für dessen merkwürdige Natur der Mythos seiner himmlischen Entstehung erzählt. Sodann beschreibt der Seher die Wirkung und gibt ein – nunmehr negatives – Beispiel aus der Mythologie (675 ff.): Er selbst habe seinerzeit dem Aias angesichts des Streits um die Waffen des Achilleus geraten, sich der Hilfe des Steines zu versichern. Aias aber hörte nicht auf ihn – zu seinem eigenen Schaden. Die Lehre für den Adressaten läßt nicht auf sich warten: ἀτὰρ σύ γε τοῖο μὲν αἶσαν / ἅζεο ... (682 f.). Damit nicht genug, läßt der Dichter den Seher einen weiteren Beweis anschließen. Im Gegensatz zu Aias befolgte sein Gefährte Dolon den Rat des Wissenden, und der Erfolg war entsprechend (686 ff.). Eine ähnliche Funktion wie das warnende Aias-Beispiel verfolgt der Orion-Mythos: Hätte Orion von der Existenz des Steines gewußt, so wäre es ihm anders ergangen (494 ff.).

[16] Zutreffend ist das Urteil Keydells (1341): „Der Verfasser war offenbar kein Dichter von Beruf, sondern ein gebildeter Mann, der sein Formtalent benutzte, um einen ihm am Herzen liegenden Stoff einem Kreise von Gleichgesinnten nahezubringen." Allerdings dürfte sich das Gedicht weniger an „Gleichgesinnte" wenden als vielmehr gerade an diejenigen, die der Lehre skeptisch oder gar feindselig gegenüberstehen.

[17] Der Dichter lenkt am Schluß wieder zur Ausgangssituation zurück. 771 f. endet die Rede des Helenos und des Theiodamas. Die letzten beiden Verse erinnern an den Weg der beiden Gesprächspartner. Die Schachtelung der lehrenden Personen (Autor – Theiodamas – Helenos) hat äußerlich einen mehrfachen Wechsel des Adressaten der Lehre zur Folge (Leser – Autor – Philoktet), obwohl selbstverständlich eigentlicher

führt zu einer bemerkenswerten formalen Neuerung in der Geschichte der didaktischen Dichtung. Die Form des Lehrgedichts nimmt in sich Elemente fiktionaler Literatur auf. Der spätzeitliche Neuansatz konnte der Gattung jedoch keinen neuen Antrieb mehr geben.

8. Das *Carmen de ponderibus et mensuris*

Im Rahmen der Betrachtung der erhaltenen antiken Lehrgedichte ist schließlich ein Blick zu werfen auf ein kleines, nur 208 Verse umfassendes spätantikes Gedicht über Gewichte und Maße, also über einen Gegenstand der Metrologie.[1] Der unbekannte Verfasser eröffnet das Werk mit einer in hohem Stil gehaltenen Themaangabe. Das Gewicht der Worte entspricht dem Gewicht, welches der Autor seinem Stoff beimißt (1 f.):

> *Pondera Paeoniis veterum memorata libellis*
> *nosse iuvat.*

Er hebt die wesentliche Rolle hervor, die das Gewicht in der Ordnung der Natur spiele (2 ff.), und unterstreicht dies durch mehrfache Wiederholung des thematischen Kernwortes *pondus*. Nach der kurzen, aber gewichtigen Vorbemerkung, welche den Adressaten auf die Bedeutsamkeit des Gegenstandes aufmerksam machen soll, beginnt die Stoffentfaltung. Ganz systematisch behandelt der Dichter am Anfang die kleinsten Gewichtseinheiten, um anschließend, darauf aufbauend, zu den größeren zu gelangen. Er macht dem Leser das methodische Prinzip, das diesem sachgemäßen Vorgehen zugrunde liegt, sogleich in den ersten beiden Versen klar (6 f.):

> *ordiar a minimis, post haec maiora sequentur.*
> *nam maius nihil est aliud quam multa minora.*

Der Weg führt zunächst bis zum Pfund (31). Mit *accipe praeterea* klar abgesetzt (32), folgt ein weiterer Abschnitt über griechische Maße, Mine und Talent (32 –40). Das Streben nach Klarheit und Durchsichtigkeit der Stoffgliederung zeigt sich auch im folgenden: Wieder wird mit *nunc dicam...* der nächste Lehrgegenstand, die *divisio librae*, vom vorangehenden deutlich abgehoben (41–55).

Adressat immer die zu Beginn angesprochene gesamte Menschheit – mit der genannten Einschränkung – ist. Das wird besonders deutlich aus einem ‚Versehen‘ des Dichters, der 749 f. die fiktive Lehrsituation des Helenos vergißt und diesen sich allgemein an die Menschen wenden läßt.

[1] Text: Anth. Lat. 1,2, ed. A. Riese, Leipzig 1906², Nr. 486. Zur Frage der Abfassungszeit und des Verfassers vgl. Schanz / Hosius, Geschichte der röm. Literatur 4,2, München 1920, 37. Zum Stoff vgl. F. Hultsch, Griechische und römische Metrologie, Berlin 1882², und dens., Metrologicorum scriptorum reliquiae 2, Leipzig 1864/66, 24 ff.

Damit ist die Lehre von den Gewichtsmaßen abgeschlossen, worauf der Dichter wieder ausdrücklich hinweist (56: *haec de ponderibus*). Der Sache nach schließt sich die Erörterung der Hohlmaße an: *superest pars altera nobis / umida metiri* (56 f.). Römische, griechische und ägyptische Einheiten werden der Reihe nach vorgeführt (56–90). Nunmehr kann der Dichter auf dem vorgetragenen Fundament aufbauen und die Lehre von dem spezifischen Gewicht der Flüssigkeiten entwickeln (91–121). Um eventuelle Zweifel des Adressaten an der Richtigkeit der Ausführungen auszuschalten und den Darlegungen größtmögliche Glaubwürdigkeit zu verleihen, schildert der Autor mit angemessener Ausführlichkeit ein Experiment, welches der Leser selbst nachvollziehen kann (102 ff.). Wie der erste Abschnitt über die Gewichtseinheiten wird auch dieser durch eine Schlußbemerkung abgeschlossen: *haec de mensuris* (122).

Besonderes Gewicht legt der Dichter nun auf die praktische Anwendung der theoretischen Kenntnisse. Indem er dem Adressaten im folgenden einen bestimmten Sachverhalt vor Augen führt, der diesem täglich zu seinem eigenen materiellen Schaden widerfahren kann, und indem er ihm gleichzeitig eine Möglichkeit aufzeigt, der Gefahr materieller Übervorteilung wirkungsvoll entgegenzuarbeiten, ist die bisher so abstrakt-theoretische Lehre an einem Punkt angelangt, wo das unmittelbar praktische Interesse des Lesers angesprochen wird. Es handelt sich um die Möglichkeit, das Mischungsverhältnis von Metalllegierungen festzustellen. Der Autor erörtert exemplarisch die depravierende Beimischung von Silber in Gold [2] und stellt damit bewußt einen Vorgang vor Augen, der von größter Bedeutung ist für jemanden, der bei einem entsprechenden Auftrag oder Kaufakt nicht betrogen werden will. Der Dichter selbst ist geradezu begeistert von der Genialität dessen, der solchen Betrügereien durch seine physikalische Entdeckung einen Riegel vorgeschoben hat (127):

> *prima Syracosii mens prodidit alta magistri.*

Gerade in dieser Entdeckung zeigt sich die konkrete Anwendbarkeit und damit die ganze Bedeutsamkeit der vorgetragenen, scheinbar so esoterischen Lehre. Zur rechten Einstimmung auf den Höhepunkt seines Gedichts und zur Beglaubigung des Bestimmungsverfahrens selbst erzählt der Autor die Geschichte von dem sizilischen König (Hieron II.), der eine Krone aus purem Gold in Auftrag gegeben hatte; der Künstler hatte aber vertragswidrig auch Silber zur Herstellung mit verwendet, und es bedurfte erst des *ingenium,* der *mens sagax* jenes Bürgers

---

[2] Die Ausführungen, die zu dem einen Beispiel einer Metallmischung gemacht werden, können ohne weiteres auf andere Fälle übertragen werden. Das spricht der Dichter selbst zum Abschluß der ganzen Partie aus: *haec eadem in reliquis poteris spectare metallis* (208). Mit dem Vers endet das Gedicht. Es gibt keinen Grund für die Annahme, daß dieses uns unvollständig vorliegt (so Riese, ad loc.).

(des Archimedes), um den Betrug und das genaue Mischungsverhältnis an den Tag zu bringen (128–134; vgl. Hultsch, RE 3. Halbbd., 1895, 531).

Die folgende Beschreibung des Verfahrens, für die der Autor die Aufmerksamkeit des Adressaten fordert, wird wieder durch eine orientierende dispositionelle Bemerkung eingeleitet (135):

quod te, quale siet, paucis (adverte) docebo.

Die Schilderung des Bestimmungsverfahrens geht bis in letzte technische Details und ist von nüchtern-wissenschaftlicher Exaktheit. Die Ausführlichkeit entspricht der Bedeutung, welche der genialen Entdeckung nach Auffassung des Autors zukommt. Er beschreibt zunächst die Prüfung des Mischungsverhältnisses mit Hilfe eines Wasserbades (135–162) und führt daran anschließend ein weiteres Verfahren vor (163–207). Daß es ihm tatsächlich auf konkrete Unterweisung ankommt, daß er ein vertieftes, echtes Verständnis für den Lehrgegenstand beim Leser wecken will, geht nicht nur aus der auf die Ermöglichung von praktischer Nachahmung hin angelegten Ausführlichkeit der Darstellung und aus der Aufforderung, das Experiment nachzuvollziehen (164), hervor, sondern erhellt auch daraus, daß der Dichter nichts unerklärt läßt, sondern Begründungen bietet (179 f.):

causaque cur ita sit, prompta est, si discere verum
non pigeat ... (vgl. auch 141).

Die durchsichtige Disposition, der streng systematische Aufbau, die sachgemäße, den Stoff vollständig und mit angemessener Ausführlichkeit ausbreitende Darstellung, schließlich das Engagement des Autors an seinem Gegenstand:[3] all das fügt sich zu einem einheitlichen Gesamtbild zusammen. Das Gedicht repräsentiert den Typ der ‚sachbezogenen‘ Lehrdichtung in voller Reinheit. Der Autor betrachtet seinen Lehrstoff als gewichtig genug, um ihn in poetischer Form zu verbreiten. Angesichts der typologischen Nähe zu Lukrez, die hier nicht mehr näher erläutert zu werden braucht, ist die Fülle der Berührungen mit dessen Lehrgedicht sicherlich kein Zufall.[4] Die Verwandtschaft mit der ‚sachbezoge-

---

[3] Dieses Engagement hat offenbar zu dem Versuch der Versifizierung geführt. Bei aller sachlichen Nüchternheit gibt sich der Dichter doch Mühe, seiner Darstellung einen gewissen poetischen Reiz zu verleihen. Dadurch wird das dominierende Sachinteresse jedoch nicht verdunkelt, denn die Poetisierung beschränkt sich auf gelegentliche Epitheta (z. B. 17 f. 39: *doctis Athenis*; 137: *edax ignis*), Umschreibungen (wie etwa 94: *dona Lyaei*) und ähnliches. Der – wenn auch sehr zurückhaltende – Versuch einer gewissen Poetisierung des Gegenstandes zeigt, daß wir es nicht mit *versus memoriales* für Schulzwecke (s. o. S. 184 ff.; u. S. 231 ff.) zu tun haben, sondern mit einer Dichtung, die dem Bewußtsein des Autors von der Bedeutsamkeit seines Gegenstandes und dem Wunsch, ihm größere Aufmerksamkeit zu verschaffen, entsprungen ist.

[4] Nur einige wenige Beispiele seien genannt: Zu *mente sagaci* (132) vgl. Lucr. 1, 130;

nen' poetischen Didaktik des Lukrez ist dem spätantiken Autor offenbar bewußt.
In diesem Bewußtsein knüpft er an das Werk des ersten großen lateinischen
Lehrdichters an und setzt es in einer stofflich anderen Richtung fort.

---

zu *accipe praeterea* (32) vgl. Lucr. 1, 269; zu *memento* (91, Verschluß) vgl. Lucr. 2, 66;
die Überleitungsformel *superest* (37. 56) wird auch von Lukrez reichlich verwendet (vgl.
etwa 5, 1241; 6, 219. 423. 906).

IV Sonderformen

1. Versform als mnemotechnisches Mittel

Als nicht zur eigentlichen Lehrdichtung gehörig wurde bereits anläßlich der Betrachtung der geographischen Lehrgedichte derjenige Typ ausgeschieden, der auf eine Poetisierung des Gegenstandes völlig verzichtet und bei dem sich das Element des Dichterischen auf das rein äußerliche Moment der metrischen Form beschränkt: Merkverse als mnemotechnisches Hilfsmittel zur leichteren und dauerhafteren Einprägung des Lernstoffes (s. o. S. 184 ff.). Als weitere Beispiele dieser vor allem für praktische Schulzwecke bestimmten Sonderform sind um der Vervollständigung und Abrundung des Bildes willen in aller Kürze die folgenden ‚Gedichte' zu charakterisieren.

Bei der metrischen Schrift des Grammatikers Terentianus Maurus, deren Datierung umstritten ist,[1] handelt es sich um eine Zusammenstellung von drei ursprünglich selbständigen Traktaten: *De litteris, De syllabis, De metris*. Schon die Wahl der Versmaße, die im Hinblick auf die Konventionen der didaktischen Poesie exzeptionell genug sind, macht deutlich, daß der Verfasser sich nicht in die Tradition dieser Gattung einzureihen beabsichtigt. Die erste Schrift ist in Sotadeen verfaßt, die zweite beginnt mit trochäischen Tetrametern (279) und geht dann aus praktischen Gründen zum Hexameter über (999 ff.), die dritte schließlich wechselt in den Versmaßen ab nach Maßgabe der jeweils behandelten Metren. Gerade das Verfahren, welches der Verfasser in der dritten Abhandlung verfolgt, zeigt seine Intention: Durch seine den einzelnen, jeweils erörterten Versmaßen angepaßte Darstellung gibt er dem Leser zugleich praktische Beispiele für die Theorie an die Hand; die Verse, in welche die metrische Lehre gebracht wird, können zugleich als Merk- und Musterverse dienen.

Wie die vergleichbaren Autoren der entsprechenden geographischen ‚Lehrgedichte' bemüht sich auch Terentianus nicht um eine Poetisierung des Stoffes. Er verzichtet auf jegliches Mittel künstlerischer Belebung. Die Darstellung ist sachlich, nüchtern, unterweisend: in Verse umgesetzte Fachprosa. Der Autor

---

[1] Vgl. Schanz/Hosius, Geschichte der röm. Literatur 3, München 1922³, 27; P. Wessner, RE 2. Reihe, 9. Halbbd., 1934, 590; am ausführlichsten zuletzt E. Castorina, I „poetae novelli", Florenz 1949, der Terentianus der Schule der *poetae novelli* zuordnet (bes. 13 ff. 200 ff.). Text: Gramm. Lat. 6,313 ff.

hat tatsächlich keine andere Absicht als die der Belehrung; er will nicht unterhalten, sondern er will etwas Nützliches schaffen (316).

Für den Verfasser bedeutet die Umsetzung des Stoffes in wechselnde Versmaße eine Art literarischen Zeitvertreibs im Alter (vgl. die Vorrede) und während einer Krankheit (vgl. den Epilog zu *De syllabis:* 1290 ff.). Dazu stimmt gut die Aussage am Schluß von *De litteris* (278), wo Terentianus sein ‚poetisches‘ Unternehmen als *nugae* bezeichnet: Es handelt sich eben nicht um ernsthafte Lehrdichtung, sondern um in erzwungener Muße verfaßte Merkverse. Die Versform ist mnemotechnisches Mittel. Sie ist darüber hinaus aber auch dazu geeignet, dem Gegenstand etwas von seiner Trockenheit zu nehmen, wie der Autor zu Beginn von *De syllabis* betont (279 ff.).

Nahe verwandt mit der Art der Terentianischen Traktate ist das anonyme *Carmen de figuris,* eine Abhandlung in 186 Hexametern über rhetorische Figuren. Lehrgegenstand ist also auch hier ein Stoff des Schulunterrichts. Der in der Vorrede angesprochene Messius [2] kann als gebildeter Mann (3: *et prosa et versu pariter praeclare virorum*) nicht Adressat der voraussetzungslosen, rudimentären Unterweisung sein. Die Schrift ist unzweifelhaft für Schulzwecke verfaßt. Auch hier handelt es sich um Merkverse, die dem Messius gewidmet, nicht aber an ihn gerichtet sind.

Wieder wird in Übereinstimmung mit anderen Vertretern dieses Typs auf jegliche Poetisierung verzichtet; wieder haben wir in metrische Form umgesetzte Fachprosa vor uns. Der Verfasser befleißigt sich bei seiner Darstellung eines starren Schematismus. Jeder Figur werden drei Verse gewidmet. Dabei enthält der erste Vers jeweils die Definition der Figur, die beiden folgenden bieten Beispiele. Dieses Schema wird bis Vers 150 streng gewahrt. Abgesehen von den ersten drei Figuren wird in diesem Teil der Schrift im wesentlichen eine alphabetische Anordnung des Stoffes befolgt. Die restlichen 12 Figuren sind dagegen nicht mehr nach diesem Prinzip geordnet (151–186); sie wahren auch innerhalb der jeweils drei Hexameter nicht mehr den gleichen strengen Schematismus wie die vorangehende Partie. Es handelt sich hier offenbar um einen ergänzenden Nachtrag, welcher nicht von dem Verfasser des Hauptteils stammen dürfte.[3]

Gerade der von dem Autor des ursprünglichen Gedichts angestrebte Schematismus von in sich wiederum klar strukturierten Dreiergruppen in alphabetischer Reihenfolge läßt den Zweck der Versifizierung nur allzu deutlich erkennen: Diese Weise der Vermittlung des Lehrstoffes erleichtert dessen Auswendiglernen

---

[2] Die Identifizierung dieses Messius mit dem Grammatiker Arusianus Messius erlaubt die Datierung des Traktats auf die Wende vom vierten zum fünften Jahrhundert. Text: Anth. Lat. 1,2, ed. A. Riese, Leipzig 1906², Nr. 485.

[3] Vgl. Schanz/Hosius, Geschichte der röm. Literatur, 4,2, München 1920, 36.

ganz erheblich. Der Schematismus unterstützt die Funktion der Verse. Er hat wie diese die Aufgabe, dem angesprochenen Schüler mnemotechnische Hilfe zu leisten.[4]

Die Praxis solcher Zusammenfassung schulischen Lernstoffes in Versform zum Zweck des Auswendiglernens ist ja auch dem gegenwärtigen Schulalltag nicht ganz fremd, wenngleich sie neuerdings zunehmend aus der Mode zu kommen scheint. Sie spielte, wie an einer Reihe von erhaltenen Zeugnissen noch kenntlich ist, auch im antiken Unterrichtswesen eine große Rolle. So enthält z. B. der *Liber eclogarum* des Ausonius eine Anzahl von Gedichten in Hexametern bzw. elegischen Distichen, die sich mit Fragen des Kalenders befassen. Auch bei ihnen steht der Schematismus der Darstellung ganz im Dienst der Mnemotechnik.[5] Dasselbe gilt für die *Caesares* des gleichen Verfassers, die an dessen Sohn gerichtet sind. Zunächst werden in 12 Versen die 12 Kaiser im Anschluß an Sueton vorgeführt, sodann in jeweils weiteren 12 Versen deren Regierungszeit und Todesart. Anschließend weitet Ausonius in einer zweiten Reihe den Stoff bis zu Heliogabal aus, wobei jedem Kaiser nunmehr jeweils zwei Distichen gewidmet werden. Derartige Versifizierungen, für deren reiche Anwendung in der Schulpraxis noch eine große Zahl weiterer Beispiele genannt werden kann,[6] sind von der eigentlichen Lehrdichtung als einer spezifischen poetischen Gattung der antiken Literatur scharf zu scheiden. Sie stellen eine Gebrauchsform des Unterrichts, nicht aber eine Form der Literatur dar.

---

[4] Offenbar erblickte auch dieser Autor – ähnlich wie Terentianus – in seiner Tätigkeit über ihren praktischen Zweck hinaus eine Art literarischen Zeitvertreibs und unterwarf sich gern dem spielerischen Vergnügen, den Stoff in das Schema von Metrum und Dreiergruppe zu zwängen. Jedenfalls deuten die beiden ersten Verse in diese Richtung: *collibitum est nobis, in lexi schemata quae sunt, / trino ad te, Messi, perscribere singula versu...*

[5] So widmet z. B. das Gedicht über die Wochentage jedem Tag einen Vers. Entsprechend verfahren die *Monosticha de mensibus* und die *Disticha de mensibus*.

[6] Vgl. z. B. die in der Anth. Lat. (ed. A. Riese) gesammelten kalendarischen Merkverse: Nr. 488 (Wochentage); Nr. 117. 394. 395. 490a. 665 (Monate); vgl. ferner Nr. 615–626 (Tierkreiszeichen); Nr. 88. 664. 664a (Musen); Nr. 351 (Aussprüche der Sieben Weisen); Nr. 627. 641 (die 12 Arbeiten des Herakles); Nr. 634. 720a (die 12 Bücher der *Aeneis*).

2. Spielerisch-parodistische Formen der Lehrdichtung

a) Archestratos

Die antike Lehrdichtung, wie sie oben im Hauptteil dieser Untersuchung betrachtet worden ist, entwickelt sich aus der durch bestimmte gesellschaftliche
Verhältnisse bedingten und von dezidierten literaturtheoretischen Erwägungen
getragenen Neubelebung der Hesiodeischen Didaktik durch die hellenistischen
Autoren – eine Entwicklungslinie, die für uns mit den *Phainomena* des Arat
beginnt. Die Adaptation der alten Form didaktischer Poesie an den Geist der
neuen Zeit erwies sich als zukunftsträchtiger Ausgangspunkt einer langen Reihe
von Nachfolgern.

Die Neuigkeit des Arateischen Ansatzes zeigt sich in noch hellerem Lichte,
wenn man ein Gedicht in die Betrachtung einbezieht, das einige Jahrzehnte vor
den *Phainomena* entstanden ist: die *Hedypatheia* des Archestratos, eines Zeitgenossen Alexanders des Großen.[1] Schon der Stoff des hexametrischen Gedichts,
dessen bruchstückhafte Kenntnis wir den reichen Zitaten des gastronomisch interessierten Athenaios verdanken, läßt den Unterschied zu der durch Arat eingeleiteten Tradition poetischer Didaktik erkennen. Es handelt sich bei Archestratos
nicht um einen ernsthaften Gegenstand einer etablierten Fachwissenschaft, welcher bereits in Prosatraktaten abgehandelt vorliegt; es geht hier vielmehr um
einen Stoff, den der Autor aus eigener Erfahrung heraus vorführt und der aufgrund seiner vergleichsweisen Anspruchslosigkeit und banalen Alltäglichkeit in
spürbarem Kontrast zu der erhabenen metrischen Form steht: Speisen und ihre
Zubereitung. Besteht die für die Gattung charakteristische Spannung von Form
und Inhalt bei dem Lehrgedicht der arateischen Tradition in dem künstlerisch
fruchtbaren Widerstreit zwischen poetischer Gestaltung und einem dieser Darstellungsweise an sich fremden, weil trocken-wissenschaftlichen Stoff, so ist die
Spannung im Gedicht des Archestratos eine andere. Hier ist nicht mehr trockene
Wissenschaftlichkeit Kennzeichen des Stoffes – von Wissenschaft im eigentlichen Sinne kann gar nicht mehr gesprochen werden –, sondern als wesentliches
Merkmal tritt nunmehr die Banalität des Gegenstandes in den Vordergrund.
Handelt es sich dort um die dichterische Formung eines Stoffes, der als Objekt
einer Fachwissenschaft nach dem Urteil des Publikums zweifellos zu Recht Gegenstand sachlicherUnterweisung ist, so ist hier der Stoff gerade insofern problematisch, als seine niedere Alltäglichkeit von vornherein Zweifel an dem Sinn

---

[1] Text und Kommentar bei P. Brandt, Corpusculum poesis epicae Graecae ludibundae 1, Leipzig 1888, 114 ff. Zur Datierung vgl. Brandt 122 f.

seiner lehrhaften Ausbreitung, zumal einer poetischen, weckt. Der Kontrast ‚dichterische Form – wissenschaftlich-nüchterner Stoff' verschiebt sich in Richtung des Gegensatzes ‚hohe, erhabene Form – niedriger, banaler Stoff'. Ein solches Verhältnis zwischen Darstellungsweise und deren Gegenstand bringt diese Art von Lehrdichtung gewissermaßen automatisch in die Nähe der Parodie, verleiht ihr von selbst einen leichteren Ton und scheidet sie damit scharf von der anderen Richtung, welcher der leichte Ton des Witzes und der Parodie von vornherein völlig fremd sein muß.[2] Der fundamentale Unterschied der beiden Formen der Lehrdichtung bleibt auch dann bestehen, wenn der Autor, wie das bei Archestratos der Fall ist, das parodistische Element gar nicht sonderlich in den Vordergrund schiebt, sondern durchaus lehrhafte Absichten verfolgt. Mag der Verfasser selbst seinen Stoff auch verhältnismäßig ernst nehmen, so ändert das doch nichts an der oben charakterisierten Diskrepanz, die, wie gerade auch bei Archestratos erkennbar wird, unweigerlich parodistisch-witzige Effekte hervorruft.

Als ein ἱστορίης ἐπίδειγμα kündigt der Verfasser in Fr. 1 sein Gedicht an.[3] Er hat die ganze bewohnte Erde erkundet und will nunmehr von den jeweiligen örtlichen Spezialitäten und deren Zubereitung berichten (Fr. 2. 3). Diese Ankündigung wird im folgenden ausgeführt. Dabei ist die Darstellung – soweit man aus den erhaltenen, nicht geringen Resten auf das ganze Werk schließen kann – durchaus sachorientiert und lehrhaft. Das Sachengagement und die didaktische Haltung kommen besonders bei den mit vollem Ernst vorgetragenen Empfehlungen für die Zubereitung der Speisen zum Ausdruck.[4] Der Autor verzichtet – jedenfalls in den erhaltenen Fragmenten – auf sachlich entbehrliche Abschweifungen so gut wie ganz. Mag auch die einleitend herausgestellte Erkundungsreise nur eine die ἱστορίη-Literatur parodierende literarische Fiktion zum Zweck der Beglaubigung sein – was im übrigen nicht zu entscheiden ist –, so wird doch die Sachkenntnis und das Sachinteresse des Verfassers, eines offensichtlich erfahrenen und passionierten Gourmets, allenthalben deutlich. Es zeigt sich beispielsweise besonders dort, wo er sich mit anderen Auffassungen hinsicht-

---

[2] Der Begriff des Parodistischen braucht an dieser Stelle nicht weiter problematisiert und expliziert zu werden. Es genügt die ohnehin wohl entbehrliche Klarstellung, daß er hier in demjenigen verhältnismäßig anspruchslosen Sinn verwendet wird, wie es der gängigen Redeweise entspricht. Zur Geschichte des Begriffs, seiner Deutung in Antike und Moderne sowie seiner schließlichen terminologischen Verfestigung und Verallgemeinerung vgl. neuerdings E. Pöhlmann, Glotta 50, 1972, 144 ff.

[3] Der witzig-parodistische Anklang an die ersten Worte des Herodoteischen Geschichtswerkes ist unverkennbar: Ἡροδότου Ἁλικαρνησσέος ἱστορίης ἀπόδεξις ἥδε ...

[4] Vgl. etwa Fr. 9, 6 ff.; 12,2 ff.; 13,4 ff.; 22,3 ff. u. pass.

lich einer Spezialität polemisch auseinandersetzt.[5] Diesem Sachinteresse entspringt denn auch die Absicht ernsthafter Belehrung.

Allerdings kann nun aber der lehrhafte Ton in einer für diese Art didaktischer Poesie bezeichnenden Weise witzig-parodistisch umschlagen. Gerade die allzu betonte Empfehlung eines Leckerbissens führt gelegentlich zu einer gewollt komischen Übersteigerung. Ein gutes Beispiel dafür bietet Fr. 21. Angesichts einer rhodischen Spezialität gerät der Autor in solche Begeisterung, daß er den Adressaten auffordert, er solle, wenn man ihm den Leckerbissen nicht verkaufen wolle, ihn selbst auf die Gefahr des Todes hin rauben:

$$\text{ὕστερον ἤδη πάσχ' ὅτι σοι πεπρωμένον ἐστίν (4).}^{6}$$

Derartige Elemente des Witzes sind aber nur sparsam eingestreut. Sie verleihen der sachlichen Darstellung einen leichten Ton, ohne jedoch der Ernsthaftigkeit der Lehre im ganzen eigentlich Abbruch zu tun.[7] Das gleiche Bild bieten die parodistischen Anspielungen an Homer. Deren Zahl ist zwar nicht ganz gering, sie treten aber auch nicht allzu stark in den Vordergrund.[8] Das Parodistische ist genauso ein Nebeneffekt wie die gelegentliche Entfaltung komischer Elemente;[9]

---

[5] Vgl. Fr. 14: Archestratos äußert sich kritisch über das Fleisch einer bestimmten Eselsart. Ihm mundete es nicht besonders, wenn andere es auch anpriesen: Die Geschmäkker seien eben verschieden. Ist der Dichter hier hinsichtlich abweichender Auffassungen noch konziliant, so äußert er sich Fr. 38 im Hinblick auf einen mancherseits gelobten Fisch sehr viel schärfer: παῦροι γὰρ ἴσασιν / ἀνθρώπων, ὅ τι φαῦλον ἔφυ καὶ κενὸν ἔδεσμα (4 f.).

[6] Der Versschluß erinnert parodistisch an Homer (Γ 309). Vgl. auch andere witzige Nebenbemerkungen wie in Fr. 4: Das beste Brot stammt aus Lesbos. Sofern die Götter sich von Brot nähren, kauft es ihnen Hermes dort ein (6 f.); Fr. 37,6 f.: Die Stücke des getrockneten Thunfischs aus Byzanz γενναῖα πέλονται / ἀθανάτοισι θεοῖσι φυὴν καὶ εἶδος ὅμοια. Die Formulierung dieses Verses klingt bewußt an Homer (ζ 16) an. Der parodistische Effekt ist deutlich gesucht.

[7] Das Nebeneinander von Witz und ernsthaftem Sachinteresse ist gut sichtbar in Fr. 23. Dort wird zunächst ausführlich die rechte Zubereitungsart des Haifischs erörtert. Sodann wendet sich Archestratos gegen die Vielzahl derer, die aufgrund der Tatsache, daß der Hai Menschenfleisch frißt, dieses θεῖον ἔδεσμα verschmähen (13 ff.), und verspottet deren κεπφαττελεβώδη ψυχήν (14 f.; die witzige Wortprägung ist von Bentley wiederhergestellt): Jeder Fisch fresse Menschenfleisch, wenn er die Möglichkeit dazu habe. Wer solchen Unsinn rede, solle zu „dem weisen Diodor" gehen und mit ihm in gemeinsamer Enthaltsamkeit „pythagoreisieren" (18 ff.).

[8] Vgl. etwa neben den in Anm. 6 genannten Anspielungen noch den Beginn der Sachdarstellung (Fr. 4,1 f.): ἠυκόμοιο / Δήμητρος und σὺ δ' ἐν φρεσὶ βάλλεο σῆσιν sind homerische Wendungen, die betont an den Anfang gestellt werden. Diese und weitere Homer-Belege sind von Brandt jeweils unter dem Text angeführt.

[9] Der Witz äußert sich bisweilen auch in an die Praxis der Komödie erinnernden Sprachspielereien: Fr. 59 erörtert der Autor die Vorzüge einiger Weine und setzt sich von der Auffassung gewisser ἀλαζονοχαυνοφλύαροι (12) ab. Vgl. auch o. Anm. 7. –

beides begleitet als auflockerndes Moment die sachliche Lehre. Ihr gilt die primäre Aufmerksamkeit des Dichters. Die anspruchslose, sprachlich konventionelle, nüchterne Darstellungsweise läßt dieses primäre Interesse des Feinschmekkers an seinem Stoff deutlich werden.

Bemerkenswerterweise (und zugleich bezeichnenderweise) fehlen in den erhaltenen Fragmenten bewußt-programmatische Anklänge an die lehrhafte Dichtung des Hesiod ganz. Auch in diesem Punkt unterscheidet sich die didaktische Poesie des Archestratos scharf von der mit Arat einsetzenden Richtung. Versucht diese aus einem verfeinerten künstlerischen Bewußtsein heraus der alten Form dichterischer Didaktik neues, zeitgemäßes Leben zu geben, indem ein wissenschaftlicher Stoff mit den differenzierten sprachlichen und literarischen Mitteln der neuen Zeit in ästhetisch ansprechender Weise poetisiert wird, so benutzt Archestratos die konventionelle homerische Sprache, um in ihr einen zwar leichten und banalen, vom Autor aber durchaus ernst genommenen Gegenstand lehrhaft darzustellen. Dadurch ergibt sich eine spielerisch-leichte, teilweise parodistische Fortführung des alten Lehrgedichts, ohne daß allerdings kenntlich wird, ob und wieweit Archestratos tatsächlich eine solche Fortführung der hesiodeischen Form beabsichtigt hat.[10] Gemessen an der Wirkung der Neuschöpfung des Arat blieb diese Richtung ohne nennenswerten Einfluß. Zwar zeigt die Übersetzung des Archestratos durch Ennius eine gewisse Nachwirkung des Typs im Hellenismus;[11] aber selbst die spielerische erotische Didaktik des Ovid knüpft bezeichnenderweise nicht an das Vorbild des Archestratos an, sondern stellt eine eigenständige Umgestaltung der durch Arat eingeleiteten Lehrgedichttradition dar.

Daß das Parodistische keineswegs der das Gedicht bestimmende Grundzug ist, wird besonders deutlich bei einer Gegenüberstellung mit dem stofflich vergleichbaren Ἀττικὸν δεῖπνον des Matron (Brandt 60 ff.), einer Beschreibung eines Gastmahls, welche sich vom ersten Vers an als erklärte Homer-Parodie gibt.

[10] Jedenfalls geht E. Pöhlmann, Charakteristika des römischen Lehrgedichts, in: Aufstieg und Niedergang der römischen Welt, hrsg. H. Temporini, 1,3, Berlin 1973, 843 f., zu weit, wenn er in dem Gedicht eine Parodie der obsolet gewordenen Lehrgedichttradition sieht. Das parodistische Element bezieht sich offenkundig auf Homer, und damit ordnet sich Archestratos gut in die Anfänge der parodistischen Literatur ein, welche ja in erster Linie Parodie des heroischen Epos war (vgl. Pöhlmann, Glotta 50, 1972, 151 ff.).

[11] Außerdem darf man wohl in diesem Zusammenhang auf die Spielereien verweisen, an die Ovid (Trist. 2,471–492) zur Verteidigung seiner eigenen Liebesdichtung erinnert; allerdings kann es sich bei diesen bereits um spielerisch-parodistische Repliken auf das neue, durch Arat etablierte Lehrgedicht handeln, ohne daß Einfluß von seiten des Archestratos vorzuliegen braucht.

b) Ovid

Die lehrhaft-erotische Dichtung des Ovid bedeutet, wie schon deren Versmaß, das elegische Distichon, zeigt, eine Fortführung der ‚subjektiven‘ Liebeselegie, der *Amores,* in einer bestimmten Richtung. In den hier zu betrachtenden didaktischen Gedichten, in der *Ars amatoria* und in den *Remedia amoris,* tritt die Haltung des unterweisenden Sachverständigen, welche sich gelegentlich bereits in den Liebeselegien geäußert hat, als entscheidender Zug in den Vordergrund. Der Stoffbereich, der in den *Amores* in erster Linie aus der Perspektive des persönlich beteiligten, selbst direkt betroffenen Autors dargestellt wurde – dabei kann in diesem Zusammenhang von der Tatsache abgesehen werden, daß das persönliche Erleben weithin nichts weiter als eine um der Gattungskonvention willen aufrechterhaltene literarische Fiktion ist –, wird nunmehr aus der Sicht des wissenden, erfahrenen Lehrers vermittelt. Die ‚subjektive‘ Form der Elegie wird zum Objektiv-Didaktischen hin weiterentwickelt.[1]

Der Stoff der erotischen Lehrdichtung des Ovid ist genauso wenig Gegenstand einer etablierten Fachwissenschaft wie der des Archestratos, die poetische Darstellung des Ovid bedarf genauso wenig einer fachwissenschaftlichen Prosavorlage – vielleicht mit Ausnahme der *Medicamina* – wie die des griechischen Gourmets. Die Phänomene des erotischen Verhaltens, zumal in jener unverbindlichen Leichtfertigkeit und in jenem Unernst, wie Ovid sie schildert, sind für eine didaktische Behandlung ein gleichermaßen unangemessenes Objekt, wie es die Feinschmeckerspezialitäten waren. Beide Stoffe sind ihrer Natur nach ohne ernsthaftes Gewicht und können als solche nach antikem Verständnis auch nicht Objekt ernsthafter Lehre sein – sosehr sie auch den beiden Dichtern persönlich am Herzen liegen mögen. Bei beiden Autoren ergibt sich somit eine Diskrepanz zwischen der didaktischen Haltung einerseits und dem Gegenstand der Lehre andererseits. Allerdings darf ein wesentlicher Unterschied nicht übersehen werden: Archestratos benutzt den Hexameter, das Maß der heroischen Poesie und der Lehrdichtung, für seinen leichtgewichtigen Stoff und gerät dadurch von selbst in die Nähe der Parodie; Ovid dagegen bleibt bei dem Versmaß der erotischen Elegie. Von Parodie in dem gleichen Sinne wie bei Archestratos kann bei ihm also nicht gesprochen werden, von Homerparodie selbstverständlich schon gar nicht. Eher lassen sich Züge einer Parodie der didaktischen Gattung erkennen, die bei Archestratos wiederum ganz zu fehlen scheinen. Aber auch ein parodistisches Spiel mit den Konventionen des Lehrgedichts kann nicht die primäre

---

[1] Vgl. W. Kraus, Ovidius Naso, in: Ovid, hrsg. M. von Albrecht/E. Zinn, Darmstadt 1968, 95 f. Lehrhafte Haltung in den *Amores:* z. B. 1,4. 8; 2,2.

und eigentliche Intention Ovids sein. Denn ginge es ihm darum, so hätte er zweifellos das entsprechende Versmaß, den Hexameter, gewählt. Es handelt sich bei der erotischen Didaktik des Ovid also nicht eigentlich um eine Parodie des ernsthaften Lehrgedichts, sondern um einen Versuch, die ‚subjektive' Liebeselegie, deren künstlerische Möglichkeiten gerade in den *Amores* bis zu einem gewissen Sättigungsgrad ausgeschöpft zu sein und zumindest aus der Sicht des modernen Interpreten auf dieser Linie kaum mehr Raum zu einer literarisch anspruchsvollen Weiterentwicklung zu bieten scheinen, in der Richtung der didaktischen Poesie fortzuführen, ihr damit neue, reizvolle Aspekte abzugewinnen und so dem thematisch ernsten Lehrgedicht, wie es sich im Anschluß an Arat zu einer sehr lebenskräftigen Gattung entwickelt hat, ein spielerisch-witziges Pendant an die Seite zu stellen. Daß sich dabei – gleichsam nebenbei – auch parodistische Effekte einstellen, versteht sich von selbst.

Der Weg von den *Amores* zur *Ars* und den *Remedia*, der Weg von der Liebeselegie zu der eigenständigen und neuen Form dichterischer Didaktik und damit zu der weitestgehenden Emanzipation vom überkommenen Schema nacharatescher Lehrdichtung, führte – abgesehen von den *Heroides* – über eine Zwischenstufe, die zwar bereits die spielerische Haltung der *Ars* und der *Remedia* erkennen läßt, die aber andererseits doch im Hinblick auf den Stoff und dessen Darstellung noch stark an der hellenistischen Lehrdichtung, etwa derjenigen eines Nikander, orientiert ist: Die *Medicamina faciei femineae* behandeln, soweit das aus dem erhaltenen Bruchstück erkennbar ist, einen Gegenstand, der in gewissem Sinne als ein in sich geschlossener, systematisierbarer Bereich einer quasi-medizinischen ‚Fachwissenschaft' betrachtet werden kann: die Kosmetik. Die Nähe gerade zur Nikandrischen Lehrdichtung äußert sich unverkennbar in der katalogartigen Systematik, mit welcher der Lehrgegenstand 51 ff. ausgebreitet wird. Die Darstellung ist sachorientiert; Rezept wird an Rezept gereiht mit genauer Maß- und Mengenangabe. Ovid betont selbst die Nähe zum hellenistischen Lehrgedicht, wenn er in dem Rückblick Ars 3,205 f. das frühere Gedicht in einer Weise charakterisiert, die an die literaturtheoretischen Erwägungen der Alexandriner erinnert.[2]

Aber im Gegensatz zu den Gegenständen der hellenistischen Autoren entbehrt der Stoff der *Medicamina* doch, zumal im Hinblick auf seine erotische Zielrichtung, des Ernstes, und so ist es nicht verwunderlich, wenn die didaktische Hal-

---

[2] *Est mihi, quo dixi vestrae medicamina formae, / parvus sed cura grande, libellus,* opus. Das Prinzip des geringen Umfangs der Dichtung und der großen Sorgfalt, welche der poetischen Darstellung zu widmen sei, ist bekanntlich alexandrinisch-kallimacheischer Provenienz. Es war von bestimmendem Einfluß auf die Entstehung und Ausprägung der hellenistischen Lehrdichtung eines Arat und Nikander.

tung, deren sich der Dichter befleißigt, spielerisch-ironische Züge annimmt. Das äußert sich weniger innerhalb der Sachdarstellung selbst – darin unterscheidet sich das Gedicht von der *Ars* und den *Remedia* – als in dem Proömium. Dieses beginnt, wie es sich für ein Lehrgedicht gehört, mit der Themaangabe (1 f.). Auch die folgende Reflexion über die Bedeutsamkeit des Lehrgegenstandes entspricht den Gepflogenheiten der Gattung. Aber die Art, wie dies geschieht, ist für die Haltung des Dichters bezeichnend. Er erinnert zunächst an die Bedeutung des *cultus* in der Landwirtschaft (3 ff.) und ruft dem Leser damit zugleich die *Georgica* Vergils ins Bewußtsein. Ovid handelt von einem anderen, nicht minder wichtigen *cultus*. Schon die Selbstverständlichkeit, mit der die Pflege der weiblichen Schönheit neben das schon allein hinsichtlich des Stoffes ernsthafte Thema Vergils gestellt wird, läßt die augenzwinkernde Ironie deutlich werden, mit der sich dieser neue Lehrdichter in die Tradition der Gattung stellt. Aber der Dichter begnügt sich nicht mit dem Nebeneinander. Früher, so fährt Ovid fort (11 ff.), mag den *antiquae Sabinae* die bäuerliche Pflege der *rura paterna* wichtiger gewesen sein als die Sorge um ihre eigene Schönheit; und mit unverkennbarer Ironie schildert er das ehrbare und arbeitsame Leben römischer Matronen in grauer Vergangenheit, wobei er sich zugleich lustig macht über die rückschauende sentimentale Verherrlichung altväterlicher Lebensweise und wobei er wohl auch die idealisierende, an den bäuerlichen Anfängen Roms orientierte Sicht der *Georgica* treffen will.[3] Die Mädchen im Rom von heute denken anders als ihre weiblichen Ahnen (17 ff.). Ihren gewandelten Ansprüchen versucht der Dichter gerecht zu werden. Die neue Zeit braucht andere Lehrer. Das Leben im zivilisierten und kultivierten Rom der Gegenwart hat seine spezifischen, gesellschaftlich-erotischen Probleme. Ihnen hat sich der neue Lehrdichter zuzuwenden.[4]

Über die ironisch-spielerische Haltung des Dichters zumal seinem unmittelbaren Vorgänger Vergil und damit auch der Gattung des ernsthaften Lehrgedichts überhaupt gegenüber brauchen keine weiteren Worte verloren zu werden. Aber diese Haltung beschränkt sich in den *Medicamina,* soweit wir sehen, auf

---

[3] Der ironischen Distanzierung von der idealisierenden Verklärung frührömischer Lebensweise entspricht das Bekenntnis des Dichters zur gegenwärtigen Zivilisation mit all ihren Annehmlichkeiten, die seinem Wesen mehr entspreche: Ars 3,121 ff. (s. u. Anm. 8). Der *cultus* des Heute wird der von anderen so gepriesenen altväterlichen *rusticitas* (Vergil!) vorgezogen.

[4] Den interpretatorischen und textkritischen Fragen, die das Proömium über die aufgezeigten Grundgedanken hinaus aufwirft, braucht hier nicht nachgegangen zu werden. Vgl. dazu D. Korzeniewski, Hermes 92, 1964, 201 ff.: ein Versuch, den Gedankengang ohne die Annahme größerer Textverderbnis zu verstehen.

das Proömium, sie durchdringt noch nicht die Sachdarstellung selbst. Das ist
erst in der *Ars* und in den *Remedia* der Fall, wo sich der Dichter nunmehr völlig
selbständig bewegt, sich selbst den Stoff schafft aus dem Fundus eigener Erfahrung und der Fülle literarischer Darstellungen, besonders seiner eigenen, und
damit die vollständige Emanzipation aus dem Schema hellenistischer Lehrdichtung vollzieht. Diese war – bei aller Vielfalt der Ausformungen im einzelnen –
doch durch ein gemeinsames Merkmal bestimmt, insofern der Stoff immer einer
bestimmten Fachwissenschaft zugeordnet war und in seiner fach- und berufs-
spezifischen Ausrichtung mit Ausnahme der jeweils betroffenen Spezialisten
dem breiten Publikum im wesentlichen unbekannt war. Entsprechend der mehr
oder weniger esoterischen Natur des Gegenstandes trat der Lehrdichter als vorgeblich oder tatsächlich Wissender einem zu belehrenden, unwissenden Adressatenkreis gegenüber – sei es nun, daß die lehrhafte Intention ernsthaft war,
oder sei es, daß der Autor sie nur fingiert hatte. Als ein solcher Stoff kann auch
noch der Lehrgegenstand der *Medicamina* bezeichnet werden: Auch die Kosmetik ist eine ‚Fachwissenschaft‘, wenn auch eine solche besonderer Art. Wenn
dagegen in den beiden anderen ‚Lehrgedichten‘ der weite Bereich des Erotischen
zum Objekt didaktischer Darstellung gemacht wird, so ist unmittelbar einsichtig, daß dieser Stoff von ganz anderer Natur ist. Es handelt sich bei ihm, insofern er Phänomene und Verhaltensweisen betrifft, die jeder Mensch mehr oder
weniger an sich selbst erfährt, um einen Lehrgegenstand, der ohne jeden Anstrich fachspezifischer Esoterik grundsätzlich einem jeden aus eigener Erfahrung
vertraut ist. Das Verhältnis des Autors zu seinem Publikum ist also ein völlig
neues: Er lehrt, was dieses schon immer praktiziert.[5] Das bedeutet aber: Die
didaktische Haltung ist eine Rolle, eine Pose, in die der Dichter schlüpft um
bestimmter Effekte willen, nicht aber um tatsächlich zu unterweisen. Die eine
gewisse Systematik anstrebende didaktische Zusammenfassung eines Erfahrungs-
bereiches, dessen unernst-leichte Natur zu einer solchen lehrhaften Darstellung
in einem denkbar großen Kontrast steht, führt zu jenem spielerischen, gelegentlich auch parodistischen Ton, der für die *Ars* und die *Remedia* charakteristisch
ist. Um das Wesen dieser Art von ‚Lehrdichtung‘ deutlich hervortreten zu lassen, wird im folgenden ein Blick auf das Vorgehen des ‚Liebesdidaktikers‘ in der
Ars geworfen. Es kommt dabei in diesem Zusammenhang nur darauf an, die
wesentlichen Züge herauszuarbeiten. Die typologische und strukturelle Identität

---

[5] Diese Paradoxie, daß der Didaktiker einen Gegenstand lehrt, der keinem seiner
Adressaten unbekannt ist, ist dem Dichter nur allzu bewußt, wie etwa aus Trist. 1,1,112
(wo allerdings die apologetische Absicht mitspielt) hervorgeht: *hi quia, quod nemo nescit,
amare docent* . . . (mit Bezug auf die *Ars*).

der *Ars* und der *Remedia* erlaubt die Konzentrierung auf das eine der beiden Gedichte. Die *Remedia* werden nur gelegentlich als Parallele gestreift.[6] Es gehört zu den wesentlichen Grundmerkmalen des Lehrgedichts, daß es sich an einen der Unterweisung bedürftigen Adressaten wendet. Diese Konstellation wird denn auch zu Beginn der *Ars* sogleich hergestellt. Adressat ist derjenige, der *in hoc artem populo non novit amandi;* er soll durch die Lektüre der *Ars* von seinem Unwissen befreit werden, damit er der Liebe künftig mit Sachverstand *(doctus)* nachgehen kann (Ars 1,1 f.). Selbstverständlich ist der so angesprochene Adressat eine Fiktion, eine Konstruktion des Dichters. Indem dieser die Rolle des Lehrers annimmt, braucht er einen entsprechenden Partner. In Wirklichkeit wendet er sich natürlich an die kultivierten Kreise der Hauptstadt, die solcher Unterweisung gewiß nicht bedürfen, sondern die in der Darstellung des ‚Lehrdichters' schmunzelnd ihre eigenen galanten Erfahrungen gespiegelt sehen und an der gespielten lehrhaften Prätention des Autors das gleiche Vergnügen finden wie dieser selbst. Auf pikant-geistreiche Unterhaltung solcher Publikumskreise, nicht aber auf Belehrung des in erotischen Dingen Unerfahrenen geht das Gedicht aus, und sein beispielloser, für den Verfasser selbst allerdings verhängnisvoller Erfolg zeigt, daß dieser Stoff und Ton richtig getroffen hat.

Mit gespieltem Ernst wird in dem Proömium sodann die Bedeutung der *ars* in der Liebe wie in anderen Bereichen des Lebens hervorgehoben. Vor allem aber betont der Dichter seine Autorität. Seine Lehre beruht auf eigener, leidvoller Erfahrung (29: *usus opus movet hoc*). Er erhebt wie andere Didaktiker den Wahrheitsanspruch, ein Element lehrhafter Dichtung, welches von deren Vertretern seit Hesiod (Th. 26 ff.) immer wieder zur Abgrenzung von fiktionaler Literatur in Anspruch genommen wurde.[7] Ironisch setzt sich Ovid von dem Ahn-

---

[6] Die *Remedia* können zwar an eine Reihe moralphilosophischer Traktate anschließen, die sich bereits vor Ovid mit der Frage befaßten, wie eine Liebesleidenschaft überwunden werden könne (vgl. etwa Chrysipps *Therapeutikos* und Lucr. 4,1058 ff.; dazu K. Prinz, WSt 36, 1914, 57 ff.), und gewisse Berührungen mit dieser Literatur mag es hier und da geben (vgl. Kraus 103 f.); aber im Grunde schafft sich der Dichter hier seinen Stoff genauso selbständig wie in der *Ars*, stellen doch die Vorschriften der *Remedia* vielfach nur eine Umkehrung derjenigen der *Ars* dar. Die beiden Gedichte sind also auch im Hinblick auf die selbständige Gestaltung des Stoffes typologisch gleich.

[7] 1,30: *vera canam*. Die parodistische Funktion des Wahrheitsanspruchs wird besonders deutlich 3,789 ff.: Mit Nachdruck, in parodistisch hohem Stil, beteuert der Dichter die durch langjährige eigene Erfahrung garantierte Wahrheit seiner Ausführungen gerade im Hinblick auf einen der gewagtesten und delikatesten Gegenstände seiner Lehre: die Liebespositionen und das Verhalten beim Liebesakt. Der überdeutliche Anklang an eine entsprechende Lukrez-Stelle (vgl. Ars 789 f. mit Lucr. 5,110 ff.) unterstreicht die parodistische Intention. Dem Wahrheitsanspruch wird auch der Götterapparat dienstbar gemacht. Die Götter erteilen selbst eine Lehre (2,493 ff.: Apollon selbst

herrn ernsthafter Lehrdichtung ab, wenn er sein eigenes Erfahrungswissen gegen dessen Berufung auf die Unterweisung durch die Musen stellt (28). Das parodistische Spiel mit den Konventionen der Gattung ist deutlich. Es setzt sich fort im Proömium des zweiten Buches, wo Ovid wie ein wirklicher Lehrdichter von dem Nutzen seiner Lehre spricht: Der dank der empfangenen Liebeskunde erfolgreiche Liebhaber stellt den Autor, der ihm aus seinen Nöten herausgeholfen hat, über Homer und Hesiod (2,3 f.). Die an dieser Stelle sichtbar werdende spielerische Distanzierung von den berühmten Vorgängern tritt auch im Verlauf der ,sachlichen' Ausführungen selbst immer wieder hervor.[8]

überträgt witzig die berühmte Maxime des ,Erkenne dich selbst' auf den Liebhaber; Rem. 549 ff.) oder fordern den Dichter dazu auf (2,43 ff.). Besonders spielerisch wird dieses Motiv 3,769 f. verwendet: Der Didaktiker scheut sich, auf allzu pikante Details einzugehen, aber da greift Dione ein: Gerade hierin liege der Kern des Ganzen.

[8] 2,467 ff. wird im Anschluß an Lukrez die Entstehung der Welt und die allmähliche Herausbildung des Lebens geschildert. Der ernsthafte Gedankengang steht in gewolltem Mißverhältnis zu dem Argumentationszusammenhang; er ist nichts weiter als ein Beleg für die These: Liebe erweicht den Zorn. Der große Lehrgegenstand des berühmten Vorgängers wird spielerisch in Anspruch genommen für die ganz anders geartete Intention dieser neuen ,Lehre'. Durch die unüberhörbare Anspielung von 477 ff. an Lucr. 5,1011 ff. wird die ironische Distanzierung von dessen ernsthafter Lehrdichtung unübersehbar. J. Krókowski, Eos 53, 1963, 148 ff., erkennt richtig den Lukrez-Bezug, zieht aber daraus den falschen Schluß, Ovid versuche dadurch einen ernsteren Ton in seine spielerische Dichtung zu bringen, er hebe so das Sexuelle auf eine höhere Ebene. Genau das Gegenteil ist der Fall: Der große Stoff des Lukrez wird auf die Ebene des Erotischen herabgezogen. Die Kulturentstehung mündet in die *voluptas,* und wie bei Lukrez die Menschen von selbst zur Sprechfähigkeit kommen (5,1028 ff.), so bedarf es bei Ovid zur Ausübung der *voluptas* keines Lehrers (2,479 ff.). Der parodistische Effekt ist unverkennbar (vgl. H. Tränkle, Hermes 100, 1972, 96, der von „recht witziger Lukrezparodie" spricht). Ein weiteres Beispiel findet sich 3,121 ff. (s.o. Anm. 3). Ähnlich wie im Proömium der *Medicamina* hat der Dichter zuvor die Bedeutung des *cultus* für den erotischen Erfolg der Mädchen hervorgehoben. Er bekennt sich 121 ff. zu den zivilisatorischen Errungenschaften der Gegenwart, deren *cultus* seinem Wesen weitaus gemäßer sei als die alte *rusticitas*. Mit *prisca iuvent alios* (121) setzt sich Ovid offensichtlich von Vergils *Georgica* ab. Das ironische Verhältnis zu der idealisierenden Verklärung der bäuerlichen Vergangenheit Roms in den *Georgica* kommt auch Rem. 169 ff. zum Ausdruck. Als eines der Mittel, Liebesleidenschaft sich gar nicht erst recht entwickeln zu lassen, erwähnt Ovid die Landarbeit und malt deren Freuden mit behaglicher Breite aus: Der Lebensbereich, der bei Vergil Gegenstand ernsthafter Unterweisung war, dient hier gerade noch als ein *remedium amoris*. Man sollte sich hüten, aus der Schilderung der ländlichen Freuden die „volle, echte Begeisterung" des Dichters heraushören zu wollen (so H. Fränkel, Ovid. Ein Dichter zwischen zwei Welten, Darmstadt 1970, 77). Davon rät nicht nur der Kontext ab – unmittelbar zuvor erscheint als witziger Beleg für die erotischen Folgen des Müßiggangs die Sagengestalt des Ägisth, der, da alle Griechen vor Troja waren, das einzige tat, was er noch unternehmen konnte: *amavit*

Selbstverständlich ist auch die Berufung auf die eigene erotische Erfahrung nicht ohne ironisch-spielerische Implikationen. Zunächst einmal lehrt Ovid tatsächlich – im Gegensatz zu der Mehrzahl seiner Vorgänger, deren Fachwissen in der Regel ja nur vorgeblich war – zum großen Teil aus eigener Erfahrung. Gerade er, dem es doch auf sachliche Belehrung weniger als allen anderen ankommt, beruft sich paradoxerweise mit dem größten Recht auf sein Sachwissen und durchbricht damit jenen Erwartungshorizont, der nach der bekannten Aussage Ciceros (s. o. S. 26 mit Anm. 37) das Verhalten des literarisch Gebildeten dieser Zeit gegenüber der Lehrdichtung bestimmte. Angesichts der Betonung des eigenen Erfahrungswissens ist es verständlich, daß die Person des Dichters während der Darstellung wiederholt durchscheint, daß der Autor selbst immer wieder zum Objekt der Ausführungen wird – wenn auch sicherlich bisweilen in fiktiver Weise.[9] Dabei sind nun aber besonders jene Stellen für den Ton des Ganzen bezeichnend, an denen die eigene Person zum Zweck spielerischer Relativierung der Lehre bzw. ironischer Distanzierung des Autors von seinen Anweisungen erscheint. 2,547 ff. bekennt der Dichter, daß er selbst in dem soeben vorgetragenen Punkt der Lehre alles andere als vollkommen sei, daß er seine eigene Anweisung zu befolgen nicht in der Lage sei. Damit fällt er seiner Lehrautorität selbst in den Rücken. Der Didaktiker hat genauso wenig Distanz zu dem Gegenstand wie der Adressat; er bedarf selbst genau wie dieser der Unterweisung. Eine besonders gute Gelegenheit zu derartiger Betonung der mangelnden Distanz und damit zur spielerischen Entlarvung der didaktischen Absicht als einer reinen Fiktion bietet das dritte Buch der *Ars*, welches den Mädchen einschlägige Hilfe leistet. Hier weist der Dichter immer wieder mit Bedauern darauf hin, daß er ja mit seinen Darlegungen seinen eigenen erotischen Abenteuern den Weg verbaut. Der Lehrer wird so paradoxerweise das Opfer seiner dem Adressaten so nützlichen Ausführungen.[10]

(161 ff.) –, sondern auch die Ironie, mit der der Dichter sonst denen gegenübersteht, die das Lob einfacher *rusticitas* singen.

[9] Ovid spricht von sich, von seiner Erfahrung: 1,98. 721; 2,165 ff. 371 f. 547 ff. 683 ff.; 3,121 ff. 245 f. 309 f. 377 f. 487 ff. 511 ff. 598. 663 ff. Der häufigen Hervorkehrung der eigenen Person entspricht der für die Lehrdichtung ganz singuläre subjektive Stil der Darstellung, an der der Lehrdichter emphatischen Anteil nimmt (aus der Fülle der Belege hier nur einige besonders signifikante: 1,176. 303 ff. 707. 741. 751; 2,125. 170. 272. 274. 361 ff. 388. 447 f. 451 ff. 567. 575 f. 605 f. u. pass.). Die Betonung des Autor-Ich und der emotional-subjektive Stil sind – wie nicht im einzelnen belegt zu werden braucht – selbstverständlich aus der Elegie in die lehrhafte Darstellung übernommen. Die *Remedia* zeigen dasselbe Bild (persönliche Erfahrung: 101. 227 ff. 311 ff. 356. 499 ff. 663 ff. 716).

[10] Besonders bezeichnend ist 3,667 ff.: *quo feror insanus?* Der Dichter stürzt sich mit offener Brust auf den Feind, gibt diesem das Schwert in die Hand, das gegen ihn selbst gezückt werden wird.

Unernst-parodistische Fortentwicklung eines Topos der Lehrdichtung liegt auch vor, wenn mehrfach die sachliche Schwierigkeit der Aufgabe betont wird. Am Beginn des zweiten Buches ruft der Dichter die Götter zur Unterstützung seines Vorhabens herbei, denn es sei etwas „Großes", Amor, den schweifend-unbändigen Knaben, festhalten zu wollen (15 ff.). Mit *magna paro ... / dicere* (17 f.) überträgt Ovid unverkennbar den oft erhobenen Anspruch der Lehrdichter auf seinen Gegenstand. Der dabei intendierte parodistische Effekt kommt besonders deutlich an einer anderen Stelle zum Ausdruck. 2,535 f. heißt es:

> *quid moror in parvis? animus maioribus instat;*
> *magna cano: toto pectore, vulgus, ades.*

Die Schwierigkeit dessen, was der Autor im folgenden vom Adressaten verlangt, übertrifft diejenige der bisherigen Ausführungen noch erheblich. Der Dichter fordert *ardua*, aber gerade darin kann sich die *virtus* bewähren (537). Die von ihm vertretene *ars* erfordert von seiten des Lernenden *difficilis ... labor* (538). Die Hervorkehrung der Schwierigkeit und die Aufforderung an den Adressaten, dieses Hindernis durch *labor* und *virtus* seinerseits zu meistern, stehen in gewollt spielerischem Kontrast zur unernsten Leichtigkeit des Lehrgegenstandes.[11]

Im Anschluß an diese allgemeinen Bemerkungen über die spezifische Haltung des ‚Liebesdidaktikers' ist nunmehr ein Blick auf die ‚sachlichen' Ausführungen selbst zu werfen. Die *Ars* setzt sich bekanntlich zusammen aus einem an die Männer gerichteten Hauptteil (die Bücher 1 und 2) und einem entsprechenden Teil, der sich mit Ratschlägen an die Mädchen wendet (Buch 3). Die Anweisungen an die Männer sind sachgemäß in drei Abschnitte aufgegliedert: Auffinden der ‚Beute' (1,41–262), Überredung und Verführung des Mädchens (265–770), Bewahrung des einmal angeknüpften Liebesverhältnisses (Buch 2).[12] Der Stil der Darstellung ist – abgesehen von den oben charakterisierten, aus der Elegie stammenden subjektiven Elementen – durchaus lehrhaft. Der Dichter behält die eingangs übernommene Rolle des unterweisenden Sachverständigen konsequent bei.[13] Die Großabschnitte der Lehre werden durch dispositionelle Bemerkungen wie Ankündigungen und Rekapitulationen scharf markiert.[14] Die Klarheit der Struk-

---

[11] Die parodistische Anspielung an entsprechende Aufforderungen ernsthafter Lehrdichter ist nicht zu überhören. Man vergleiche nur die einschlägigen Partien in dem Gedicht des Lukrez (s. o. S. 70).

[12] Aufbaufragen im einzelnen brauchen hier nicht erörtert zu werden; vgl. dazu: Ovids Ars amatoria und Remedia amoris, hrsg. E. Zinn, Stuttgart 1970.

[13] Eine Sammlung der den Grundcharakter der Darstellung bestimmenden Stilelemente des Lehrgedichts findet sich bei K. Prinz, WSt 39, 1917, 92 ff.

[14] Die Gesamtstruktur der Lehre wird dem Adressaten 1,35–40 klar vor Augen gestellt. Der erste Abschnitt wird durch ein Distichon (1,263 f.) abgeschlossen, der zweite entsprechend deutlich abgesetzt (1,265 f.). Vgl. ferner 1,771 f.; 2,733 ff. 745 f.

tur im großen setzt sich nun aber bezeichnenderweise innerhalb der Abschnitte nicht fort. Die einzelnen Vorschriften gehen in der Regel ohne scharfe Konturen ineinander über; Absätze werden vermieden, die Grenzen bewußt verwischt. Die zunächst so stark hervorstechende Systematik entpuppt sich also als eine vorgebliche, nur scheinbare. Der systematische Anstrich gehört zur Pose des Lehrdichters. Er ist genauso fiktiv wie die angebliche lehrhafte Intention selbst.

Ein wesentliches Element der *praecepta* sind die aus anderen Bereichen beigebrachten Analogien. Es handelt sich dabei um ein die Argumentation stützendes Stilmittel der Elegie,[15] das in der objektiven, lehrhaften Darstellung naturgemäß einen noch breiteren Raum einnimmt. Die sachorientierte Funktion derartiger Analogien im ernsthaften Lehrgedicht ist an den Beispielen des Lukrez und des *Aetna*-Dichters genügend deutlich geworden (s. o. S. 69. 207). Auch in der ,Lehrdichtung' des Ovid erfüllen die Analogien eine Aufgabe im Rahmen der Argumentation und stehen im Dienst der Beweisführung.[16] Aber das sieht nur bei oberflächlicher Betrachtungsweise so aus. Im Grunde gibt es hier ja eigentlich nichts zu beweisen. Die Analogien sind insofern sachlich an sich überflüssig. So ist es nicht erstaunlich, daß sie oft keinen anderen Zweck verfolgen, als der Lehre einen witzigen Aspekt zu verleihen.[17] Gelegentlich wird die Absicht des Dichters erkennbar, durch Zusammenstellung an sich nicht vergleichbarer, weil unterschiedlichen Ebenen angehörender Dinge einen parodistischen Effekt zu erzielen.[18] Das scheinbar so argumentationsbezogene Darstellungselement dient also zugleich der spielerischen Durchbrechung der prätendierten Lehrabsicht.

Dasselbe läßt sich an den reichlich eingefügten, als Exempla dienenden mythologischen Anspielungen beobachten – auch dies ein aus der Liebeselegie übernommenes Stilmittel.[19] Wie dort unterstützen die mythologischen Beispiele auch

---

[15] Vgl. etwa Amores 1,2,11 ff.; 8,49 ff.; 10,25 ff. 37 ff.

[16] Vgl. 1,19 f. 45 ff. 279 f. 451 f. 471 ff. 627 ff. 757 f. 763 ff. usw.

[17] So z. B., wenn die Suche nach einem geeigneten Mädchen in Analogie zur Jagd gesehen wird (1,45 ff.) – ein Aspekt, der das ganze Werk durchzieht (vgl. etwa noch die witzige Jagdanalogie 1,763 ff.).

[18] Vgl. 1,757 f.: Die Vielzahl weiblicher Charaktere erfordert eine entsprechende Umstellung seitens des Liebhabers. Auch die Erde ist ja von unterschiedlicher Qualität und erfordert jeweils andere Anbaumethoden. Die Analogie ist sachlich völlig entbehrlich, sie ermöglicht aber – und das ist das Entscheidende – einen parodistischen Seitenblick auf die *Georgica* (vgl. Georg. 2,109). Vgl. ferner 1,399 ff. (dazu A. S. Hollis, The Ars amatoria and Remedia amoris, in: Ovid, ed. J. W. Binns, London/Boston 1973, 97 ff.); 2,351 f.; 3,101 f.; bes. 3,525 ff., wo der Didaktiker das Prinzip seiner parodistischen Analogien ausspricht: *quis vetat a magnis ad res exempla minores / sumere nec nomen pertimuisse ducis?* Es folgt ein Vergleich des Heerführers, der seine Truppen ordnet, mit dem Mädchen, das seine Liebhaber je nach Befähigung einsetzt.

[19] Vgl. etwa Amores 1,3,21 ff.; 7,7 ff. 31 ff.; 9,23 f. 33 ff.; bes. 3,6,25 ff. Ars 1, 187 ff.

hier die Argumentation. Aber wieder – wie bei den Analogien – ist dies nicht ihre eigentliche Funktion. Es geht dem Dichter im Grunde darum, seine Lehre in der Welt des Mythos zu spiegeln und diesen dadurch in einem überraschenden, oftmals auch burlesken Licht erscheinen zu lassen. Die mythischen Helden werden auf die Stufe der zeitgenössischen römischen Demimonde herabgerückt.[20] Wie wenig ernst gemeint die argumentative Funktion des Mythos ist, geht schlagend aus 1,743 ff. hervor: Der Adressat macht Einwände gegen die Lehre geltend und beruft sich dabei wie der Dichter auf mythologische Beispiele. Der Lehrer kann daraufhin nur warnen, sich von diesen Vorbildern in seinem Verhalten leiten zu lassen. Er relativiert damit selbst seine eigenen Argumentationshilfen, entkleidet ironisch den Mythos der Autorität, die er ihm selbst – scheinbar – sonst zuspricht.

Analogien und Mythos sind also aus der Elegie übernommene Darstellungsmittel, die in verstärktem Maße in der erotischen ‚Lehrdichtung‘ Verwendung finden. Dabei wird ironisch-parodistisch mit ihrer scheinbar argumentativen Funktion gespielt. Neu gegenüber der Darstellungsweise der Liebeselegie sind die nicht wenigen größeren, zumeist mythologischen Exkurse. Hier orientiert sich der Dichter offensichtlich an der Praxis der Lehrdichtung. Er sieht in ihnen, wie aus 3,747 f. hervorgeht, so etwas wie ein Ornament der sachlichen Lehre. Allerdings ist auch hier ein spielerischer Ton nicht zu verkennen. Wenn Ovid an der genannten Stelle eine längere mythologische Digression abschließt und sagt: *mihi nudis rebus eundum est* (747), so unterscheidet sich doch gerade sein „nackter Stoff" bereits wesentlich von dem des eigentlichen Lehrgedichts. Der pikante erotische Gegenstand bedarf gar keines Ornaments, er ist an sich schon attraktiv und unterhaltsam genug. Die Exkurse verfolgen denn auch im Grunde denselben Zweck wie die kürzeren mythologischen Exempla. Sie dienen wie diese nur äußerlich der Stützung der Argumentation.[21] Ihre eigentliche Aufgabe besteht

247 f. 283 ff. 441. 457 f. 477 f. 509 ff. 527 ff. 625 ff. 635 f. 647 ff. u. pass. Der Dichter beschränkt sich entweder auf eine kurze Anspielung, oder er reiht mehrere aneinander. Schließlich kann ein mythologisches Exempel auch zu einem breiten, sich verselbständigenden Exkurs ausgestaltet werden (s. u. S. 247 f.).

[20] So richtig R. M. Durling, CJ 53, 1957/8, 160. Vgl. etwa 2,215 ff. (der verliebte *Tirynthius heros*). 709 ff. (die rohen Krieger Hektor und Achilleus in Liebesaktion); 3,33 ff. (die verlassenen Heroinen: *nescistis amare; / defuit ars vobis*). 517 ff. (mangelnde Liebeskunst der Heroinen). Vgl. Rem. 161 ff. (Ehebruch des Ägisth). 467 ff. (die Ausgangssituation der *Ilias*). 771 ff. (Reflexion über die Eifersucht des Orest, Menelaos und Achilleus). Zur witzigen Funktion des Mythos vgl. Prinz, WSt 39, 1917, 99 ff.

[21] Ganz außerhalb der Argumentation stehen nur die beiden ersten Exkurse. Die Geschichte vom Raub der Sabinerinnen stellt ein scherzhaftes Aition für die gegenwärtige Verführungskraft des Theaters dar und bietet zugleich in der Schilderung früherer Rohheit ein hübsches Gegenbild zur Verfeinerung heutiger Liebeskunst (1,100 ff.). Besonders

wieder darin, die Lehre im Mythos zu spiegeln. Sie eröffnen dem Dichter eine Möglichkeit, dem Mythos im Lichte der erotischen Lehre neue, unterhaltsame Aspekte abzugewinnen.[22] Auch sie unterstreichen also den spielerisch-unernsten Grundcharakter dieser ‚Lehrdichtung'.

Indem Ovid die Argumentations- und Darstellungsweise der ernsthaften Lehrdichtung auf einen leichtgewichtigen, zudem allseits bestens bekannten Gegenstand überträgt, indem der Stoff der *levis elegia* aus der Pose des Lehrers vorgetragen wird, entsteht ein völlig neuer, spielerisch-ironischer Typ von ‚Lehrdichtung'.[23] Wenn der Dichter auch durch die Beibehaltung des elegischen Versmaßes den Kontrast zwischen didaktischer Darstellungsweise und dem ihr inadäquaten Gegenstand nicht allzu scharf hat werden lassen und wenn aufgrund dieses Versmaßes von eigentlicher Lehrgedichtsparodie auch nicht gesprochen werden kann, so sind doch parodistische Züge ganz unverkennbar.[24] Sosehr dieser ‚Liebesdidaktiker' als erklärter Vertreter und Nutznießer moderner zivilisatorisch-kultureller Errungenschaften ein echtes Interesse an der Kultivierung und Verfeinerung des erotischen Verhaltens hat und sosehr seine Liebeskunst insofern auch von persönlichem Engagement getragen ist,[25] so liegt doch in dem Witz der Adaptation lehrhafter Darstellung an den erotischen Stoff und in den dadurch erzielten spielerisch-parodistischen Effekten die eigentliche Zielsetzung dieser Gedichte. Es ist nicht verwunderlich, daß dieser Typ von ‚Lehrdichtung' in der Antike ohne Nachwirkung blieb: Er ist das charakteristische Ergebnis einer bestimmten historischen Situation und spezifische Ausdrucksform einer exzeptionellen Persönlichkeit, ein Zusammentreffen, das sich so leicht nicht wiederholt.

---

eklatant ist die Abweichung vom Thema in der Beschreibung des Triumphzuges und der Verherrlichung des C. Caesar (1,177 ff.).

[22] Vgl. etwa 1,681 ff. (Achilleus und Deidamia); 2,23 ff. (der Dichter vergleicht sein Vorhaben, den geflügelten Amor festzuhalten, mit dem gescheiterten Versuch des Minos, Daedalus gefangen zu halten). 359 ff. (die Schuld für den Ehebruch Helenas trägt Menelaos selbst). 561 ff. (Torheit des Vulcanus, das Verhältnis zwischen Venus und Mars aufzudecken).

[23] Ovid ist sich selbstverständlich der Leichtigkeit seines Stoffes und des Kontrasts zwischen der Natur des Stoffes und dessen Darbietung bewußt. Er spricht Rem. 387 von seiner *materia iocosa*. Vgl. im übrigen E. J. Kenney, Nequitiae poeta, in: Ovidiana. Recherches sur Ovide, hrsg. N. I. Herescu, Paris 1958, 201 ff.

[24] In dem Rechtfertigungsexkurs der Rem. (361 ff.) betrachtet sich der Dichter als Elegiker, ordnet also auch die Lehrgedichte aufgrund ihrer Versform in diese Tradition ein. Nichtsdestoweniger ist er sich der Beziehungen zur didaktischen Poesie bewußt, wie gerade die oben erwähnten vielfachen Anspielungen zeigen. Zur parodistischen Tendenz der *Ars* und der *Remedia* vgl. noch H. J. Geisler, P. Ovidius Naso: Remedia amoris, Diss. Berlin 1969, 39 ff.

[25] Vgl. Kraus 102.

Schlußbemerkung

Die vorstehenden Untersuchungen verfolgten das Ziel, das von der Forschung weitgehend vernachlässigte Gebiet der antiken Lehrdichtung von einer bestimmten Fragestellung aus adäquat und umfassend in den Griff zu bekommen und die auch in engeren Fachkreisen vielfach noch anzutreffende undifferenzierte Vorstellung von ‚dem' antiken Lehrgedicht als einer verhältnismäßig einheitlichen, recht abstrusen literarischen Form durch ein Gesamtbild abzulösen, das die tatsächliche Vielgestaltigkeit dieser Gattung und den von ihr den Autoren für die Entfaltung von deren individuellen Zielsetzungen gebotenen weiten Spielraum in das rechte Licht setzt. Wieweit dies mit Hilfe der angewandten typologischen Kriterien als gelungen gelten kann, ob weitergehende Differenzierungen wünschenswert und möglich sind und ob der Komplex der poetischen Didaktik vielleicht gar von anderen Gesichtspunkten aus besser beschreibbar ist: das zu entscheiden ist Sache der Kritik. Dem Verfasser scheint jedenfalls mit der Herausarbeitung der drei Typen bereits Wesentliches erreicht zu sein, insofern durch sie der Sachverhalt, den der Begriff ‚antikes Lehrgedicht' umschreibt, schärfere Konturen gewonnen hat.

Das sei in einem resümierenden Überblick kurz skizziert. Abgesehen von den mnemotechnischen bzw. spielerisch-parodistischen Sonderformen konnten entsprechend den drei Grundtypen folgende drei Gruppen von Gedichten voneinander abgesetzt werden (wobei zunächst Schattierungen bzw. Zwischenstellungen unberücksichtigt bleiben):

1. Repräsentanten des ‚sachbezogenen' Typs:
Dionysios (‚Perihegetes'), ‚Manethon' (2. 3. 6), *Carmen de viribus herbarum* (mit starker Einschränkung; s. u.), *Lithika;* Lukrez, Grattius, Manilius, *Aetna*, Serenus, *Carmen de ponderibus et mensuris;* ferner die (teilweise erklärtermaßen in der Dichtung dilettierenden) Fachschriftsteller bzw. Fachwissenschaftler: Andromachos, Marcellus von Side; Columella (mit starker Einschränkung; s. u.), Palladius.

2. Repräsentanten des ‚transparenten' Typs:
Arat, Oppian; Vergil.

3. Repräsentanten des ‚formalen' Typs:
Nikander, Maximus, Ps.-Oppian; Nemesianus.

Die typologische Betrachtung ließ zugleich die sich innerhalb der einzelnen

Gruppen abzeichnenden Schattierungen bzw. Überschneidungen erkennen. So weisen etwa innerhalb der Gruppe der ,sachbezogenen' Gedichte die *Astronomica* des Manilius gewisse ornamental-,formale' Elemente auf. Diese treten bei Grattius infolge von dessen literarischen Ambitionen, die wiederum im Zusammenhang mit seiner Vergil-*aemulatio* zu sehen sind, verstärkt hervor. Im Gartenbaugedicht des Columella und im *Carmen de viribus herbarum* gewinnt die in Vergil- bzw. Nikander-Imitation begründete Tendenz zu ornamentaler Poetisierung des Stoffes so sehr an Gewicht, daß sie konkurrierend neben das Sachinteresse tritt und die Gedichte eine Zwischenstellung zwischen ,sachbezogenem' und ,formalem' Typ einnehmen.

Schließlich förderte die typologische Betrachtung klar zutage, daß der typologische Standort eines Gedichts in der Mehrzahl der Fälle von den jeweils dominierenden literarischen Einflüssen oder von den seitens der Autoren betonten literarischen Beziehungen unabhängig ist. Der entscheidende literarische Einfluß, der auf griechischer Seite Arat und Nikander, im lateinischen Bereich Lukrez und Vergil zukommt, bleibt so auf typologischer Ebene ohne Entsprechung. Es ist zwar einerseits wohl kein Zufall, daß sich Vergil und Oppian in prononcierter Weise auf die typologisch verwandten *Phainomena* Arats beziehen; und die literarischen Bezugnahmen des Manilius auf Lukrez oder des *Aetna*-Dichters auf Manilius und Lukrez dürften ebenfalls einem Bewußtsein typologischer Nähe entspringen. Aber andererseits führt z.B. die Nikander-Imitation bei Andromachos/Marcellus, bei Maximus/Ps.-Oppian und bei dem *Carmen de viribus herbarum* zu jeweils ganz unterschiedlichen Resultaten, und das Moment der Vergil-*aemulatio* verbindet typologisch so grundverschiedene Gedichte wie die des Grattius, Columella und Nemesianus, ohne daß auch nur eines von diesen dem Vorbild typologisch nahekäme. Ähnliches gilt für den Einfluß des Arat. In der literarischen Tradition der *Phainomena* stehen nicht nur die typologisch ähnlichen *Halieutika* des Oppian, sondern auch die ,sachbezogene' *Perihegese* des Dionysios.

Es hat sich im Verlauf der vorliegenden Arbeit gezeigt, daß die Gattung, die zu Beginn des Hellenismus aus ganz spezifischen gesellschaftlichen und literarischen Umständen heraus neu konstituiert wurde und die deren bezeichnendes Resultat darstellt, keineswegs an diese Verhältnisse gebunden war, sondern vielmehr bis zum Ausgang der Antike im griechischen wie im lateinischen Sprachbereich eine ungebrochene Lebenskraft entwickelt hat. Dieses für den modernen Betrachter aufgrund seines skeptischen Verhältnisses zur didaktischen Dichtung zunächst so erstaunliche Phänomen hat sicherlich eine ganze Reihe von Gründen (in Parenthese sei hier nur an die bekannte Tatsache erinnert, daß der antike Autor und dessen Publikum dem Moment des Lehrhaften in der Literatur sehr viel unbefangener gegenüberstanden, als es in der Moderne weithin der Fall ist). Eine wesentliche Ursache für die Lebenskraft der Gattung liegt aber zweifellos darin, daß die scheinbar so beengende Form des Lehrgedichts verschiedensten Zwecken dienstbar gemacht werden konnte. Dies herauszuarbeiten war das beschränkte Ziel dieser Arbeit.

Damit ist aber auch bereits angedeutet, daß der Gegenstand noch längst nicht erschöpfend behandelt ist. Eine eigentlich geschichtliche Betrachtung steht noch aus (s. o. S. 34 f.). Eine solche müßte selbstverständlich – um beim Material selbst anzufangen – auch die nur fragmentarisch oder ihren Titeln nach bekannten Werke sowie Übersetzungen und sonstige Formen aktiver Rezeption, soweit sie in den überlieferten Texten erkennbar wird, in gleicher Weise wie die erhaltenen Gedichte einbeziehen, um so vielleicht so etwas wie eine Entwicklung der Gattung (falls es sie gegeben hat) erfassen zu können. Sie hätte ferner die historischen, wissenschaftsgeschichtlichen und literarischen ‚Umwelten‘ der einzelnen Gedichte zu berücksichtigen, deren eventuellen Einfluß auf die jeweilige typologische Ausformung zu untersuchen und müßte sich bemühen, hinsichtlich der schwierigen Frage nach dem jeweiligen Publikum, seiner Struktur und seinen Interessen zu gesicherten Erkenntnissen zu gelangen. Im Zusammenhang damit steht das aufgrund des spärlichen Materials kaum mit Sicherheit zu entscheidende Problem, inwieweit tatsächlich diejenigen Lehrgedichte, die hier als ‚sachbezogen‘ gekennzeichnet sind – und das sind, wie sich gezeigt hat und wie auch nicht weiter überraschend ist, die meisten der erhaltenen –, eine solche Wirkung erzielt haben, wie sie von den Autoren angestrebt wurde, d. h., ob sich z. B. Lehrdichter wie Lukrez und Manilius oder der Verfasser der *Lithika* einer Illusion hingegeben haben, wenn sie meinten, ihrer Botschaft durch die poetische Form größere Resonanz zu verschaffen. Eine literarhistorische Betrachtung hätte auch nach Gründen zu suchen für den exzeptionellen Erfolg mancher Gedichte ungeachtet von deren spezifischer Zeitgebundenheit, wie es z. B. bei der didaktischen Dichtung des Arat der Fall ist, wobei an diesem Beispiel zugleich das bemerkenswerte Phänomen einer (von der Autorintention her gesehen) ‚falschen‘ Rezeption zu verfolgen ist, insofern das ‚transparente‘ Gedicht in der Folge vielfach als direkt belehrendes astronomisches Sachbuch in Geltung stand und benutzt wurde – ganz im Gegensatz zur weltanschaulichen Zielsetzung des Verfassers. Nur im Rahmen einer solchen Betrachtungsweise kann darüber hinaus Aufschluß gewonnen werden über die Gründe, warum in der poetischen Didaktik der Antike bestimmte Themenbereiche dominieren, andere dagegen ausgespart werden. Sodann – um schließlich die weitestgehende, kaum in Angriff genommene Perspektive anzudeuten – wäre die Rezeption der griechisch-lateinischen Lehrdichtung von Walahfrid Strabo als einem Repräsentanten der karolingischen ‚Renaissance' an über die neulateinischen Lehrdichter, das klassizistische Lehrgedicht des 17. und 18. Jahrhunderts bis hin zu Brechts gescheitertem Wiederbelebungsversuch zu verfolgen.[1]

All dies – hier nur in Umrissen Skizzierte – dürfte manchem (den Verfasser eingeschlossen) ‚interessanter' erscheinen als das, was im vorangehenden von einem eingestandenermaßen beschränkten Blickpunkt aus zu leisten versucht wurde. Aber es schien aus methodischen wie arbeitspraktischen Erwägungen geboten, zunächst die grundlegenden materialen Voraussetzungen derartiger weiterführender Fragestellungen, d. h. die antiken Texte selbst, vermittels eines typologischen Ansatzes adäquat zu beschreiben und so allererst ein tragfähiges Fundament zu schaffen, auf dem mit Aussicht auf Erfolg weitergebaut werden kann.

---

[1] Zu diesem Fragenkreis sei auf die folgenden neuesten Arbeiten verwiesen: W. Rösler, Vom Scheitern eines literarischen Experiments. Brechts „Manifest" und das Lehrgedicht des Lukrez, Gymnasium 82, 1975, 1 ff.; B. Spiecker, James Thomsons Seasons und das römische Lehrgedicht. Vergleichende Interpretationen (Erlanger Beitr. zur Sprach- u. Kunstwissenschaft 54), Nürnberg 1975; Verf., Zur Rezeption von Vergils Lehrdichtung in der karolingischen ‚Renaissance' und im französischen Klassizismus: Walahfrid Strabo und René Rapin, Ant&Abendl 21, 1975, 140 ff. G. Roellenblecks umfassende Untersuchung zum neulateinischen bzw. italienischen Lehrgedicht des 15. und 16. Jahrhunderts, auf die hier gerade noch hingewiesen werden kann, läßt das entscheidende Moment der Imitation der antiken Lehrdichtung leider weitgehend aus dem Blick: Das epische Lehrgedicht Italiens im fünfzehnten und sechzehnten Jahrhundert. Ein Beitrag zur Literaturgeschichte des Humanismus und der Renaissance (Münchener romanist. Arbeiten 43), München 1975.

Literaturverzeichnis

(Im folgenden werden – abgesehen von den jeweils maßgebenden bzw. hier zugrunde gelegten Textausgaben und Kommentaren – nur diejenigen thematisch einschlägigen Arbeiten genannt, die im Verlauf der vorstehenden Untersuchungen zitiert worden sind. Das Verzeichnis gibt somit einen orientierenden Überblick über die Literatur zur antiken Lehrdichtung und zum didaktischen Genre überhaupt; es stellt aber zumal hinsichtlich vielbehandelter Autoren wie etwa Lukrez und Vergil nicht eine vollständige Bibliographie dar.)

I Die Lehrdichtung und ihre poetologische Legitimität

Adel, K., Der Zerfall der Dichtungsgattungen, Literatur u. Kritik 4, 1969, 411 ff.

Albertsen, L. L., Das Lehrgedicht. Eine Geschichte der antikisierenden Sachepik in der neueren deutschen Literatur, Aarhus 1967.

–, Zur Theorie und Praxis der didaktischen Gattungen im deutschen 18. Jahrhundert, Deutsche Vierteljahrsschr. f. Lit.-wiss. u. Geistesgesch. 45, 1971, 181 ff.

Behrens, I., Die Lehre von der Einteilung der Dichtkunst, vornehmlich vom 16. bis 19. Jahrhundert (Beih. zur Zeitschr. f. roman. Philol. 92), Halle 1940.

Belke, H., Literarische Gebrauchsformen, Düsseldorf 1973.

Broich, U., Das Lehrgedicht als Teil der epischen Tradition des englischen Klassizismus, Germ.-roman. Monatsschr. 13, 1963, 147 ff.

Eckart, R., Die Lehrdichtung. Ihr Wesen und ihre Vertreter, 2. Aufl., Glückstadt o. J. (1909).

Fabian, B., Das Lehrgedicht als Problem der Poetik, in: Die nicht mehr schönen Künste, hrsg. H.-R. Jauß, München 1968, 67 ff.

Flemming, W., Das Problem von Dichtungsgattung und -art, Studium generale 12, 1959, 38 ff.

Goethe, J. W. v., Über das Lehrgedicht (1827), in: Sophien-Ausg., Bd. 42,2, Weimar 1903, 225 ff.

Hamburger, K., Die Logik der Dichtung, Stuttgart 1968².

Hempfer, K. W., Gattungstheorie, München 1973.

Hermand, J., Probleme der heutigen Gattungsgeschichte, Jahrb. f. internat. Germ. 2,1, 1970, 85 ff.

Jäger, H.-W., Zur Poetik der Lehrdichtung in Deutschland, Deutsche Vierteljahrsschr. f. Lit.-wiss. u. Geistesgesch. 44, 1970, 544 ff.

Jakobson, R., Linguistics and poetics (1960), übers. in: Literaturwissenschaft und Linguistik, hrsg. J. Ihwe, 1, Frankfurt 1972, 99 ff.

Jauß, H.-R., Theorie der Gattungen und Literatur des Mittelalters, in: Grundriß der romanischen Literaturen des Mittelalters 1 (Généralités, réd. H. U. Gumbrecht), Heidelberg 1972, 107 ff.

Kayser, W., Das sprachliche Kunstwerk, Bern 1965[11].

Luck, G., Didaktische Poesie, in: Literatur 2,1 (Das Fischer Lexikon), hrsg. W.-H. Friedrich/W. Killy, Frankfurt 1965, 151 ff.

Martini, F., Poetik, in: Deutsche Philologie im Aufriß, hrsg. W. Stammler, 1, Berlin 1957[2], 223 ff.

Meyer, H., Die Grenzen der Literatur, Jahrb. f. internat. Germ. 2,1, 1970, 103 ff.

Petersen, J., Zur Lehre von den Dichtungsgattungen, in: Festschr. A. Sauer, Stuttgart o. J. (1925), 72 ff.

Prang, H., Formgeschichte der Dichtkunst, Stuttgart 1968.

Richter, W., Lehrhafte Dichtung, in: Reallex. der deutschen Literaturgesch. 2, Berlin 1965[2],31 ff.

Roellenbleck, G., Das epische Lehrgedicht Italiens im fünfzehnten und sechzehnten Jahrhundert. Ein Beitrag zur Literaturgeschichte des Humanismus und der Renaissance (Münchener romanist. Arbeiten 43), München 1975.

Rüdiger, H. (Hrsg.), Literatur und Dichtung, Stuttgart 1973.

Ruttkowski, W. V., Die literarischen Gattungen, Bern 1968.

Schmidt, S. J., Ist ,Fiktionalität' eine linguistische oder eine texttheoretische Kategorie? in: Textsorten, hrsg. E. Gülich/W. Raible, Frankfurt 1972, 59 ff.

Seidler, H., Die Dichtung, Stuttgart 1965[2].

Sengle, F., Die literarische Formenlehre. Vorschläge zu ihrer Reform, Stuttgart 1967.

Siegrist, C., Das Lehrgedicht der Aufklärung (Germanist. Abh. 43), Stuttgart 1974.

Sowinski, B., Lehrhafte Dichtung des Mittelalters, Stuttgart 1971.

–, Didaktische Literatur, in: Handlex. zur Literaturwissenschaft, hrsg. D. Krywalski, München 1974, 89 ff.

Spitteler, C., Vom Lehrgedicht, in: Ästhetische Schriften (= Ges. Werke, Bd. 7), Zürich 1947, 179.

Tarot, R., Mimesis und Imitatio. Grundlagen einer neuen Gattungspoetik, Euphorion 64, 1970, 125 ff.

Weimann, R., „New Criticism" und die Entwicklung bürgerlicher Literaturwissenschaft, München 1974[2].

Wellek, R./Warren, A., Theory of literature, übers. v. E. und M. Lohner, Berlin 1963.

II Die Lehrdichtung der Antike
(einzelne Autoren übergreifend)

1. Darstellungen der Gattung

Cox, A., Didactic poetry, in: Greek and Latin literature, ed. J. Higginbotham, London 1969, 124 ff.

Erren, M., Untersuchungen zum antiken Lehrgedicht, Diss. Freiburg i. Br. 1956 (masch.).

Härke, G., Studien zur Exkurstechnik im römischen Lehrgedicht, Würzburg 1936.

Kroll, W., Studien zum Verständnis der römischen Literatur, Stuttgart 1924, 185 ff.

–, RE 24. Halbbd., 1925, 1842 ff. (s. v. Lehrgedicht).

Pöhlmann, E., Charakteristika des römischen Lehrgedichts, in: Aufstieg und Niedergang der römischen Welt, hrsg. H. Temporini, 1,3, Berlin 1973, 813 ff.

Schetter, W., Das römische Lehrgedicht, in: Neues Handbuch der Literaturwiss., Bd. 3 (Römische Literatur, hrsg. M. Fuhrmann), Frankfurt 1974, 99 ff.

Schmid, Wolfg., Lexikon der Alten Welt, Zürich/Stuttgart 1965, 1699 ff. (s. v. Lehrgedicht).

2. Weiteres

Curtius, E. R., Europäische Literatur und lateinisches Mittelalter, Bern 1965[5].

Diller, H., Die dichterische Form von Hesiods Erga, AbhMainz, Geistes- u. sozialwiss. Kl., 1962, 2 (= Kleine Schriften zur antiken Literatur, hrsg. H.-J. Newiger/H. Seyffert, München 1971, 35 ff.).

Groningen, B. A. van, La poésie verbale grecque. Essai de mise au point, Med. Ned. Ak., Afd. Lett., N. R. 16,4, Amsterdam 1953 (Rez.: H. Herter, Gnomon 27, 1955, 254 ff.).

Herter, H., Das Kind im Zeitalter des Hellenismus, BonnJbb 132, 1927, 250 ff.

Koster, S., Antike Epostheorien (Palingenesia 5), Wiesbaden 1970.

Pöhlmann, E., ΠΑΡΩΙΔΙΑ, Glotta 50, 1972, 144 ff.

Rossi, L. E., I generi letterari e le loro leggi scritte e non scritte nelle letterature classiche BullIClSt 18, 1971, 69 ff.

Schlegel, F., Über das Studium der griechischen Poesie, in: Schriften zur Literatur, hrsg. W. Rasch, München 1972, 84 ff.

Steinmetz, P., Gattungen und Epochen der griechischen Literatur in der Sicht Quintilians, Hermes 92, 1964, 454 ff. (= Rhetorica. Schriften zur aristotelischen und hellenistischen Rhetorik, hrsg. R. Stark, Hildesheim 1968, 451 ff.).

Vogt, E., Das Akrostichon in der griechischen Literatur, Ant&Abendl 13, 1967, 80 ff.

Wifstrand, A., Von Kallimachos zu Nonnos. Metrisch-stilistische Untersuchungen zur späteren griechischen Epik und zu verwandten Gedichtgattungen, Lund 1933.

III Die einzelnen Autoren

1. *Aetna*

a) Goodyear, F. R. D., Incerti auctoris Aetna, Cambridge 1965.

Sudhaus, S., Aetna, Leipzig 1898.

b) Bickel, E., Apollon und Dodona. Ein Beitrag zur Technik und Datierung des Lehrgedichts Aetna und zur Orakelliteratur bei Lactanz, RhM 79, 1930, 279 ff.

–, Syllabus indiciorum quibus Pseudovergiliana et Pseudoovidiana carmina definiantur, RhM 93, 1950, 289 ff.

Büchner, K., P. Vergilius Maro, RE Sonderdruck, Stuttgart 1961, 116 ff. (= RE 2. Reihe, 15. Halbbd., 1955, 1136 ff.).

Catholy, C., De Aetnae aetate, Diss. Greifswald 1908.

De Lacy, P., The philosophy of the Aetna, TAPA 74, 1943, 169 ff.

Dornseiff, F., Verschmähtes zu Vergil, Horaz und Properz, BerVerhLeipz, Phil.-hist. Kl., 97,6, Berlin 1951.

Hildebrandt, R., Eine römische Gigantomachie, Philologus 66, 1907, 562 ff.

Lühr, F.-F., Die Kritik des Aetna-Dichters an Manilius, Hermes 99, 1971, 141 ff.

Rand, E. K., The magical art of Virgil, Cambridge (Mass.) 1931.

Richter, W., Lucilius, Seneca und das Ätnagedicht, Philologus 96, 1944, 234 ff.

–, Erwägungen zum Aetna-Text, Philologus 107, 1963, 97 ff.

Rostagni, A., Virgilio minore, Rom 1961[2].

Steele, R. B., Authorship of the Aetna, Nashville 1930.

Waszink, J. H., De Aetnae carminis auctore, Mnemosyne 4,2, 1949, 224 ff.

2. Andromachos
s. Nr. 18.

3. Arat
a) Maaß, E., Arati Phaenomena, Berlin 1893.
Martin, J., Arati Phaenomena, Florenz 1956.
b) Böker, R., Die Entstehung der Sternsphäre Arats, SBLeipz, Nat.-math. Kl., 99, 1952.
Effe, B., Προτέρη γενεή – eine stoische Hesiod-Interpretation in Arats Phainomena, RhM 113, 1970, 167 ff.
–, Arat – ein medizinischer Lehrdichter? Hermes 100, 1972, 500 ff.
Erren, M., Die Phainomena des Aratos von Soloi (Hermes Einzelschr. 19), Wiesbaden 1967 (Rez.: W. Ludwig/D. Pingree, Gnomon 43, 1971, 346 ff.).
James, A. W., The Zeus hymns of Cleanthes and Aratus, Antichthon 6, 1972, 28 ff.
Kaibel, G., Aratea, Hermes 29, 1894, 82 ff.
Keller, G. A., Eratosthenes und die alexandrinische Sterndichtung, Diss. Zürich 1946.
Leuthold, W., Die Übersetzung der Phaenomena durch Cicero und Germanicus, Diss. Zürich 1942.
Ludwig, W., Die Phainomena Arats als hellenistische Dichtung, Hermes 91, 1963, 425 ff.
–, RE Suppl. 10, 1965, 26 ff. (s. v. Aratos).
Maaß, E., Aratea (Philol. Untersuchungen 12), Berlin 1892.
Pasquali, G., Das Proömium des Arat, in: Charites (Festschr. F. Leo), Berlin 1911, 113 ff.
Schütze, K., Beiträge zum Verständnis der Phainomena Arats, Diss. Leipzig 1935.
Schwabl, H., Zur Mimesis bei Arat, in: Antidosis (Festschr. W. Kraus), WSt Beih. 5, 1972, 336 ff.
Solmsen, F., Aratus on the Maiden and the Golden age, Hermes 94, 1966, 124 ff. (= Kleine Schriften 1, Hildesheim 1968, 198 ff.).
Steinmetz, P., Germanicus, der römische Arat, Hermes 94, 1966, 450 ff.
Wilamowitz-Moellendorff, U. v., Hellenistische Dichtung in der Zeit des Kallimachos, 2 Bde., Berlin 1924.

4. Archestratos
Corpusculum poesis epicae Graecae ludibundae, ed. P. Brandt, 1, Leipzig 1888, 114 ff.

5. Carmen de figuris
Anthologia Latina 1,2, ed. A. Riese, Leipzig 1906[2], Nr. 485.

6. Carmen de ponderibus et mensuris
a) Metrologicorum scriptorum reliquiae, ed. F. Hultsch, 2, Leipzig 1864/66, 24 ff. 88 ff.
Anthologia Latina 1,2, ed. A. Riese, Leipzig 1906[2], Nr. 486.
b) Hultsch, F., Griechische und römische Metrologie, Berlin 1882[2]

7. Carmen de viribus herbarum
s. Nr. 18.

8. Columella
   a) Saint-Denis, E. de, Columelle: De l'agriculture, Livre X, Paris 1969.
   b) Weinold, H., Die dichterischen Quellen des L. Iunius Moderatus Columella in seinem Werke De re rustica, Diss. München 1959.

9. Dionysios („Perihegetes')
   a) Geographi Graeci minores, ed. C. Müller, 2, Paris 1855/61, 103 ff.
   b) Bernays, U., Studien zu Dionysios Periegetes, Heidelberg 1905.
Knaack, RE 9. Halbbd., 1903, 915 ff. (s. v. Dionysios).
Maaß, E., s. o. Nr. 3b).
Wilamowitz-Moellendorff, U. v., s. u. Nr. 18b).

10. Geographische ‚Lehrgedichte' in jambischen Trimetern
    a) Geographi Graeci minores, ed. C. Müller, 1, Paris 1855/61, 196 ff. (Ps.-Skymnos). 238 ff. (Dionysios).
    b) Jacoby, F., Apollodors Chronik (Philol. Untersuchungen 16), Berlin 1902.

11. Grattius
    a) Enk, P. J., Gratti Cynegeticon quae supersunt, 2 voll., Zutphen 1918.
Verdière, R., Gratti Cynegeticon libri I quae supersunt, 2 voll., Wetteren o. J. (1963).
    b) Curcio, G., Grazio poeta didattico, RivFil 26, 1898, 55 ff.
Enk, P. J., s. u. Nr. 19.
Herter, H., Grattianum, RhM 78, 1929, 361 ff.
Müller, B. A., Zu Grattius, WSt 30, 1908, 165 ff.
Vollmer, F., RE 14. Halbbd., 1912, 1841 ff. (s. v. Grattius).

12. *Lithika*
    a) Abel, E., Orphei Lithica, Berlin 1881.
    b) Hopfner, T., RE 25. Halbbd., 1926, 747 ff. (s. v. Λιθικά).
Keydell, R., RE 36. Halbbd., 1942, 1338 ff. (s. v. Orphische Dichtung [Lithika]).
Rose, V., Damigeron de lapidibus, Hermes 9, 1875, 471 ff.

13. Lukrez
    a) Bailey, C., T. Lucreti Cari de rerum natura libri sex, 3 voll., Oxford 1947.
Giussani, C., T. Lucreti Cari De rerum natura, Turin 1896/98.
    b) Boyancé, P., Une exégèse stoicienne chez Lucrèce, REL 19, 1941, 147 ff.
–, Lucrèce et la poésie, REA 49, 1947, 88 ff.
–, Lucrèce et l'épicurisme, Paris 1963.
Buchheit, V., Epikurs Triumph des Geistes (Lucr. 1, 62–79), Hermes 99, 1971, 303 ff.
Büchner, K., Die Proömien des Lukrez, Class&Mediaev 13, 1952, 159 ff. (= Studien zur römischen Literatur 1: Lukrez und die Vorklassik, Wiesbaden 1964, 57 ff.).
Classen, C. J., Poetry and rhetoric in Lucretius, TAPA 99, 1968, 77 ff.
Diller, H., Die Prooemien des Lucrez und die Entstehung des lucrezischen Gedichts, StudIt 25, 1951, 5 ff. (= Kleine Schriften zur antiken Literatur, hrsg. H.-J. Newiger/ H. Seyffert, München 1971, 505 ff.).
Fauth, W., Divus Epicurus. Zur Problemgeschichte philosophischer Religiosität bei Lukrez, in: Aufstieg und Niedergang der römischen Welt, hrsg. H. Temporini, 1,4, Berlin 1973, 205 ff.

Furley, D., Variations on themes from Empedocles in Lucretius' proem, BullIClSt 17, 1970, 55 ff.

Giancotti, F., Il preludio di Lucrezio, Messina/Florenz 1959.

Gompf, L., Die Frage der Entstehung von Lukrezens Lehrgedicht, Diss. Köln 1960.

Grimm, J., Die literarische Darstellung der Pest in der Antike und in der Romania, München 1965.

Klepl, H., Lukrez und Virgil in ihren Lehrgedichten. Vergleichende Interpretationen, Diss. Leipzig 1940 (Rez.: Wolfg. Schmid, Gnomon 20, 1944, 85 ff.).

Klingner, F., Philosophie und Dichtkunst am Ende des zweiten Buches des Lucrez, Hermes 80, 1952, 3 ff. (= Studien zur griechischen und römischen Literatur, hrsg. K. Bartels, Zürich/Stuttgart 1964, 126 ff.).

Kranz, W., Lukrez und Empedokles, Philologus 96, 1944, 68 ff. (= Studien zur antiken Literatur und ihrem Fortwirken. Kleine Schriften, hrsg. E. Vogt, Heidelberg 1967, 352 ff.).

Lenaghan, L., Lucretius 1, 921–50, TAPA 98, 1967, 221 ff.

Müller, G., Die Problematik des Lucreztextes seit Lachmann, Philologus 102, 1958, 247 ff.; 103, 1959, 53 ff.

–, Die Darstellung der Kinetik bei Lukrez, Berlin 1959.

–, Die fehlende Theologie im Lucreztext, in: Monumentum Chiloniense (Festschr. E. Burck), Amsterdam 1975, 277 ff.

Regenbogen, O., Lukrez. Seine Gestalt in seinem Gedicht (Leipzig/Berlin 1932), in: Kleine Schriften, hrsg. F. Dirlmeier, München 1961, 296 ff.

Rösler, W., Lukrez und die Vorsokratiker, Hermes 101, 1973, 48 ff.

–, Vom Scheitern eines literarischen Experiments. Brechts „Manifest" und das Lehrgedicht des Lukrez, Gymnasium 82, 1975, 1 ff.

Schmid, Wolfg., Altes und Neues zu einer Lukrezfrage, Philologus 93, 1938, 338 ff.

–, Lukrez und der Wandel seines Bildes, Ant&Abendl 2, 1946, 193 ff.

–, De Lucretio in litteris Germanicis obvio, in: Antidosis (Festschr. W. Kraus), WSt Beih. 5, 1972, 327 ff.

Schrijvers, P. H., Horror ac divina voluptas. Etudes sur la poétique et la poésie de Lucrèce, Amsterdam 1970.

Spiecker, B., s. u. Nr. 27.

Vahlen, J., Über das Prooemium des Lucretius, in: Ges. philolog. Schriften 2, Leipzig/Berlin 1923, 12 ff.

14. ‚Manethon‘

a) Koechly, A., Manethonis Apotelesmaticorum qui feruntur libri sex, Leipzig 1858.

b) Kroll, W., RE 27. Halbbd., 1928, 1102 ff. (s. v. Manethon).

15. Manilius

a) Breiter, T., M. Manilii Astronomica, 2 voll., Leipzig 1907/8.

Garrod, H. W., Manili Astronomicon liber II, Oxford 1911.

Housman, A. E., M. Manilius. Astronomicon I–V, London 1903/30.

b) Bickel, E., In Manilii prooemia librorum II et III, RhM 80, 1931, 408 ff.

Boll, F., Sphaera. Neue griechische Texte und Untersuchungen zur Geschichte der Sternbilder, Leipzig 1903.

Bühler, W., Maniliana, Hermes 87, 1959, 475 ff.

Effe, B., Labor improbus – ein Grundgedanke der Georgica in der Sicht des Manilius, Gymnasium 78, 1971, 393 ff.

Flores, E., Augusto nella visione astrologica di Manilio ed il problema della cronologia degli Astronomicon libri, Ann. fac. lett. e filos., Neapel, 9, 1960/1, 5 ff.

Gain, D. B., Gerbert and Manilius, Latomus 29, 1970, 128 ff.

Gebhardt, E., Zur Datierungsfrage des Manilius, RhM 104, 1961, 278 ff.

Goold, G. P., De fonte codicum Manilianorum, RhM 97, 1954, 359 ff.

Lanson, G., De Manilio poeta eiusque ingenio, Paris 1887.

Lühr, F.-F., Ratio und Fatum. Dichtung und Lehre bei Manilius, Diss. Frankfurt 1969.

–, s. o. Nr. 1.

–, Kometen und Pest, WSt 86, 1973, 113 ff.

Möller, J., Studia Maniliana, Diss. Marburg 1901.

Reeh, A., Interpretationen zu den Astronomica des Manilius, Diss. Marburg 1973.

Rösch, H., Manilius und Lucrez, Diss. Kiel 1911.

Schwarz, W., Praecordia mundi: Zur Grundlegung der Bedeutung des Zodiak bei Manilius, Hermes 100, 1972, 601 ff.

Thielscher, P., Ist „M.Manili Astronomicon libri V" richtig? Hermes 84, 1956, 353 ff.

Voss, B. R., Die Andromeda-Episode des Manilius, Hermes 100, 1972, 413 ff.

Wageningen, J. van, RE 27. Halbbd., 1928, 1115 ff. (s. v. Manilius).

Waszink, J. H., Maniliana, StudIt 27/8, 1956, 588 ff.

16. Marcellus von Side

s. Nr. 18.

17. Maximus

a) Ludwich, A., Maximi et Ammonis carminum de actionum auspiciis reliquiae, Leipzig 1877.

b) Kroll, W., RE 28. Halbbd., 1930, 2573 ff. (s. v. Maximus).

18. Medizinische Lehrgedichte (Andr.; Marc.; C. de vir. herb.)

a) Heitsch, E., Die griechischen Dichterfragmente der römischen Kaiserzeit 2, AbhGött, Philol.-hist. Kl., 3,58, 1964.

b) Heitsch, E., Überlieferungsgeschichtliche Untersuchungen zu Andromachos, Markellos von Side und zum Carmen de viribus herbarum, NachrGött, Philol.-hist. Kl., 1963, 2.

Kaibel, G., Sententiarum liber quintus, Hermes 25, 1890, 97 ff.

Kroll, W., RE 28. Halbbd., 1930, 1496 ff. (s. v. Marcellus).

Kudlien, F., Ein vergessener griechischer Dichter der Kaiserzeit, RhM 117, 1974, 280 ff.

Salemme, C., Varia iologica, Vichiana 1, 1972, 330 ff.

Schneider, O., De Andromachi archiatri elegia, Philologus 13, 1858, 25 ff.

Wilamowitz-Moellendorff, U. v., Marcellus von Side (1928), in: Kleine Schriften 2, Berlin 1971, 192 ff.

19. Nemesianus

a) Duff, J. W. und A. M., Minor Latin poets, London/Cambridge 1935[2], 484 ff.

b) Curcio, G., Il „Cynegeticon" di M. A. Olimpio Nemesiano, RivFil 27, 1899, 447 ff.

Enk, P. J., De Grattio et Nemesiano, Mnemosyne 45, 1917, 53 ff.

Haupt, M., De carminibus bucolicis Calpurnii et Nemesiani, in: Opuscula 1, Leipzig 1875, 358 ff.
Lenz, F., RE 32. Halbbd., 1935, 2329 ff. (s. v. Nemesianus).
Luiselli, B., Il proemio del „Cynegeticon" di Olimpio Nemesiano, StudIt 30, 1958, 73 ff.
Radke, A. E., Zu Calpurnius und Nemesian, Hermes 100, 1972, 615 ff.

20. Nikander
   a) Schneider, O., Nicandrea, Leipzig 1866.
Gow, A. S. F./Scholfield, A. F., Nicander. The poems and poetical fragments, Cambridge 1953.
   b) Crugnola, A., La lingua poetica di Nicandro, Acme 14, 1961, 119 ff.
Effe, B., Der Aufbau von Nikanders Theriaka und Alexipharmaka, RhM 117, 1974, 53 ff.
–, Zum Eingang von Nikanders Theriaka, Hermes 102, 1974, 119 ff.
Kroll, W., RE 33. Halbbd., 1936, 250 ff. (s. v. Nikandros).
Pasquali, G., I due Nicandri, StudIt 20, 1913, 55 ff.
Schneider, H., Vergleichende Untersuchungen zur sprachlichen Struktur der beiden erhaltenen Lehrgedichte des Nikander von Kolophon (Klass.-philol. Studien 24), Wiesbaden 1962.

21. Oppian *(Halieutika)*
   a) Mair, A. W., Oppian – Colluthus – Tryphiodorus, London/Cambridge 1928.
   b) Bürner, G., Oppian und sein Lehrgedicht vom Fischfang, Progr. Bamberg 1912.
Hamblenne, P., La légende d'Oppien, AntCl 37, 1968, 589 ff.
James, A. W., Studies in the language of Oppian of Cilicia. An analysis of the new formations in the Halieutica, Amsterdam 1970.
Keydell, R., Oppians Gedicht von der Fischerei und Aelians Tiergeschichte, Hermes 72, 1937, 411 ff.
–, RE 35. Halbbd., 1939, 698 ff. (s. v. Oppianos).
Munno, G., La „Pesca" di Oppiano, RivFil 50, 1922, 307 ff.
Richmond, J., Chapters on Greek fish-lore (Hermes Einzelschr. 28), Wiesbaden 1973.
Wellmann, M., Leonidas von Byzanz und Demostratos, Hermes 30, 1895, 161 ff.
Wilamowitz-Moellendorff, U. v., s. o. Nr. 18.

22. Ps.-Oppian *(Kynegetika)*
   a) Boudreaux, P., Oppien d'Apamée: La chasse, Paris 1908.
Mair, A. W., s. o. Nr. 21a).
Schmitt, W., Kommentar zum ersten Buch von Pseudo-Oppians Kynegetika, Diss. Münster 1969.
   b) Hamblenne, P., s. o. Nr. 21.
Keydell, R., RE 35. Halbbd., 1939, 703 ff. (s. v. Oppianos).
Rebmann, O., Die sprachlichen Neuerungen in den Kynegetika Oppians von Apamea, Diss. Basel 1918.

23. Ovid
   a) Geisler, H. J., P. Ovidius Naso: Remedia amoris, Diss. Berlin 1969.
Kenney, E. J., P. Ovidi Nasonis Amores, Medicamina faciei femineae, Ars amatoria, Remedia amoris, Oxford 1961.

Lenz, F. W., Ovid: Heilmittel gegen die Liebe. Die Pflege des weiblichen Gesichtes (Schriften und Quellen der Alten Welt 9), Berlin 1969².

–, Ovid: Die Liebeskunst (Schriften und Quellen der Alten Welt 25), Berlin 1969.

b) Durling, R. M., Ovid as praeceptor amoris, CJ 53, 1957/8, 157 ff.

Fränkel, H., Ovid. Ein Dichter zwischen zwei Welten (Ovid. A poet between two worlds, 1945), übers. v. K. Nicolai, Darmstadt 1970.

Hollis, A. S., The Ars amatoria and Remedia amoris, in: Ovid, ed. J. W. Binns, London/Boston 1973, 84 ff.

Kenney, E. J., Nequitiae poeta, in: Ovidiana. Recherches sur Ovide, hrsg. N. I. Herescu, Paris 1958, 201 ff.

Korzeniewski, D., Ovids elegisches Proömium, Hermes 92, 1964, 182 ff.

Kraus, W., Ovidius Naso, in: Ovid (Wege der Forschung 92), hrsg. M. v. Albrecht/ E. Zinn, Darmstadt 1968, 67 ff. (~ RE 36. Halbbd., 1942, 1910 ff.).

Krókowski, J., Ars amatoria – poème didactique, Eos 53, 1963, 148 ff.

Prinz, K., Untersuchungen zu Ovids Remedia amoris I, WSt 36, 1914, 36 ff.

–, Unters. zu Ovids Rem. am. II, WSt 39, 1917, 91 ff.

Tränkle, H., Textkritische und exegetische Bemerkungen zu Ovids Ars amatoria, Hermes 100, 1972, 387 ff.

Zinn, E. (Hrsg.), Ovids Ars amatoria und Remedia amoris, Stuttgart 1970.

24. Palladius

a) Schmitt, J. C., Palladius: Opus agriculturae, Leipzig 1898.

b) Rodgers, R. H., An introduction to Palladius (BullIClSt Suppl. 35), London 1975.

Svennung, J., Untersuchungen zu Palladius und zur lateinischen Fach- und Volkssprache, Lund 1935.

Widstrand, H., Innehåller cod. Ambr. C 212 inf. en fjortonde prosabok av Palladius, Eranos 26, 1928, 121 ff.

–, Palladius och Carmen de insitione, Eranos 27, 1929, 129 ff.

25. Serenus

a) Pépin, R., Quintus Serenus: Liber medicinalis, Paris 1950.

b) Kind, RE 2. Reihe, 4. Halbbd., 1923, 1675 ff. (s. v. Serenus).

26. Terentianus

a) Grammatici Latini 6 (Scriptores artis metricae), ed. H. Keil, Leipzig 1874, 313 ff.

b) Castorina, E., I „poetae novelli", Florenz 1949.

Wessner, P., RE 2. Reihe, 9. Halbbd., 1934, 587 ff.

27 Vergil

a) Mynors, R. A. B., P. Vergili Maronis opera, Oxford 1969.

Richter, W., Vergil: Georgica (Das Wort der Antike 5), München 1957.

b) Buchheit, V., Der Anspruch des Dichters in Vergils Georgika. Dichtertum und Heilsweg (Impulse der Forschung 8), Darmstadt 1972 (Rez.: B. Effe, Gnomon 46, 1974, 657 ff.).

Büchner, K., P. Vergilius Maro, RE Sonderdruck, Stuttgart 1961 (= RE 2. Reihe, 15. Halbbd., 1955, 1021 ff.).

Burck, E., De Vergilii Georgicon partibus iussivis, Diss. Leipzig 1926.

–, Die Komposition von Vergils Georgika, Hermes 64, 1929, 279 ff. (= Vom Menschenbild in der römischen Literatur. Ausgewählte Schriften, hrsg. E. Lefèvre, Heidelberg 1966, 89 ff.).

–, Der korykische Greis in Vergils Georgica (IV 116–148), in: Navicula Chiloniensis (Festschr. F. Jacoby), Leiden 1956, 156 ff. (= Vom Menschenbild ... 117 ff.).

Dahlmann, H., Der Bienenstaat in Vergils Georgica, AbhMainz, Geistes- u. sozialwiss. Kl., 1954, 10 (= Kleine Schriften, Hildesheim/New York 1970, 181 ff.).

Effe, B., s. o. Nr. 15.

–, Zur Rezeption von Vergils Lehrdichtung in der karolingischen ‚Renaissance‘ und im französischen Klassizismus: Walahfrid Strabo und René Rapin, Ant&Abendl 21, 1975, 140 ff.

Fleischer, U., Musentempel und Octavianverehrung des Vergil im Proömium zum dritten Buche der Georgica, Hermes 88, 1960, 280 ff.

Frentz, W., Mythologisches in Vergils Georgica (Beitr. zur Klass. Philol. 21), Meisenheim 1967.

Jermyn, L. A. S., Weather-signs in Virgil, G&R 20, 1951, 26 ff. 49 ff.

Kettemann, R., Vergils Georgika und die Bukolik, Diss. Heidelberg 1972.

Klepl, H., s. o. Nr. 13.

Klingner, F., Virgil, EntrAntClass 2, 1953, 131 ff. (= Studien zur griechischen und römischen Literatur, hrsg. K. Bartels, Zürich/Stuttgart 1964, 278 ff.).

–, Virgil, Zürich/Stuttgart 1967.

Paratore, E., Spunti lucreziani nelle „Georgiche“, A&R 3,7, 1939, 177 ff.

Pridik, K.-H., Vergils Georgica. Strukturanalytische Interpretationen, Diss. Tübingen 1971.

Schmidt, M., Die Komposition von Vergils Georgica, Paderborn 1930.

Spiecker, B., James Thomsons Seasons und das römische Lehrgedicht. Vergleichende Interpretationen (Erlanger Beitr. zur Sprach- und Kunstwissenschaft 54), Nürnberg 1975.

Wilkinson, L. P., The Georgics of Virgil. A critical survey, Cambridge 1969.

Wissowa, G., Das Proömium von Vergils Georgica, Hermes 52, 1917, 92 ff.

IV Zum typologischen Ansatz

Lämmert, E., Bauformen des Erzählens, Stuttgart 1968³.

Stanzel, F. K., Typische Formen des Romans, Göttingen 1965².

Stellenregister

(Zitate antiker Literatur in Auswahl)

Aetna 2 f.: *205 f.*; 9 ff.: *167 f.*[4]. *206. 215*;
17 ff.: *215*; 24 f.: *206*; 29 ff.: *209 f.*;
41 ff.: *210 ff. 216 f.*; 77 ff.: *214*[22]; 86:
219[32]; 91 f.: *209*[12]; 144 f.: *207*[7]; 173 f.:
212[18]; 188: *206*[4]; 193 ff.: *211*; 203 ff.:
211; 222 ff.: *208. 217 ff.*; 226: *218*[31];
230: *218*[30]; 251 ff.: *219*; 257 ff.: *219 f.*;
270 ff.: *220*; 273 ff.: *208. 212*[17]; 366 ff.:
212; 537 f.: *207*[8]; 557 ff.: *212*[17]; 599 ff.:
213 f.; 614 ff.: *220*[35]; 642 ff.: *214*[22]

Anonymus, De subl. 10,5 f.: *42 f.*[15]; 35,2 ff.:
210 f.

Aratus, Phaen. 1 ff.: *45. 49. 73*[20]. *96*[31].
141[8]. *193*; 5 ff.: *41. 96*[31]. *193*; 16 ff.:
193; 17 f.: *45*; 30 ff.: *47. 52 f. 90*[20]. *96*;
37 ff.: *47*; 45 f.: *95*[28]; 98 ff.: *53. 95. 130.*
144[12]; 131 f.: *95*[29]; 149 ff.: *48*; 264 ff.:
48; 402 ff.: *48*; 454 ff.: *41 f.*[8]. *49*; 462–
558: *49*; 469 ff.: *51*[33]. *123*; 529 ff.: *192*[13];
559 ff.: *44. 49*; 637 ff.: *52*[36]. *64*[17]; 663 ff.:
44[18]; 730 ff.: *44*; 732: *49*; 733 ff.: *48*[26].
49 f.; 758 ff.: *41. 50*; 768 ff.: *50*; 783 ff.:
42[14]. *81*; 908 f.: *48*[26]; 909–1043: *41*;
1036 ff.: *46*[23]. *48*[26]; 1044–1137: *41*;
1094 ff.: *51*[32]; 1142 ff.: *41*; 1153 f.: *95*[28]

Archestratus, Fr. 1: *235*[2]; 4,1 f.: *236*[8];
4,6 f.: *236*[6]; 14: *236*[5]; 21: *236*; 23: *236*[7];
37,6 f.: *236*[6]; 38,4 f.: *236*[5]; 59,12: *236*[9]

Aristoteles, **Poet.** 1,1447b17 ff.: *19*[25];
4,1449a24 ff.: *184*[1]; **De poetis** Fr. 1:
20[26]

Callimachus, Ep. 27: *42*[15]. *81*[2]

Carmen de pond. et mens. 1 f.: *227*; 6 f.:
227; 127 ff.: *228 f.*; 179 f.: *229*

Carmen de vir. herb. 66: *198*[2]; 87: *198*[2];
114 ff.: *198*[4]

Cicero, **De nat. deor.** 2,15,40 f.: *212*[17];
2,22,58: *214 f.*[21]; 2,28,70: *210*[13]; **De**
oratore 1,16,69: *26*[37]. *244*; **Tusc.** 1,25,62:
155[2]

Columella, 10,31 ff.: *99*[8]; 40: *100*[11]; 59 ff.:
101; 77 ff.: *100*[10]; 81 ff.: *99*[8]; 194 ff.:
101 f.; 215 ff.: *100*[11]. *102*[14]; 357 ff.: *99*[8]

Dionysius, Descr. Gr. 8 ff.: *187*[7]; 19: *187*[7];
21 ff.: *187*

Dionysius, Orbis descr. 1 ff.: *193*; 28: *193*;
109 ff.: *188*[1]. *190*[7]; 170 ff.: *189*; 341 f.:
192[13]; 350 ff.: *190*; 513 ff.: *188*[1] *190*[7];
709 ff.: *189. 191*[9]. *192*; 839 ff.: *191*;
882 ff.: *189. 191*[8]; 895 f.: *189*[4]; 1021 ff.:
192[11]; 1152 ff.: *191 f.*; 1166 ff.: *192 f.*;
1181 ff.: *189*[4]

Dionysius, De comp. verb. 22,150: *20*[27]

Epicurus, R. sent. 11: *68*[5]

Germanicus, Ar. Phaen. 644 ff.: *52*[36]

Gorgias, Hel. 9: *19*[25]

Grattius, Cyn. 1 ff.: *154 f. 156 f.*[7]; 61 ff.:
155. 156 f.[7]. *161*; 73 f.: *157*[8]. *161*; 95 ff.:
162 f.; 127: *161*[15]; 213 ff.: *162 ff.*; 298 f.:
165[2]; 307 ff.: *158 f.*; 373 ff.: *164*[21]; 380:
157[8]; 430 ff.: *160*[13]; 483 ff.: *160*

Hesiodus, **Op.** 109 ff.: *81*[3]; 646 ff.: *192*[12];
660 ff.: *192*[12]; 802 ff.: *81*[3]; **Th.** 26 ff.:
242 f.

Lithica 1 ff.: *221*; 61 ff.: *220 ff.*; 91 f.:
222; 400 ff.: *225*; 431 ff.: *226*; 513 ff.:
225[13]; 645 ff.: *226*[15]; 762 ff.: *225*[13]

Lucretius, 1,1–43: *67. 72 f.*; 44–49: *67*[3].
73[19]; 50 ff.: *67 f. 77. 156 f.*[7]; 80 ff.: *68.*
77. 156 f.[7]; 127 ff.: *68*[4]; 136 ff.: *71*[15];
638 ff.: *71*[14]. *207*[8]; 716 ff.: *78*[31]; 921 ff.:
70 f. 72 f. 82[5]. *85 f.*[10]; 926 ff. (= 4,1 ff.):
75[25]; 2,323 ff.: *92*; 600 ff.: *74*; 629 ff.:
96; 5,3 ff.: *164*; 8 ff.: *163*; 22 ff.: *156 f.*[7].

Namen- und Sachregister

ZETEMATA
Monographien zur klassischen Altertumswissenschaft